中华人民共和国法律释义丛书

全国人民代表大会常务委员会法制工作委员会　编

中华人民共和国
民事诉讼法释义

（最新修正版）

主　编：王胜明（全国人大常委会法制工作委员会副主任）

法律出版社

图书在版编目(CIP)数据

中华人民共和国民事诉讼法释义：最新修正版／全国人大常委会法制工作委员会编．--2版．--北京：法律出版社，2012.9(2018.11重印)
(中华人民共和国法律释义)
ISBN 978-7-5118-3948-0

Ⅰ．①中… Ⅱ．①全… Ⅲ．①民事诉讼法－法律解释－中国 Ⅳ．①D925.105

中国版本图书馆CIP数据核字(2012)第207973号

中华人民共和国民事诉讼法释义：最新修正版
ZHONGHUA RENMIN GONGHEGUO
MINSHI SUSONGFA SHIYI：ZUIXIN XIUZHENGBAN

全国人大常委会法制工作委员会 编

责任编辑 麦 锐
装帧设计 李 瞻

编辑统筹 法规出版分社
出版 法律出版社
开本 850毫米×1168毫米 1/32
总发行 中国法律图书有限公司
印张 23.75
经销 新华书店
字数 556千
印刷 北京玺诚印务有限公司
版本 2012年9月第2版
责任印制 吕亚莉
印次 2018年11月第3次印刷

法律出版社／北京市丰台区莲花池西里7号(100073)
网址／www.lawpress.com.cn
投稿邮箱／info@lawpress.com.cn
销售热线／010-83938336
举报维权邮箱／jbwq@lawpress.com.cn
咨询电话／010-63939796

中国法律图书有限公司／北京市丰台区莲花池西里7号(100073)
全国各地中法图分、子公司销售电话：
统一销售客服／400-660-6393
第一法律书店／010-83938334/8335 西安分公司／029-85330678 重庆分公司／023-67453036
上海分公司／021-62071639/1636 深圳分公司／0755-83072995

书号：ISBN 978-7-5118-3948-0
定价：68.00元

总　序

人类文明的历史上，还没有哪一个时代像中国的改革开放40年一样，在历史长河中掀起如此巨大的浪花——它不仅深刻改变了一个国家的面貌与精神气质、使数亿人摆脱贫困，还极大地改变了世界格局。

1978，在那一年的年底，中共中央一次全体会议——十一届三中全会扭转了中国的前进方向，开辟了一个时代。回首过去，我们发现，一些观念从那时开始在中国出现，一些声音从那时开始逐渐响起，一些人物开始登上历史舞台。从这一年开始，随着"加强社会主义民主，健全社会主义法制"历史性任务的提出，"法制"两个字进入了人们的视野；政法机关开始恢复重建；法律院系开始蓬勃发展。一部部法律从庙堂走进了人们的生活，一次次裁决推动着国家前进的脚步。从"有法可依、有法必依、执法必严、违法必究"到"科学立法、严格执法、公正司法、全民守法"；从"法制"到"法治"；从法治观念的形成到"依法治国，建设社会主义法治国家"写进宪法，再到"法治国家、法治政府、法治社会一体建设"，人们对法治的认识步步深入，中国的改革不断向前推进，结出丰硕的果实。在中国共产党的带领下，这个励精图治的古老国度，再一次创造了改革的奇迹。

40年发生了无数故事,40年产生了许多事物。为了纪念这难忘的40年,本社组织编辑出版了一批“纪念改革开放40周年”主题图书。这些图书,将40年来颁布的重要法律及其释义甄选汇集,将法学领域有代表性的学术论文萃取精编,把有关政法机关的重建、法律院系的重生与发展进行展现,将一批被时代改变命运的人物再次唤起。我们希望从法律与法律人的视角,重新审视过去的40年,认真体会这不平凡的40年。

如江河东下,逝者如斯。岁月总会过去,人事总有代谢,但一个不平凡的时代留下的深刻痕迹,永远不会磨灭。“不忘初心,牢记使命”,习近平总书记在党的十九大报告中向全党发出的号召,使我们有理由期待,下一个40年,中国将更加惊艳!

法律出版社编辑委员会

2018年10月

出 版 前 言

《中华人民共和国法律释义丛书》是由全国人大常委会法制工作委员会组织编辑的一套系列丛书。

该套丛书由一系列法律释义组成。邀请有关专家、学者和部分参与立法的同志编著。该丛书坚持以准确地反映立法宗旨和法律条款内容为最基本要求,在每部法律释义中努力做到观点的权威性和内容解释的准确性。

我们相信,该套丛书的陆续出版,将会给广大读者进一步学好法律提供有益的帮助。

重 印 说 明

本次重印，是为改革开放40周年制作的特别纪念版，为了保持内容原貌，未对正文和附录作实质修改。个别法条内容有修订或修正的，以脚注形式作了标注。特此说明。

2018年10月

目　　录

第一部分　释　　义

第一编　总　　则

第二编　审 判 程 序

第三编　执 行 程 序

第四编　涉外民事诉讼程序的特别规定

第二部分 附 录

第一部分 释　义

第一编 总　则

第一章 任务、适用范围和基本原则

第一条 中华人民共和国民事诉讼法以宪法为根据，结合我国民事审判工作的经验和实际情况制定。

【释义】 本条是关于民事诉讼法立法依据的规定。

民事诉讼是指作为平等主体的公民之间、法人之间、其他组织之间或者他们相互之间因财产关系和人身关系发生纠纷，向人民法院提起诉讼，请求人民法院通过审判解决争议，保护自身的合法权益。民事诉讼法是规定民事诉讼程序的法律，属于国家的基本法之一，它既是人民法院审理民事案件的操作规程，也是当事人和其他诉讼当事人进行民事诉讼的行为规范。

我国最早的一部民事诉讼法是 1982 年 3 月五届全国人大常委会第二十二次会议审议通过的《中华人民共和国民事诉讼法（试行）》。该法试行九年后，根据试行中积累的经验，针对改革开放中出现的新情况、新问题，全国人大对《中华人民共和国民事诉讼法（试行）》进行了修改和补充，于 1991 年

4月七届全国人大第四次会议通过了《中华人民共和国民事诉讼法》。该法实施以来,对于保护当事人的诉讼权利,保障人民法院正确、及时地审理民事案件,维护经济社会秩序,促进社会主义现代化建设,发挥了重要作用。同时,随着改革开放和经济社会的发展,经济成分、组织形式、利益关系日趋多样化,新情况、新问题不断出现,民事纠纷日益增多,公民、法人向人民法院提起民事诉讼维护自身合法权益的民事案件大量增加,人民法院在审理和执行过程中遇到了许多新的矛盾和难题,民事诉讼法的规定已经不能完全适应司法实践的需要。十届全国人大期间,全国人大代表联名提出修改民事诉讼法的议案共90件,其中针对当事人"申诉难""执行难",要求完善审判监督程序和执行程序的议案57件,占总数的近三分之二。中央关于司法体制和工作机制改革的方案中也提出,要着力解决人民群众反映强烈的"申诉难"和"执行难"问题。为此,全国人大常委会将民事诉讼法修改列入了十届全国人大常委会立法规划和2007年的立法计划。全国人大法制工作委员会会同全国人大内务司法委员会和最高人民法院、最高人民检察院多次研究修改,于2007年10月28日十届人大常委会第三十次会议三次审议通过了《关于修改〈民事诉讼法〉的决定》。该决定着力解决人民群众反映强烈的"申诉难"和"执行难"问题,对反映集中,修改条件比较成熟的审判监督程序和执行程序的部分规定作出了修改。随着经济社会的快速发展,民事案件数量不断增多,新案件类型不断出现,民事诉讼法的规定在某些方面已经不能适应人民群众的司法需求,有必要进一步完善。近几年,一些全国人大代表和有关方面陆续提出修改民事诉讼法的意见和建议,中央关于深化司法体制和工作机制改革的意见也要求进一步完善民事诉讼制度。从2010年开始，全国人大法制工作委员会按照全国人大常委会立法工作安排和不断完善中国特色社会主义法律体系的总体要求，再次对民事诉讼法作出了修改。修改的主要问题包括：一是完善调解与诉讼相衔接的解决社会矛盾机制；二是完善简易程序，包括扩大简易程序适用范围，设立小额诉讼制度；三是进一步保障当事人的诉讼权利，包括完善起诉和受理程序、完善开庭前准备程序、增加公益诉讼制度、增加第三人撤销之诉制度、完善保全制度、完善裁判文书公开制度；四是完善当事人举证制度，包括明确接收当事人提交证据材料的手续、促使当事人积极提供证据、赋予当事人启动鉴定程序的权利、增加规定人民法院确定举证期限和不按期举证的责任；五是强化法律监督，包括增加监督方式、扩大监督范围、强化监督手段，完善审判监督程序。

民事诉讼法的立法根据有两个：一是法律根据，即以宪法为根据；二是事实根据，即立足于我国的实际情况，总结并结合民事审判工作的经验。

制定和修改民事诉讼法，一要根据宪法原则。宪法规定了中华人民共和国人民法院是国家的审判机关；人民法院审理案件，除法律规定的特别情况外，一律公开进行；人民法院依照法律规定独立行使审判权，不受行政机关、社会团体和个人的干涉；中华人民共和国人民检察院是国家的法律监督机关等原则。民事诉讼法的制定和修改要体现宪法的原则，将宪法原则具体化，以保障宪法的贯彻实施。

二要结合我国民事审判工作的经验和实际情况。民事诉讼法自实施以来，公民、法人和其他组织通过诉讼请求人民法院保护其民事实体权益的案件大量增加，据有关部门统计，全国各级人民法院在2011年共审结一审民事案件488.7万件。

人民法院通过审理大量的民事案件,积累了丰富的实践经验。另外,随着改革开放的深入和我国经济社会的发展,给民事诉讼带来了新情况和新问题。因此,民事诉讼法的制定和修改,需要结合行之有效、比较成熟的审判工作经验,结合改革开放和社会主义现代化建设中出现的实际情况,使民事诉讼法符合我国国情,具有中国特色,做到切实可行。

第二条　中华人民共和国民事诉讼法的任务,是保护当事人行使诉讼权利,保证人民法院查明事实,分清是非,正确适用法律,及时审理民事案件,确认民事权利义务关系,制裁民事违法行为,保护当事人的合法权益,教育公民自觉遵守法律,维护社会秩序、经济秩序,保障社会主义建设事业顺利进行。

【释义】　本条是关于民事诉讼法立法任务的规定。

民事诉讼法是调整民事诉讼活动的法律规范,是人民法院和当事人必须遵守的行为准则,因此,应当明确民事诉讼法的任务。

根据本条的规定,民事诉讼法的立法任务体现在三个方面:

一是保护当事人行使诉讼权利。诉讼权利是一项基本权利,公民、法人和其他组织在其民事实体权利受到侵害或者发生争议时,有权请求人民法院给予司法保护和救济。当事人行使诉讼权利对于民事诉讼的开始、发展和终结有很大的影响。因此,民事诉讼法的首要任务就是要为当事人行使诉讼权利提供可靠的法律保障,使当事人在进行民事诉讼时有法可依,知道自己在民事诉讼过程中有哪些权利和义务,以便能够充分、有效地行使诉讼权利,保护自己的合法权益。

二是保证人民法院查明事实，分清是非，正确适用法律，及时审理民事案件。民事诉讼是通过诉讼途径解决民事纠纷，保护当事人合法权益，在整个诉讼过程中人民法院起决定性作用，保证人民法院正确、及时审理民事案件是民事诉讼法的一项基本任务。人民法院审理民事案件首先要查明案情，只有查明案情，才能分清是非，而要查明案情，则必须按照民事诉讼法规定的程序进行操作，如审查证据、开庭审理等，如果没有一个统一的程序，各个审判人员各行其是，必然会影响办案质量。审理民事案件，不仅要查明事实，分清是非，还要在此基础上正确适用有关民事的实体法，衡量和裁决当事人之间的权利和义务关系。审理民事案件还要做到及时审结，这对稳定社会生活秩序和经济秩序都有重要意义。

三是确认民事权利义务关系，制裁民事违法行为，保护当事人的合法权益，教育公民自觉遵守法律，维护社会秩序、经济秩序，保障社会主义建设事业的顺利进行。

人民法院审理民事案件就是要确认当事人双方的民事权利关系，保护合法当事人的民事权益，并对违法的当事人给予制裁。通过民事诉讼，及时解决民事纠纷，提高人们的法治观念，增强遵守法律的自觉性，维护社会、经济秩序，有利于建设社会主义和谐社会，保障社会主义建设事业的顺利进行。

民事诉讼法上述三项任务，互相联系，是同一问题的不同侧面的反映，相辅相成，前项任务作为后项任务的前提，后一任务是前一任务的必然延伸，共同实现民事诉讼法的立法目的。

第三条　人民法院受理公民之间、法人之间、其他组织之间以及他们相互之间因财产关系和人身关系提起的民事诉讼，适用本法的规定。

【释义】 本条是关于民事诉讼法适用范围的规定。

民事诉讼法作为一部法律应当明确其适用范围,也就是说,我国的民事诉讼法在什么范围内适用,对什么人、什么案件适用,在什么区域、什么时间适用。

按照本条的规定,公民之间、法人之间、其他组织之间以及他们相互之间因财产关系和人身关系提起的民事诉讼,均适用本法的规定。

民事诉讼的主体包括公民、法人和其他组织。这里的“公民”,指具有中华人民共和国国籍的自然人。随着改革开放的不断深入和我国社会主义市场经济快速发展,越来越多的外国人和无国籍人在我国参加民事诉讼,民事诉讼法也适用于这些在我国参加民事诉讼的外国人、无国籍人。这里的“法人”,是指具有民事权利能力和民事行为能力,依法独立享有民事权利和承担民事义务的组织。法人包括企业法人、机关、事业单位和社会团体法人。其他组织,是指尚不具备法人资格的独立的社会组织。

公民、法人和其他组织提起民事诉讼的范围包括因财产关系和人身关系而产生的纠纷。财产关系,是指基于物质财富关系而形成的相互关系,包括基于债权、物权、知识产权而形成的相互关系等。人身关系,是指人们基于人格和身份而形成的相互关系,如姓名权、名誉权以及有关婚姻、收养、继承等家庭关系。

第四条 凡在中华人民共和国领域内进行民事诉讼,必须遵守本法。

【释义】 本条是关于民事诉讼法空间效力的规定。

民事诉讼法的空间效力,就是指我国民事诉讼法在什么地方有效。根据本条规定，凡在中华人民共和国领域内进行的民事诉讼，都适用本法。中华人民共和国领域包括领土、领海和领空。无论该民事纠纷是否发生在我国领域内，无论诉讼主体是中国公民、法人和其他组织还是外国人、无国籍人、外国企业和组织，只要是在我国领域内进行民事诉讼活动，都必须遵守本法。

本条规定是民事诉讼空间效力的一般规定，有两点需要注意：一是，我国是统一的多民族国家，考虑到少数民族地区存在自己的特殊情况和特殊需要，本法第十七条规定，民族自治地方的人民代表大会根据宪法和本法的原则，结合当地民族的具体情况，可以制定变通或者补充规定并在当地适用。二是，在实行“一国两制”的地区，根据特别法的规定而不适用我国的民事诉讼法。例如，根据香港特别行政区基本法第十八条规定，全国性法律除列于本法附件三之外，不在香港特别行政区实施。而《中华人民共和国民事诉讼法》并未列入附件三，因此，在香港特别行政区内进行的民事诉讼活动，应当适用当地有关民事诉讼的法律。同样，根据澳门特别行政区基本法的规定，《中华人民共和国民事诉讼法》也不在澳门特别行政区适用。

第五条　外国人、无国籍人、外国企业和组织在人民法院起诉、应诉，同中华人民共和国公民、法人和其他组织有同等的诉讼权利义务。

外国法院对中华人民共和国公民、法人和其他组织的民事诉讼权利加以限制的，中华人民共和国人民法院对该国公民、企业和组织的民事诉讼权利，实行对等原则。

【释义】　本条是关于涉外民事诉讼同等原则和对等原

则的规定。

涉外民事诉讼仅从诉讼主体来看，是指原告、被告一方或者双方均是外国人、无国籍人、外国企业和组织向人民法院提起的民事诉讼。涉外民事诉讼也适用我国民事诉讼法中规定的基本原则，但是，由于涉外民事诉讼的特殊性，本条也规定了适用涉外民事诉讼的特殊原则，即同等原则和对等原则，这两项原则也符合国际通行做法。

（一）同等原则

本条第一款规定，外国人、无国籍人、外国企业和组织在我国领域内进行民事诉讼，享受与中华人民共和国公民、法人和其他组织同等的诉讼权利和义务。这一规定有两个含义：一是外国人、无国籍人、外国企业和组织与中国公民、法人和其他组织按照我国实体法和程序法的规定，有同等的诉讼权利能力和诉讼行为能力；二是外国人、无国籍人、外国企业和组织在我国人民法院起诉、应诉，享有与中国公民、法人和其他组织同等的民事诉讼权利，承担相同的民事诉讼义务，不能因其是外国人或者外国企业而有所歧视或者给予特殊照顾，这也是国际上的一个惯例。

（二）对等原则

本条第二款规定，外国法院对中华人民共和国公民、法人和其他组织的民事诉讼权利加以限制的，我国人民法院对该国公民、企业和组织的民事诉讼权利也实行同等限制。对等原则是国际关系中的一项基本原则，也是对外处理国际事务的一项基本政策，主要是为了各国间相互尊重主权，有利于各国间平等交往。我国的涉外民事诉讼中实行对等原则，一方面可以维护我国的主权，另一方面也能保护我国的公民、法人和其他组织在国外进行民事诉讼时的合法权益。例如，我国公民在某国进行民事诉讼，该国法院对我国公民采取歧视态度，不允许我国公民委托诉讼代理人，那么，我国人民法院在审理该国公民的民事诉讼案件时，也同样不允许该国公民委托诉讼代理人。

第六条　民事案件的审判权由人民法院行使。

人民法院依照法律规定对民事案件独立进行审判，不受行政机关、社会团体和个人的干涉。

【释义】　本条是关于民事案件审判权的规定。

审判权是对案件进行审理并作出裁判的权力。审判权同立法权、行政权一样，同属于国家权力的重要组成部分。宪法规定，中华人民共和国人民法院是国家的审判机关；人民法院依照法律规定独立行使审判权，不受行政机关、社会团体和个人的干涉。审判权由人民法院行使，人民法院独立进行审判是我国重要的宪法原则，不仅适用于民事诉讼法，也适用于刑事诉讼法和行政诉讼法。本条规定了两个原则，即民事审判由人民法院统一行使原则和人民法院独立进行审判的原则。

（一）民事案件的审判权统一由人民法院行使

根据国家机关职权的分工，宪法赋予人民法院统一行使审判权。统一行使民事案件的审判权，一是指民事案件由各级人民法院和各专门人民法院审理，其他任何机关都无权行使民事案件的审判权；二是指由整个人民法院行使审判权，而不是由某个审判员或者人民法院某个审判庭拥有审判权。

（二）人民法院依照法律规定对民事案件独立进行审判

人民法院独立行使审判权，不受行政机关、社会团体和个人的干涉,是司法公正的重要保证。行政机关、社会团体和个人不得干涉人民法院依法独立行使审判权,即任何行政机关、社会团体和个人不得以权代法、以言代法或者拉关系、走后门,干涉人民法院的审判活动。如果有干涉的情形发生,人民法院及审判人员应当坚决抵制,不徇私情,秉公处理,依法办案。当然,人民法院依法独立审判民事案件并不排除人民代表大会及其常务委员会、上级人民法院依法对人民法院的审判工作进行监督,这与干涉是性质截然不同的两回事。需要注意的是,人民法院虽然是独立行使审判权,但必须依照法律规定,并非任意活动,自由裁量。这里的法律,包括实体法和程序法。

第七条　人民法院审理民事案件,必须以事实为根据,以法律为准绳。

【释义】　本条是关于以事实为根据,以法律为准绳的原则的规定。

"以事实为根据,以法律为准绳"是司法公正的重要体现,只有坚持实事求是,以充分确凿的事实作为判案的根据,用法律这个尺度来衡量,以法律作为定案的准绳,才能做到不枉不纵,公正无私,保证公正的审判。

本条的规定可以从以下两个方面来理解:

以事实为根据,就是要求人民法院在审理民事案件时,切忌主观片面性,依照法定程序认定案件的事实。以事实为根据,一是要审查当事人提供的证据;二是对于当事人及其诉讼代理人因客观原因不能自行收集证据的,人民法院应当主动调查收集;三是对于作为认定事实根据的证据,人民法院应当向当事人双方出示,经过当事人双方质证、辩论,由人民法院审查属实,才能作为定案的根据。

以法律为准绳,就是要求人民法院在认定事实的基础上,以法律为客观尺度来分清是非,确认当事人的民事权利义务,不能以言代法、以权代法,也不能主观臆断,任意曲解法律为我所用。

总之,以事实为根据,以法律为准绳是相互联系的。以事实为根据是公正审理民事案件的基础,以法律为准绳是正确解决民事纠纷的依据,二者缺一不可,只有把两者有机结合起来,才能准确查明案情,正确作出裁决,公正地解决民事纠纷,保护当事人合法权益。

第八条　民事诉讼当事人有平等的诉讼权利。人民法院审理民事案件,应当保障和便利当事人行使诉讼权利,对当事人在适用法律上一律平等。

【释义】　本条是关于民事诉讼权利平等原则的规定。

我国宪法明确规定,中华人民共和国公民在法律面前一律平等。本条规定民事诉讼当事人有平等的诉讼权利,人民法院对诉讼当事人在适用法律上一律平等,这是宪法规定在民事诉讼法上的体现。

本条主要包括以下三层含义:

(一)民事诉讼当事人有平等的诉讼权利

这主要表现在不论当事人的职业、社会地位、民族、国籍等的不同,也不论当事人为法人还是个人,只要他们作为民事诉讼的当事人,其诉讼权利就是平等的。所谓的“诉讼权利”,是指民事诉讼法中规定的当事人所应享有的一切权利。如双方当事人都有权委托代理人,申请回避,收集、提供证据,进行辩论,请求和解,申请再审,申请执行等。同样,双方当事人都有履行民事诉讼法规定的义务,如遵守诉讼程序,履行发生法律效力的判决、裁定和调解书。人民法院在审判工作中,应当保障诉讼当事人平等地行使诉讼权利,要求诉讼当事人依法履行义务。需要说明的是,诉讼权利平等并不意味着原、被告双方享有的权利完全相同,如原告享有起诉权,被告享有应诉权和反诉权。当事人双方的权利义务对等,体现了当事人双方的权利义务的平等。

(二)人民法院应当保障和便利诉讼当事人行使诉讼权利

人民法院是司法机关,当事人通过向法院提起民事诉讼来保护自己的民事权利,因此,保障和便利诉讼当事人行使诉讼权利,是人民法院义不容辞的责任。所谓"保障诉讼当事人行使诉讼权利",是指人民法院在审理民事案件时,要使当事人的诉讼权利能够切实得到行使。例如,本法第一百二十六条规定,人民法院对决定受理的案件,应当在受理案件通知书和应诉通知书中向当事人告知有关的诉讼权利义务,或者口头告知。又如,本法第一百三十七条规定,在开庭审理时,审判长应当告知当事人有关的诉讼权利义务,询问当事人是否提出回避申请。所谓"便利诉讼当事人行使诉讼权利",是指人民法院在审理民事案件时,要给当事人提供必要的便利条件,以便当事人行使其诉讼权利。例如,本法第一百二十条规定,当事人提起诉讼而书写起诉状确有困难的,可以口头起诉,由人民法院记入笔录,并告知对方当事人。又如,第一百三十五条规定,人民法院审理民事案件,可以根据需要进行巡回审理,就地办案等。

(三)人民法院对诉讼当事人在适用法律上一律平等

人民法院在审理民事案件时,对于当事人,不分民族、种族、性别、职业、社会出身、宗教信仰、教育程度、财产状况、居住期限，在适用程序法和实体法上都要一律平等，不允许有任何特权。

第九条 人民法院审理民事案件，应当根据自愿和合法的原则进行调解；调解不成的，应当及时判决。

【释义】 本条是关于调解原则的规定。

这里的调解是指双方当事人在人民法院的主持下，本着互谅互让的精神，在自愿的基础上达成协议，以使双方的争议得以解决。调解是在民事诉讼活动中各个阶段，包括起诉、开庭审理前准备阶段，调查、辩论阶段以及上诉阶段都可以进行。调解形成协议，人民法院应当制作调解书，调解书经双方当事人签收后，即具有法律效力。对不需要制作调解书的协议，应当记录笔录，由双方当事人、审判人员、书记员签名或者盖章后，即具有法律效力。

以调解方式解决民事纠纷是我国民事诉讼中的优良传统和成功经验，它体现了我国民事诉讼法的特点。对双方当事人来说，和解息讼，无胜诉败诉之分，不伤感情，有利于执行，也有利于减少新的纠纷；对人民法院而言，通过调解解决纠纷，便于结案，有利于节省司法资源。针对有的审判人员将调解当作民事诉讼的必经程序，有的片面追求调解结案率，甚至出现违背当事人意愿强行调解、违法调解的情况，本条作了调解应当自愿和合法的规定。

所谓“自愿”，是指在调解过程中，必须是双方当事人完全自愿，不得勉强，包括是否要调解、调解的内容都由当事人双方自己决定，审判人员不得用任何强迫或者变相强迫的方法迫使当事人必须调解或者接受对方当事人、审判人员提出的条件,更不能用“以判压调”,即你若不服从我审判人员的调解,作出判决对你更不利。自愿一般有两种情形:一种是双方当事人在诉讼开始时就自愿调解;另一种是双方当事人在诉讼开始时或者进行中,针锋相对,互不相让,经过审判人员协商和讲解法律,双方当事人开始互相谅解,自愿达成调解协议。审判人员对有可能调解的案件,应当积极做好双方当事人的工作,在事实清楚的基础上,分清是非,促使当事人互相谅解,达成调解协议。对于调解不成的,应当及时判决。

所谓“合法”,是指调解也应以法律为准绳,调解程序、调解方法和调解内容都不得违反法律,不得损害国家、集体和他人的权益,因此,调解协议应当由人民法院审查同意,制作成调解书,由审判人员、书记员署名,并加盖人民法院印章,送达双方当事人才具法律效力;对不需要制作调解书的协议,应当记入笔录,由双方当事人、审判人员、书记员签名或者盖章后才具法律效力。

调解只有自愿、合法,才能保证调解质量,真正使双方当事人宁事息讼,对于那种强迫、违法调解的情况,应当予以纠正,否则不利于纠纷的彻底解决,甚至会容易激化矛盾或者增加新的矛盾。

第十条　人民法院审理民事案件,依照法律规定实行合议、回避、公开审判和两审终审制度。

【释义】　本条是关于审理民事案件实行合议、回避、公开审判和两审终审制度的规定。

为了保证民事案件的公正、及时审理,民事诉讼法结合我国的民事审判活动的实际情况和成功经验,规定了民事审判活动的四项基本制度:合议制度、回避制度、公开审判制度和两审终审制度。

合议制度是民主集中制在人民法院审理案件时的具体体现。具体要求是,人民法院在审理第一审民事案件时,除适用简易程序审理的民事案件由审判员一人独自审判外,其他案件都由审判员或者审判员同陪审员组成合议庭进行审理;第二审人民法院审理上诉案件都应当组成合议庭;第二审人民法院发回重审的案件,通过审判监督程序决定再审的案件,都应当另行组成合议庭进行审理。合议庭的组成人员必须是单数,至少三人以上。合议庭的成员是平等的,评议案件时,实行少数服从多数的原则。实行合议制度可以充分发挥审判人员的集体智慧,集思广益,同时,还可以防止审判人员独断专行,保证案件公正审判。

回避制度,是指审判人员以及其他有关人员与其审理的案件有特定关系,在符合法律规定的条件时,应当退出或者避开该案件的审理。审判人员有以下情形之一的,应当主动回避,当事人也可以提出申请要求其回避:一是审判人员是本案的当事人或者当事人、诉讼代理人的近亲属;二是与本案有利害关系;三是与本案的当事人、诉讼代理人有其他关系,可能影响对案件公正审理的。回避也同样适用于书记员、翻译人员、鉴定人、勘验人。院长担任审判长时的回避,由审判委员会决定;审判人员的回避,由院长决定;其他人员的回避,由审判长决定。实行回避制度可以保证审判人员公正审理,依法办案,避免以权谋私或者徇私枉法,违法审判,从而更好地保护当事人的合法权益。

公开审判制度,是指人民法院审理民事案件时,除法律规定可以不公开的以外,允许群众旁听、允许记者公开报道。公开审判制度是社会主义民主的体现，我国宪法第一百二十五条明确规定，人民法院审理案件，除法律规定的特别情况外，一律公开进行。因此，人民法院审理民事案件，除涉及国家秘密、个人隐私或者法律另有规定的以外，应当一律公开进行。离婚案件、涉及商业秘密的案件，当事人申请不公开审理的，可以不公开审理。实行公开审判原则，将人民法院的审判活动置于人民群众的监督之下，增加审判透明度，增强审判人员的责任感，保证审判质量。同时，通过公开审判，向人民群众进行法制宣传教育，提高他们的法制观念，促进自觉遵纪守法，从而预防纠纷，减少诉讼。

两审终审制度是指民事案件经过两级人民法院的审理，第二审人民法院的裁判，是发生法律效力的终审裁判，当事人不能再行上诉的制度。我国的人民法院分为四级，即最高人民法院、高级人民法院、中级人民法院、基层人民法院。按照本法级别管辖的规定，各级人民法院都受理其有权管辖的第一审民事案件，当事人对第一审人民法院作出的判决、裁定不服，可以向其上一级人民法院提起上诉，由上一级人民法院进行再次审理。但是，最高人民法院审理的第一审案件，即是终审裁判，不能上诉。实行两审终审制，当事人对一审裁判不服可以提起上诉，有利于人民法院对一审确有错误的裁判及时纠正，也有利于人民法院较快地审结案件，及时确定当事人的民事权利义务，维护社会经济生活和社会生活的正常秩序，还可以避免缠讼和累诉。

审判实践证明，以上各项制度对于保证人民法院正确、及时审理民事案件，有效保护当事人的合法权益具有重要意义。

第十一条　各民族公民都有用本民族语言、文字进行民事诉讼的权利。

在少数民族聚居或者多民族共同居住的地区，人民法院应当用当地民族通用的语言、文字进行审理和发布法律文书。

人民法院应当对不通晓当地民族通用的语言、文字的诉讼参与人提供翻译。

【释义】　本条是关于使用本民族语言文字进行民事诉讼原则的规定。

我国是统一多民族的社会主义国家。宪法规定我国各民族一律平等，各民族公民都有用本民族语言文字进行诉讼的权利。人民法院和人民检察院对于不通晓当地通用的语言文字的诉讼参与人，应当为他们翻译。在少数民族聚居或者多民族共同居住的地区，应当用当地通用的语言进行审理；起诉书、判决书、布告和其他文书应当根据实际需要使用当地通用的一种或者几种文字。本条根据宪法的上述精神作出规定，是为了保障各民族公民平等地行使民事诉讼权利，也是为了方便各民族公民行使民事诉讼权利。这有利于加强民族团结，调动各族人民建设国家的积极性，也有利于法院正确处理案件，更好地保护各族人民的利益。

根据本条规定，人民法院在审理民事案件时，应当尊重当事人和其他诉讼参与人使用本民族语言文字进行民事诉讼的权利，并提供必要的条件，保障他们行使这项权利，避免因语言、文字的障碍，影响对民事案件的审理。

为了保障各民族公民使用本民族语言文字进行民事诉讼的权利，在少数民族聚居或者多民族共同居住的地区审理民事案件时，人民法院应当做到以下三点：

一是使用当地民族通用的语言、文字审理案件。例如，在开庭时要使用当地民族通用的语言;出示的文字证据如果不是用当地民族通用语言的,要翻译成当地民族的通用语言。

二是使用当地民族通用语言发布法律文书。这里的法律文书包括:开庭通知、传票、裁定、判决书、调解书、有关决定等。

三是对不懂当地民族通用语言、文字的诉讼参与人,应当为他们提供翻译。这也是民事诉讼当事人有平等的诉讼权利的体现,也保证了民事案件审理顺利进行。

第十二条　人民法院审理民事案件时,当事人有权进行辩论。

【释义】　本条是关于当事人有权辩论的规定。

辩论是指在人民法院的主持下,民事诉讼双方当事人就争议的事实、争议的问题以及法律的适用,各自陈述自己的主张和根据,互相进行反驳和答辩,以维护自己的合法权益。通过双方当事人的辩论,便于人民法院进一步查清事实,确定证据是否可以作为定案的根据,正确适用法律,作出正确的判决。辩论原则是社会主义民主在民事诉讼中的体现。对当事人而言,辩论是当事人享有的一项平等的诉讼权利;对人民法院而言,保障当事人平等进行辩论,是司法民主的体现。

辩论权的行使贯穿诉讼的整个过程而不仅限于法庭辩论。在第一审程序、第二审程序以及审判监督程序中,都允许当事人进行辩论。

辩论的形式既有口头形式,也有书面形式。例如,法庭辩论主要采用的是口头形式;原告提出起诉状,被告提出答辩状,就属书面形式的答辩。

辩论的内容,主要围绕案件的实质性问题,即围绕本案争议的诉讼标的进行辩论，包括案件的事实和适用法律问题。同时，对程序性方面的问题也可以进行辩论。例如，当事人的诉讼代理人是否符合法定条件，受理本案的人民法院是否有管辖权等。

辩论是在人民法院主持下进行的，一方面，人民法院应当按照法定程序安排双方当事人进行辩论，并保障当事人辩论权的行使；另一方面，人民法院对违反辩论程序、妨害诉讼进行的，有权依法作出处理。

第十三条 民事诉讼应当遵循诚实信用原则。

当事人有权在法律规定的范围内处分自己的民事权利和诉讼权利。

【释义】 本条是关于民事诉讼中诚实信用原则和当事人处分原则的规定。

这次民事诉讼法修改对本条作了修改，增加了第一款规定。

（一）民事诉讼中的诚实信用原则

民事诉讼应当遵循诚实信用原则，是此次民事诉讼法修改新增加的规定。这些年在民事诉讼活动中滥用诉讼权利，侵害国家、集体和他人合法权益的情况时有发生。比如，有的当事人滥用举证权利，伪造、提供虚假证据；有的当事人恶意串通，通过诉讼、调解等方式逃避债务、转移资产；有的当事人隐瞒对方当事人的真实地址，蒙骗法院缺席判决；有的当事人滥用管辖异议权、申请回避权、执行异议权，拖延诉讼进程，规避法律文书的强制执行，等等。又如，有的单位拒绝或者妨碍人民法院调查取证；有的单位接到人民法院协助执行通知书后，拒不协助查询、扣押、冻结、划拨、变价财产，扣留被执行人的收入，办理有关财产权证照转移手续，转交有关票证、证照或者其他财产；有的有储蓄业务的单位甚至在接到人民法院协助执行通知书后，抢先将被执行人账户内的余额转到自己名下。为此，有必要将诚实信用原则作为民事诉讼法的基本原则。

诚实信用原则，应当贯穿民事诉讼活动的全过程，包括：依法行使诉讼权利，履行诉讼义务，遵守诉讼秩序，自觉履行发生法律效力的判决书、裁定书和调解书。违反诚实信用原则，应当承担相应的法律责任，如当事人之间恶意串通，企图通过诉讼、调解等方式侵害他人合法权益的，人民法院应当驳回其请求，并根据情节轻重予以罚款、拘留；构成犯罪的，依法追究刑事责任。被执行人与他人恶意串通，通过诉讼、仲裁、调解等方式逃避履行法律文书确定的义务的，人民法院应当根据情节轻重予以罚款、拘留；构成犯罪的，依法追究刑事责任。当事人伪造、毁灭重要证据，妨碍人民法院审理案件的；以暴力、威胁、贿买方法阻止证人作证或者指使、贿买、胁迫他人作伪证的；隐藏、转移、变卖、毁损已被查封、扣押的财产，或者已被清点并责令其保管的财产，转移已被冻结的财产的；对司法工作人员、诉讼参加人、证人、翻译人员、鉴定人、勘验人、协助执行的人，进行侮辱、诽谤、诬陷、殴打或者打击报复的；以暴力、威胁或者其他方法阻碍司法工作人员执行职务的；拒不履行人民法院已经发生法律效力的判决、裁定的；人民法院可以根据情节轻重予以罚款、拘留；构成犯罪的，依法追究刑事责任。有义务协助调查、执行的单位不履行法定义务，妨害诉讼的，人民法院除责令其履行义务外，可以对其罚款。

诚实信用原则不仅是当事人和其他诉讼参与人应当遵守

的原则,人民法院行使审判权也应当遵守这一原则。人民法院审理民事案件,应当以事实为根据,以法律为准绳,保障和便利当事人行使诉讼权利,对当事人在适用法律上一律平等。人民法院应当依法行使审判权,如有应当回避的情形的要主动回避;对适用普通程序审理的案件应当依法组成合议庭;审理民事案件应当根据自愿与合法原则进行调解,不得为了追求调解率,强迫当事人达成调解协议;应当按照法律规定的条件和程序受理案件、送达诉讼文书、开庭审理,不得贪污受贿、徇私舞弊、枉法裁判。

民事诉讼法增加规定诚实信用原则,有利于维护诉讼秩序,使诉讼活动顺利进行;有利于保证人民法院的裁判及时实现,有利于保护当事人和其他人的合法权利。

(二)当事人处分原则

当事人有权在法律规定范围内处分自己的民事权利和诉讼权利,这是由民法和民事诉讼法的特点决定的。民法是调整平等主体的公民之间、法人之间、公民和法人之间的财产关系和人身关系的法律规范。民法以自治为原则,承认当事人自主决定其权利义务关系。民事诉讼法是为了维护民事主体合法权益,规范当事人的诉讼行为和人民法院的审判行为的程序法。马克思指出:“审判程序和法二者之间的联系如此密切,就像植物的外形和植物的联系,动物的外形和血肉的联系一样。审判程序和法律应该具有同样的精神,因为审判程序是法律的生命形式,因而也是法律内部生命的表现。”作为民法生命形式的民事诉讼法,应当贯彻民法自治的原则,在程序制度上充分尊重当事人的意思自治。当事人有权在法律规定范围内处分自己的民事权利和诉讼权利,是民事诉讼同刑事诉讼、行政诉讼的一个重要区别。

依照民事诉讼法规定,当事人在民事诉讼活动中,享有广泛的诉讼权利,包括:起诉权、提出管辖异议权、委托代理权、查阅案件有关材料权、解决非讼案件的申请权、申请回避权、申请保全证据权、申请保全和先予执行权、辩论权、处分权、收集和提供证据权、放弃或者变更和承认或者反驳诉讼请求权、撤诉权、反诉权、上诉权、申请再审权、申请执行权等,对于上述权利,当事人都可以处分。例如,起诉是原告的基本诉讼权利,当原告认为自己的民事权利受到侵害时,他有权决定是否向人民法院起诉;立案后,原告也可以申请撤诉。审理过程中原告可以放弃、变更自己的诉讼请求,被告可以承认、反驳原告的诉讼请求,可以对原告的诉讼请求提出反诉;双方当事人可以和解。当事人对于第一审人民法院判决、裁定有权决定是否提起上诉。审理终结后,当事人有权决定是否对发生法律效力的判决、裁定、调解书申请强制执行,也有权在执行过程中同意延期执行、和解或者撤回执行申请等。

民事权利虽然属于私权范畴,但其与国家利益、集体利益、他人利益往往有着密切联系,因此,当事人处分自己的民事权利和诉讼权利不能是绝对的、无限的。宪法规定,公民在行使自由和权利时,不得损害国家的、社会的、集体的利益和其他公民的合法自由和权利。民法通则规定恶意串通,损害国家、集体或者第三人利益的民事行为无效;违反法律或者社会公共利益的民事行为无效。当事人必须在法律规定范围内行使处分权,违反法律规定行使处分权,人民法院应当进行干预,当事人也要承担相应的法律责任。比如,民事诉讼法规定,在宣判前,原告可以申请撤诉,是否准许由人民法院裁定。如果原告撤诉损害了被告利益,或者在宣判后申请撤诉,人民法院就不应准许。又如,当事人可以调解达成协议,但调解协议的内容不得违反法律规定，如果调解协议的内容违反法律，经人民法院审查属实的，应当再审。当事人滥用诉讼权利，有民事诉讼法第一百一十一条规定的妨碍诉讼情形的，人民法院可以根据情节轻重对行为人予以罚款、拘留；构成犯罪的，依法追究刑事责任。将当事人自由处分和国家干预相结合，体现了社会主义民主、法制的有机统一。

第十四条　人民检察院有权对民事诉讼实行法律监督。

【释义】　本条是关于人民检察院法律监督权的规定。

宪法第一百二十九条规定，中华人民共和国人民检察院是国家的法律监督机关。对民事诉讼活动实行法律监督，是宪法赋予检察机关的一项重要职能。人民检察院对民事诉讼活动实行监督，有利于维护社会主义法制，有利于保障人民法院依法行使审判权，有利于正确审理民事案件，保护当事人的合法权益。

1991年民事诉讼法对民事检察监督原则、民事抗诉作了规定。2007年，全国人大常委会为解决人民群众反映强烈的“申诉难”和“执行难”的问题，对民事诉讼法的审判监督程序和执行程序作了修改。根据2007年民事诉讼法的规定，最高人民检察院对各级人民法院已经发生法律效力的判决、裁定，上级人民检察院对下级人民法院已经发生法律效力的判决、裁定，发现有本法第一百七十九条规定情形之一的，应当提出抗诉。地方各级人民检察院对同级人民法院已经发生法律效力的判决、裁定，发现有本法第一百七十九条规定情形之一的，应当提出抗诉。人民检察院决定对人民法院的判决、裁定提出抗诉的，应当制作抗诉书。人民检察院提出抗诉的案件，人民法院再审时，应当通知人民检察院派员出席法庭。为了充分发挥人民检察院对审判工作的法律监督,2007 年民事诉讼法修改从两个方面对人民检察院的抗诉进行了补充和完善:一是将人民检察院的抗诉事由进一步具体化。1991 年民事诉讼法规定人民检察院的抗诉事由有四项:(1)原判决、裁定认定事实的主要证据不足的;(2)原判决、裁定适用法律确有错误的;(3)人民法院违反法定程序,可能影响案件正确判决、裁定的;(4)审判人员在审理该案件时有贪污受贿,徇私舞弊,枉法裁判行为的。2007 年将抗诉事由从四项情形进一步具体化为:(1)有新的证据,足以推翻原判决、裁定的;(2)原判决、裁定认定的基本事实缺乏证据证明的;(3)原判决、裁定认定事实的主要证据是伪造的;(4)原判决、裁定认定事实的主要证据未经质证的;(5)对审理案件需要的证据,当事人因客观原因不能自行收集,书面申请人民法院调查收集,人民法院未调查收集的;(6)原判决、裁定适用法律确有错误的;(7)违反法律规定,管辖错误的;(8)审判组织的组成不合法或者依法应当回避的审判人员没有回避的;(9)无诉讼行为能力人未经法定代理人代为诉讼或者应当参加诉讼的当事人,因不能归责于本人或者其诉讼代理人的事由,未参加诉讼的;(10)违反法律规定,剥夺当事人辩论权利的;(11)未经传票传唤,缺席判决的;(12)原判决、裁定遗漏或者超出诉讼请求的;(13)据以作出原判决、裁定的法律文书被撤销或者变更的;以及违反法定程序可能影响案件正确判决、裁定的情形,或者审判人员在审理该案件时有贪污受贿,徇私舞弊,枉法裁判行为的。人民检察院发现已经发生法律效力的判决、裁定上述情形之一的,应当提出抗诉,人民法院应当再审。二是明确规定接受抗诉的人民法院作出再审裁定的期限。人民检察院提出的抗诉案件,接受抗诉的人民法院应当自收到抗诉书之日起三十日内作出再审的裁定。

实践证明，检察机关依据这些规定对民事审判活动进行法律监督，对于维护司法公正，维护社会公共利益，保护当事人合法权益发挥了不可替代的重要作用。但是，从近年的实践情况来看，仅通过抗诉方式对发生法律效力的判决、裁定进行监督，不能完全适应法律监督的需要，应当进一步加强和完善检察机关对民事诉讼活动的法律监督。2008 年的中央司法改革文件明确要求“完善检察机关对民事、行政诉讼实施法律监督的范围和程序”。最高人民法院和最高人民检察院也就落实司改文件的要求共同会签了文件。十一届全国人大以来，全国人大代表也多次提出加强民事检察监督的议案和建议。这次民事诉讼法修改根据中央司改文件的要求，在总结实践经验的基础上，吸收“两高”会签文件的相关内容，进一步加强了人民检察院对民事诉讼活动的法律监督：

一是增加了监督方式。原民事诉讼法只规定了抗诉一种监督方式。根据近年来一些地方的试点探索，这次修改在审判监督程序中增加规定，地方各级人民检察院对同级人民法院已经发生法律效力的判决、裁定，发现有本法第二百条规定情形之一的，或者发现调解书损害国家利益、社会公共利益的，可以向同级人民法院提出检察建议，并报上级人民检察院备案。各级人民检察院对审判监督程序以外的其他审判程序中审判人员的违法行为，有权向同级人民法院提出检察建议。

二是扩大了监督范围。原民事诉讼法规定，人民检察院有权对民事审判活动实行法律监督，并没有明确规定对民事执行活动和人民法院的调解活动能否实行检察监督。针对执行活动中一些当事人恶意串通逃避履行法律文书确定的义务，或者通过调解协议损害国家利益、社会公共利益的情况，同时为了与刑事诉讼法、行政诉讼法关于检察监督的表述相一致，这次修改将人民检察院对民事审判活动进行实行法律监督，修改为人民检察院有权对民事诉讼实行法律监督。还增加规定，人民检察院有权对执行活动实行法律监督。同时，增加规定，人民检察院发现调解书损害国家利益、社会公共利益的，可以向同级人民法院提出检察建议，并报上级人民检察院备案；也可以提请上级人民检察院向同级人民法院提出抗诉。

三是强化了监督手段。为了使检察机关正确及时地监督诉讼活动，需要强化监督手段。这次修改增加规定，人民检察院因履行法律监督职责提出检察建议或者抗诉的需要，可以向当事人或者案外人调查核实相关情况。

同时，为了规范当事人向人民法院申请再审和向人民检察院申请检察建议或者抗诉的关系，防止案件久拖不决，影响司法权威，这次修改还增加规定，有下列情形之一的，当事人可以向人民检察院申请检察建议或者抗诉：（1）人民法院驳回再审申请的；（2）人民法院逾期未对再审申请作出裁定的；（3）再审判决、裁定有明显错误的。人民检察院对当事人的申请应当在三个月内进行审查，作出提出或者不予提出检察建议或者抗诉的决定。当事人不得再次向人民检察院申请检察建议或者抗诉。

第十五条　机关、社会团体、企业事业单位对损害国家、集体或者个人民事权益的行为，可以支持受损害的单位或者个人向人民法院起诉。

【释义】　本条是关于支持民事诉讼的规定。

民事诉讼在一般情况下，只能由民事权益受到侵害的或者发生争议的公民、法人或者其他组织向人民法院提起诉讼，并不需要其他组织或者个人的干预。在特殊情况下，受到损害的单位或者个人不能独立保护自己的合法权益，就需要有关组织给予协助和支持，这是运用社会力量，帮助弱势单位或者个人实现诉讼权利。同时，考虑到当事人对自己的民事权利和诉讼权利有权在法律允许的范围内自由处分，如果当事人自己不想提起诉讼，机关、社会团体或者企事业单位替代他起诉，那么将如何进行诉讼活动，如何承担法律后果都会产生问题，所以，本条规定机关、社会团体、企事业单位只能支持民事权益受到损害的单位和个人起诉，不能以自己的名义替代他们直接起诉。

机关、社会团体、企事业单位可以通过多种方式支持民事权益受到侵害的单位和个人起诉。例如，向他们宣传法律知识、提供法律咨询服务，使他们熟悉法律所规定的权利义务，提高法治观念，加强法治意识，敢于和善于运用法律武器维护自己的合法权益；也可以经他们同意，接受他们的委托或者推荐律师当他们的诉讼代理人，帮助他们维护合法权益；也可以向他们提供物质帮助，如代交诉讼费、律师费等。

第十六条　民族自治地方的人民代表大会根据宪法和本法的原则，结合当地民族的具体情况，可以制定变通或者补充的规定。自治区的规定，报全国人民代表大会常务委员会批准。自治州、自治县的规定，报省或者自治区的人民代表大会常务委员会批准，并报全国人民代表大会常务委员会备案。

【释义】　本条是关于我国民族自治地方可以制定变通或者补充规定的规定。

我国是统一的多民族国家，按照宪法规定，各少数民族聚居的地方实行区域自治,设立自治机关,行使自治权。民族自治地方分为自治区、自治州和自治县。实行民族区域自治,体现了国家充分尊重和保障各少数民族管理本民族内部事务权利的精神,体现了国家坚持实行各民族平等、团结和共同繁荣的原则。考虑到我国幅员辽阔,地区间经济、文化发展不平衡,特别是自治地方与沿海发达地区相比,差距很大,国家立法是面向全国的,难以完全照顾到民族自治地方的特殊情况,民事诉讼法的有些具体规定可能不完全适合民族自治地方的一些特殊情况,因此,应当允许各民族自治区域根据当地民族的政治、经济和文化的特点,在不违反宪法和本法基本原则的前提下,为贯彻实施民事诉讼法而制定变通或者补充规定。本条的规定既体现了宪法"各民族一律平等"的原则,也符合我国民族区域自治的实际情况。

本条的规定有以下几层含义:

(一)制定变通和补充规定的原则

民族自治地方根据本条的授权,可以制定变通和补充规定,但一定要遵循宪法和本法的原则,不得与之相抵触。宪法是国家的根本大法,具有最高的法律效力和权威,是国家统一和各民族团结的基础,全国各族人民、一切国家机关和武装力量、各政党和各社会团体、各企业事业组织,都必须以宪法为根本活动准则,宪法的各项原则和规定必须得到全面的遵守和执行。因此,宪法的规定是不能变通的,否则,就无法维护国家的统一和各民族的团结。民事诉讼法是国家的基本法,制定变通或者补充规定,也不能违反民事诉讼法的基本原则,如果对民事诉讼法基本原则作出变通,就是对整个民事诉讼法的否定,当然谈不上民事诉讼法在本民族自治区域内的遵守和执行,这是违背本条的立法原意的。因此,本法规定的人民法院审理民事案件必须以事实为根据，以法律为准绳；民事诉讼当事人有平等的诉讼权利等基本原则，不能变通。同样，制定补充规定也不得违反上述基本原则。此外，根据立法法的有关规定，对民事诉讼法的变通不得违反民族区域自治法的规定，以及其他有关法律、行政法规专门就民族区域自治地方所作的规定。再者，制定变通和补充规定要结合当地民族的具体情况，符合民族自治区域各民族的根本利益，做到符合实际，行之有效。

（二）制定变通和补充规定的程序

对本法的变通或者补充规定的制定机关是该自治地方的人民代表大会。自治地方人民代表大会通过该规定，必须报上一级人民代表大会常务委员会批准。按照本条规定，自治区的规定，报全国人民代表大会常务委员会批准。自治州、自治县的规定，报省或者自治区的人民代表大会常务委员会批准，并报全国人民代表大会常务委员会备案。这一规定，也是对宪法和民族区域自治法有关规定的重申，也符合立法法的有关规定，目的主要是出于国家法制统一的考虑。例如，由于自治区制定的规定可以对本法进行变通或者补充，那么该有关变通或者补充规定是否适当，是否违反宪法规定和本法的基本原则，则由全国人大常委会来进行审查。经审查，认为有关的变通或者补充规定是适当的，便作出批准的决定，该变通或者补充规定即生效；否则，全国人大常委会可以作出不批准的决定，自治区的人民代表大会就此应当作出修改。

第二章 管 辖

民事案件的管辖,是指确定各级人民法院之间和同级人民法院之间受理第一审民事案件的分工和权限。正确确定民事案件的管辖,对审判实践具有重要的意义。

民事诉讼法确定人民法院相互之间的分工和权限,明确管辖范围,应遵循以下几条原则:一是便利当事人进行诉讼和便利人民法院行使审判权;二是均衡各级人民法院的工作负担;三是原则规定与灵活规定相结合;四是维护国家主权。

我国民事诉讼法规定的民事案件的管辖,包括级别管辖、地域管辖、移送管辖、指定管辖和管辖权的转移。

第一节 级别管辖

级别管辖,是指上、下级人民法院之间受理第一审民事案件的分工和权限。根据人民法院组织法的规定,我国人民法院的设置分为四级,即基层人民法院、中级人民法院、高级人民法院和最高人民法院。这四级人民法院都有权审理一定范围的第一审民事案件。我国四级人民法院由于职能分工不同,受理第一审民事案件的权限范围也不同。确定不同级别的人民法院管辖第一审民事案件的主要依据是:案件的性质、案件影响的大小、诉讼标的的金额大小等。

第十七条　基层人民法院管辖第一审民事案件，但本法另有规定的除外。

【释义】　本条是关于基层人民法院管辖的第一审民事案件的规定。

根据本条规定，第一审民事案件原则上应由基层人民法院管辖。基层人民法院包括：县人民法院和市人民法院，自治县人民法院，市辖区人民法院。基层人民法院根据地区、人口和案件情况可以设立若干人民法庭。人民法庭是基层人民法院的组成部分。当事人请求人民法院解决民事争议的，应当依照本法关于地域管辖的规定，向基层人民法院（包括其派出法庭）提起诉讼。但本法规定应由中级人民法院、高级人民法院和最高人民法院管辖的第一审民事案件的除外。

在人民法院组织系统中，基层人民法院数量多、分布广，审判人员的数量多，并且没有审理上诉案件的任务，所以，一般地说，将第一审民事案件原则上都交给基层法院承担是比较符合法院工作均衡负担原则的。同时，由于民事纠纷的发生地、当事人住所地或者争议的财产所在地，都与基层人民法院辖区相联系，由基层人民法院作为第一审法院，既方便当事人诉讼，又方便人民法院审理。

第十八条　中级人民法院管辖下列第一审民事案件：

（一）重大涉外案件；

（二）在本辖区有重大影响的案件；

（三）最高人民法院确定由中级人民法院管辖的案件。

【释义】　本条是关于中级人民法院管辖的第一审民事案件的规定。

民事案件原则上应由基层人民法院管辖，但实践中有的案件属于重大涉外案件,有的案件在本辖区影响较大,有的案件涉及较强的专业知识,基层人民法院对这些案件不便行使管辖权,由中级人民法院作为第一审管辖人民法院比较适宜。中级人民法院包括:在省、自治区内按地区设立的中级人民法院,在直辖市内设立的中级人民法院,自治州中级人民法院。根据本条的规定,中级人民法院管辖下列第一审民事案件:

1. 重大涉外案件。涉外民事案件,是指民事法律关系的主体、内容、客体三者之一含有涉外因素的民事案件;重大涉外案件,是指居住在国外的当事人人数众多或者当事人分属多国国籍,或者案情复杂,或者争议标的额较大的涉外民事案件。这类案件由中级人民法院作为一审法院。

2. 在本辖区有重大影响的案件。中级人民法院的辖区有重大影响的案件,是指案情复杂、涉及范围广、诉讼标的的金额较大,案发后案件处理结果的影响超出了基层人民法院的辖区范围,基层人民法院已不便行使管辖权,而由中级人民法院作为第一审管辖法院比较适宜。

3. 最高人民法院确定由中级人民法院管辖的案件。除涉外案件外,基于某些案件的特殊性,最高人民法院指定由中级人民法院管辖的案件主要包括两类:

第一,海事、海商案件。海事、海商案件包括海事侵权纠纷案件,海商合同纠纷案件,其他海事、海商案件,海事执行案件以及请求海事保全案件等。现在我国已设有海口海事法院、广州海事法院、厦门海事法院、上海海事法院、青岛海事法院、天津海事法院、大连海事法院、武汉海事法院、宁波海事法院和北海海事法院。这十个海事法院都是中级人民法院。第二,除专利行政案件外的其他专利纠纷案件。如专利申请权纠纷案件、专利权纠纷案件、专利侵权纠纷案件等,最高人民法院确定由各省、自治区、直辖市人民政府所在地的中级人民法院和各经济特区的中级人民法院作为第一审法院，最高人民法院还同意指定了大连、青岛、温州、佛山、烟台、潍坊、苏州、宁波、景德镇、葫芦岛、泉州、镇江、金华等十几个市的中级人民法院审理第一审专利纠纷案件。

第十九条　高级人民法院管辖在本辖区有重大影响的第一审民事案件。

【释义】　本条是关于高级人民法院管辖的第一审民事案件的规定。

高级人民法院包括：省高级人民法院，自治区高级人民法院，直辖市高级人民法院。高级人民法院的任务主要不是审判第一审民事案件，而是对省、自治区、直辖市内的基层人民法院和中级人民法院的民事审判工作实行监督，总结和交流民事审判工作的经验，指导本辖区内的基层人民法院和中级人民法院的审判工作；还要审判不服中级人民法院判决、裁定依法提起上诉的第二审民事案件以及当事人申请再审的案件等。因此，高级人民法院管辖第一审民事案件不宜太多。

第二十条　最高人民法院管辖下列第一审民事案件：

（一）在全国有重大影响的案件；

（二）认为应当由本院审理的案件。

【释义】　本条是关于最高人民法院管辖的第一审民事案件的规定。

最高人民法院是我国的最高审判机关。最高人民法院的主要任务是对全国地方各级人民法院和军事法院等专门人民法院实行审判监督；通过总结审判工作经验，作出有关适用法律、法规的批复、指示或者司法解释,对全国地方各级人民法院和军事法院等专门人民法院的审判工作进行指导;还要审判不服高级人民法院判决、裁定的上诉案件以及当事人申请再审的案件等。因此,最高人民法院管辖的第一审民事案件应当是极少数。

本条对最高人民法院管辖的第一审民事案件规定了两项:一是在全国有重大影响的案件;二是最高人民法院认为应当由本院审理的案件。至于什么是在全国有重大影响,哪些案件应由最高人民法院审理,由最高人民法院自己规定或者作出决定。

第二节 地 域 管 辖

地域管辖就是按照人民法院的主管范围和当事人住所地来划分同级人民法院之间审判第一审民事案件的权限。地域管辖根据各种不同民事案件的特点来确定。级别管辖只是确定民事案件第一审由哪一级法院审判,而地域管辖则是在确定级别管辖之后,再确定由哪个地方的人民法院管辖。所以,只有根据地域管辖的规定,才能最后确定案件由哪一个地方的人民法院受理、审判。因此,级别管辖是划分人民法院系统内上下级各自审判第一审民事案件的权限,地域管辖则是确定同级人民法院审判第一审民事案件的范围。也可以说,级别管辖是确定纵向的审判分工,而地域管辖是确定横向的审判分工。

我国四级人民法院都是以行政区划为标准设立的。基层、中级、高级人民法院有许多个,一个具体的民事案件,究竟由哪一个地方的人民法院管辖,亦即原告人到哪一个人民法院告状打官司。民事诉讼法对地域管辖作出了一般原则规定,即原告到被告住所地法院打官司,并对某些案件的地域管辖作了特别规定。

第二十一条　对公民提起的民事诉讼,由被告住所地人民法院管辖;被告住所地与经常居住地不一致的,由经常居住地人民法院管辖。

对法人或者其他组织提起的民事诉讼,由被告住所地人民法院管辖。

同一诉讼的几个被告住所地、经常居住地在两个以上人民法院辖区的,各该人民法院都有管辖权。

【释义】　本条是关于一般地域管辖的规定。

一般地域管辖也称普通管辖,是指以当事人住所地与法院辖区的关系来确定管辖法院。一般地域管辖的原则是"原告就被告",即民事诉讼由被告所在地人民法院管辖。实行"原告就被告"原则,有利于人民法院调查、核实证据,迅速查明案情,正确处理民事纠纷;有利于传唤被告出庭应诉;有利于采取财产保全和先予执行措施,如果被告败诉,还有利于执行;同时,还可以防止原告滥用诉权,给被告造成不应有的损失。

本条第一款规定,对公民提起的民事诉讼,由被告住所人民法院管辖;被告住所地与经常居住地不一致的,由经常居住地人民法院管辖。这里所说的住所地,是指公民的户籍所在地;经常居住地,是指公民离开住所地至起诉时连续居住一年以上的地方,但公民住院就医的地方除外。在司法实践中,公民在其户籍迁出后,迁入异地之前,如果没有经常居住地的,仍然以其原户籍所在地为其住所地。

本条第二款规定,对法人或者其他组织提起的民事诉讼,由被告住所地人民法院管辖。这里所说的法人或者其他组织的住所地,是指其主要营业地或者主要办事机构所在地。如果被告是不具有法人资格的其他组织形式,又没有办事机构,则应由被告注册登记地人民法院管辖。

最高人民法院有关司法解释还明确列举了几种根据“原告就被告”原则确定管辖法院的诉讼:(1)双方当事人都是现役军人的离婚诉讼,由被告住所地或者被告所在的团级以上单位驻地的人民法院管辖;(2)双方当事人都被监禁或劳动教养的,由被告原住所地人民法院管辖;被告被监禁或被劳动教养一年以上的,由被告被监禁地、被劳动教养地的人民法院管辖;(3)夫妻双方离开住所地超过一年,一方起诉的离婚案件,由被告经常居住地人民法院管辖;(4)不服指定监护或变更监护关系的案件,由被监护人住所地人民法院管辖。

本条第三款规定,同一诉讼的几个被告住所地、经常居住地在两个以上人民法院辖区的,各该人民法院都有管辖权,原告可以向任何一个被告住所地或者经常居住地人民法院提起诉讼。

第二十二条　下列民事诉讼,由原告住所地人民法院管辖;原告住所地与经常居住地不一致的,由原告经常居住地人民法院管辖:

(一)对不在中华人民共和国领域内居住的人提起的有关身份关系的诉讼;

(二)对下落不明或者宣告失踪的人提起的有关身份关系的诉讼;

(三)对被采取强制性教育措施的人提起的诉讼;

(四)对被监禁的人提起的诉讼。

【释义】 本条是关于一般地域管辖的例外规定。

一般地域管辖的"原告就被告"原则,在某些特殊情况下无法适用或者适用后将对原告、对法院极为不便。为此,本条规定了几种例外的情形由原告住所地人民法院管辖;原告的住所地与经常居住地不一致的,由经常居住地人民法院管辖。这些例外情况是:

1. 对不在中华人民共和国领域内居住的人提起的有关身份关系的诉讼。对于符合不在中国领域内居住、与身份有关的诉讼案件(如涉及婚姻关系、亲子关系、收养关系等案件),由原告住所地或者经常居住地人民法院管辖。

2. 对下落不明或者宣告失踪的人提起的有关身份关系的诉讼。在被告下落不明或者已经宣告失踪的情况下,根本无法确定其住所地或者经常居住地,由原告住所地或者经常居住地人民法院管辖,可以方便原告行使诉权。

3. 对正在被采取强制性教育措施的人提起的诉讼。被采取强制性教育措施的人由于离开了住所地或者经常居住地,集中在特定场所接受强制性教育,人身自由受到一定的限制。如果向强制性教育机构所在地的人民法院起诉,对原告来说,十分不便,法律规定由原告住所地或者经常居住地人民法院管辖。需要说明的是,本项规定对应的是原民事诉讼法第二十三条第三项规定的"对被劳动教养的人提起的诉讼"。2005 年在制定治安管理处罚法时,有些常委委员、全国人大代表和地方、部门提出,按照全国人大常委会批准的关于劳动教养问题的决定,劳动教养是一种强制性教育措施,不应将其作为治安管理处罚。法律委员会经同内务司法委员会和国务院法制办、公安部研究,按照将劳动教养制度改革为违法行为教育矫治制度的要求,有关违法行为矫治的立法已经列入全国人大常委会立法规划,有关部门正在抓紧研究起草,治安管理处罚法对强制性教育措施作出同有关法律相衔接的规定即可。在违法行为矫治法出台前,仍按全国人大常委会批准的有关劳动教养问题的决定等国家有关规定执行。据此,将治安管理处罚法草案中的"劳动教养"修改为"采取强制性教育措施"。因此,本项也相应地将原民事诉讼法第二十三条第三项规定的"对被劳动教养的人提起的诉讼"修改为"对被采取强制性教育措施的人提起的诉讼"。

4. 对正在被监禁的人提起的诉讼。正在被监禁的人,包括已决犯和未决犯,都丧失了人身自由,脱离了住所地或者经常居住地,不仅不便原告向被告监禁地人民法院起诉,而且由被告监禁地人民法院管辖,很可能造成其工作量过大,法律规定原告住所地或者经常居住地人民法院为有管辖权法院是比较恰当的。

除上述四种情况外,最高人民法院根据司法实践的需要,对被告就原告的适用进行了以下补充规定:(1)追索赡养费案件的几个被告住所地不在同一辖区的,可以由原告住所地人民法院管辖;(2)夫妻一方离开住所地超过一年,另一方起诉离婚的案件,由原告住所地法院管辖;(3)非军人对军人提出的离婚诉讼,如果军人一方为非文职军人,由原告住所地或经常居住地人民法院管辖。

此外,根据最高人民法院有关司法解释,涉及国外华侨的离婚案件的管辖有特殊性,应当根据具体情况确定由原告住所地或者被告住所地法院管辖:(1)在国内结婚后定居国外的华侨,如定居国法院规定离婚诉讼必须由婚姻缔结地法院管辖,当事人向人民法院提出离婚诉讼的,由婚姻缔结地或一方在国内的最后居住地法院管辖；(2)在国外结婚并定居国外的华侨，如定居国法院以离婚诉讼须由国籍所属国法院管辖为由不予受理，当事人向人民法院提出离婚诉讼的，由一方原住所地或在国内的最后居住地法院管辖；(3)中国公民一方居住在国外，一方居住在国内，不论哪一方向人民法院提起离婚诉讼，国内一方住所地的法院都有管辖权。如国外一方在居住国法院起诉，国内一方向人民法院起诉的，受诉人民法院有权管辖；(4)中国公民双方在国外但未定居，一方向人民法院起诉离婚的，应由原告或者被告原住所地的法院管辖。

第二十三条　因合同纠纷提起的诉讼，由被告住所地或者合同履行地人民法院管辖。

【释义】　本条是关于因合同纠纷提起的诉讼管辖的规定。

民事诉讼法从本条至第三十二条规定了特殊地域管辖的几种情形。特殊地域管辖，是指以诉讼标的所在地或者引起民事法律关系发生、变更、消灭的法律事实所在地为标准确定的管辖。特殊地域管辖是相对于一般地域管辖而言的，是法律针对特别类型案件的诉讼管辖作出的规定。同时这些特殊地域管辖的情形并不排斥一般地域管辖的适用。也就是说，这些特殊情形的法定管辖，允许当事人住所地确定的一般地域管辖和法律事实所在地、诉讼标的物所在地确定的特殊地域管辖进行共同管辖，使多个人民法院对同一案件有共同管辖权。

本条规定，因合同纠纷提起的诉讼，由被告住所地或者合同履行地人民法院管辖。因合同发生纠纷，有的是因合同是否成立发生的争议；有的是因合同变更发生的争议；还有的是因合同的履行发生的争议。法律规定因合同纠纷提起的诉讼,由被告住所地或者合同履行地人民法院管辖,便于法院查明案情,便于在必要时及时采取财产保全等紧急措施,以利于合同纠纷的正确解决。

司法实践中,如何确认合同履行地是比较复杂的问题。一般地说,合同履行地是指合同规定履行义务和接受该义务的地点,主要是指合同标的物交接的地点。合同的种类不同,合同履行地也不同。根据最高人民法院的司法解释,主要有以下几种情况:1. 因合同纠纷提起的诉讼,如果合同没有实际履行,当事人双方住所地又都不在合同约定的履行地的,应由被告住所地人民法院管辖。2. 确定购销合同的履行地,应依照下列规定:(1)当事人在合同中明确约定履行地点的,以约定的履行地点为合同履行地。当事人在合同中未明确约定履行地点的,以约定的交货地点为合同履行地。合同中约定的货物到达地、到站地、验收地、安装调试地等,均不应视为合同履行地;(2)当事人在合同中明确约定了履行地点或交货地点,但在实际履行中以书面方式或双方当事人一致认可的其他方式变更约定的,以变更后的约定确定合同履行地。当事人未以上述方式变更原约定,或者变更原合同而未涉及履行地问题的,仍以原合同的约定确定履行地;(3)当事人在合同中对履行地点、交货地点未作约定或约定不明确的,或者虽有约定但未实际交付货物,且当事人双方住所地均不在合同约定的履行地,以及口头购销合同纠纷案件,均不依履行地确定案件的管辖。3. 加工承揽合同,以加工地为合同履行地,但合同中对履行地有约定的除外。4. 财产租赁合同、融资租赁合同以租赁物使用地为合同履行地,但合同中对履行地有约定的除外。5. 补偿贸易合同,以接受投资一方主要义务履行地为合同履行地。

第二十四条 因保险合同纠纷提起的诉讼，由被告住所地或者保险标的物所在地人民法院管辖。

【释义】 本条是关于因保险合同纠纷提起的诉讼管辖的规定。

本条规定，因保险合同纠纷提起的诉讼，由被告住所地或者保险标的物所在地人民法院管辖。保险合同，是指投保人支付保险费给保险人，保险人对于投保人因自然灾害或者意外事故所致的损害或者责任，承担赔偿责任或者支付一定金额的合同。因保险合同发生的纠纷，是指投保人或者保险受益人与保险人之间发生的争议。保险标的物，是投保人与保险人订立的保险合同所指向的对象，如财产、人身健康或生命等。因保险合同纠纷提起的诉讼，被告住所地、保险标的物所在地人民法院都有管辖权。根据最高人民法院司法解释的规定，如果保险标的物是运输工具或者运输中的货物，则可由运输工具登记注册地、运输目的地、保险事故发生地的人民法院管辖。

第二十五条 因票据纠纷提起的诉讼，由票据支付地或者被告住所地人民法院管辖。

【释义】 本条是关于因票据纠纷提起的诉讼管辖的规定。

本条规定，因票据纠纷提起的诉讼，由票据支付地或者被告住所地人民法院管辖。票据是指由出票人签发的、写明在一定的时间、地点由本人或者指定他人按照票面所载文义，向持票人无条件支付一定金额的有价证券。票据分为本票、汇票和支票三种。所谓票据纠纷，是指出票人或者付款人与持票人之间因票据承兑等发生的争议。例如，银行对票据持有人拒付一定的金额而发生的纠纷。又如，票据是伪造的，而银行以该票据的金额支付给票据持有人而发生的纠纷等。票据支付地，即票据上载明的付款地。因票据纠纷提起的诉讼，由票据支付地法院管辖，既便于当事人进行诉讼，又便于法院查清事实，及时审判和执行。因此，本条规定，因票据纠纷提起的诉讼，可以由票据支付地或者被告住所地人民法院管辖。如果票据未载明付款地的，则票据付款人的住所地或者主要营业所所在地为票据付款地，原告可以任选其中一个人民法院起诉。

第二十六条　因公司设立、确认股东资格、分配利润、解散等纠纷提起的诉讼，由公司住所地人民法院管辖。

【释义】　本条是关于公司诉讼管辖的规定。

这次修改民事诉讼法增加了本条规定。公司作为企业法人是市场经济的重要主体之一，随着市场经济的发展，公司的行为日益活跃，特别是在2005年公司法修订后，赋予了公司法律关系主体广泛的诉权，有关公司的纠纷也日益增多。此前，有关因公司设立、确认股东资格、分配利润、解散等纠纷提起的诉讼，一般适用普通的地域管辖，也就是由被告住所地的人民法院管辖。在司法实践中，人民法院在处理公司纠纷案件时，通常需要调阅公司的注册登记资料以及其他与争议有关的档案资料、公司的财务会计资料、公司会议决议等，有的案件还需要等待公司股东会、董事会的决议意见等。如果公司作为被告，由公司住所地人民法院管辖，问题不大。在公司作为原告的情况下，如果被告在外地，案件由被告住所地的人民法院管辖，该人民法院在审理案件时，需要到公司住所地调阅有关资料，可能不便利，因此，为了方便诉讼、提高诉讼效率，有必要将公司设立、确认股东资格、分配利润、解散等纠纷案件，交由公司住所地的人民法院管辖。目前，日本、韩国等一些国家也明确规定，关于公司组织的诉讼由公司所在地的地方法院管辖。因此，在此次修改民事诉讼法中，增加了本条规定。

本条规定的适用范围是因公司设立、确认股东资格、分配利润、解散等纠纷提起的民事诉讼。适用本条的公司纠纷案件主要涉及与公司组织行为有关的纠纷，主要包括以下几种情形：

（一）因公司设立产生的纠纷

如根据公司法规定，设立有限责任公司，应当具备下列条件：（1）股东符合法定人数，即应当由五十个以下股东出资设立；（2）股东出资达到法定资本最低限额；（3）股东共同制定公司章程；（4）有公司名称，建立符合有限责任公司要求的组织机构；（5）有公司住所。实践中，与公司设立有关的纠纷多与出资有关。根据公司法的规定，设立有限责任公司的，有限责任公司的注册资本为在公司登记机关登记的全体股东认缴的出资额。公司全体股东的首次出资额不得低于注册资本的百分之二十，也不得低于法定的注册资本最低限额，其余部分由股东自公司成立之日起两年内缴足；其中，投资公司可以在五年内缴足。股东可以用货币出资，也可以用实物、知识产权、土地使用权等可以用货币估价并可以依法转让的非货币财产作价出资。全体股东的货币出资金额不得低于有限责任公司注册资本的百分之三十。股东应当按期足额缴纳公司章程中规定的各自所认缴的出资额。股东不按照前款规定缴纳出资的，公司有权要求其足额缴纳，其他已按期足额缴纳出资的股东有权要求其承担违约责任。有限责任公司成立后，发现作为设立公司出资的非货币财产的实际价额显著低于公司章程所定价额的,应当由交付该出资的股东补足其差额;公司设立时的其他股东承担连带责任。例如,以发起设立方式设立股份有限公司的,发起人应当书面认足公司章程规定其认购的股份。股份有限公司成立后,发起人未按照公司章程的规定缴足出资的,应当补缴;其他发起人承担连带责任。股份有限公司成立后,发现作为设立公司出资的非货币财产的实际价额显著低于公司章程所定价额的,应当由交付该出资的发起人补足其差额;其他发起人承担连带责任。此外,股份有限公司的发起人应当承担下列责任:(1)公司不能成立时,对设立行为所产生的债务和费用负连带责任;(2)公司不能成立时,对认股人已缴纳的股款,负返还股款并加算银行同期存款利息的连带责任;(3)在公司设立过程中,由于发起人的过失致使公司利益受到损害的,应当对公司承担赔偿责任。

(二)因确认股东资格产生的纠纷

根据公司法的规定,有限责任公司由五十个以下股东出资设立,有限责任公司应当置备股东名册,记载下列事项:(1)股东的姓名或者名称及住所;(2)股东的出资额;(3)出资证明书编号。记载于股东名册的股东,可以依股东名册主张行使股东权利。公司应当将股东的姓名或者名称及其出资额向公司登记机关登记;登记事项发生变更的,应当办理变更登记。未经登记或者变更登记的,不得对抗第三人。设立股份有限公司,应当有二人以上二百人以下为发起人,其中须有半数以上的发起人在中国境内有住所。股份有限公司成立后,应当制作股东名册。有限责任公司和股份有限公司由全体股东组成的股东会是公司的权力机构,因此,股东资格十分重要。实践中,时常会发生因为出资不足的问题,导致出资人是否具有股东资格的纠纷,出资人本人或者其他股东可以要求人民法院对出资人的股东资格进行确认。

(三)因分配利润产生的纠纷

公司盈利的,应当向股东分配利润。根据公司法的规定,公司分配当年税后利润时,应当提取利润的百分之十列入公司法定公积金。公司法定公积金累计额为公司注册资本的百分之五十以上的,可以不再提取。公司的法定公积金不足以弥补以前年度亏损的,在依照前款规定提取法定公积金之前,应当先用当年利润弥补亏损。公司从税后利润中提取法定公积金后,经股东会或者股东大会决议,还可以从税后利润中提取任意公积金。公司弥补亏损和提取公积金后所余税后利润,有限责任公司依照股东按照实缴的出资比例分取红利;公司新增资本时,股东有权优先按照实缴的出资比例认缴出资。但是,全体股东约定不按照出资比例分取红利或者不按照出资比例优先认缴出资的除外。股份有限公司按照股东持有的股份比例分配,但股份有限公司章程规定不按持股比例分配的除外。实践中,因分配利润产生的纠纷常见于因股东会、股东大会或者董事会违反公司法的规定,在公司弥补亏损和提取法定公积金之前向股东分配利润,在此种情形下,股东必须将违反规定分配的利润退还公司。

(四)因公司解散产生的纠纷

根据公司法的规定,公司因下列原因解散:(1)公司章程规定的营业期限届满或者公司章程规定的其他解散事由出现;(2)股东会或者股东大会决议解散;(3)因公司合并或者分立需要解散;(4)依法被吊销营业执照、责令关闭或者被撤销。公司经营管理发生严重困难,继续存续会使股东利益受到重大损失,通过其他途径不能解决的,持有公司全部股东表决权百分之十以上的股东,可以请求人民法院解散公司。除因公司合并或者分立而解散的外,公司应当在解散事由出现之日起十五日内成立清算组,开始清算。有限责任公司的清算组由股东组成,股份有限公司的清算组由董事或者股东大会确定的人员组成。逾期不成立清算组进行清算的,债权人可以申请人民法院指定有关人员组成清算组进行清算。人民法院应当受理该申请,并及时组织清算组进行清算。清算组在清理公司财产、编制资产负债表和财产清单后,应当制订清算方案,并报股东会、股东大会或者人民法院确认。公司财产在分别支付清算费用、职工的工资、社会保险费用和法定补偿金,缴纳所欠税款,清偿公司债务后的剩余财产,有限责任公司按照股东的出资比例分配,股份有限公司按照股东持有的股份比例分配。公司清算结束后,清算组应当制作清算报告,报股东会、股东大会或者人民法院确认,并报送公司登记机关,申请注销公司登记,公告公司终止。清算组成员应当忠于职守,依法履行清算义务。清算组成员利用职权侵占公司财产或者因故意或者重大过失给公司或者债权人造成损失的,应当承担赔偿责任。

根据本条的规定,上述公司纠纷诉讼,由公司住所地的人民法院管辖。根据民法通则、公司法的规定,公司以其主要办事机构所在地为住所。公司的主要办事机构所在地应当与公司注册地相区别,一般情况下,公司的注册地与公司主要办事机构所在地是一致的,有的情况下,公司在境外注册,但主要营业地设在中国,根据我国法律的规定,该公司的住所地在我国境内。公司主要办事机构也要与公司的经营场所相区别,经营场所是指公司进行业务活动所必需的一切场地,是公司进行经营的必要条件。公司经营场所除公司住所外,还包括住所之外的各种固定地点和设施,如生产场地、销售网点等,设有分支机构的公司还包括分支机构的所在地。而住所则是公司经营管理及业务活动的核心机构所在地。

第二十七条 因铁路、公路、水上、航空运输和联合运输合同纠纷提起的诉讼,由运输始发地、目的地或者被告住所地人民法院管辖。

【释义】 本条是关于因铁路、公路、水上、航空运输和联合运输合同纠纷提起的诉讼管辖的规定。

本条规定,因铁路、公路、水上、航空运输和联合运输合同纠纷提起的诉讼,由运输始发地、目的地或者被告住所地人民法院管辖。运输合同纠纷,是指承运人与托运人双方在履行运输合同中发生的权利义务争议。例如,因托运的货物被损坏、丢失引起的纠纷;旅客因乘坐运输工具时人身受到伤害引起的纠纷等。对这类纠纷,运输始发地(即客运或货运合同规定的出发地点)、目的地(合同约定的客运、货运最终到达地)、被告住所地三地人民法院都有管辖权。这样便于当事人进行诉讼,也便于法院了解案情调查取证,使纠纷得到及时解决。

根据最高人民法院的司法解释,铁路运输合同纠纷及与铁路运输有关的侵权纠纷,由铁路运输法院管辖。

第二十八条 因侵权行为提起的诉讼,由侵权行为地或者被告住所地人民法院管辖。

【释义】 本条是关于因侵权行为提起的诉讼管辖的规定。

侵权行为,是指加害人不法侵害他人财产权利和人身权利的行为。侵权行为地,包括侵害行为实施地和侵权结果发生地。

根据本条规定,侵权行为发生后,受害人既可以向侵权行为地人民法院起诉,也可以向被告住所地人民法院起诉。根据最高人民法院的司法解释,因产品质量不合格造成他人财产、人身损害提起诉讼的,产品制造地、产品销售地、侵权行为地和被告住所地人民法院都有管辖权。在涉外民事诉讼中,只要侵权行为发生地或者侵权结果地在中国领域内的,人民法院依法享有诉讼管辖权。

与合同案件的法定管辖只会限于某一个或几个特定的法院不同,有些侵权案件的侵权行为实施地或结果地可以特别广泛。例如,反不正当竞争案件中,不正当竞争者的一个违法广告可能在全国市场上给同行业者的市场销售带来影响。其同行可以因不正当竞争行为在任何一个地方市场上产生的损失请求损害赔偿,而不正当竞争行为地将不限于某一地或某几个地方,而是国内任何一个地方市场,其所在地法院都有管辖权。知识产权以及网络侵权诉讼等也有同样的特点。

第二十九条　因铁路、公路、水上和航空事故请求损害赔偿提起的诉讼,由事故发生地或者车辆、船舶最先到达地、航空器最先降落地或者被告住所地人民法院管辖。

【释义】　本条是关于因铁路、公路、水上和航空事故请求损害赔偿提起的诉讼管辖的规定。

本条规定,因铁路、公路、水上和航空事故请求损害赔偿提起的诉讼,由事故发生地或者车辆船舶最先到达地、航空器最先降落地或者被告住所地人民法院管辖。

铁路、公路、水上、航空事故是车辆、船舶或者航空器的所有人或管理人的侵权行为造成的。例如,火车相撞、脱轨;汽车倾覆，撞击了其他车辆、人员；轮船相撞、沉没；内河航船撞坏了码头造成财产损害或者人身伤亡；航空器坠毁；因排油、抛物造成环境污染和人身伤亡等。因这些事故引起的损害赔偿纠纷，法律规定事故发生地、车辆最先到达地（即事故发生后，车辆第一个停靠站）、船舶最先到达地（事故发生后，船舶第一个停靠港或者沉没地）、航空器最先降落地（即飞机、飞艇、卫星等最先降落地或者因事故而坠落地）、被告住所地人民法院都有权管辖，对法院查明事故原因、造成损害的程度和应当承担的民事责任等情况是有利的，对及时审判和进行赔偿也是有利的。

第三十条　因船舶碰撞或者其他海事损害事故请求损害赔偿提起的诉讼，由碰撞发生地、碰撞船舶最先到达地、加害船舶被扣留地或者被告住所地人民法院管辖。

【释义】 本条是关于因船舶碰撞或者其他海事损害事故请求损害赔偿提起的诉讼管辖的规定。

本条规定的其他海损事故，是指船舶在航行过程中，除碰撞以外发生的触礁、触岸、搁浅、浪损、失火、爆炸、沉没、失踪等事故。

依照本条规定，因船舶碰撞或者其他海损事故造成财产、人身损害，原告追索损害赔偿的诉讼，以下四个地方的人民法院都有管辖权：其一，碰撞发生地，即船舶碰撞的侵权行为发生的具体地点；其二，碰撞船舶最初到达地，即船舶碰撞事故发生后，受害船舶最先到达的港口所在地；其三，加害船舶被扣留地，即加害船舶实施侵权行为后继续航行，后被有关机关扣留的具体地点；其四，被告住所地，一般是加害船舶的船籍港所在地，即该船舶进行登记，获得航行权的具体港口。这样,便于法院查明事故原因,分清责任,及时审判,使受害者及时得到赔偿。

在我国,因船舶碰撞或者其他海事损害事故请求损害赔偿提起的诉讼,由海口海事法院、广州海事法院、厦门海事法院、上海海事法院、青岛海事法院、天津海事法院、大连海事法院、武汉海事法院、宁波海事法院和北海海事法院十个海事法院专门管辖。

第三十一条　因海难救助费用提起的诉讼,由救助地或者被救助船舶最先到达地人民法院管辖。

【释义】　本条是关于因海难救助费用提起的诉讼管辖的规定。

海难救助,是指对海上遇难的船舶及所载的货物或者人员给予援救。实施救助的,可能是从事救助的专业单位,也可能是邻近或者经过的船舶。救助活动完成后,实施救助的一方有权要求被救助的一方给付一定的报酬,这就是海难救助费用。依照本条规定,因追索海难救助费用提起的诉讼,救助地(即实施救助行为或者救助结果发生地)、被救助船舶最先到达地(即被救助船舶经营救脱离险情后,最初到达地)的人民法院都有管辖权。根据最高人民法院关于海事法院受理案件范围的若干规定,因海难救助费用提起的诉讼,由海事法院专门管辖。

第三十二条　因共同海损提起的诉讼,由船舶最先到达地、共同海损理算地或者航程终止地的人民法院管辖。

【释义】　本条是关于因共同海损提起的诉讼管辖的规定。

共同海损，是指海上运输中，船舶以及所载的货物遭遇海难等意外事故时，为了避免共同危险而有意地、合理地作出特殊的物质牺牲和支付的特殊费用。例如，为灭火而引海水入舱，为避免全船覆没而将全部或部分货物抛进大海，为进行船舶紧急修理而自动搁浅等。共同海损的牺牲和费用经过清算，由有关各方按比例分担。如果共同海损的全体受益人对共同海损的构成与否及分担比例等问题发生争议而诉诸法院，这就是共同海损诉讼。

依照本条规定，因共同海损提起的诉讼，船舶最先到达地、共同海损理算地或者航程终止地人民法院都有管辖权。船舶最先到达地，是对遇难船舶采取挽救措施，继续航行后最初到达的港口所在地。航程终止地，是发生共同海损船舶的航程终点。共同海损理算地，是处理共同海损损失、理算共同海损费用的工作机构所在地。我国共同海损理算机构是中国国际贸易促进委员会，地点在北京。根据最高人民法院关于海事法院受理案件范围的若干规定，因共同海损提起的诉讼，由海事法院专门管辖。

第三十三条　下列案件，由本条规定的人民法院专属管辖：

（一）因不动产纠纷提起的诉讼，由不动产所在地人民法院管辖；

（二）因港口作业中发生纠纷提起的诉讼，由港口所在地人民法院管辖；

（三）因继承遗产纠纷提起的诉讼，由被继承人死亡时住所地或者主要遗产所在地人民法院管辖。

【释义】 本条是关于专属管辖的规定。

专属管辖，是指对某些特定类型的案件，法律强制规定只能由特定的人民法院行使管辖权。凡是专属管辖的案件，只能由法律明文规定的人民法院管辖，其他人民法院均无管辖权，从而排除了一般地域管辖和特殊地域管辖的适用。对于专属管辖的案件，当事人双方无权以协议或者约定的方式变更管辖法院，从而排除协议管辖的适用。外国的法院更没有管辖权，所以排除了外国法院行使管辖权的可能性。总之，专属管辖是排斥其他类型的法定管辖，也排斥协议管辖的管辖制度。

依照本条的规定，下列案件由人民法院专属管辖：

（一）因不动产纠纷提起的诉讼，由不动产所在地人民法院管辖

不动产，是指土地以及土地上的附着物，如建筑物、农作物、森林、草原等。因不动产纠纷提起的诉讼，主要是因不动产的所有权、使用权、占有等发生纠纷而引起的诉讼，以及相邻不动产之间因通行、通风、采光等相邻关系发生争议而引起的诉讼等。法律规定由不动产所在地人民法院管辖，便于受诉人民法院勘验现场，调查收集证据，也便于裁判生效后的执行工作。

（二）因港口作业中发生纠纷提起的诉讼，由港口所在地人民法院管辖

港口作业中发生的纠纷主要有两类：一是在港口进行货物装卸、驳运、保管等作业中发生的纠纷；二是船舶在港口作业中，由于违规操作造成他人人身或者财产损害的侵权纠纷。因此类纠纷提起的诉讼，由港口所在地人民法院管辖。根据最高人民法院关于海事法院受理案件范围的若干规定，港口作业纠纷属于海事海商案件，应由该港口所在地的海事法院

管辖。

（三）因继承遗产纠纷提起的诉讼，由被继承人死亡时住所地或者主要遗产所在地人民法院管辖

遗产是指死者生前的个人财产，包括动产和不动产。继承人为继承被继承人的遗产发生纠纷诉诸法院的诉讼，称为继承遗产诉讼。继承遗产诉讼，由被继承人死亡时住所地或者主要遗产所在地人民法院管辖。

被继承人死亡时住所地与主要遗产所在地一致的，则该地人民法院具有管辖权。二者不一致的，则这两个地方的人民法院都有管辖权，当事人可以任选其中一个人民法院提起诉讼。如果被继承人的遗产分散在几个人民法院辖区，应以遗产的数量和价值来确定主要遗产所在地，进而确定管辖法院。这样确定管辖，既有利于人民法院正确确定继承开始的时间、继承人与被继承人之间的关系以及遗产的范围和分配等问题，也有利于扩大人民法院对涉外继承诉讼的司法管辖权。

如果主要遗产是不动产，应当按照遗产纠纷来确定管辖法院，即此类案件由被继承人死亡时住所地或者主要遗产所在地人民法院确定管辖法院，而不是作为不动产纠纷来确定管辖法院。

第三十四条　合同或者其他财产权益纠纷的当事人可以书面协议选择被告住所地、合同履行地、合同签订地、原告住所地、标的物所在地等与争议有实际联系的地点的人民法院管辖，但不得违反本法对级别管辖和专属管辖的规定。

【释义】 本条是关于协议管辖的规定。

这次修改民事诉讼法修改了本条。协议管辖，又称合意

管辖或者约定管辖,是指双方当事人在纠纷发生之前或发生之后,以合意方式约定解决他们之间纠纷的管辖法院。协议选择管辖法院是意思自治原则在民事诉讼领域的延伸和体现,有助于实现当事人双方诉讼机会的均等。协议选择管辖,已为当今世界许多国家和地区在立法上和司法实践中所肯定。协议选择管辖法院在我国的民事诉讼实践中,也具有十分重要的意义。实践中,有些地方法院受地方保护主义影响,对合同纠纷案件,不属于自己管辖的,也抢着受理争管辖。如果依原告就被告原则,由被告住所地法院管辖,原告担心地方保护主义;如果由原告住所地法院管辖,被告担心地方保护主义。为了解决地方保护主义,通过允许当事人双方选择处理争议的法院,让当事人选择对收集证据、安排证人出庭、出席法庭辩论等更有利的法院来审理纠纷,不仅有利于圆满解决纠纷,而且增加了诉讼及裁判结果的确定性、可预见性和可执行性,避免因管辖权的争议而延误纠纷的解决,有助于切实保障交易安全和交易双方的合法权益。因此,1991 年民事诉讼法第二十五条规定:“合同的双方当事人可以在书面合同中协议选择被告住所地、合同履行地、合同签订地、原告住所地、标的物所在地人民法院管辖,但不得违反本法对级别管辖和专属管辖的规定。”第二百四十二条规定:“涉外合同或者涉外财产权益纠纷的当事人,可以用书面协议选择与争议有实际联系的地点的法院管辖。选择中华人民共和国人民法院管辖的,不得违反本法关于级别管辖和专属管辖的规定。”

根据这次民事诉讼法的修改,本条在原民事诉讼法第二十五条的基础上,结合原民事诉讼法第二百四十二条的规定,作出了以下主要修改:一是在适用范围上,在原有的“合同”纠纷的基础上,增加了“其他财产权益纠纷”;二是在选择管辖法院的连接点上，在原有的“被告住所地、合同履行地、合同签订地、原告住所地、标的物所在地”的基础上，增加规定“等与争议有实际联系的地点”，扩大了连接点，也就是扩大了当事人可以协议选择管辖法院的范围。这样修改后，原民事诉讼法第二百四十二条关于涉外民事诉讼的协议管辖的规定，与国内民事诉讼的协议管辖内容一致，因此，在修改本条的同时，删去原民事诉讼法第二百四十二条。也就是说，涉外民事诉讼中，合同或者其他财产权益纠纷的当事人可以依据本条的规定，协议选择有关的管辖法院。

根据本条规定，当事人协议选择管辖法院应当符合以下条件：

1. 只有合同或者其他财产权益纠纷的双方当事人可以协议选择管辖法院，因身份关系产生的民事纠纷的当事人不能协议选择管辖法院。原民事诉讼法第二十五条规定可以协议选择管辖法院的主体仅限于合同纠纷的当事人。而原民事诉讼法第二百四十二条规定，涉外民事诉讼的协议管辖的主体比国内民事诉讼中协议管辖的主体更广一些，除涉外合同的当事人外，涉外财产权益纠纷的当事人也可以协议选择管辖法院。为了体现尊重当事人意思自治，这次修改统一了国内和涉外民事诉讼中协议管辖的适用范围，增加规定在国内民事诉讼中，允许除合同纠纷外，其他财产权益纠纷的双方当事人也可以协议选择管辖法院。也就是说，无论国内民事诉讼还是涉外民事诉讼，合同或者其他财产权益纠纷的当事人都可以协议选择管辖法院。这里的合同纠纷包括因合同订立、履行、变更、解除、违约等所产生的纠纷；其他财产权益纠纷包括因物权、知识产权中的财产权而产生的民事纠纷。

2. 可以协议选择的法院应当是被告住所地、合同履行地、合同签订地、原告住所地、标的物所在地等与争议有实际联系的地点的人民法院。这次修改中,因为统一国内和涉外民事诉讼协议管辖的适用范围,根据原民事诉讼法第二百四十二条的规定,在可以选择的法院范围上增加规定了“等与争议有实际联系的地点”的人民法院,一方面,实际上扩大了国内民事诉讼中可以协议选择管辖法院的范围,只要是与争议有实际联系的地点的人民法院,合同或者其他财产权益纠纷的当事人都可以协议选择管辖法院。另一方面,“争议有实际联系的地点”也是对选择管辖法院的范围进行的必要的限制,当事人不可以协议选择与争议没有实际联系的地点的法院。在实践中,“争议有实际联系的地点”除了被告住所地、合同履行地、合同签订地、原告住所地、标的物所在地外,还包括侵犯物权或者知识产权等财产权益的行为发生地等。还有一点需要明确,当事人选择的管辖法院必须是确定的、单一的,也就是说,当事人必须在上述法院中选择其一。根据最高人民法院《关于适用〈中华人民共和国民事诉讼法〉若干问题的意见》第二十四条的规定,合同的双方当事人选择管辖的协议不明确或者选择民事诉讼法第二十五条规定的人民法院中的两个以上人民法院管辖的,选择管辖的协议无效,依照民事诉讼法第二十四条的规定确定管辖。

3. 协议选择管辖法院不得违反本法对级别管辖和专属管辖的规定。在我国司法体系中,人民法院共有最高人民法院、高级人民法院、中级人民法院和基层人民法院四级法院,各级人民法院都可以受理第一审民事案件,但标准各有不同。根据民事诉讼法的规定,基层人民法院管辖第一审民事案件,但本法另有规定的除外。中级人民法院管辖下列第一审民事案件:重大涉外案件;在本辖区有重大影响的案件以及最高人民法院确定由中级人民法院管辖的案件。高级人民法院管辖在本辖区有重大影响的第一审民事案件。最高人民法院管辖下列第一审民事案件：在全国有重大影响的案件；认为应当由本院审理的案件。当事人协议选择的管辖法院，不能违反民事诉讼法关于级别管辖的规定，也就是说，当事人协议选择的法院只能是一审法院，不能协议选择二审和再审法院，而且，选择的一审法院应当符合法律和最高人民法院确定的管辖标准。当事人协议选择的管辖法院也不能违反民事诉讼法关于专属管辖的规定。根据民事诉讼法的规定，下列案件，由本条规定的人民法院专属管辖：因不动产纠纷提起的诉讼，由不动产所在地人民法院管辖；因港口作业中发生纠纷提起的诉讼，由港口所在地人民法院管辖；因继承遗产纠纷提起的诉讼，由被继承人死亡时住所地或者主要遗产所在地人民法院管辖。虽然本条规定财产权益纠纷的当事人可以选择管辖法院，这里的“财产权益”包括物权，但是其中属于不动产纠纷的，只能由不动产所在地的人民法院管辖，当事人不能通过协议选择其他法院。

4. 当事人协议管辖应当采用书面形式。这是协议管辖的形式要件，要求当事人双方必须以书面合同的形式选择管辖法院，口头协议无效。当事人达成的选择管辖法院的书面协议，必须符合合同法的有关规定。从形式上，书面协议可以采取合同书的形式，包括书面合同中的协议管辖条款，也可以采取信件和数据电文（包括电报、电传、传真、电子数据交换和电子邮件）等可以有形地表现当事人双方协议选择管辖法院意思表示的形式。从协议内容上，应当体现以当事人双方选择管辖法院的真实意愿，一方不能将自己的意志强加给另一方。当事人达成的选择管辖法院的协议内容也要合法，有下列情形的,该选择管辖的协议无效:(1)一方以欺诈、胁迫的手段订立的协议,损害国家利益的;(2)当事人双方恶意串通,损害国家、集体或者第三人利益的;(3)以合法形式掩盖非法目的的;(4)损害公共利益的;(5)协议选择的法院违反民事诉讼法关于级别管辖和专属管辖规定的。在订立选择管辖法院的协议后,有下列情形的,一方当事人可以请求人民法院撤销认为该协议:(1)该协议是因重大误解订立的;(2)订立协议时显失公平的;(3)对方当事人以欺诈、胁迫的手段或者乘人之危,使自己在违背真实意思的情况下订立的协议。双方当事人订立有效的选择管辖法院的协议后,当然可以在双方协商一致的情况下,变更已经选择的管辖法院,选择其他与争议有实际联系的人民法院处理争议。

第三十五条　两个以上人民法院都有管辖权的诉讼,原告可以向其中一个人民法院起诉;原告向两个以上有管辖权的人民法院起诉的,由最先立案的人民法院管辖。

【释义】　本条是关于共同管辖的规定。

共同管辖,是指依照法律规定两个或者两个以上的人民法院对同一诉讼案件都有管辖权。这种情况既可以因诉讼主体或诉讼客体的原因发生,也可以因法律的直接规定而发生。

在几个人民法院对同一案件都有管辖权的情况下,就形成了管辖权的冲突。解决管辖权冲突的最主要的办法,是赋予原告选择权,原告可以向其中任一法院起诉。如果原告向两个以上有管辖权的人民法院起诉,由最先立案的人民法院管辖。

例如,李某与刘某、王某、赵某是朋友,刘某、王某、赵某三人合伙做生意,三人共同向李某借款6000元,约定半年之后归还，并写了借条，由刘某、王某、赵某三人共同签名（借款人）。半年之后，刘、王、赵未按约还钱，李某向他们索还，三人互相推诿，仍不还钱。李某准备向法院起诉，现知李某住A市东区，刘某住A市西区，王某住A市北区，赵某住A市南区。李某如果到法院去起诉，案件应由哪个法院管辖？这是个债权债务纠纷，属一般地域管辖，根据原告就被告原则，李某应到被告所在地法院起诉。本案是连带债务纠纷，共同被告有三个，他们分别住在A市西区、北区、南区，因此，这三个法院都有管辖权，原告可以选择其中一个法院起诉，即李某选择了哪个法院，案件的管辖权就由哪个法院行使。如果李某向三个法院都递交了起诉状，那么哪个法院最先立案，该案就由哪个法院行使管辖权。这里还有一个问题，如果三个法院立案的先后时间无法区分，由这三个法院共同进行协商，确定其中一个法院行使管辖权。如果这三个法院经协商，未能确定出一个法院行使管辖权，则得由这几个法院共同报请A市中级人民法院来指定管辖，A市中级人民法院指定哪个法院行使管辖权，该案就由哪个法院行使管辖权。

第三节　移送管辖和指定管辖

第三十六条　人民法院发现受理的案件不属于本院管辖的，应当移送有管辖权的人民法院，受移送的人民法院应当受理。受移送的人民法院认为受移送的案件依照规定不属于本院管辖的，应当报请上级人民法院指定管辖，不得再自行移送。

【释义】　本条是关于移送管辖的规定。

移送管辖，是指没有管辖权的人民法院接受原告起诉后，发现原告起诉的案件不属于自己管辖的，查明这个案件应当由哪个法院管辖，主动移送有管辖权的人民法院管辖。设立移送管辖制度是为了适应各种复杂的实际情况，解决管辖中有争议的问题，从而避免案件因管辖不明等原因而拖延审理，以致影响保护当事人的合法权益。

根据本条的规定，人民法院移送案件应当具备以下三个条件：(1)移送案件的人民法院对该民事案件没有管辖权。对案件有管辖权的人民法院不得推脱责任而将案件移送到其他人民法院。(2)移送案件的人民法院已经受理了该民事案件。对于尚未受理的民事案件不存在移送的问题。(3)受移送的人民法院对该民事案件有管辖权。

移送管辖有两种：一是同级人民法院之间的移送管辖，它属于地域管辖的范围。例如，重庆市某区人民法院受理一个继承案件后，发现该被继承人生前虽居住在重庆市某区，但他的住所和主要遗产在北京市某区，依照继承遗产诉讼管辖的规定，该案不属于重庆市该区人民法院管辖，应当将该案移送到有管辖权的北京市某区。二是上下级人民法院间的移送，它属于级别管辖方面的移送。例如，重庆市某区人民法院受理一个民事案件后，发现该案件在重庆市范围内有重大影响。依照本法第十八条的规定，中级人民法院管辖本管辖区有重大影响的第一审民事案件，该案不属于重庆市该区人民法院管辖，应当将该案移送到有管辖权的重庆市中级人民法院。上下级法院之间的移送管辖，其原因和目的与同级法院之间的移送管辖基本相同。

实践中，有三种情况需要注意：一是两个以上人民法院都有管辖权的民事案件。对于这类案件，先立案的人民法院不得将案件移送给另一个有管辖权的人民法院。人民法院在立案前发现其他有管辖权的人民法院已先立案的，不得重复立案；立案后发现其他有管辖权的人民法院已先立案的，裁定将案件移送给先立案的人民法院。二是案件受理后，当事人住所地、经常居住地发生变化。出现这种情况的，受诉人民法院的管辖权不受当事人住所地、经常居住地变更的影响，受诉人民法院更不得将案件移送到当事人变更后的住所地、经常居住地人民法院管辖。三是有管辖权的人民法院受理案件后，行政区域发生变更。出现这种情况的，受理案件时有管辖权的人民法院不得以行政区域变更为由，将案件移送给变更后有管辖权的人民法院。

根据本条的规定，受移送的人民法院应当受理被移送的案件。受移送的人民法院认为受移送的案件依照规定不属于本院管辖的，应当报请上级人民法院指定管辖，不得再自行移送。不得再自行移送包括既不能把移送来的案件再退回原移送的法院，也不能再移送给其他法院，只能报请上一级人民法院指定管辖。这样规定的目的有二：一是避免原告多跑路，方便当事人诉讼；二是避免案件由于互相推诿，拖延诉讼时间，使当事人的合法权益得不到及时保护。

需要注意的是，依照本法的规定，当事人对管辖权提出异议是当事人的一项诉讼权利，法院经审查异议成立的，就应将案件移送有管辖权的法院审判。这样可以避免无管辖权的法院为了某种利益审判案件，损害当事人的合法权益，也有助于克服地方保护主义。当事人对管辖权的异议，应当在提交答辩状期间届满前提出。如果在审理中提出，应当视为当事人已接受受理该案件的法院的管辖，否则将会影响对案件的及时审判。

第三十七条　有管辖权的人民法院由于特殊原因，不能行使管辖权的，由上级人民法院指定管辖。

人民法院之间因管辖权发生争议,由争议双方协商解决;协商解决不了的,报请它们的共同上级人民法院指定管辖。

【释义】 本条是关于指定管辖的规定。

指定管辖,是指由于种种特殊原因,有管辖权的法院不能行使管辖权,或者由于几个人民法院对案件的管辖发生异议,或者移送来的案件也不属于本院管辖时,需要由上级法院指定某一法院管辖。被指定的人民法院因被指定取得了对该案的管辖权。规定指定管辖是对法定管辖的补充,其目的是使人民法院早日确定管辖权,及时进行审判,使当事人的合法权益尽快得到保护。

根据本条的规定和本法第三十六条的规定,在以下三种情况下出现指定管辖:

1. 受移送的人民法院认为移送来的案件不属于本院管辖时,报请上级法院指定管辖。由上级人民法院指定本辖区内的其他法院管辖,进行审判。

2. 有管辖权的人民法院由于特殊原因,不能行使管辖权的,由上级人民法院指定管辖。这里的"由于特殊原因,不能行使管辖权",是指由于法律上或者事实上的原因,致使按法律规定受诉的人民法院无法或者难以行使管辖权。例如,一个基层人民法院受理了一个因不动产提起诉讼的案件,而该不动产正由该法院使用,该法院的全体审判人员与本案有利害关系,需要回避,因而不应对该案件进行审判。该法院就可以报请上级人民法院指定管辖。又如,有管辖权的人民法院所在地发生了严重的自然灾害,致使该法院无法办案,当事人和其他诉讼参与人无法进行诉讼活动。该案件需要由有管辖权法院的上一级人民法院指定其他法院管辖。

3. 人民法院之间因管辖权发生争议,由争议双方协商解决；协商解决不了的，报请它们的共同上级人民法院指定管辖。这里的“管辖权发生争议”，主要指两个以上人民法院，由于管辖区域不明，或者有共同管辖权的案件、多种地域管辖并存的案件，或者对管辖的规定产生了不同理解，引起推诿而发生的争议。在这种情况下，应当由争议双方法院协商解决，解决不了的，再报请其共同上级人民法院指定管辖。这里的“共同上级人民法院”，是指如果同属于一个辖区内的中级人民法院的两个基层人民法院，它们的共同上级人民法院就是该中级人民法院；如果是分属于两个省、自治区、直辖市的两个基层人民法院，它们的共同上级人民法院就是最高人民法院。报请上级人民法院指定管辖时，应当逐级进行。此外，上级人民法院依照本条规定指定管辖，应书面通知报送的人民法院和被指定的人民法院。报送的人民法院接到通知后，应及时告知当事人。

第三十八条　上级人民法院有权审理下级人民法院管辖的第一审民事案件；确有必要将本院管辖的第一审民事案件交下级人民法院审理的，应当报请其上级人民法院批准。

下级人民法院对它所管辖的第一审民事案件，认为需要由上级人民法院审理的，可以报请上级人民法院审理。

【释义】　本条是关于管辖权转移的规定。

这次修改民事诉讼法修改了管辖“上交下”的规定。

为了解决有管辖权的人民法院由于特殊原因不能或者不宜行使管辖权的问题，本条规定了管辖权转移制度。所谓管辖权转移，是指上级人民法院有权审理下级人民法院管辖的第一审民事案件，也可以把本院管辖的第一审民事案件交下级人民法院审理，以及下级人民法院对它所管辖的第一审民事案件,认为需要由上级人民法院审理的,报请上级人民法院审理。管辖权转移实质是一种将案件提上来、放下去管辖的制度。这种提上来、放下去管辖的案件,不受级别管辖和地域管辖的限制。人民法院对于提上来、放下去的案件,不得拒不执行,或者不受理。本条规定的管辖权转移不同于本法规定的移送管辖。不同之处有三:一是移送管辖是指没有管辖权的法院把案件移送给有管辖权的法院审判;管辖权转移是指有管辖权的法院将案件转移给原来没有管辖权的法院。二是管辖权转移限于上下法院之间,是对级别管辖权的补充;移送管辖除了可能在上下级人民法院之间发生外,还可能在同级法院之间发生。三是程序上不完全相同。在管辖权转移中,当下级人民法院报请上级人民法院审判案件时,须经上级人民法院批准。上级人民法院提审下级人民法院有管辖权的案件,下级人民法院必须执行;上级人民法院在确有必要时将应由自己审理的案件交由下级人民法院审理时,应当经其上级人民法院批准。在移送管辖中,移送管辖不必经上级人民法院批准,受移送的人民法院不得再自行将案件移送给其他人民法院,如果认为不属于本院管辖的,应当报请上级人民法院指定管辖。

根据本条规定,上级人民法院审理下级人民法院管辖的第一审民事案件,主要有两种情况:一种情况是上级人民法院有权审理下级人民管辖的第一审民事案件。如在实践中,上级人民法院如果认为有管辖权的下级人民法院在审理第一审民事案件时,在执行政策和法律上与有关部门争议较大,审理起来较困难的,上级人民法院可以将该案件提审,下级人民法院已经受理的,应当将该案件的材料及时移交上级人民法院。另一种情况是下级人民法院对它所管辖的第一审民事案件,认为需要由上级人民法院审理的，可以报请上级人民法院审理。这里的“需要”可以是指案件本身的需要，如案情重大、特别复杂、涉及面很广，下级人民法院审理确有困难；也可以是由于某种特殊原因的需要，如由于自然灾害的原因，下级人民法院审理确有困难。下级人民法院报请上级人民法院审理应由自己管辖的民事案件时，应当取得上级人民法院的同意，上级人民法院认为案件仍应由下级人民法院审理的，下级人民法院应当服从上级人民法院的决定。

根据本条规定，上级人民法院在确有必要时，可以将本院管辖的第一审民事案件交下级人民法院审理，但应当报请其上级人民法院批准。这是在原民事诉讼法第三十九条第一款规定的上级人民法院“也可以把本院管辖的第一审民事案件交下级人民法院审理”的基础上作出的修改。

在修改民事诉讼法的过程中，有的意见提出，从法律规定的逻辑上看，级别管辖已经规定了上级人民法院应当管辖的案件，既然案件属于“在本辖区有重大影响的案件”，又可以将该案交下级人民法院审理，在法理上是讲不通的。从司法实践上看，有的上级人民法院为了使案件的一审、二审都处在本院的辖区范围内，将本应当由本院管辖的一些第一审民事案件交下级人民法院审理，严重影响当事人的审级利益，对民事诉讼法规定的级别管辖制度也带来冲击。因此，为了保障当事人的诉权，维护民事诉讼法中的级别管辖制度，应当删去民事诉讼法中关于上级人民法院“也可以把本院管辖的第一审民事案件交下级人民法院审理”的规定。但也有的意见提出，原则上，上级人民法院不宜将本院管辖的民事案件交下级人民法院审理，但民事案件情况复杂，有的案件如破产案件可能涉及许多衍生诉讼案件，特别是其中的相关劳动争议等民事案件,如都由作为破产法院的中级人民法院审理,调查取证查清事实等也有不便,加之案件数量也大,都由中级人民法院审理会影响效率和效果,交下级人民法院审理更有利于当事人参加诉讼,也方便法院审理;又如,一些涉及系统性金融风险案件或者群体性纠纷案件,案件数量大,案情复杂,涉及面广,而有关权利义务关系的内容相似,此时由上级人民法院将案件集中下移有利于案件协调处理,统一尺度,提高效率。虽然最高人民法院可以通过司法解释限制由上级人民法院交下级人民法院审理的情形,但如果民事诉讼法删去“上交下”的规定,最高人民法院将无法律依据作出司法解释。因此,保留上级人民法院可以把本院管辖的一审民事案件交下级人民法院审理的规定确有必要。有的意见提出,如果保留上级人民法院可以把本院管辖的一审民事案件交下级人民法院审理的规定,为了防止实践中个别法院滥用,应当对上级人民法院“可以”下移管辖的情形进行必要的限制。

经研究,将原民事诉讼法第三十九条第一款作出以下两处修改:一是,从适用情形上,将下交管辖权的前提限制在“确有必要”。根据司法实践,有些案件如在破产案件中衍生的诉讼案件、涉及金融系统性风险或者群体性纠纷等第一审民事案件,必要时上级人民法院可以交下级人民法院审理。考虑到民事案件的广泛性和复杂性,如何确定“确有必要”难以在法律中作出明确界定,待修改民事诉讼法的决定通过后,可由最高人民法院根据司法实践作出司法解释,对“确有必要”的情形作出规定,对上级人民法院交下级人民法院管辖的案件进行严格限制。二是,从下交管辖权的程序上,增加报批程序,即将本院管辖的第一审民事案件交下级人民法院审理的,“应当报请其上级人民批准”。如中级人民法院欲将其管辖的某第一审民事案件交基层人民法院审理,应当在下交前,报请省(自治区、直辖市)高级人民法院批准。高级人民法院经审查认为,中级人民法院下交管辖权确有必要的,可以准许中级人民法院下交基层法院审理该第一审民事案件,基层法院必须审理该案件;如果高级人民法院认为,中级人民法院下交管辖权不属于“确有必要”的情形,应当不予以准许下交审理,中级人民法院应当审理该案件。

第三章　审 判 组 织

本章是关于审判组织的规定，审判组织是人民法院审理民事案件，行使审判权的具体人员。本章规定了人民法院审理第一审民事案件、第二审民事案件、发回重审和再审案件的审判组织，并规定了合议庭的庭长由谁担任、合议庭工作原则和法官依法办案的要求等。

第三十九条　人民法院审理第一审民事案件，由审判员、陪审员共同组成合议庭或者由审判员组成合议庭。合议庭的成员人数，必须是单数。

适用简易程序审理的民事案件，由审判员一人独任审理。

陪审员在执行陪审职务时，与审判员有同等的权利义务。

【释义】　本条是关于人民法院审理第一审民事案件的审判组织和人民陪审员权利的规定。

根据本法第六条第一款的规定，民事案件的审判权由人民法院行使。人民法院的审判权是通过一定的组织形式体现的，人民法院通过审判组织对每一具体案件的审理来实现审判权。审判组织在诉讼中具有重要作用，它在诉讼中的任务是保护当事人行使诉讼权利，履行诉讼义务，查明案件事实，分清是非，正确适用法律，所以民事诉讼法如何规定审理民事案件的组织，对于充分发挥审判工作中的民主，保证案件能够公正、及时地处理是至关重要的一环。本条对民事案件第一审的审判组织作了规定。本条规定了两种审判组织形式:合议制和独任制。

本条第一款规定了合议制。合议制是集体审判案件的一种制度。合议庭是实现这种集体审判制度的组织形式。合议庭因审级的不同其组成人员也有所区别。根据本条第一款的规定,人民法院审理第一审民事案件可以由审判员、陪审员组成合议庭,也可以由审判员组成合议庭。也就是说,一审民事案件合议庭的组成形式有两种:一是由审判员组成合议庭,即合议庭的组成人员全部为审判员,不吸收陪审员;二是由审判员和陪审员共同组成合议庭。究竟哪些案件由陪审员参加合议庭审理,哪些案件由审判员组成的合议庭审理,本法未作限制性规定,而是由人民法院根据案件的实际情况确定。实践中,对于某些案件,特别是对技术性、业务性比较强的案件,请有关陪审员参加,对于准确认定案件事实、正确适用法律,说服和教育当事人具有重要意义。对于审判员与陪审员在合议庭中的人数比例,本条未作明确规定,人民法院可以根据实际需要确定,但需要注意的是,合议庭的人数必须是三人以上的单数。

本条第二款规定了独任制。所谓独任制,是指由审判员一人对具体案件进行审理和裁判的制度。人民法院审理民事案件应以合议制为原则,但对简单的案件可以适用独任制。在案情简单,且可以保障案件审判质量的前提下,独任制可以方便当事人诉讼,便于人民法院审判和及时审结案件。独任制一般在两种情况下适用:一是基层人民法院和它派出的法庭审理的第一审民事案件权利义务关系明确、事实清楚,争议不大的;二是人民法院依据特别程序审理的非诉案件中,除选民案件和重大复杂案件以外的其他案件,也可以适用独任制。

人民法院在审理案件的过程中,如果发现案件重大复杂,适用独任制可能影响审判质量的,可以由简易程序改为普通程序,即由独任制改为合议制。

实行人民陪审员制度,对于加强审判的民主、公正、合法具有重要意义,也是人民群众对人民法院的审判工作进行监督的有效渠道。根据本条第一款的规定,陪审员可以参与适用普通程序案件的审理。在由陪审员和审判员共同组成的合议庭中,陪审员作为合议庭的组成人员在整个审判过程中与审判员具有同等权利和义务。人民陪审员在人民法院执行陪审任务期间,有权查阅全部案件材料,有权参加案件的调查,也有权参加开庭审判和对案件的评议,同时也有义务依法办案。

第四十条　人民法院审理第二审民事案件,由审判员组成合议庭。合议庭的成员人数,必须是单数。

发回重审的案件,原审人民法院应当按照第一审程序另行组成合议庭。

审理再审案件,原来是第一审的,按照第一审程序另行组成合议庭;原来是第二审的或者是上级人民法院提审的,按照第二审程序另行组成合议庭。

【释义】　本条是对人民法院审理第二审民事案件、重审和再审案件审判组织的规定。

根据本条第一款的规定,第二审人民法院合议庭的组成人员,只能是审判员,不能有陪审员参加。这是与第一审人民法院合议庭组成的最大不同点。这种不同是由第二审程序的任务、特点所决定的。首先,第二审人民法院对上诉案件的审判,是在原审人民法院审理的基础上进行的,它必须按照法定程序，查明原审人民法院认定事实是否清楚，适用法律是否正确。这不仅直接关系到当事人的权益，而且肩负着对下级人民法院的审判实行监督的任务。这种具有监督审查性的程序体现了人民法院统一行使审判权的原则。因此，第二审只宜由审判员组成的合议庭进行审理。其次，当事人不服第一审人民法院的裁判提起上诉，是为了维护自己的权益，但上诉不同于起诉，上诉是要求上级人民法院变更原审人民法院的裁判，以达到维护自己权益的目的。上诉人只有获得上诉审法院作出有利于自己的裁判，才能达到上诉的目的。被上诉人是被通知应诉的人，但又不同于一审被告的应诉，他不仅要听候上诉法院对他与上诉人的权利义务问题作出决定，而且这种决定还涉及原审法院裁判是否正确。上诉审的审理，既是第二审法院对案件的审理，又是第二审法院对上诉人提起上诉理由和事实进行审查。因此，对上诉案件，也只宜由上级人民法院的审判员组成合议庭审理。这里需要说明的是，对于第二审合议庭组成人数问题，本法并未作具体规定。在实践中，第二审合议庭一般由三位审判员组成。在某些特殊情况下，合议庭的人数可以增加，具体人数可以由第二审人民法院根据需要确定，但必须为单数。

本条第二款对重审案件的审判组织作了规定。我国人民法院审理民事案件实行二审终审制度。根据本法第一百七十条第一款第三项的规定，人民法院审理上诉案件，认为原判决认定事实不清，证据不足的，或者由于违反法定程序可能影响案件公正判决的，裁定撤销原判，发回原审人民法院重审，也可以查清事实后改判。重审案件的合议庭与第一审合议庭一样，既可以由审判员组成，也可以由审判员和陪审员组成。需要特别强调的是，对于发回重审案件合议庭的组成，应当依照第一审程序另行组成合议庭,不得再由原来的合议庭进行审理,也不能适用简易程序独任审判,以避免先入为主,使错误得不到纠正。

本条第三款对再审案件的审判组织作了规定。按照审判监督程序,对于人民法院已经发生法律效力的判决、裁定、调解书,如果发现确有错误的,应当决定再审。再审的案件可能是第一审法院审结的案件,也可能是第二审人民法院审结的案件。对于再审案件的审判组织,根据本条第三款的规定,原来是第一审的,应当按照第一审程序另行组成合议庭,原来是第二审的,应当按照第二审程序另行组成合议庭。但是,如果上级人民法院发现下级人民法院已经发生法律效力的判决、裁定、调解书错误的,也可以直接提审。上级人民法院提审的案件不能再按第一审程序另行组成合议庭,而应当按照第二审程序另行组成合议庭,即由审判员组成合议庭。应当特别注意的是,审理再审案件,原来第一审是独任审判的,应当按照第一审程序组成合议庭,不能再由审判员一人独任审判,且原独任审判员不得参加新合议庭。

第四十一条　合议庭的审判长由院长或者庭长指定审判员一人担任;院长或者庭长参加审判的,由院长或者庭长担任。

【释义】　本条是关于合议庭的审判长由谁担任的规定。

合议庭是一个集体,但在审理案件时需要其中一人担任审判长来指挥案件审判的整体过程。审判长的主要职责就是负责案件的审判活动,如宣布开庭,查明当事人是否到庭,宣布法庭组成人员,告知当事人在审判过程中的各种诉讼权利,主持法庭调查、法庭辩论等各项活动。审判长不是固定的职务。根据本条的规定,合议庭的审判长由院长或者庭长指定审判员一人担任;院长或者庭长参加审判的,由院长或者庭长担任。但是,需要说明的是,在审判员与陪审员组成的合议庭中,不能指定陪审员担任审判长。助理审判员可以临时代理审判员职务并成为合议庭成员,由院长或者庭长指定也可以担保合议庭审判长,但如果该合议庭中另有审判员时,仍应指定审判员担应审判长。

第四十二条　合议庭评议案件,实行少数服从多数的原则。评议应当制作笔录,由合议庭成员签名。评议中的不同意见,必须如实记入笔录。

【释义】　本条是关于合议庭活动原则的规定。

合议庭由若干审判员或者审判员和陪审员组成,是民主集中制原则在审判活动中的具体运用。为体现民主审判,保证案件处理的正确性、公正性,本法规定合议庭评议案件实行少数服从多数的原则,每一个合议庭成员都可以充分发表自己的意见,对于少数意见,必须如实记入笔录,然后由合议庭成员签名。对案件的判决、裁定要按照合议庭的多数意见制定。合议庭评议案件是不公开的,合议庭成员应独立自主地评议案件,除书记员参加记录外,其他人员不得参加评议或旁听。评议笔录对外保密,不得向当事人或者其他诉讼参与人泄露。

第四十三条　审判人员应当依法秉公办案。

审判人员不得接受当事人及其诉讼代理人请客送礼。

审判人员有贪污受贿,徇私舞弊,枉法裁判行为的,应当追究法律责任;构成犯罪的,依法追究刑事责任。

【释义】　本条是关于审判人员依法办案的规定。

司法救济是确保社会公正的最后一道防线,是当事人保护自己合法权益的最后一个途径。因此,审判人员依法秉公办案对整个社会的公平正义极为重要。本条对如何确保审判人员依法秉公办案作了明确规定。

本条第一款规定,审判人员应当依法秉公办案。这是对审判人员行使审判职能的基本要求。所谓依法秉公办案,是指审判人员在审理民事案件的过程中,必须严格遵守本法和有关实体法律的规定,公平合法地办理案件,不允许违反法律规定,滥用职权、以权谋私、贪污受贿、徇私舞弊或者接受当事人及其诉讼代理人的请客送礼。具体讲,依法秉公办案应当包括以下含义:一是人民法院审判人员审理民事案件,在任何时候、任何情况下,都必须严格遵守本法和其他法律的相关规定,绝不能抛弃法律规定,凭自己的主观臆断,自行其是;二是审判人员在诉讼活动中,不仅要严格遵守本法的基本原则,而且要严格遵守具体的诉讼程序以及各项具体规定,切实保障诉讼双方当事人在平等的基础上行使诉讼权利,履行诉讼义务;三是在诉讼过程中,审判人员要在依法办事方面作出榜样,同时又要使参加诉讼活动的当事人和其他诉讼参与人严格遵守和执行法律,对违背这个要求的,不管是什么人,都要制止,真正做到有法必依、执法必严、违法必究;四是审判人员必须合法、公正地处理民事案件。在民事案件中,不论当事人是什么级别,不论职务有多高,审判人员都应当一视同仁,适用法律一律平等。需要指出的是,许多法律和行政法规对一些民事问题作了比较原则或者弹性的规定,这是为了适应现实生活的变化,给审判人员根据具体情况公正办案提供自由裁量的机会,但这并非为审判人员偏袒一方当事人留下余地,更不允许审判人员利用法律的弹性规定办人情案、关系案。

根据本条的规定，审判人员有贪污受贿、徇私舞弊、枉法裁判行为，情节较轻，尚不构成犯罪的，由人民法院追究该审判人员的行政责任，或者由同级权力机关给予罢免；情节严重，构成犯罪的，由司法机关依法追究刑事责任。

第四章 回 避

第四十四条 审判人员有下列情形之一的,应当自行回避,当事人有权用口头或者书面方式申请他们回避:

(一)是本案当事人或者当事人、诉讼代理人近亲属的;

(二)与本案有利害关系的;

(三)与本案当事人、诉讼代理人有其他关系,可能影响对案件公正审理的。

审判人员接受当事人、诉讼代理人请客送礼,或者违反规定会见当事人、诉讼代理人的,当事人有权要求他们回避。

审判人员有前款规定的行为的,应当依法追究法律责任。

前三款规定,适用于书记员、翻译人员、鉴定人、勘验人。

【释义】 本条是关于回避情形的规定。

这次民事诉讼法修改,对本条作了四方面完善:一是明确规定审判人员应当自行回避;二是增加了与审判人员有特殊关系的“诉讼代理人”的回避;三是在增加的第二款中规定了审判人员应当禁止并回避的行为;四是明确规定审判人员有禁止性行为的应当依法追究法律责任。

回避,是指承办案件的审判人员和其他人员与本案有利害关系或者其他关系,可能影响对案件公正审理的,经一定程序退出对本案的审理,包括审判人员自行回避和当事人申请回避。回避是人民法院审理案件的基本制度,也是当事人的一项重要诉讼权利。规定回避制度的目的是:一是避开可能不公正审理的嫌疑，使案件能够顺利进行；二是避免审判人员或者有关人员利用权力弄虚作假，徇私舞弊，作出不公正的裁决。

根据本条的规定，有以下三种情形，审判人员应当自行回避，当事人有权申请人员回避：

1. 审判人员是本案的当事人或者是当事人、诉讼代理人的近亲属。如果审判人员是承办案件的当事人，与案件争议的权利义务有利害关系，可能为自己的利益失去公正审理的立场，当然不能也不应当办理此案。如果审判人员是承办案件当事人、诉讼代理人的近亲属，也不应当办理此案，因为其有可能偏袒他的近亲属，使案件得不到公正解决，所以这样的审判人员也不能办理此案。

2. 审判人员与本案有利害关系。所谓有利害关系，是指本案的处理结果会涉及本案的审判人员或其他有关人员在法律上的利益。例如，A 起诉 B，要求 B 还钱，而 A 又曾借钱给承办此案的 C，且 C 迟迟未还。若此案由 C 审理，C 就有可能不顾事实和法律，作出对 A 有利的判决，从而达到个人的目的。因此，为了审判活动的公正进行，与本案有利害关系的 C 就应当自行回避，当事人也有权申请其回避。

3. 审判人员与本案当事人、诉讼代理人有其他关系，可能影响对案件公正审理的。与本案当事人有其他关系，是指关系密切的同学、同事、朋友等，或者曾经与当事人有过恩怨。这种关系的存在有可能影响对案件的公正审理，所以这些审判人员也应当回避。这次修改将与审判人员有其他关系的主体，由只是当事人扩大到诉讼代理人，这是因为，诉讼代理人在诉讼中代表当事人的利益，与当事人属于诉讼中的共同一方；司法实践中，当事人进行诉讼寻找诉讼代理人时，往往一方面需要代理人具有法律等方面的专业知识,另一方面也看重代理人与法院法官之间的人脉关系,而这种关系正是影响法官公正审判的重要因素,诉讼代理人为了打赢官司取得利益,往往利用这种特殊关系影响法官的立场,司法腐败也常常寄生于这种关系之中。为了保证审判公正,防止司法腐败,这次修改将诉讼代理人与审判人员等有其他关系,可能影响对案件公正审理,与当事人一样列为与审判人员等有特殊关系的人员范围之内。

本条修改的第二项内容是增加第二款应当禁止并回避的行为。本条第一款规定的应当回避的情形是建立在与审判人员有特定利害关系上;第二款新增的内容是建立在审判人员等的特定行为上的,即审判人员不得接受当事人、诉讼代理人的请客送礼,不得违反规定会见当事人、诉讼代理人。

不得接受当事人、诉讼代理人的请客送礼,指审判人员不得以任何理由接受当事人或者诉讼代理人请客吃饭、请客唱歌、请客按摩、请客旅游等,不得接受所送礼品,无论礼品贵重与否、钱多钱少,只要是这些特定的人送的都不得接受。审判人员如果接受了当事人或者诉讼代理人的请客送礼,就容易产生情感上的倾向性,失去公平审理案件的坚定性。

不得违反规定会见当事人、诉讼代理人,指的是私自会见,其要点在于违反规定。审判人员由于审理案件的需要与当事人、诉讼代理人会见,要符合有关规定。如最高人民法院颁布的《中华人民共和国法官职业道德基本准则》规定:审判人员不得单独会见当事人及其代理人、辩护人。最高人民法院、司法部《关于规范法官和律师相互关系维护司法公正的若干规定》中规定:法官不得私自单方面会见当事人及其委托的律师。律师不得违反规定单方面会见法官。最高人民法院《关于严格执行〈中华人民共和国法官法〉有关惩戒制度的若干规定》中规定：法官应当严格遵守审判纪律，不得私自会见当事人及其代理人，接受当事人及其代理人的请客送礼。严禁有下列行为：(1)私自会见当事人及其诉讼代理人、辩护人、委托的人；(2)参加由当事人及其诉讼代理人、辩护人、委托的人或者中介机构支付费用的宴请、娱乐、健身、旅游等活动；(3)接受当事人及其诉讼代理人、辩护人、委托的人的礼品。违反上述规定，给予警告至记大过处分；造成恶劣影响的，予以辞退或者给予降级以上处分。给予撤职或者开除的，提请任免机关免除法官职务。《最高人民法院法官违法违纪举报中心工作办法》中规定，禁止私自会见当事人及其代理人，接受当事人及其委托的人的请客送礼。

本条规定这项应当回避的内容，与其他相关法如《中华人民共和国刑事诉讼法》《中华人民共和国仲裁法》《中华人民共和国农村土地承包经营纠纷调解仲裁法》《中华人民共和国劳动争议调解仲裁法》等法律是一致的。《中华人民共和国仲裁法》第三十四条规定："仲裁员有下列情形之一的，必须回避，当事人也有权提出回避申请：(一)是本案当事人或者当事人、代理人的近亲属；(二)与本案有利害关系；(三)与本案当事人、代理人有其他关系，可能影响公正仲裁的；(四)私自会见当事人、代理人，或者接受当事人、代理人的请客送礼的。"《中华人民共和国农村土地承包经营纠纷调解仲裁法》第二十八条规定："仲裁员有下列情形之一的，必须回避，当事人也有权以口头或者书面方式申请其回避：(一)是本案当事人或者当事人、代理人的近亲属；(二)与本案有利害关系；(三)与本案当事人、代理人有其他关系，可能影响公正仲裁；(四)私自会见当事人、代理人，或者接受当事人、代理人的请客送礼。”《中华人民共和国劳动争议调解仲裁法》第三十三条规定:“仲裁员有下列情形之一,应当回避,当事人也有权以口头或者书面方式提出回避申请:(一)是本案当事人或者当事人、代理人的近亲属的;(二)与本案有利害关系的;(三)与本案当事人、代理人有其他关系,可能影响公正裁决的;(四)私自会见当事人、代理人,或者接受当事人、代理人的请客送礼的。”

审判人员有本条第二款规定的情形,不仅应当回避,还要根据其具体情形追究相应的法律责任。

这里需要强调的是,本条规定的情形不仅适用于审判员,而且适用于书记员、法庭的翻译人员、鉴定人和勘验人。根据本法的规定,书记员是人民法院的工作人员,担负审判案件时的记录、文书和卷宗整理、证据保管等工作。翻译人员是人民法院委托或者指定从事案件翻译工作的人员。鉴定人员是经人民法院指定,运用自己的专业知识进行鉴定活动,并向人民法院提出全面鉴定结论的人员。勘验人是人民法院的工作人员或者指定的其他人员,对一定的事件进行勘验、检验的人。勘验人对勘验结果要制作勘验笔录。

第四十五条　当事人提出回避申请,应当说明理由,在案件开始审理时提出;回避事由在案件开始审理后知道的,也可以在法庭辩论终结前提出。

被申请回避的人员在人民法院作出是否回避的决定前,应当暂停参与本案的工作,但案件需要采取紧急措施的除外。

【释义】　本条是关于当事人申请回避的提出时间和应当说明理由的规定。

根据本法第四十四条的规定,承办案件的审判人员和其他人员与本案有利害关系或者其他关系的,应当回避。回避分为审判人员自行回避和当事人申请回避。审判人员自行回避,是指承办案件的审判人员和其他相关人员,在有本法第四十四条规定情形的,应当自动退出本案的审判活动。审判人员和其他相关人员在有法律规定的回避情形时,应当自觉、主动地提出回避的请求,不能借口当事人没有提出申请而继续参加本案件的审理。所谓当事人申请回避,是指原告、被告、第三人、代理人或者其他诉讼参与人发现审判人员或者其他相关人员有本法第四十四条规定的情形之一,申请审判人员或者相关人员回避。合议庭的审判长或者独任审判员应在开庭审理时,于宣布审判人员、书记员等人员的名单后,主动询问当事人是否申请回避。当事人申请回避,一般应当在案件开始审理时提出。在特殊情况下,如果当事人是在审理开始后发现回避事由的,或者回避事由是在审理开始后发生的,也可以在法庭辩论终结前提出。由于民事案件涉及的范围广、情况复杂,允许当事人在特定情况下于法庭辩论终结前提出,可以更好地保障当事人行使这项权利。当事人提出回避申请,应当向法庭说明理由。

当事人的回避申请应当经过人民法院审查,人民法院审查后,根据审查情况作出是否同意相关人员回避的决定。被申请回避的人员,在人民法院作出是否回避的决定前,应当暂停参与本案的工作,但是案件需要采取紧急措施的除外。例如,根据本法作出诉讼保全并交付执行的案件,为避免造成难以挽回的损失,即使当事人申请相关审判人员的回避,相关审判人员也不应停止本案的工作,仍可以采取相应的紧急措施。除此之外,其他活动必须暂时停止。需要注意的是,根据回避对象的不同,人民法院决定是否回避的审批手续也不完全相同。根据本法第四十六条的规定,院长担任审判长时的回避,由审判委员会决定;审判人员的回避,由院长决定;其他人员的回避,由审判长决定。人民法院对当事人提出的回避申请,应当在申请提出的三日内,以口头或者书面形式作出决定。申请人对决定不服的,可以在接到决定时申请复议一次。复议期间,被申请回避的人员,不应停止参与本案的工作。人民法院对复议申请,应当在三日内作出复议决定,并通知复议申请人。

第四十六条　院长担任审判长时的回避,由审判委员会决定;审判人员的回避,由院长决定;其他人员的回避,由审判长决定。

【释义】　本条是关于回避决定权人的规定。

回避申请是当事人的一项重要诉讼权利,人民法院对当事人提出的回避申请应当慎重对待,法律也应当从程序上加以保障,特别要防止审判人员自己作出是否回避的决定。本条为了确保当事人的回避申请权利,根据不同的回避对象对回避决定权人作了不同规定。根据本条规定,院长担任审判长时的回避,由审判委员会决定;审判人员的回避,由院长决定;其他人员的回避,由审判长决定。这里的"其他人员",主要是指本法第四十四条第三款规定的书记员、翻译人员、鉴定人、勘验人。

第四十七条　人民法院对当事人提出的回避申请,应当在申请提出的三日内,以口头或者书面形式作出决定。申请人对决定不服的,可以在接到决定时申请复议一次。复议期间,被申请回避的人员,不停止参与本案的工作。人民法院对复议申请,应当在三日内作出复议决定,并通知复议申请人。

【释义】　本条是关于回避申请决定程序的规定。

回避申请的决定程序是否公平合理及时,对保障当事人的回避申请权利具有重要意义。本条为了确保当事人实现这一权利,对回避申请决定的时间和形式作了明确规定。对于回避申请决定的形式,本条规定,人民法院对当事人的回避申请,不论是否准许,都应当依法作出口头形式或者书面形式的决定。对于回避申请决定作出的时间,本条规定,应当在回避申请提出的三日内作出。在实践中,有的申请人对人民法院作出的决定有可能不服,为了保障当事人充分行使自己的回避申请权利,本条还规定,申请人如果对人民法院作出的决定不服的,可以在接到决定时申请复议一次。之所以对当事人申请复议的次数作出限制,是为了防止当事人反复申请,妨碍案件审理的正常进行。此外,当事人对决定不服,只能向原审人民法院申请复议,不能向上级人民法院上诉,以避免因上诉而拖延时间。人民法院对复议申请,应当在当事人的复议申请提出后的三日内作出复议决定,并将最终决定通知复议申请人。本法对复议决定时间作出限制也是为了有利于民事案件的及时审理。这里需要特别强调一点,根据本法第四十五条第二款的规定,除案件需要采取紧急措施的外,被申请回避的人员在人民法院作出是否回避的决定前,应当暂停参与本案的工作。但是,在复议期间,被申请回避的人员,不应停止参与本案的工作。

第五章 诉讼参加人

诉讼参加人包括当事人和诉讼代理人。本章共十六条对当事人资格、当事人在诉讼中的权利义务、共同诉讼人、诉讼中的第三人、第三人撤销诉讼、民事公益诉讼以及诉讼代理人等内容分别作了规定。

第一节 当 事 人

第四十八条 公民、法人和其他组织可以作为民事诉讼的当事人。

法人由其法定代表人进行诉讼。其他组织由其主要负责人进行诉讼。

【释义】 本条是关于诉讼当事人的规定。

民事诉讼当事人,是指因民事上的权利义务关系发生纠纷,以自己的名义进行诉讼,并受人民法院裁判拘束的利害关系人。民事诉讼当事人具有以下三个特征:

1. 以自己的名义进行诉讼。凡不是以自己名义而以他人名义进行诉讼的人,如诉讼代理人,不是民事诉讼的当事人。

2. 与案件有直接利害关系。当事人原则上是发生民事争议的一方,与案件有直接利害关系。与案件没有直接利害关系的人,如支持受损害的单位和个人起诉的机关、团体、企业事业单位,不是民事诉讼的当事人。但这里需要注意的是,为了保护社会公共利益，本法第五十五条增加规定了民事公益诉讼制度，即对污染环境、侵害众多消费者合法权益等损害社会公共利益的行为，法律规定的机关或者有关社会团体可以向人民法院提起诉讼。这里的“法律规定的机关或者有关社会团体”可以与案件没有“直接利害关系”。该规定是传统“直接利害关系”规则的例外。

3. 受人民法院裁判拘束。当事人进行诉讼，是要人民法院对他们之间的民事权利义务关系作出裁判。因此，虽以自己名义参加诉讼，但不受人民法院裁判拘束的人，如证人、鉴定人，不是民事诉讼的当事人。

我国民事诉讼法规定的当事人分为狭义当事人和广义当事人。狭义当事人仅指原告和被告；广义的当事人还包括诉讼中的第三人。当事人在不同的诉讼程序中有不同的称谓。在一审普通程序和简易程序中称为原告和被告；在二审程序中称为上诉人和被上诉人；在执行程序中称为申请执行人和被执行人。当事人的称谓不同，表明其在不同的诉讼程序中具有不同的诉讼地位，享有的诉讼权利和承担的诉讼义务也不完全相同。

根据本条第一款规定，公民、法人和其他组织可以作为民事诉讼的当事人。

公民，通常是指具有一个国家国籍，并根据该国的宪法和法律规定享有权利并承担义务的人。公民都可以成为民事诉讼的当事人。无民事行为能力和限制民事行为能力人是公民，当然也可以作为民事诉讼当事人，只不过其进行诉讼时，必须由它的监护人作为法定代理人代为诉讼。

法人，是指具有民事权利能力和民事行为能力，依法独立享有民事权利和承担民事义务的组织。其他组织，是指有代表人或者管理人，有组织名称，有相应活动场所，依照法律或者经有关主管部门批准或认可进行某种业务活动的没有取得法人资格的组织，如依法成立的协会、正在筹建的企业、事业单位、村委会、居委会等。其他组织虽然不具备法人资格，但他们能够以自己的名义独立地进行民事活动，承担相应的民事责任。民事诉讼法承认其他组织作为诉讼当事人的资格，允许他们以自己的名义在人民法院起诉、应诉，对于保护其他组织自身和与其他组织发生民事法律关系的单位和个人的民事权利，简化诉讼程序，及时解决纠纷都有重要意义。应注意的是，一些不能独立进行民事活动，承担民事责任的组织不能成为诉讼当事人，如企业的分支机关和职能部门、机关的处室等，但是法律有特别规定的除外。

法人和其他组织进行民事诉讼与自然人具有很大不同，其本身不能与自然人一样进行民事诉讼，而必须由他们的法定代表人和主要负责人代表他们进行诉讼。所以本条第二款规定："法人由其法定代表人进行诉讼。其他组织由其主要负责人进行诉讼。"法人作为诉讼当事人时，由其法定代表人进行诉讼。所谓法定代表人，依照民法通则第三十八条的规定，是指依照法律或者法人组织章程规定，代表法人行使职权的负责人。一般情况下，法人的法定代表人为法人的正职负责人，没有正职负责人的，由主持工作的副职负责人担任法定代表人。设有董事会的法人，以董事长为法定代表人；没有董事长的法人，经董事会授权的负责人可作为法人的法定代表人。不具备法人资格的其他组织作为诉讼当事人时，由其主要负责人为代表人进行诉讼。其他组织主要负责人的产生不像法人的法定代表人那样具有严格的程序，有的组织甚至没有组织章程来规定如何产生主要负责人，一般情况下，其他组织的主要负责人都是由主管机关任命产生或者经组织成员选举产生。

法定代表人和主要负责人的诉讼行为是以法人和其他组织的名义进行的，对法人和其他组织具有拘束力。在诉讼过程中法定代表人和主要负责人的更换，只是代表职务的具体人的更换，而不是诉讼当事人的更换，原法定代表人或者主要负责人已经进行的诉讼行为仍然有效。

第四十九条　当事人有权委托代理人，提出回避申请，收集、提供证据，进行辩论，请求调解，提起上诉，申请执行。

当事人可以查阅本案有关材料，并可以复制本案有关材料和法律文书。查阅、复制本案有关材料的范围和办法由最高人民法院规定。

当事人必须依法行使诉讼权利，遵守诉讼秩序，履行发生法律效力的判决书、裁定书和调解书。

【释义】 本条是关于当事人诉讼权利和诉讼义务的规定。

民事诉讼的目的是使民事纠纷得到公正及时的裁判。为了达到这一目的，民事诉讼法赋予了民事诉讼当事人广泛的诉讼权利，同时也规定了他们应当承担的诉讼义务。当事人行使诉讼权利，可以维护自己的合法权益；当事人不履行诉讼义务，会产生相应的法律后果。在民事诉讼中，当事人行使诉讼权利和履行诉讼义务是统一的。只有正确行使诉讼权利，履行诉讼义务，才能保证诉讼程序的顺利进行，维护法律的权威和尊严。当事人应当依法行使诉讼权利并履行相应的诉讼义务，人民法院也应当保障双方当事人充分实现诉讼权利，督促双方当事人履行诉讼义务。

本条规定的当事人的诉讼权利包括:

1. 委托诉讼代理人的权利。当事人不便亲自进行诉讼,或者虽能亲自诉讼,但需要别人提供法律帮助时,有权依照法律规定委托代理人代为诉讼。这既有利于当事人充分维护自己的合法权益,又有利于诉讼程序的顺利进行。

2. 申请回避的权利。当事人认为审判人员、书记员、翻译人员、鉴定人或者勘验人是本案的当事人或者当事人、诉讼代理人的近亲属的,或者与本案有利害关系的,或者与本案当事人、诉讼代理人其他关系,可能影响对案件的公正审理的,有权申请他们回避,停止参与本案的工作。

3. 收集、提供证据的权利。当事人为维护自己的民事权利,使人民法院作出有利于自己的判决,有权向有关单位和个人收集证据,并将收集到的证据提供给法院,以证明自己的诉讼请求合理合法,反驳对方的诉讼请求。

4. 进行辩论的权利。在人民法院主持下,当事人有权就案件事实和争议问题各自陈述自己的主张和根据,反驳对方的诉讼请求,就有争议的事实和适用法律问题展开辩论。

5. 请求调解的权利。在诉讼中,当事人有权请求人民法院用调解方式解决双方的纠纷。

6. 提起上诉的权利。我国民事案件实行二审终审制。当事人不服第一审人民法院的判决、裁定,有权在法定的上诉期内提起上诉,请求上级人民法院撤销或者变更下级人民法院的裁判,但是法律规定不准上诉的裁定和本法规定一审终审的案件除外。

7. 申请执行的权利。人民法院的判决、裁定、调解书发生法律效力后,一方当事人不履行的,对方当事人有权申请人民法院以司法强制手段来实现自己的民事权利。

8. 查阅并复制本案有关材料和法律文书的权利。当事人为行使诉讼权利，有权查阅并复制法庭笔录、法庭上出示的有关证据等与本案有关的材料，以及起诉状、答辩状等法律文书。查阅、复制本案有关材料的范围和办法由最高人民法院规定。此项权利具有以下作用：第一，增加人民法院审判案件的公开性和透明性，有利于当事人对人民法院的审判活动实行监督；第二，使当事人对各种审理笔录和法律文书中的缺漏及时提出补正，以维护他们的合法权益；第三，使当事人了解审判活动的进程，调整自己的诉讼活动；第四，使当事人掌握一定的庭审材料，为上诉和申诉打下良好的基础。

本条规定的当事人的诉讼义务包括：

1. 依法行使诉讼权利。当事人的诉讼权利不是绝对的，必须依照民事诉讼法的有关规定进行诉讼。比如，起诉要符合法定条件，要按照人民法院指定的期间出庭应诉，上诉要在法定期间提出等。不依法行使诉讼权利，当事人的民事权利也不能得到有效的保护。针对有的当事人违反诚实信用原则，滥用诉讼权利，恶意提起诉讼损害第三人利益等行为，此次修改在本法第十三条增加规定，民事诉讼应当遵循诚实信用原则。

2. 遵守诉讼秩序。良好的诉讼秩序是保证人民法院审判活动顺利进行的前提，当事人必须依法遵守。例如，不得哄闹法庭，未经审判人员许可不得中途退庭等。破坏诉讼秩序，构成妨害民事诉讼行为的，就要承担相应的法律责任。

3. 履行发生法律效力的判决书、裁定书和调解书。人民法院的判决书、裁定书和调解书是人民法院审判权的体现，当事人有义务履行。当事人拒绝履行的，人民法院有权采取强制执行措施。

规定当事人诉讼义务的目的是保护当事人的合法权益，

保障诉讼的顺利及时进行，因此，以上义务都要求当事人自觉履行。如果当事人不自觉履行义务，民事诉讼法规定了人民法院可以采取的一些强制措施。比如，必须到庭的当事人经两次合法传唤不到庭的，人民法院可以采取拘传措施。

第五十条　双方当事人可以自行和解。

【释义】　本条是关于和解的规定。

和解，是指当事人双方自行协商，就实体权利的处分达成协议，从而解决争议的活动。

和解与调解不同，其区别主要在于：

1. 行为主体不同。和解是当事人自己协商，解决纠纷；调解是在人民法院审判人员主持下，通过深入细致的工作，使双方当事人达成调解协议。

2. 法律后果不同。和解协议靠当事人双方自觉履行，不能作为人民法院的执行根据；调解协议具有强制执行的法律效力。

和解分为诉讼外的和解与诉讼中的和解。诉讼外的和解，是民事主体在诉讼外进行的民事行为，不具有任何诉讼上的意义和效力。诉讼中的和解，是当事人双方在诉讼进行中自行协商，达成协议。在诉讼过程中，当事人双方可以自行和解，人民法院同意当事人和解的，可以通过原告撤诉的方式结束诉讼程序。

第五十一条　原告可以放弃或者变更诉讼请求。被告可以承认或者反驳诉讼请求，有权提起反诉。

【释义】　本条是关于诉讼请求和反诉的规定。

诉讼请求，是指原告通过人民法院对于被告人提出的实体权利请求。诉的种类不同，诉讼请求也不同。给付之诉的诉讼请求是交付某项财物或者为一定的行为；确认之诉的诉讼请求是对某一法律关系的确定；变更之诉的诉讼请求是改变或者消灭某种法律关系。在诉讼中，被告反诉提出的请求，诉讼中的第三人向原诉的原、被告提出的请求，也是诉讼请求。

放弃诉讼请求，是指原告起诉后放弃对于被告人的实体权利请求。放弃诉讼请求是对于实体权利的处分。在诉讼过程中，原告有权根据自己的实际情况全部或者部分放弃自己对于被告的实体权利请求。比如，原诉请求被告偿还 1000 元欠款，后来原告全部放弃了这一请求，不要求被告偿还了；或者原告部分放弃诉讼请求，仅要求被告偿还 500 元。原告全部放弃诉讼请求的，人民法院可以终止案件的审理；部分放弃诉讼请求的，人民法院对放弃部分的实体权利，可以不予裁判。

变更诉讼请求，是指原告向人民法院起诉后，依法增加或者减少已经提出的实体权利请求。比如，原诉请求解除收养关系，后来原告又请求支付收养期间的抚养费。又如，原诉请求支付违约金并赔偿损失，后来原告仅请求支付违约金，不再请求赔偿损失。原告变更诉讼请求的，人民法院应当对变更后的请求作出裁判。因此，原告变更诉讼请求，一般应在判决作出前提出，只有减少诉讼请求，才可以在判决作出后提出。

放弃或者变更诉讼请求，是原告的一项诉讼权利，但该项权利的行使不得违反法律，不得损害国家、集体和他人的利益，否则，人民法院可不予准许。

承认诉讼请求，是指被告对于原告提出的实体权利的请求表示认可。承认诉讼请求，有的是无条件的，即承认对方提出的事实或者全部请求；有的是附条件的，即只是部分承认对方的请求。比如，原告诉请人民法院判决被告偿还借款，被告承认原告所诉事实，并承诺如数偿还，这是无条件承认；如果被告只承认借款关系存在,但提出所借款项一部分用于原告的利益,应当予以抵消,这就是有条件承认。被告人承认诉讼请求,是被告的诉讼权利,人民法院对此应当认真进行调查研究,仔细分析,判断有无原、被告相互串通、规避法律、损害国家、集体和他人合法权益的情况,然后决定可否将该种承认作为定案的根据。

反驳诉讼请求,是指被告提出证据或者理由反对原告的诉讼请求。这是被告人为维护自己的权利,实现审判上的保护所采取的一种诉讼手段。反驳诉讼请求可以从两方面进行:一是从实体上反驳,即以实体法的规定为理由,反对原告关于实体权利的请求。比如,以合同法为根据,提出合同是采取欺诈、胁迫手段签订的,应当判决撤销合同。二是从程序上反驳,即以程序法的规定证明原告违反了诉讼程序的要求。比如,提出本案属于行政争议,原告无权提起民事诉讼。人民法院对于被告人反驳诉讼请求,应当仔细听取,认真分析,反驳无理的,根据事实和法律进行说服教育;反驳有理的,查证属实后,应予采纳。

反诉,是指诉讼开始后,本诉的被告人以本诉的原告人为被告提出的具有对抗性的独立的诉讼请求。反诉的目的在于抵消、排斥或者吞并本诉的诉讼请求。反诉具有以下几个特征:(1)反诉以本诉的存在为前提,必须是本诉的被告对本诉的原告人提起的诉讼。如果是被告人对他人提起诉讼,或者将原告与他人一起作为被告,向法院提起诉讼,不是反诉;(2)被告人提出反诉的诉讼请求或者诉讼理由必须与本诉基于同一事实或者同一法律关系;(3)反诉必须在诉讼开始后人民法院作出裁判前提出,在诉讼开始前或裁判作出后,无所谓与本诉相对的反诉;(4)反诉必须向本诉的受诉法院提出,被告人在其他法院起诉，无所谓本诉反诉。

反诉与本诉具有关联性，人民法院可以将反诉与本诉合并审理。同时，反诉又具有独立性，提起反诉的被告人不仅享有原告的诉讼权利，而且，反诉不因本诉的撤回而终结。同样反诉的撤回，也不影响原诉继续审理。

提起反诉是被告的诉讼权利，对于维护被告的合法权益具有重要意义。同时，将反诉与本诉合并审理，可以节省人力、物力和时间，也便于实事求是地彻底解决纠纷。

第五十二条　当事人一方或者双方为二人以上，其诉讼标的是共同的，或者诉讼标的是同一种类、人民法院认为可以合并审理并经当事人同意的，为共同诉讼。

共同诉讼的一方当事人对诉讼标的有共同权利义务的，其中一人的诉讼行为经其他共同诉讼人承认，对其他共同诉讼人发生效力；对诉讼标的没有共同权利义务的，其中一人的诉讼行为对其他共同诉讼人不发生效力。

【释义】　本条是关于共同诉讼的规定。

当事人一方或者双方为二人以上的诉讼为共同诉讼。原告为二人以上的，称为积极的共同诉讼；被告为二人以上的，称为消极的共同诉讼。共同诉讼是诉讼主体的合并。根据本条规定，共同诉讼分为必要的共同诉讼和普通的共同诉讼：

（一）必要的共同诉讼

当事人一方或者双方为二人以上，其诉讼标的是共同的，为必要的共同诉讼。必要的共同诉讼的特点在于共同诉讼的一方当事人对诉讼标的有不可分的共同的权利义务。它基于以下两种情况产生：

1. 基于同一物权或者连带债权债务产生。比如,甲、乙二人共同所有的房屋被丙侵占,甲、乙二人对房屋有共同的权利,可以作为共同原告对丙提起诉讼;反之,丙的房屋被甲、乙二人侵占,甲、乙二人对返还房屋负有共同的义务,丙可以将甲、乙二人作为共同被告提起诉讼。又如,甲、乙二人合伙,与丙签订了租赁房屋的契约,但没有按租约交纳房租,丙可以将甲、乙二人作为共同被告提起诉讼;反之,如果丙没有按租约修缮房屋,甲、乙二人可以作为共同原告对丙提起诉讼。

2. 基于同一事实和法律上的原因产生。这是指共同诉讼人对诉讼标的本来没有共同的权利义务,由于同一事实和法律上的原因,才使他们产生了共同的权利义务。比如,乙在街上偶遇朋友甲与丙打架,遂参加进来,与甲一起将丙打伤。由于二人共同实施侵权行为这一事实,就产生了对丙承担赔偿责任的共同义务,丙可以将甲、乙二人作为损害赔偿之诉的共同被告。又如,在联合运输中,水上和陆上的承运人各有其运送关系,本无共同义务,但基于联合运输这一法律上的原因,当托运人托运的货物有损坏时,可以将水上和陆上运输的承运人作为共同被告。

必要的共同诉讼,共同诉讼人对诉讼标的有共同的权利义务,其中一人不参加诉讼,争议的权利义务关系以及当事人之间的权利义务关系就难以确定,因此,如果人民法院发现必须共同诉讼的当事人没有参加诉讼的,应当追加其为当事人,通知其参加诉讼。

(二)普通的共同诉讼

当事人一方或者双方为二人以上,其诉讼标的为同一种类,人民法院认为可以合并审理并经当事人同意的诉讼为普通的共同诉讼。普通的共同诉讼的特点在于共同诉讼的一方当事人对诉讼标的没有共同的权利义务,是一种可分之诉,只是因为他们的诉讼标的属于同一种类,人民法院为审理方便,才将他们作为共同诉讼审理。例如,某房屋出租人对承租人甲、乙、丙三承租人提起支付欠租之诉,三承租人与房屋出租人分别订立租赁合同,他们欠租的情况和数额各不相同,相互之间也并无共同权利义务,只是由于他们与房屋出租人均发生欠租纠纷,出租人又都对他们提起诉讼,才将他们作为共同被告。

普通的共同诉讼,共同诉讼人之间没有共同的利害关系,可以将他们作为各自独立的诉讼分别审理,也可以作为共同诉讼合并审理,但作为共同诉讼合并审理必须符合四个条件:第一,共同的被告必须在一个人民法院的辖区内。如果某一被告不在该法院辖区内,该法院不能将其列为共同被告。第二,几个诉讼必须属于同一诉讼程序。如果有的属于普通程序审理的案件,有的属于简易程序审理的案件,不能作为共同诉讼合并审理。第三,当事人同意作为共同诉讼合并审理。如果当事人不同意作为共同诉讼人,人民法院应当将其与对方当事人的纠纷单独审理。第四,必须符合合并审理的目的,即合并审理后,可以简化程序,节省时间和费用,否则应当分别审理。

根据本条规定,共同诉讼的一方当事人,一人的诉讼行为对其他共同诉讼人是否发生法律效力,要看该诉讼是必要的共同诉讼,还是普通的共同诉讼。必要的共同诉讼中,一方当事人对诉讼标的有共同权利义务,其中一人的诉讼行为经其他共同诉讼人承认,对其他共同诉讼人发生效力。比如,丁诉甲、乙、丙返还占有的房屋,诉讼中,甲表示搬出,乙、丙承认甲的诉讼行为的,甲的诉讼行为对甲、乙、丙三人均发生法律效力,三人应迁出房屋;乙、丙不承认甲的诉讼行为的,甲的诉讼行为只对自己有效。普通的共同诉讼,共同诉讼人之间没有共同的权利义务,每个共同诉讼人只能对自己的权利进行处分,因此,其中一人的诉讼行为对其他共同诉讼人不发生法律效力。比如,丁诉甲、乙、丙三人未交纳房租,甲如果表示同意交纳,这一行为只能约束他自己,乙、丙二人是否同意交纳由他们自己决定,他们不因为共同诉讼人之一甲表示交纳了,就一定也要交纳,即使他们二人也都同意交纳,也是各自代表自己,人民法院要分别对他们的权利义务作出判决。

由此可见,普通的共同诉讼与必要的共同诉讼存在以下区别:

1. 诉讼标的的性质不同。普通的共同诉讼的诉讼标的是同一种类;必要的共同诉讼人对诉讼标的享有共同的权利或承担共同的义务,其诉讼标的是共同的或同一的。

2. 共同诉讼人之间的相关性与独立性不同。在普通的共同诉讼中,每个共同诉讼人都处于独立的地位,其诉讼行为对其他共同诉讼人不发生效力,而只对自己发生效力;在必要的共同诉讼中,采取承认的原则,视全体共同诉讼人为一个整体,其中一人的诉讼行为经其他共同诉讼人同意,对其他共同诉讼人发生效力。

3. 审判方式和审判结果不同。普通的共同诉讼是一种可分之诉,因此共同诉讼人既可以一同起诉或者一同应诉,也可以分别起诉或应诉。法院既可以合并审理,也可以分开审理。合并审理时应经共同诉讼人同意,并分别作出判决,确认每个共同诉讼人与对方当事人之间的权利义务关系。必要的共同诉讼是一种不可分之诉,因此共同诉讼人必须一同起诉或者一同应诉,法院必须合并审理并作出合一判决,且判决内容不得相左。

第五十三条 当事人一方人数众多的共同诉讼，可以由当事人推选代表人进行诉讼。代表人的诉讼行为对其所代表的当事人发生效力。但代表人变更、放弃诉讼请求或者承认对方当事人的诉讼请求，进行和解，必须经被代表的当事人同意。

【释义】 本条是关于人数众多且确定的共同诉讼的规定。

现实生活中有很多涉及多数人权益的案件，如环境污染案件、食物中毒案件、侵犯消费者权益案件等。多数人权益受到侵犯，诉讼活动如何进行？显然，让所有受害人一起出庭应诉是不现实的，势必造成审理的不方便和诉讼时间的冗长，而将所有受害人的起诉分别审理，既麻烦又可能作出相互矛盾的判决，为了解决这一问题，简化诉讼程序，节省时间和人力，民事诉讼法将涉及多数人利益的诉讼分为人数众多且确定的共同诉讼和人数不确定的涉及多数人权益的共同诉讼分别作了规定。本条主要规定人数众多且确定的共同诉讼。

人数众多且确定的共同诉讼，是指诉讼标的是同一种类，当事人一方人数众多但起诉时人数可以确定的共同诉讼。比如，某县种子公司向1000多农户分别出售了种子，结果种子是伪劣产品，为此，1000多农户同时向人民法院提起了损害赔偿诉讼。人数众多且确定的共同诉讼具有以下两个特点：(1)诉讼标的是同一种类的。比如上述案件，农户都是因种子问题起诉。(2)提起诉讼的人数众多但在起诉时是确定的。比如上述案件，购买种子的多家农户都提起诉讼，他们是谁，人数多少都是确定的。

对于人数众多且确定的共同诉讼，为了保证诉讼有序进行，本条规定可以由当事人推选代表人进行诉讼。当事人必须推选他们之中的人作代表进行诉讼，而不能推选当事人之外的人。推选代表人是当事人的意思表示,因此,代表一旦产生,其诉讼行为对其所代表的当事人发生效力。但是,这里讲的代表人的诉讼行为仅指提出管辖权异议、提供证据、进行法庭辩论、申请证据保全、申请顺延诉讼期间等不涉及当事人实体权利的行为。由于对实体权利的处分是法律赋予民事权利主体的重要权利,未经当事人授权,他人无权代为处分,因此,代表人的凡涉及当事人实体权利的诉讼行为,包括变更、放弃诉讼请求或者承认对方当事人的诉讼请求,进行和解,必须经被代表的当事人同意,否则将构成对被代表的当事人的权利的侵犯。法律规定代表人放弃、变更诉讼请求,或者承认对方当事人的诉讼请求,进行和解,必须经被代表的当事人同意,可以防止代表人和对方恶意串通,损害被代表的当事人的权益。需要指出的是,当事人一方人数众多且确定的共同诉讼不是必须推选代表人进行诉讼,因为在这种诉讼中当事人的请求可能不完全一致,因此,如果某个或者某几个当事人不愿推选代表而想亲自诉讼,也应当允许。

第五十四条　诉讼标的是同一种类、当事人一方人数众多在起诉时人数尚未确定的,人民法院可以发出公告,说明案件情况和诉讼请求,通知权利人在一定期间向人民法院登记。

向人民法院登记的权利人可以推选代表人进行诉讼;推选不出代表人的,人民法院可以与参加登记的权利人商定代表人。

代表人的诉讼行为对其所代表的当事人发生效力,但代表人变更、放弃诉讼请求或者承认对方当事人的诉讼请求,进行和解,必须经被代表的当事人同意。

人民法院作出的判决、裁定,对参加登记的全体权利人发

生效力。未参加登记的权利人在诉讼时效期间提起诉讼的，适用该判决、裁定。

【释义】 本条是对人数不确定的涉及多数人权益的共同诉讼的规定。

人数不确定的涉及多数人权益的共同诉讼，是指诉讼标的是同一种类，当事人一方人数众多但起诉时人数尚未确定的共同诉讼。比如，某市体育场宣传某些歌星将要到场演出，并销售出几万张晚会票，然而演出时并没有宣传的歌星出现，使所有慕名而来的观众的权益受到了损害。为此，某些观众向人民法院提起了损害赔偿诉讼。人数不确定的涉及多数人权益的共同诉讼具有以下几个特点：(1)诉讼标的是同一种类。比如上述案件，都是因演出主办方未能履行承诺而起诉；(2)提起诉讼时，受害人是不确定的。比如上述案件，究竟谁买了票，谁不满意该场演出，有多少人想请求赔偿损失，起诉时都不确定；(3)并非所有受害人都提起了诉讼，有些受害人甚至不知道诉讼的发生。

人数不确定的涉及多数人权益的共同诉讼，由于不知道究竟有多少人的权益受到侵害，又有哪些人愿意提起诉讼，而法律又要为哪些权益受到了侵害但还没有提起诉讼的人提供司法上的保护，因此，人民法院受理该诉讼后，可以发出公告，说明案件情况及诉讼请求，通知权利人在一定期限内向人民法院登记。期限的长短由人民法院酌情而定，但这并不意味着如果权利人在这个期限不登记就会丧失权利。比如上面所说晚会票一案，人民法院受理某些观众起诉后，可以利用报纸、广播、布告等方式发布公告，说明因晚会演出一事，哪些人已经提起诉讼，要求晚会主办单位赔偿，凡购买该晚会票的人在多长时间可以持票向人民法院登记。

由于人数众多,一般情况下不可能每个当事人都到庭诉讼,因此,向人民法院登记的权利人可以推选代表人参加诉讼,推选不出代表的,人民法院可以与参加登记的权利人商定代表人。代表人产生后,其诉讼行为对所代表的当事人发生效力,但代表人变更、放弃诉讼请求或者承认当事人的诉讼请求,进行和解,必须经被代表的当事人同意。该种诉讼审结后,人民法院作出的判决、裁定对参加登记的全体权利人发生效力。对于在公告期间没有登记的权利人,只要其在诉讼时效期间提起诉讼,人民法院的判决、裁定对其也适用,而不必再经过诉讼程序进行审理。所谓适用该判决、裁定,是指适用该判决、裁定中人民法院认定的事实和理由,以及判决中确定的确认、给付的原则,至于具体确认、给付多少,则视权利人的具体情况而定。根据民法通则的规定,向人民法院请求保护民事权利的诉讼时效期间为两年,下列诉讼时效期间为一年:(1)身体受到伤害要求赔偿的;(2)出售质量不合格的商品未声明的;(3)延付或者拒付租金的;(4)寄存财物被丢失或者毁损的。超过两年或者一年向人民法院起诉的,人民法院不予保护。

第五十五条①　对污染环境、侵害众多消费者合法权益等损害社会公共利益的行为,法律规定的机关和有关组织可以

① 2017年6月27日《全国人民代表大会常务委员会关于修改〈中华人民共和国民事诉讼法〉和〈中华人民共和国行政诉讼法〉的决定》在本条增加一款,作为第二款:"人民检察院在履行职责中发现破坏生态环境和资源保护、食品药品安全领域侵害众多消费者合法权益等损害社会公共利益的行为,在没有前款规定的机关和组织或者前款规定的机关和组织不提起诉讼的情况下,可以向人民法院提起诉讼。前款规定的机关或者组织提起诉讼的,人民检察院可以支持起诉。"

向人民法院提起诉讼。

【释义】 本条是关于民事公益诉讼的规定。

近年来,随着我国经济社会的快速发展和变化,出现了环境污染、损害众多消费者权益等一些严重损害公共利益的行为,引起社会广泛关注。针对这些损害公共利益的行为,除了加强行政监管外,建立民事公益诉讼制度(以下简称公益诉讼),保护公共利益,成为这次民事诉讼法修改中的一个重要问题。

一、公益诉讼的基本内涵

对于什么是公益诉讼,目前学术界和实务界有不同意见和理解。一种观点认为,为维护公共利益提起的民事诉讼,都是公益诉讼,即包括没有直接利害关系的组织提起的保护公共利益的诉讼,也包括有直接利害关系的自然人或者法人提起的保护公共利益的诉讼。另一种观点认为,与原告有直接利益关系的诉讼是普通民事诉讼,只有与自己没有直接利害关系的民事主体,为维护公益利益提起的民事诉讼才是公益诉讼。前一种观点是广义的公益诉讼,后一种观点是狭义的公益诉讼,但两种观点都揭示了公益诉讼的核心内涵,即民事主体为了维护公共利益可以提起民事诉讼。

对于何谓公益诉讼中的"公共利益",也有不同意见。有的认为,这里的"公共利益"主要指社会或者某一领域的共同利益,这些利益没有明确的权利主体或者权利主体过于抽象,一旦受到侵害,很难通过普通民事诉讼得到救济,只有通过公益诉讼,允许非直接利害关系人起诉才可以达到保护社会公共利益的目的。根据宪法、物权法等法律的规定,国家所有权等国家利益由国务院代表国家行使权利,权利主体明确,可以提起普通民事诉讼,因此公益诉讼中的"公共利益"不包括国家利益。有的认为,我国是社会主义公有制国家,国家利益与社会公共利益相互交织,很难截然分开,公益诉讼中的“公共利益”应既包括社会公共利益,也包括国家利益。

公益诉讼与公诉有显著不同。公益诉讼既可以由特定的国家机关提起,也可以由相关组织提起。其本质是一种民事救济方式。公诉,是指人民检察院针对犯罪嫌疑人的犯罪行为向人民法院提出控告,要求法院通过审判确定犯罪事实、惩罚犯罪人的诉讼活动,目的是惩罚犯罪嫌疑人,恢复被破坏的社会秩序,其不是民事救济方式。

与普通民事诉讼相比,公益诉讼具有以下主要特征:一是诉讼目的不完全相同。公益诉讼的主要目的是维护公共利益;而普通民事诉讼是为了解决民事主体之间纠纷,直接目的是维护个体利益。二是保护利益的特点不同。公益诉讼保护公共利益,公共利益既是私益的集合体,与私益相关联,但又不等同于私益,有时具有抽象性、宏观性等特点。普通民事诉讼所保护的主要是个体利益,具有具体性、微观性等特点,范围较为清楚明确。三是对诉讼当事人的要求不同。公益诉讼的原告不要求一定与纠纷有法律上的直接利害关系,如污染环境的行为即使没有直接损害某一环保组织的利益,但直接破坏了环境的,该环保组织也可以提起公益诉讼。在普通民事诉讼中,原告必须与案件有法律上的直接利害关系,否则法院不予立案或者驳回起诉。四是公益诉讼纠纷所涉及的损害往往具有广泛性、严重性和长期性。公益诉讼纠纷主要涉及污染环境、侵害众多消费者权益等侵权行为,这些侵权行为造成的损害一般具有广泛性、严重性和长期性,有些损害可能是隐形的,并没有现实表现,要经过几年甚至几十年才慢慢显现出来,并且有些损害一旦发生,将难以弥补,人类将付出很高的代价。例如,漏油造成海洋生态破坏有可能导致某些海洋物种的灭绝,这些物种一旦灭绝,人类无论付出多大努力都不可能使之再生。而普通民事诉讼主要涉及普通个体之间的利益损害,损害的范围一般较易界定。

二、我国建立公益诉讼制度的重要意义和可行性

目前,在我国建立公益诉讼制度已成各方共识。

(一)建立公益诉讼的重要意义

1.保护公共利益,促进经济社会发展

目前我国正处于经济结构深刻调整、社会体制急剧变革的时期。在这特殊时期,污染环境、损害众多消费者等侵害公共利益的现象较为严重。这严重威胁了经济的可持续发展和公众的健康安全。例如,我国水污染等环境损害纠纷呈逐年上升态势,其中一些案件后果严重,引起社会广泛关注,如陕西、湖南省发生的血铅事件,严重危害当地群众身体健康,福建省紫金矿业污水渗漏闽粤跨省污染事件、辽宁省大连市输油管道爆炸泄漏引发海洋污染事件等,均造成严重经济损失和生态环境损害。由于我国诉讼法没有明确规定,这些污染事件不少未进入诉讼程序,很难通过诉讼途径有效地保护公共利益。公益诉讼为保护公共利益提供了制度层面的保障,可以有效防范和遏制侵害公共利益的行为,促进经济社会的持续健康发展。

2.落实宪法、物权法等实体法规定

我国宪法第十二条规定,国家保护社会主义的公共财产。禁止任何组织或者个人用任何手段侵占或者破坏国家和集体的财产。民法通则、物权法规定,矿藏、水流、海域属于国家所有。森林、草原、荒地、滩涂等自然资源,属于国家所有,但法律规定属于集体所有的除外。国家、集体、私人的物权受法律保护。此外,环境保护法、水污染防治法等其他法律也对社会公共利益的保护提出了相应的要求。这些规定构成了保护公共利益的实体法依据,但如何通过民事诉讼的方式保护公共利益,落实宪法、物权法等实体法的规定,却缺少相应的规定,特别是缺少公益诉讼起诉主体的规定。这直接制约了对公共利益的保护。为了落实宪法、物权法等实体法的规定,保护公共利益,民事诉讼法有必要作衔接性规定,建立公益诉讼制度。

3. 落实科学发展观的要求

党的十七大作出了科学发展观的重大战略决策。科学发展观的核心是以人为本,构建和谐社会。人与人的和谐,人与自然的和谐是构成和谐社会的重要组成部分。而污染环境、侵害众多消费者利益等损害公共利益行为破坏了人与自然的和谐,也破坏了人与人之间的和谐,对和谐社会的构建造成了重大威胁。公益诉讼作为一项保护公共利益的诉讼制度,有利于缓解人与人之间的矛盾、人与自然之间的矛盾,有利于构建和谐社会,是落实科学发展观的要求。近年来,针对环境污染、食品安全等问题,一些全国人大代表、全国政协委员和其他各方面多次提出了建立公益诉讼的意见。国务院2005年在《关于落实科学发展观保护环境的意见》中专门提到"发展环境社会团体,促进环境公益诉讼研究";在《关于印发国家环境保护"十一五"规划的通知》中也明确强调"开展环境公益诉讼研究"。

4. 创新社会管理,促进社会进步

我国当前正处于矛盾多发、利益多元的时期,污染环境、损害众多消费者利益等侵害公共利益的行为多为大规模侵权,容易引起社会矛盾,诱发群体性事件,影响社会稳定。如何创新社会管理，化解社会矛盾是我国当前面临的一个重要课题。历史和世界各国的发展经验证明，只有公共权力和社会权利相互配合、相互制约，形成良性互动，才有利于化解社会矛盾，有利于社会和谐稳定。允许社会团体等有关组织等主体提起公益诉讼，实质上是让代表社会权利的社会团体等有关组织通过日常的诉讼活动参与社会管理，介入公共利益的保护，将损害公共利益的行为有可能诱发的社会矛盾纳入司法渠道化解。同时，随着经济社会的发展，我国公众的民主、法治和社会参与意识有了明显提高，也出现了多样化的利益群体，以及代表他们利益的各种组织。这些组织作为社会整体利益的代表享有诉讼权，可以弥补国家在维护环境等公共利益方面的不足，也为人们有序参与管理公共利益提供了一条现实途径。因此，建立公益诉讼与中央提出创新社会管理模式，使社会和公众有序参与社会管理的要求是一致的，对有效发挥社会监督作用，维护社会公正、促进社会进步具有不可替代的作用。

5. 弥补行政监管局限

当前，我国主要依靠行政手段保护公共利益。行政手段具有及时高效的优点，但从实践情况看，仅依靠行政手段保护公益利益的效果有限。这主要体现在两个方面：一是存在“违法成本低、守法成本高”的问题。根据我国现行法律法规，保护公共利益的主要手段是行政罚款、责令限期治理等，许多情况下，行政罚款额往往难以填补环境污染和生态破坏等损害公共利益造成的损失，对违法者的威慑不足。公益诉讼可以弥补行政管理方式的不足，扩大保护公共利益的手段。二是在一些损害公共利益的案件中，行政机关因地方保护主义或者受到其他因素制约等原因对这些案件不能为或者消极不作为，通过行政手段保护公共利益的目的不能完全实现。

针对这种状况,除了完善相关法律,进一步加强行政监管外,建立公益诉讼制度无疑是保护公共利益的一个有效方式,可以在一定程度上解决这些问题,增强社会自我调节功能;同时,建立公益诉讼还可以通过法律手段监督相关行政机关依法及时行政,一定程度上遏制公权力的扩张。因此,行政手段和司法手段保护公共利益各有优势,两种手段并用,可以发挥各自优势,互为补充,相互促进,更好地保护公共利益。

(二)建立公益诉讼的可行性

1. 实践探索有基础

近年来,各地法院和检察院共同探索,对公益诉讼进行了一些积极而又慎重的尝试。2000 年,最高人民检察院发布了《关于强化检察职能、依法保护国有资产的通知》,强调"检察机关应充分发挥检察职能,对侵害国家利益、社会公共利益的民事违法行为提起诉讼"。各地检察机关根据最高人民检察院的要求,进行了公益诉讼的实践。到目前,各级检察院共提起多起公益诉讼案件,主要涉及环境污染、保护消费者权益等案件。例如,2003 年山东省乐陵市检察院针对某化工厂污染环境的行为提起公益诉讼。实践中,部分行政机关和地方政府也提起了一些公益诉讼。例如,2002 年天津市海洋局诉"塔斯曼海轮号"溢油污染案;2009 年广东省信宜市政府诉紫金矿业污染环境案;2011 年云南省曲靖市环保局诉当地某工厂排放铬渣污染环境案。各级法院还受理了多起社会团体提起的公益诉讼。例如,2009 年中华环保联合会诉江苏省江阴市集装箱公司污染环境案;2011 年环保组织"自然之友"和重庆市绿色志愿者联合会对曲靖市铬渣污染事件提起公益诉讼。这些实践为立法积累了经验。

2. 理论研究有储备

公益诉讼与传统的民事诉讼理论具有较大的区别。因此，在理论上如何解释公益诉讼，对于能否建立该就制度显得尤为重要。近年来，在理论层面，国内专家学者对公益诉讼制度做了大量研究，为该制度立法提供了一定理论基础。学者们分别提出了诉讼信托理论、[①]当事人诉讼利益扩张理论、[②]私人检察长理论[③]等。这些理论的一个共同特点是承认社会利益结构的稳定与否是决定社会和谐程度的重要因素。利益协调主要通过制度协调来实现。诉讼作为一种对社会冲突进行司法控制的基本手段，在利益协调中起着至关重要的作用，尤其在倡导法制现代化的背景下，诉讼在纠纷解决中的公正和效率均无可比拟。随着现代社会的发展，利益越加多元化和社会化，社会利益和个人私益往往相互交错。如果民事诉讼理论固守传统的"直接利害关系"诉讼理论，将无法应对社会发展，也无法及时有效解决纠纷，化解社会矛盾。有的学者指出，如果说传统民事诉讼的争执焦点是当事人之间的个别权利义务，完全属于私益的话，那么现代型诉讼中的争点则表现在社会化方面。为了适应这种变化，突破传统民事诉讼理论，创新诉讼制度，扩张诉讼当事人的范围是必要的，也是可行的。公益诉讼制度正是现代民事诉讼理论因应这种变化而

---

① 诉讼信托，是指委托人出于诉讼的目的而设立信托，将债权等实体权利及相应诉讼权利转移给受托人，由受托人以诉讼当事人的身份，为实现实体利益进行诉讼，产生的诉讼利益归于受益人的一种信托制度和诉讼当事人形式。

② 当事人诉讼利益扩张理论是指在特定情形下，主要是为了保护公众利益，当事人可以以自己的名义对一些与自己没有直接利益关系的损害行为提起诉讼。

③ 私人检察长理论起源于美国，该理论认为，在出现官吏的违法行为时，为了制止这种违法行为，国会可以授权一个公共官吏，主张公共利益提起诉讼。

发展的结果。

3. 国外立法经验可借鉴

国外在公益诉讼方面已有较多立法经验，这为我国立法提供了有益参考。

美国的公益诉讼主要体现在环保领域。美国《清洁空气法》《清洁水法》《噪声控制法》《资源保护与再生法》等法律规定，任何人都可以依照本法就企业、政府等损害环境的行为提起公益诉讼。对于“任何人”的范围，成文法并没有明确规定，但从司法实践看，范围很宽，既包括企业、社会团体和公民个人，也包括政府和检察机关，且这些条款只要求“任何人”与案件具有一定关系就具有原告主体资格，并未要求具有直接利害关系。在司法实践中，对原告与案件之间是否具有“一定关系”，法院的审查经历了由宽到严的过程。在二十世纪七八十年代，由于环境污染较为严重，成为社会普遍关注的问题，法院在审查原告的主体资格时采用的标准非常宽松，原告以娱乐、美学、研究等利益上的损害即可证明自己与案件具有“一定关系”。这一时期，美国出现了大量环境公益诉讼案件。但二十世纪九十年代后，环境污染已非美国的严重问题，最高法院在审查“野生动物保护者等环境团体诉内政部长卢肯”案时，认为原告必须证明案件影响了自己明确、真实和具体的利益时，才具有诉讼资格。这确立了较为严格的原告主体资格审查规则，导致一些与起诉者利益不太紧密的公益诉讼案件经常被法院以“不具有起诉资格”为由驳回起诉。

在英国，检察长有权对涉及国家利益和社会公共利益的案件代表政府提起诉讼，特别是对垄断、侵害消费者权益、环境污染等案件进行干预。地方政府机关可以自己的名义直接提起与保护、促进本地区居民利益有关的诉讼。社会团体或者公民在取得检察长同意后也可提起公益诉讼。

与英美法系相比,大陆法系对公益诉讼的规定相对谨慎。一些大陆法系国家规定,国家有权提起公益诉讼。例如,法国规定,检察长作为国家和社会公共利益的代表,对亲子关系、婚姻无效、监护案件、劳动案件等有可能涉及公序良俗、社会秩序的案件,有权以主当事人的身份提起诉讼,或者以从当事人身份参与诉讼。地方政府也可以直接向法院起诉,以保护和促进本地区居民利益。日本《关于法务大臣在关系国家利益诉讼中的权限法》规定,对于损害国家财产的行为,法务大臣可以代表国家提起诉讼。还有的国家和地区允许社会组织提起公益诉讼。例如,德国和日本允许消费者组织提起保护消费者权益的公益诉讼。但是,大陆法系普遍禁止公民个人提起该诉讼,并对有权提起公益诉讼的组织作严格限制。例如,日本规定,有权提起保护消费者权益的组织必须具备法定条件,并经内阁总理大臣认定。

三、建立公益诉讼制度的指导思想

(一)立足我国国情,建立有中国特色的公益诉讼

从国外立法看,对公益诉讼的立法大都根据不同的政治、经济、法律传统等国情采取了不同模式。由于国情不同,我国公益诉讼的立法不能照抄照搬国外立法,而应当立足我国国情,建立有中国特色的公益诉讼制度。我国设立公益诉讼制度应当考虑两个现实情况:

一是"案多人少",司法资源不足的问题突出。随着我国经济社会的快速发展,人们的利益诉求日益多样化,价值观念日益多元化,社会矛盾纠纷急剧增加。同时,随着人们法治意识不断增强,通过法律维权的意愿日益明显,司法需求与日俱增,大量矛盾纠纷涌入法院,法院受理案件数急剧增加。而办

案法官的数量并未随之相应增加，法官质量也未大幅提高，“案多人少”，司法资源不足的问题较为突出，导致一些法官平均每年就要办将近几百个案子。公益诉讼允许与纠纷没有直接利害关系的主体提起诉讼，是否会导致法院的诉讼量急剧增加，使“案多人少”，司法资源不足的问题更为突出。从国外立法看，即使在公益诉讼发达的美国，虽然法院对原告起诉资格问题已经作出较大让步，但这并不意味着对原告没有任何限制，更不意味着任何人都可以以“公共利益”的名义提起诉讼。大多数情况下，法院仍然要求原告提供“事实上的损害”的证据，所谓“事实上的损害”并不仅局限于经济上的损害，美学上的、环境舒适度上的等非经济上的损害亦包括在内。因此，我国公益诉讼立法应当充分考虑我国当前“案多人少”，司法资源不足的现状，使该制度能在我国循序渐进，适度开展，既达到保护公共利益的目的，也要对起诉主体作一定限制，避免任何涉及公共利益的问题都进入诉讼。基于此，本条规定，只有法律规定的机关和有关组织才可以向人民法院提起公益诉讼。

二是当前的社会管理体制。依照我国法律规定，公共利益受到损害的，可以通过行政方式救济。现实中，损害公共利益的行为多为大规模侵权，如环境污染侵权，这类侵权涉及面广，受害者众，还可能牵扯社会稳定。我国当前比较普遍的做法是由行政机关主导这类纠纷的处理，对侵权人施以行政手段，如行政处罚、行政强制措施等；提出赔偿方案，由侵权人按赔偿方案赔偿受害人，等等。相对于司法救济，行政主导的模式具有简便、快捷、成本较低等优势，也有利于维护社会稳定。因此，公益诉讼立法应与我国当前的社会管理模式相协调，不能削弱其功能，更不能取代这种模式，而是要使损害公共利益的行为得到进一步遏制。

(二)结合现有程序,创新民事诉讼制度

根据传统民事诉讼理论,诉讼当事人系民事权益被侵犯或者发生争议的利害关系人,即诉讼当事人应当具有诉的利益(也称当事人适格)。诉的利益是连接民事实体法和民事诉讼法的纽带,只有自己的合法权益受到侵害的人,才具备起诉的资格,才能成为诉讼当事人。传统理论将这种标准称为"直接利害关系规则"。我国民事诉讼法对诉讼当事人的规定也基本遵循了这一原则,原民事诉讼法第一百零八条第一款第(一)项规定,原告必须是与本案有直接利害关系的公民、法人和其他组织。司法实践中,人民法院在审查原告的起诉是否符合受理条件时,就要审查原告或者被告是否与案件具有"直接利害关系",具有直接利害关系的,才予立案受理;不具有直接利害关系的,不予受理或者驳回起诉。"直接利害关系规则"是建立在任何民事权益都有积极的捍卫者,一旦其权益受损,那么权利人必然会向法院寻求救济的假设基础之上的。但由于受害者的不特定性等特点,如果严格遵循"直接利害关系规则",就有可能出现没有直接利害关系人,或者直接利害关系人因不知、不能、不敢等原因而未提起诉讼,以致无人起诉的局面。而民事审判奉行"不告不理"的原则,无人起诉,法院就无法启动诉讼救济程序追究侵权行为人的法律责任。由于没有明确的法律依据和受制于"直接利害关系规则",相当多的公益诉讼案件,法院都以原告与案件没有直接利害关系,不符合民事诉讼法关于起诉条件的规定而拒绝受理。这不利于对公共利益的保护,因此应当建立公益诉讼制度。原民事诉讼法以"直接利害关系规则"对当事人的资格进行限制,主要目的有二:一是避免原告滥用诉权,使另一方当事人无端陷入诉讼;二是将一些与案件无关的人排除在诉讼之外,以节省有限的司法资源。该规则对于解决普通民事纠纷是合适的,作用也较为明显,公益诉讼制度不能取代现有程序。建立公益诉讼应当以现有程序为基础,创新诉讼制度,允许某些特定主体为维护公共利益,不适用“直接利害关系规则”而提起诉讼。同时,利用现有诉讼程序可以达到保护公共利益目的的,要尽可能利用现有程序开展,如一些行为同时损害了公共利益和个人利益的,个人提起诉讼,该诉讼结果通过既判力的扩张同样可以达到保护公共利益目的的,可用现有程序解决,没有必要再用“直接利害关系规则”解决。

(三)合理设计规则,控制公益诉讼的风险

公益诉讼案件所争诉的公益问题关系到原告之外的其他众多社会成员的利益,案件的处理结果与某个或某些社会集团或社会群体的地位、生存状况的改变直接相关。一些问题需要法官在实践中摸索解决,如“公共利益”的判断标准问题等,这实际赋予了法院和法官相当大的自由裁量权。为防止法官滥用权力,减少公益诉讼制度对司法制度的消极影响,这次修改合理设计公益诉讼的规则,适当限制了公益诉讼的适用范围和提起诉讼的主体。

四、公益诉讼的起诉主体

哪些主体可以提起公益诉讼是公益诉讼制度核心问题,也是这次修改中争议较大的问题。有的认为,保护公共利益是全社会的共同职责,应实行起诉主体多元化,检察机关、社会组织和公民等都可以起诉。有的认为,目前还不宜赋予公民提出公益诉讼的权利,一是在我国经济社会发展的现阶段,考虑到法治建设的现状,全面赋予公民提起公益诉讼的权利,可能事倍功半,诉讼效果可能不佳,还可能导致滥诉。二是从实践情况来看,有的公民提起公益诉讼炒作成分较多。这种炒作有可能对我国现行社会管理体制造成冲击,影响社会安定。当然在很多情况下,损害公共利益的行为也会损害个人利益,公民个人可以依据本法第一百一十九条规定的"直接利害关系规则"也可以达到直接保护个人利益,间接保护公共利益的效果。有的认为,检察机关作为法律监督机关,其维护公共利益的方式主要通过监督国家机关和相关单位及其工作人员执行法律、遵守法律,具体可采用督促起诉、支持起诉、刑事附带民事诉讼等方式。考虑到对检察机关提起公益诉讼时,还能否进行法律监督;检察机关是自己起诉,还是督促相关主体起诉等问题还有不同意见,对是否明确规定检察机关可以提起公益诉讼的问题还需要继续研究。国外对这一问题的态度也不完全相同。英美法系国家的公益诉讼主体一般多元化,除国家公诉机关外,行政机关、组织、公民也可以提起公益诉讼。如美国《清洁空气法》《清洁水法》《噪声控制法》等法律专门规定了公民诉讼。根据该规定,任何组织或者公民为了保护环境公共利益,都可以代表公众提起公益诉讼。大陆法系国家一般对公益诉讼的主体限制较为严格。如德国、日本只允许消费者组织提起保护消费者权益的公益诉讼。大陆法系国家普遍限制公民个人提起该诉讼,并对有权提起公益诉讼的组织作严格限制,如日本规定,有权提起保护消费者权益的组织必须是国家许可的特定消费者组织。

从我国的现行管理体制和减少滥诉风险的角度看,为了使公益诉讼制度既能在我国适度开展,同时又能有序进行,目前提起公益诉讼的主体不宜过宽。行政主管部门等有关机关作为公共利益的主要维护者和公共事务的管理者,作为诉讼主体较为合适,既可以促使其依法积极行政,也可以利用诉讼救济的方式弥补其行政手段的不足。提起公益诉讼的机关原则上应当与案件涉及的公共利益相关联，如对污染海洋行为提起公益诉讼的机关应当是环境保护部门、海洋主管部门等相关机关，工商管理部门等不涉及海洋环境管理的机关不能提起涉及环境污染的公益诉讼。考虑到我国的机关较多，为了避免引起混乱，本条规定“法律规定的机关”可以提起诉讼，也就是说，可以提起公益诉讼的机关，要有明确的法律依据。对可以提起公益诉讼的组织也应作一定的条件限制，例如由特别法对设立时间、设立宗旨、组织结构、经费情况等作一定限制，并要求经过特定机关的专门许可，这也是日本、德国等国家的通常做法。这种限制既可利用现有社会资源有效保护公共利益，同时也可通过这些组织的筛选和前置性工作有效控制“滥诉”和“恶意诉讼”。提起公益诉讼的组织原则上也应当与所起诉的事项有一定关联，如对污染环境的行为，原则上应当由环保组织提起；对侵害众多消费者利益的，原则上消费者协会提起。哪些组织适宜提起公益诉讼，可以在制定相关法律时进一步明确规定，还可以在司法实践中逐步探索。

五、公益诉讼的适用范围

公共利益是一个弹性较大、变化发展的概念，具体含义有不确定性，不同国家、不同历史发展阶段的理解各不相同。有的认为，不应对适用范围作限制，只要涉及维护公共利益的案件都可适用公益诉讼。也有的认为，为防止当事人滥诉，同时防止法官滥用自由裁量权，宜严格限制公益诉讼的适用范围。国外公益诉讼的适用范围也不完全相同，有的国家规定，公益诉讼可以适用于消费者权益保护领域，如日本；有的国家则适用范围较宽，如美国《反欺骗政府法》规定，任何个人或者公司都有权以政府名义控告任何侵害国家利益或者社会公共利益者。

鉴于公益诉讼尚处于初步建立阶段，其明确适用的范围不宜过宽。目前来看，环境保护、损害众多消费者权益的案件多发，损害社会公共利益的情况较为严重，对公益诉讼的要求较为迫切，理论界和实务界的认识也较为一致，可以作为建立公益诉讼的突破口。但为了应对经济社会的不断发展，为将来的扩大适用留下空间，也不宜限制得过死。基于以上考虑，本条规定，对污染环境、侵害众多消费者合法权益等损害社会公共利益的行为，可以提起公益诉讼。这样规定，既可突出对环境、消费者权益的保护，也有利于审时度势，根据实践情况的发展，逐步扩大公益诉讼的适用范围。

六、公益诉讼的其他问题

对公益诉讼的其他问题，如诉讼的具体程序、判决的效力、诉讼费用的承担、判决的执行等，目前还存在一些争议，如有关组织与有关机关能否同时提起同一公益诉讼；多个组织共同提起同一公益诉讼时，是否允许一部分原告撤诉；是否允许被告反诉。例如，对于公益诉讼费用的承担问题，有的提出，司法都有成本，承担合理的诉讼费用可以减少公共费用的开支，任何民事诉讼的原告都应为自己比普通人多耗费司法资源支付费用，公益诉讼的原告也不例外。也有的认为，公益诉讼是为了保护公共利益，若原告必须承担诉讼费用，不但对原告不公平，还可能影响各主体提起诉讼的积极性，制约该制度的发展。应由法院无偿受理公益诉讼案件，被告败诉的，由被告承担所有诉讼费用；原告胜诉的，可给予适当奖励，奖励费用可从被告的赔偿款中支付。这些问题涉及公益诉讼的具体操作，考虑到公益诉讼在我国尚处于起步阶段，有些制度的建立还有待实践经验的探索和检验,目前应着重明确公益诉讼的适用范围和主体,待实践一段时间后,进一步总结经验,予以完善。

第五十六条　对当事人双方的诉讼标的,第三人认为有独立请求权的,有权提起诉讼。

对当事人双方的诉讼标的,第三人虽然没有独立请求权,但案件处理结果同他有法律上的利害关系的,可以申请参加诉讼,或者由人民法院通知他参加诉讼,人民法院判决承担民事责任的第三人,有当事人的诉讼权利义务。

前两款规定的第三人,因不能归责于本人的事由未参加诉讼,但有证据证明发生法律效力的判决、裁定、调解书的部分或者全部内容错误,损害其民事权益的,可以自知道或者应当知道其民事权益受到损害之日起六个月内,向作出该判决、裁定、调解书的人民法院提起诉讼。人民法院经审理,诉讼请求成立的,应当改变或者撤销原判决、裁定、调解书;诉讼请求不成立的,驳回诉讼请求。

【释义】　本条是关于民事诉讼第三人和第三人撤销之诉的规定。

一、民事诉讼第三人

本条第一款、第二款是对民事诉讼第三人的规定。民事诉讼的第三人,是指对当事人争议的诉讼标的具有独立的请求权,或者虽无独立的请求权,但案件处理结果同他有法律上的利害关系,从而参加到他人已开始的诉讼中去的人。民事诉讼中的第三人分为有独立请求权的第三人和无独立请求权的第三人。

（一）有独立请求权的第三人

有独立请求权的第三人，是指对当事人之间争议的诉讼标的的全部或者一部，以独立的实体权利人的资格，提出诉讼请求而参加诉讼的人。比如，甲、乙二人就房屋的所有权发生争议，起诉到法院，丙认为房屋属于自己所有，甲、乙二人对房屋均无所有权，从而参加诉讼，对甲、乙二人争议的标的提出自己享有全部权利的诉讼请求。又如，兄弟二人因继承遗产发生纠纷，兄起诉到法院，他们的妹妹认为，兄弟二人分配遗产不考虑她的继承份额是违法的，从而参加诉讼，对兄弟二人争议的诉讼标的提出自己享有部分权利的诉讼请求。有独立请求权的第三人参加诉讼，既不同意原告的诉讼请求，也不同意被告的诉讼请求，因为不论原告胜诉还是被告胜诉，都将损害他的民事权利，他以独立的实体权利人的资格，向人民法院提起了一个新的诉讼，他在诉讼中的地位相当于原告，享有原告的诉讼权利，承担原告的诉讼义务，本诉的原被告即作为他的被告。第三人参加诉讼，实际是将两个诉讼，即原来当事人之间的本诉和第三人与本诉当事人之间的诉讼合并审理。人民法院将这两个诉讼合并审理，便于查明案情，彻底解决纠纷，也避免因将两个有关联的诉讼分别审理而可能作出相互矛盾的裁判。

（二）无独立请求权的第三人

无独立请求权的第三人，是指对他人之间争议的诉讼标的没有独立的实体权利，只是参加到诉讼中，以维护自己利益的人。例如，甲诉乙销售给他的锅炉不合格，要求赔偿损失，乙提出制造锅炉的材料是丙供给的，如果乙败诉，丙就可能对乙承担义务。因此丙参加到诉讼中，提供证据证明自己供给乙的材料符合质量标准，以免除自己将来对乙可能承担的义务。无独立请求权的第三人,对原被告争议的诉讼标的没有独立的请求权,因此,他无权承认、变更或者放弃原被告争议的诉讼请求,无权请求对原被告的争议实行和解。但是,无独立请求权的第三人同诉讼结果有法律上的利害关系,诉讼可能涉及他的实体权利,因此其参加诉讼,有权委托诉讼代理人,提供证据,对涉及自己利益的事实和证据进行辩论,如果法院判决他承担民事责任,他即有当事人的一切诉讼权利义务。无独立请求权的第三人参加诉讼的途径有两条:一是根据自己的请求,二是由人民法院通知。无独立请求权的第三人参加诉讼,实际是将一个已经开始的诉讼和一个今后可能发生的潜在的诉讼合并审理,从而达到简化诉讼,方便当事人,彻底解决纠纷的目的。

诉讼中的第三人是在他人已经开始了的诉讼中参加进去的人,如果他人之间还没有开始诉讼,或者他人之间的诉讼已因原告撤诉、双方当事人和解以及人民法院作出判决而终结,不存在第三人参加诉讼问题。关于第三人参加诉讼的时间,本法没有规定,从诉讼理论上说,应当在诉讼进行中,人民法院作出判决前参加。判决前应当理解为终局判决前,第一审作出判决前的任何阶段,都可以申请参加诉讼;第一审判决后,当事人提起上诉,在第二审法院作出判决以前也可以申请参加诉讼。第三人在第二审程序参加诉讼的,如果其不同意以调解方式结案,二审人民法院应当将案件发回一审人民法院重审,以保证诉讼第三人的上诉权。

二、第三人撤销之诉

本条第三款是关于第三人撤销之诉的规定,这是新增加的一项重要制度。第三人撤销之诉,是指未参加诉讼的第三人,有证据证明发生法律效力的判决、裁定、调解书的部分或者全部内容错误，损害其民事权益的，向作出该判决、裁定、调解书的人民法院提起诉讼，请求改变或者撤销原判决、裁定、调解书的制度。

（一）规定第三人撤销之诉的必要性

近年来，在我国民事诉讼的司法实践中，当事人通过恶意诉讼等手段，侵害他人合法权益的情况时有发生。特别是人民法院加强调解工作后，由于调解本身的特点，一些当事人利用调解进行诉讼欺诈，损害第三人合法权益的现象日益突出。如何保护受到侵害的第三人利益是民事诉讼法立法中的一个重要问题。根据原民事诉讼法的规定，对第三人权益的保护主要依靠诉中第三人参加诉讼和执行阶段的执行异议制度。第三人参加诉讼又分为有独立请求权的第三人和无独立请求权的第三人参加诉讼。本条第一款、第二款维持了原民事诉讼法关于第三人参加诉讼的规定。根据该规定，对当事人双方的诉讼标的，第三人认为有独立请求权的，有权提起诉讼。对当事人双方的诉讼标的，第三人虽然没有独立请求权，但案件处理结果同他有法律上的利害关系的，可以申请参加诉讼，或者由人民法院通知他参加诉讼，人民法院判决承担民事责任的第三人，有当事人的诉讼权利义务。第三人参加诉讼制度解决了在本诉进行中，第三人参与到诉讼中对其权益的保护问题，但是该制度适用的前提是第三人在本诉进行中知道该诉的存在，且可以参加该诉讼，不能满足其未能参加诉讼而利益受到损害的正当程序需要，因为无论是有独立请求权的第三人还是无独立请求权的第三人，在很多情况下往往不知道诉讼的存在，尤其是当事人以恶意串通、虚假自认等方式损害第三人合法权益的，第三人更是无从知道，也就很难以独立请求权或者无独立请求权的第三人身份参加到诉讼中去;法院常常也不能明确哪些人属于与案件有利害关系的第三人而通知其参加诉讼。在执行程序中,一些案件的执行可能损害第三人的利益,因此,民事诉讼法规定了执行异议制度,根据本法第二百二十七条的规定,执行过程中,案外人对执行标的提出书面异议的,人民法院应当自收到书面异议之日起十五日内审查,理由成立的,裁定中止对该标的的执行;理由不成立的,裁定驳回。案外人、当事人对裁定不服,认为原判决、裁定错误的,依照审判监督程序办理;与原判决、裁定无关的,可以自裁定送达之日起十五日内向人民法院提起诉讼。执行异议制度可以解决在执行程序中第三人利益的保护问题,但如果诉讼结果是损害第三人权益的确认判决或者形成判决而非给付判决,或者虽然是给付判决,案件基于当事人的自愿履行而没有进入执行程序的,因案件不进入执行程序第三人利益也得不到保护。因此,这两种制度还不足以保护第三人的利益。为了解决这个问题,在修改过程中,有的常委委员、部门和专家提出,民事诉讼法应当对受到侵害而未能参加诉讼且案件也未进入执行程序的第三人给予救济。

在修改过程中,对于立法采用什么方式保护第三人的权益有不同意见。有的认为,当第三人未能参加诉讼又无法通过执行异议对自己权益救济时,可以通过另行起诉的方式解决。有的认为,可以通过再审的方式对第三人进行救济。有的提出,可以建立第三人撤销之诉来解决,即法律上有利害关系的第三人,因不可归责于自己的事由未能参加原案审理,但原案生效裁判损害其权益且无其他救济手段的,可以请求法院撤销或者改变原案生效裁判中对其不利的部分。国外和其他地区也有这三种立法例。经过反复调研，本法最终规定，因不能归责于本人的事由未参加诉讼的第三人，有证据证明发生法律效力的判决、裁定、调解书的部分或者全部内容错误，损害其民事权益的，可以自知道或者应当知道其民事权益受到损害之日起六个月内，向作出该判决、裁定、调解书的人民法院提起诉讼。人民法院经审理，诉讼请求成立的，应当改变或者撤销原判决、裁定、调解书；诉讼请求不成立的，驳回诉讼请求。这样规定，主要是比较以另行起诉和再审的方式救济第三人的优劣后作出的。再审是特殊的救济程序，其目的在于纠错。以我国民事诉讼法规定的再审程序保护第三人的利益存在以下问题：一是案外第三人并不能直接申请再审。根据我国的司法实践，由于再审申请人必须是诉讼当事人或者其近亲属、代理人，第三人只能向法院或者检察院申请依职权启动再审。二是再审的条件较为严格、门槛较高，且再审事由不以裁判侵害第三人权益为依据，因此第三人进入再审程序较为困难，即使法院收到再审申请，也可以裁定不再审。三是再审模式不能充分保护第三人的审级利益。根据我国民事诉讼法关于再审程序的规定，原生效裁判是二审作出的，当事人对再审裁判不得提起上诉，这会损害从未参加原诉的第三人的审级利益。另行起诉的模式在我国也面临以下困难：一是管辖问题。根据我国民事诉讼法的规定，一审案件主要由基层法院管辖，但如果原诉裁判是由二审法院作出的，第三人另行起诉到基层法院，将面临基层法院的法官能否撤销上级法院的裁判问题，例如第三人根据民事诉讼法关于管辖的规定到原诉裁判法院辖区以外的法院起诉的，应当如何处理？二是另行起诉不能解决原生效裁判的效力问题。如果另行起诉后作出的裁判与原诉裁判不同的，如何处理这两个不同的生效裁判,具有法律效力的原诉裁判不被撤销或者变更的,前诉生效裁判是否继续具有强制执行力?基于以上考虑,本法采纳了第三人撤销之诉的模式。

(二)第三人撤销之诉的主要内容

根据本条第三款的规定,第三人提出撤销之诉应当满足以下条件:一是因不能归责于自己的事由未参加诉讼。知道原诉会损害自己的利益且能参加诉讼而未参加的第三人,不得提出撤销之诉,只有因不能归责自己的事由而未参加诉讼的,才可以提起撤销之诉,如原诉的双方当事人恶意诉讼损害第三人利益,第三人无从知道而未能参加诉讼的;第三人知道原诉有可能损害自己利益,但因地震等不可抗力无法参加诉讼的,等等。本条之所以强调这一点,主要是为了让能参加诉讼的第三人在诉讼过程中参加诉讼,及时解决纠纷,避免在权利上睡大觉,避免让原生效裁判长期处于不稳定状态。二是有证据证明发生法律效力的判决、裁定、调解书的部分或者全部内容错误,损害其民事权益。第三人撤销之诉与普通民事诉讼不同之处在于,第三人撤销之诉的主要目的是改变或者撤销已经生效的判决、裁定、调解书,为了防止第三人滥用诉讼权利,影响生效判决、裁定和调解书的稳定性和权威性,应当对第三人提起撤销之诉设定相对严格一点的条件,要求第三人有证据证明生效的判决、裁定、调解书部分或者全部内容错误,损害了其民事权益。实践中,第三人提起撤销之诉的撤销事由主要有以下几类:(1)当事人恶意串通进行诉讼,损害其利益;(2)第三人对原判决、裁定、调解书所处分的财产拥有物上请求权;(3)原诉遗漏了必要的共同诉讼当事人,损害了其利益。三是自知道或者应当知道其民事权益受到损害之日起六个月内提起该诉讼。第三人撤销之诉作为一种非常救济制度，其主要以撤销错误的生效裁判为目的，面临着如何在保护第三人利益与维护生效裁判既判力之间保持平衡的问题。在最大限度地保护第三人利益的前提下，为了避免因该诉讼制度的存在对法律关系的稳定、交易安全和社会秩序的稳定构成长期潜在的威胁，督促第三人及时行使权利，本条对第三人提起撤销之诉的期间作了必要限制，六个月期限的规定与申请再审的期限规定也是一致的。

关于第三人撤销之诉的管辖法院，本条明确规定，第三人应当向作出原生效判决、裁定、调解书的人民法院提起诉讼。这样规定，一是考虑到作出原生效裁判、调解书的人民法院比较了解案情，有利于案件的审理，同时可以充分发挥原审法院的自身纠错功能；二是避免出现下级法院撤销或者变更上级法院作出的生效裁判、调解书的情况。

关于第三人撤销之诉的法律效果，本条规定，人民法院经审理，诉讼请求成立的，应当改变或者撤销原判决、裁定、调解书；诉讼请求不成立的，驳回诉讼请求。根据该规定，法院审理第三人撤销之诉的案件时，先对第三人提出的撤销理由进行审理，撤销理由成立的，法院应当撤销或者变更原审裁判和调解对第三人不利的部分，并同时对第三人与原审当事人之间、原审当事人之间的实体权利义务关系重新作出裁判。

这里需要说明两点：第一，第三人提起的撤销之诉是依据新事实提起的新诉，对新诉的裁判，第三人和原诉的当事人可以提起上诉。第二，在执行过程中，第三人发现原裁判损害自己利益的，既可以按照本条第三款的规定提起第三人撤销之诉，也可以按照本法第二百二十七条的规定以案外人身份提起执行异议，若对执行法院所作的执行异议裁定不服，认为原裁判错误的,可以依照审判监督程序提起再审。执行标的与原裁判无关的,该案外人只能依据本法第二百二十七条的规定,自执行法院作出的执行异议裁定送达之日起十五日内向人民法院提起诉讼。

第二节 诉讼代理人

第五十七条 无诉讼行为能力人由他的监护人作为法定代理人代为诉讼。法定代理人之间互相推诿代理责任的,由人民法院指定其中一人代为诉讼。

【释义】 本条是关于法定代理人的规定。

诉讼代理人,是指以当事人的名义,在一定权限范围内,为当事人的利益进行诉讼活动的人。被代理的一方当事人称为被代理人。诉讼代理人代理当事人进行诉讼活动的权限,称为诉讼代理权。诉讼代理的内容,包括代为诉讼行为和代受诉讼行为。前者如代为起诉,代为提供证据、陈述事实,代为变更或者放弃诉讼请求等;后者如代为应诉,代为答辩,代为接受对方当事人的给付等。

根据民事诉讼法的规定,以诉讼代理权发生的原因为标准,诉讼代理人可以分为法定代理人和委托代理人两种。法定代理人,是指根据法律规定行使代理权的人。本条规定:"无诉讼行为能力人由他的监护人作为法定代理人代为诉讼。"诉讼行为能力是以自己行为实现诉讼权利,履行诉讼义务的能力。并不是每一个具有诉讼权利能力的人都具有诉讼行为能力。比如,未成年人、精神病人的民事权利受到侵犯时,就不具有亲自进行诉讼活动的能力。因此,在他们作为诉讼当事人时,应当由他们的监护人作为法定代理人代为诉讼。

民法通则第十六条规定:“未成年人的父母是未成年人的监护人。未成年人的父母已经死亡或者没有监护能力的,由下列人员中有监护能力的人担任监护人:(一)祖父母、外祖父母;(二)兄、姐;(三)关系密切的其他亲属、朋友愿意承担监护责任,经未成年人父、母所在单位或者未成年人住所地的居民委员会、村民委员会同意的。对担任监护人有争议的,由未成年人的父、母的所在单位或者未成年人住所地的居民委员会、村民委员会在近亲属中指定。对指定不服提起诉讼的,由人民法院裁决。没有第一款、第二款规定的监护人的,由未成年人的父、母的所在单位或者未成年人住所地的居民委员会、村民委员会或者民政部门担任监护人。”第十七条规定:“无行为能力或者限制行为能力的精神病人,由下列人员担任监护人:(一)配偶;(二)父母;(三)成年子女;(四)其他近亲属;(五)关系密切的其他亲属、朋友愿意承担监护责任,经精神病人的所在单位或者住所地的居民委员会、村民委员会同意的。对担任监护人有争议的,由精神病人的所在单位或者住所地的居民委员会、村民委员会在近亲属中指定。对指定不服提起诉讼的,由人民法院裁决。没有第一款规定的监护人的,由精神病人的所在单位或者住所地的居民委员会、村民委员会或者民政部门担任监护人。”可见,法定代理人是基于法律确定的监护权而代理当事人的人,既不是基于当事人的意思表示,也不是基于他自己的意思表示,而是法律规定。因此,法定代理人应当主动代理当事人进行诉讼,代为行使诉讼权利,承担诉讼义务,担负法律上的责任,维护当事人的合法权益。

法定诉讼代理权是基于法律的直接规定而发生的,无民事行为能力人或限制民事行为能力人的监护人以法定诉讼代理人身份参加诉讼,既是他们依法享有的一项权利,又是他们对被代理人和社会应尽的一项义务。因此,法定代理人不应推卸自己代理诉讼的责任。但是,在审判实践中,当无民事行为能力人或限制民事行为能力人的法定代理人有两个或者两个以上时,他们往往因怕影响自己的工作或者怕增加自己的负担而互相推诿诉讼代理责任。为了保障诉讼活动的正常进行,保护无民事行为能力人和限制民事行为能力人的利益以及社会公共利益,本条规定:"法定代理人之间互相推诿诉讼代理责任的,由人民法院指定其中一人代为诉讼。"

法定代理人制度是基于未成年人和精神病人不能正确分辨是非和表达自己的意志而设立的,因此,法定代理人在诉讼中的行为应当视为当事人的行为,与当事人的行为具有同等法律效力,人民法院和对方当事人对无诉讼行为能力的当事人所为的诉讼行为,应向其法定代理人进行。但是法定代理人毕竟不是当事人,他不是实体权利的享有者和义务的承担者,因此在诉讼中,法定代理人不能行使代理权或者死亡,没有其他法定代理人承担诉讼时,诉讼可以终止但不能终结。

法定代理人的代理权是依法律而确定的,法定代理人参加诉讼不需要办理委托代理书,只要证明自己的身份和与被代理人具有监护关系,其代理权便成立。法定代理人是在当事人无诉讼行为能力的情况下法律规定的诉讼代理人,如果在诉讼进行中,未成年的当事人成年了,或者被宣告无行为能力的当事人恢复了行为能力,法定代理权自行消灭。如果法定代理人与未成年人是基于养父母、养子女的亲属关系代理诉讼,法定代理权随收养关系的解除而消灭。法定代理权变更或者消灭后,当事人应当书面告知人民法院,并由人民法院通知对方当事人。

第五十八条 当事人、法定代理人可以委托一至二人作为诉讼代理人。

下列人员可以被委托为诉讼代理人:

(一)律师、基层法律服务工作者;

(二)当事人的近亲属或者工作人员;

(三)当事人所在社区、单位以及有关社会团体推荐的公民。

【释义】 本条是关于委托代理人的规定。

委托代理人,是指受当事人、法定代理人委托,代为诉讼行为的人。委托代理人具有以下三个特征:(1)代理权的发生是基于当事人、法定代理人的意思表示,而不是由法律规定;(2)代理事项及权限一般由当事人、法定代理人决定;(3)当事人、法定代理人委托他人代为诉讼,必须向受诉人民法院提交授权委托书。

对哪些人员可以被委托为诉讼代理人,原民事诉讼法规定,律师、当事人的近亲属、有关的社会团体或者所在单位推荐的人、经人民法院许可的其他公民,都可以被委托为诉讼代理人。实践中,当事人的近亲属、社会团体或所在单位推荐的人代理的案件,总体上比例不高,且不存在问题。经人民法院许可的其他公民代理是在改革开放之初我国律师数量严重不足的特定历史条件下而在程序法中设定的一种特殊的制度安排。但是,从近些年的司法实践来看,经人民法院许可的其他公民代理案件,在实践中存在一些问题,主要表现为:

一是有些公民未经法律培训和司法考试,以营利为目的从事诉讼代理活动,有的甚至假冒律师违法代理,扰乱法律服务市场秩序。司法部《关于公民个人未经批准不得从事有偿法律服务的批复》规定"任何单位和个人未经司法行政机关批准,均不得面向社会提供有偿法律服务",但由于在制度层面缺乏相应的监管、惩处配套措施,相关监管工作难以到位,使得以营利为目的的公民代理诉讼问题屡禁不止。

二是多数公民代理人法律专业知识匮乏,诉讼代理经验、技能不足,调查、收集证据能力有限,难以有效地保护当事人的合法权益,甚至影响、制约诉讼活动的正常进行。

三是有部分法院退休但又不具有律师资格(不能作执业律师)的法官或现任法官的亲朋好友从事公民代理活动,利用关系影响、干扰案件的依法办理,甚至拉拢腐蚀法官队伍,影响司法公正。

在立法过程中,有的部门、专家也提出,实践中有些个人以诉讼代理人的名义长期包揽诉讼,甚至滥用诉讼,应当适当限制诉讼代理人的范围。立法机构经研究认为,诉讼代理制度既要满足当事人的法律服务需求,也要有利于维护诉讼秩序。因此,本条第二款删除了原民事诉讼法规定的"经人民法院许可的其他公民",将可以被委托为诉讼代理人的范围修改为:

(一)律师、基层法律服务工作者

律师是国家法律和当事人合法权益的维护者,近年来我国的律师队伍不断扩大,素质不断提高,已经成为我国法治建设中一支强有力的队伍。根据律师法规定,律师的一项主要业务就是接受民事案件当事人的委托,担任代理人参加诉讼。律师参与诉讼对人民法院查清事实,正确运用法律,维护当事人的合法权益具有重要作用。另外,为满足诉讼代理需求,规范诉讼代理活动,这次修改明确了基层法律服务工作者的诉讼代理人地位,允许其像律师一样可以面向当事人提供民事诉讼代理服务。基层法律服务工作制度是一项具有我国特色的法律服务制度。该制度始创于二十世纪八十年初期，基层法律服务组织设在农村乡镇、城市街道，基层法律服务工作者从具有法律知识的人中选拔，主要职能是面向基层群众尤其是低收入人群提供及时、便利、收费低廉的法律咨询服务，包括民事诉讼、行政诉讼代理服务。经过多年的发展，基层法律服务已经与律师服务形成拾遗补缺、优势互补的关系与格局，深受人民群众的欢迎。但目前基层法律服务工作的法制依据仅是国务院文件和司法部规章，尤其是基层法律服务工作者的诉讼代理地位至今未从立法上予以确认，除部分地方以省级法院与司法厅（局）联合发文形式明确其诉讼代理地位外，多数地方的基层法律服务工作者多以“公民代理”身份参与诉讼活动。这一状况对于充分发挥基层法律服务作用，更好地满足基层群众诉讼代理服务需求造成了较大影响。因此，在缩小公民代理适用对象范围、规范公民代理行为的同时，明确基层法律服务工作者在民事诉讼中可以担任代理人的诉讼地位及其职责，对于充分发挥基层法律服务工作的作用，更好地满足人民群众的法律服务需求具有重要意义。

（二）当事人的近亲属或者工作人员

当事人是自然人的，其近亲属可以作为诉讼代理人，近亲属一般包括：夫、妻、父、母、子、女、同胞兄弟姐妹、祖父母、外祖父母。当事人是法人或者其他组织的，其工作人员可以作为诉讼代理人。

（三）当事人所在社区、单位以及有关社会团体推荐的公民

1. 有关社会团体推荐的公民。社会团体指依法或经有关部门批准成立的，有章程、有名称、有一定数量成员、有经费来源、有办事机构、有办公地点的非营利性组织。主要包括：

(1)人民群众团体,如工会、妇联、学联、青年团等;(2)社会公益团体,如中国福利基金会、中国红十字会、消费者协会等举办社会公益事业的团体;(3)文艺工作团体,如文学艺术界联合会、戏剧工作者协会、音乐工作者协会等从事文学、美术、戏剧、音乐等文艺工作的团体;(4)学术研究团体,如自然科学工作者协会、社会科学工作者协会、医学会等从事某种专门学术研究的团体;(5)行业自律性组织,如专利代理人协会等;(6)宗教团体,如基督教、天主教、佛教等从事宗教活动的团体。社会团体不是以团体的名义代理诉讼,而是以团体推荐的人的名义作为诉讼代理人。

2. 当事人所在单位推荐的公民。当事人所在单位为保护其职工的合法权益,可以在单位中推荐一人为当事人代理诉讼,但被推荐的人作为诉讼代理人必须经当事人同意和授权。

3. 当事人所在社区推荐的公民。这里的"社区"主要是指当事人所在的居委会、村委会。为了维护本社会当事人的权益,当事人所在的居委会、村委会也可以推荐本社区的公民代理当事人诉讼。

本条第一款规定:"当事人、法定代理人可以委托一至二人作为诉讼代理人。"这样规定,一方面是考虑诉讼的需要,尊重当事人的意思;另一方面又是对委托代理人人数的限制,这种限制,既不影响当事人行使诉讼权利,又有利于诉讼的进行。

第五十九条　委托他人代为诉讼,必须向人民法院提交由委托人签名或者盖章的授权委托书。

授权委托书必须记明委托事项和权限。诉讼代理人代为

承认、放弃、变更诉讼请求，进行和解，提起反诉或者上诉，必须有委托人的特别授权。

侨居在国外的中华人民共和国公民从国外寄交或者托交的授权委托书，必须经中华人民共和国驻该国的使领馆证明；没有使领馆的，由与中华人民共和国有外交关系的第三国驻该国的使领馆证明，再转由中华人民共和国驻该第三国使领馆证明，或者由当地的爱国华侨团体证明。

【释义】 本条是关于委托诉讼代理人的程序的规定。

委托他人代理诉讼，应当遵守以下几方面的规定：

1. 委托他人代为诉讼，必须向人民法院提交由委托人签名或者盖章的授权委托书。委托他人代为诉讼，关系到当事人对实体权利和诉讼权利的处分，以及诉讼结果的承担，为避免日后因委托问题发生争议，影响判决、裁定和调解的执行，法律要求授权委托书必须采用书面形式，而且要由当事人、法定代理人签名或者盖章，以表明委托诉讼代理人是当事人、法定代理人的意思表示，当事人、法定代理人对诉讼代理人在代理权限范围内的诉讼活动负责。

2. 授权委托书必须记明委托事项和权限。代理制度是我国民事法律制度的一部分，代理分为民事代理和诉讼代理，前者是为了帮助当事人实现民事法律行为，后者是为了帮助当事人实现诉讼法律行为。要求授权委托书记明代理事项，实际是要当事人、法定代理人写明委托他人干什么，代理诉讼的标的是什么。诉讼代理人是代理当事人、法定代理人进行诉讼，代理人在代理权限范围内从事的代理行为，应当由当事人、法定代理人承担，超越代理权的行为，属于无权代理，后果应当由代理人自负。因此，代理权限的范围，实际是划分当事人、法定代理人和委托代理人责任的范围，因此，委托代理人必须写明代理权限，是委托代理人申请回避、提供证据、陈述事实、进行辩论、申请诉讼保全和证据保全、请求调解、提出反诉、上诉、申请执行，还是仅就其中一项或者几项授权代理。如果授权委托书没有特别注明代理权限，只写“委托某人代理诉讼”，视为代理人有权为一切处分实体权利外的诉讼行为。

3. 诉讼代理人代为放弃、变更诉讼请求，进行和解，提起反诉或者上诉，必须有委托人的特别授权。上述诉讼行为，涉及实体权利的处分，因此，当事人、法定代理人必须在授权委托书中特别注明，没有注明的，委托代理人的行为无法律效力，人民法院不予承认，当事人、法定代理人也可以不接受。

为保证侨居国外的中国公民委托诉讼代理人行为的真实性，更好地保护当事人的合法权益，本条第三款对在国外授权委托他人代为诉讼作了规定，即侨居在国外的中华人民共和国公民从国外寄交或者托交的授权委托书，必须经中华人民共和国驻该国使领馆证明，没有使领馆的，由与中华人民共和国有外交关系的第三国驻该国使领馆证明，再转由中华人民共和国驻该第三国使领馆证明，或者由当地爱国华侨团体证明。比如，中国公民某甲侨居美国，委托某乙作为他的诉讼代理人在我国人民法院提起诉讼，其对乙的授权委托书，必须经我国驻美国大使馆或者领事馆证明，未经使领馆证明的授权委托书，人民法院不予承认，其委托的诉讼代理人也不能代理为任何诉讼行为。又如，中国公民某丙侨居厄瓜多尔，现该国与我国没有建立外交关系，那么其委托他人代为诉讼的授权委托书，可以由美国驻该国的使领馆证明，然后再转由我国驻美国的使领馆证明。如果当地有我国承认的爱国华侨团体，也可以由该爱国华侨团体对授权委托书证明。

第六十条 诉讼代理人的权限如果变更或者解除，当事人应当书面告知人民法院，并由人民法院通知对方当事人。

【释义】 本条是关于变更和解除诉讼代理权限的规定。

委托诉讼代理关系成立后，委托代理人取得的诉讼代理权在诉讼过程中有可能发生变更或者解除。委托诉讼代理权限的变更，是指委托诉讼代理权成立后，遇到一定情况，当事人或者法定代理人与委托代理人协商扩大或者缩小代理权的范围。委托诉讼代理权限的解除，是指在委托诉讼代理关系成立后，因委托人收回诉讼代理权或者代理人放弃诉讼代理权而中止双方的诉讼代理关系。变更和解除委托都涉及代理人诉讼行为的效力，为保护当事人的合法权益，保证诉讼正常进行，当事人或者法定代理人必须将变更或者解除代理权限的情况书面通知人民法院和对方当事人，如果没有通知，委托代理人依照原来的代理权限所为的行为，委托人应当承担。在委托诉讼代理权限未变更、解除前，委托代理人已经实施的诉讼代理行为仍然有效。

第六十一条 代理诉讼的律师和其他诉讼代理人有权调查收集证据，可以查阅本案有关材料。查阅本案有关材料的范围和办法由最高人民法院规定。

【释义】 本条是关于诉讼代理人的权利的规定。

诉讼代理人在代理权限内代理当事人进行诉讼活动，所以民事诉讼法规定诉讼代理人具有一些必要的诉讼权利和义务，目的是保护当事人的合法权益，保证诉讼正确、顺利进行。

根据本条规定，律师和其他诉讼代理人代理诉讼主要有以下两个方面的权利：

(一)有权调查收集证据

根据民事诉讼法的规定,当事人对自己的主张,有提供证据的责任,只有在当事人因客观原因不能收集证据或者人民法院认为有必要时,人民法院才主动调查、收集证据。为了使当事人更好地承担提供证据的责任,赋予其诉讼代理人收集证据的权利是十分必要的。代理人可以调查收集书证、物证、视听资料、证人证言,并要求有关鉴定部门对某一事实进行鉴定等。有关单位和个人对诉讼代理人调查取证的工作应当支持。

(二)查阅本案有关材料

有关材料,一般指法庭审理过程中所有的证据材料、庭审笔录以及起诉状、答辩状、代理意见书等在法庭审理中涉及的材料。有关材料的具体范围以及查阅的办法,由最高人民法院规定。最高人民法院在2002年颁发了《关于诉讼代理人查阅民事案件材料的规定》,其中规定,代理民事诉讼的律师和其他诉讼代理人有权查阅所代理案件的有关材料,但诉讼代理人查阅案件材料不得影响案件的审理。诉讼代理人为了申请再审的需要,可以查阅已经审理终结的所代理案件有关材料。诉讼代理人在诉讼中查阅案件材料限于案件审判卷和执行卷的正卷,包括起诉书、答辩书、庭审笔录及各种证据材料等。案件审理终结后,可以查阅案件审判卷的正卷。诉讼代理人查阅案件材料可以摘抄或者复印。涉及国家秘密的案件材料,依照国家有关规定办理。查阅案件材料中涉及国家秘密、商业秘密和个人隐私的,诉讼代理人应当保密。

第六十二条　离婚案件有诉讼代理人的,本人除不能表达意思的以外,仍应出庭;确因特殊情况无法出庭的,必须向

人民法院提交书面意见。

【释义】 本条是关于离婚案件的特殊规定。

一般说来,诉讼当事人委托了代理人的,本人就可以不出庭参加诉讼活动了,但离婚案件不同于其他民事案件,离婚案件涉及的是身份关系,它直接关系到家庭的存废,因此,解除还是维持这种身份关系,应当十分慎重,必须由当事人本人表达意见,而不宜由诉讼代理人转达。同时,根据我国婚姻法规定,夫妻能否离婚,主要取决于感情是否确已破裂,而关于这个问题,诉讼代理人往往把握不准,难以就具体情节进行陈述、辩论和说明。而且,人民法院审理离婚案件应当进行调解,如果当事人不出庭,调解则无法进行。因此,离婚案件委托了诉讼代理人的,原则上本人还要出庭。但是,在实践中,也有一些离婚案件当事人无法出庭的特殊情况。比如,当事人是精神病人,不能正确表达自己的意思,要其出庭没有意义;又如,当事人正在患传染病,或正在国外不便亲自到庭,因此,法律在原则规定外,允许有例外。但前述两项例外也略有不同,对于不能表达意思的当事人,不仅可以不出庭,而且用不着提交书面意见;而对于因特殊情况不能出庭的,当事人必须要有是否同意离婚的书面意见提交给人民法院。

第六章　证　　据

第六十三条　证据包括:

(一)当事人的陈述;

(二)书证;

(三)物证;

(四)视听资料;

(五)电子数据;

(六)证人证言;

(七)鉴定意见;

(八)勘验笔录。

证据必须查证属实,才能作为认定事实的根据。

【释义】　本条是关于证据种类的规定。

证据是指证明案件事实是否客观存在的材料,可以用于证明案件事实的材料,都是证据。证据在民事诉讼中有着极其重要的意义,它既是人民法院认定案件事实的根据,也是人民法院作出裁判的基础。

原民事诉讼法第六十三条第一款规定:“证据有下列几种:(一)书证;(二)物证;(三)视听资料;(四)证人证言;(五)当事人的陈述;(六)鉴定结论;(七)勘验笔录。”这样规定容易给人造成误解,即证据种类只有这七种,其他材料都不属于证据。因此,这次修改民事诉讼法将原民事诉讼法第六十三条第一款中的“证据有下列几种”修改为“证据包括”,以消除误解。同时,随着信息技术的飞速发展,电子计算机等各类电子设备在社会生活中广泛运用,越来越多的证据以电子数据的形式表现出来,如电子邮件、网上聊天记录、电子签名、网络访问记录,这种形式的证据是新的证据种类还是能够涵盖在原有七种证据种类中,存在较大争议,需要在民事诉讼法中予以明确。此外,2005 年 2 月第十届全国人民代表大会常务委员会第十四次会议通过的《全国人民代表大会常务委员会关于司法鉴定管理问题的决定》和 2012 年 3 月第十一届全国人民代表大会第五次会议通过的《全国人民代表大会关于修改〈中华人民共和国刑事诉讼法〉的决定》中都已经将“鉴定结论”修改为“鉴定意见”。根据这些情况和各方面的意见,本条第一款对原民事诉讼法的规定进行了一些补充和调整。根据本款规定,民事诉讼中的证据包括:

(一)当事人的陈述

这是指案件的当事人向人民法院提出的关于案件事实和证明这些事实情况的陈述。由于民事纠纷是在当事人之间进行的,所以,他们最了解争议的事实。对于人民法院来说,当事人的陈述是查明案件事实的重要线索,应当给予重视。但是,双方当事人在案件中处于对立地位,他们之间存在利害冲突,可能会夸大、缩小甚至歪曲事实。所以,人民法院对于当事人的陈述应当客观地对待,注意其是否有片面和虚假的成分。既不可盲目轻信,也不能忽视其作用。只有把当事人的陈述和案件的其他证据结合起来,综合研究审查,才能确定其是否可以作为认定案件事实的根据。

(二)书证

这是指以文字、符号所记录或表示的,以证明待证事实的文书,如合同、书信、文件、票据等。书证是民事诉讼中普遍并大量应用的一种证据。

(三)物证

这是指用物品的外形、特征、质量等说明待证事实的一部或全部的物品,如质量不合格的家具、被汽车撞坏的自行车等。

(四)视听资料

这是指用录音、录像的方法记录下来的有关案件事实的材料,如用录音机录制的当事人的谈话、用摄像机拍摄的人物形象及其活动等。视听资料是随着科学技术的发展进入证据领域的。

(五)电子数据

这是指与案件事实有关的电子邮件、网上聊天记录、电子签名、网络访问记录等电子形式的证据。这是这次修改民事诉讼法新增加的证据种类。

1. 一些国际组织和国家、地区电子数据证据的立法情况

随着电子商务、网络侵权、计算机犯罪等涉及电子数据的案件逐年增多,电子数据作为一种证据形式日益凸显其重要性。一些国际组织和国家、地区的立法中也都对电子数据证据作了明确规定。联合国国际贸易法委员会于1996年和2001年分别通过了《电子商务示范法》和《电子签名示范法》,这两部示范法对电子商务活动中电子数据证据的一些问题作了明确规定。欧洲理事会于2001年通过的《网络犯罪公约》是第一个防范网络犯罪的国际公约。基于其立法目的,公约对网络犯罪涉及的有关电子数据证据明确限定为计算机系统中处理或者运行的计算机数据,并对其取证程序、措施以及多边协助机制等作了明确规定。其他一些国际组织也制定了一些涉及电子数据证据的法律或者规定,如国际商会的《电子传输贸易数据交换行为统一规则》、国际海事委员会

的《电子提单规则》、欧盟的《电子签名指令》和《电子商务指令》、计算机调查专家国际协会的《电子检验程序》等。

在英美法系国家，只有符合证据规则规定的证据才能被采纳而进入诉讼程序，因此需要考虑电子数据证据与最佳证据规则、传闻规则、认证规则等的关系，以直接或者间接的方式对这些问题作出明确的回应。不少英美法系国家形成了自成体系的电子数据证据成文法，有的制定了专门调整电子数据证据的法律，有的通过证据法修正案或者判例对电子数据证据的问题作出规定。美国对电子数据证据的调整主要体现在《联邦证据规则》《统一证据规则》《联邦民事诉讼规则》《联邦刑事诉讼规则》等制定法及相关判例中，对电子数据证据的传闻规则、最佳证据规则、非法证据排除规则、鉴定机制、证据开示问题等都作了规定。作为电子商务开展时间最早、发展最迅速的国家，美国已经制定了《国际国内商务电子签名法》《统一电子交易法》《统一计算机信息法》等一系列电子商务法律，这些法律从电子商务的角度对电子数据证据问题作了原则性规定，如与电子商务密切相关的电子数据证据术语、原件判断标准、保存标准、可采性标准及推定问题等。澳大利亚电子数据证据的有关规定散见于联邦和各州的证据法中，主要是关于电子形式发送的讯息、计算机生成的文件等电子数据证据的特殊规则。印度的电子数据证据法律主要体现在《1991 年电子商务支持法》《1999 年信息技术法》对《1872 年证据法》《1891 年银行簿据证据法》的修正条款中，围绕电子数据证据的可采性等问题作出规定。加拿大在 1999 年颁布了世界上第一部单独为电子数据证据制定的法律《统一电子证据法》，该法注重与现有法律的衔接，在原有证据制度框架基础上仅就有关电子数据证据的特殊规则如证明力规则、最佳证据规则、完整性推定规则、程序规则等作出规定,取得了良好的司法效果。南非在1983年就制定了《计算机证据法》,其后又通过修正案和判决作了不少修正。该法主要是就计算机打印输出物的证据问题进行规定,具体内容包括计算机打印输出物的定义、认证、可采性和证据能力四个问题。菲律宾在2001年制定了《电子证据规则》,对各种电子数据证据的法律地位、可采性规则、最佳证据规则、传闻规则、认证规则、证明力规则等方面都作了比较详尽的规定,具有一定的独创性。

大陆法系国家和地区多数遵从自由心证制度,允许采用任何有关的、能证明案件真实情况的证据,法官拥有充分的自由裁量权来决定是否采纳某一电子数据证据,因此这些国家和地区一般没有专门的电子数据证据立法,往往是在电子商务立法中有原则性规定,在诉讼法或者证据法中再对电子数据证据的书面形式、取证规则等少数问题作出规定。比如,德国、法国、意大利、日本在刑事诉讼法律中都对电子数据证据的取证如采用技术手段截听电讯记录等作了明确规定。法国民法典第1316－1条规定:"以电子形式做成的文书与书面载体的文书一样被视为证据,前提是做成该文书的人能够正式得以识别,该文书的制作与保管的条件应能保持其完整性,签字应与签名人一致,并代表当事人对由该行为所产生义务的同意。"日本民事诉讼法第231条规定:"本节(书证)的规定,准用于有关视图、照片、录音带、录像带等其他记载信息的非文书物件。"我国台湾地区"民事诉讼法"第363条规定:"本目(书证)规定,于文书外之对象有与文书相同之效用者准用之。文书或前项对象,须以科技设备始能呈现其内容或提出原件有事实上之困难者,得仅提出呈现其内容之书面并证明其内容与原件相符。”

2. 我国电子数据证据的立法情况

我国法律已经对电子数据证据问题作了一些规定。比如,2004 年通过的电子签名法是我国第一部针对电子商务的立法,明确了电子签名的法律效力、认证等问题,特别是对数据电文的书面形式、原件形式、保存要求、可采性和证明力等问题作了具体规定,对保障电子交易安全、解决电子交易纠纷具有重要作用,但由于其是关于电子签名的专门法律,适用面有限。又如,1999 年通过的合同法第十一条规定:“书面形式是指合同书、信件和数据电文(包括电报、电传、传真、电子数据交换和电子邮件)等可以有形地表现所载内容的形式。”2012 年新修改的刑事诉讼法也已经明确规定电子数据为证据种类之一。原民事诉讼法中没有关于电子数据证据的明确规定,但一些学者和司法部门对“视听资料”作扩大化解释,把电子数据证据涵盖其中,以解决实际问题。如最高人民法院《关于民事诉讼证据的若干规定》中规定:“调查人员调查收集计算机数据或者录音、录像等视听资料的,应当要求被调查人提供有关资料的原始载体。”

3. 司法实践中关于电子数据证据存在的一些问题

电子数据证据与传统证据有很大不同,因此在司法实践处理时遇到不少障碍和困难:

一是电子数据证据的法律定位。大陆法系国家一般在法律中没有明确规定证据的种类,而是允许采用任何有关的、能证明案件真实情况的证据。我国有所不同,原民事诉讼法中具体列举了七类证据,但没有明确规定电子数据证据,因此,对于电子数据证据的法律定位问题争论激烈,影响力较大的就有视听资料说、书证说、分类划入说、混合证据说和独立证据说等多种观点。司法实践中,特定证据的法律定位决定了其运用规则,对证据的采纳和采信意义重大。立法上的不明确和理论界的争论对电子数据证据的证明价值有较大影响,导致其在司法中的运用受到限制,类似的电子数据证据在不同案件中的证明力存在差异。

二是电子数据证据的调查取证。作为现代信息技术的产物,电子数据证据具有明显的特殊性。它通常的形式是存储在各种电子介质上,其本身难以为人们所直接认识,且容易篡改,其调查取证存在困难。比如,如何对计算机现场进行勘查,网络证据如何收集,如何对电子数据进行扣押或者保全,如何对取得的数据进行备份等。特别是在民事案件中,由于缺乏法定程序,当事人调查收集的电子数据证据经常难以得到法官的认可,实践中不少采取公证的形式,但费用较高,其证明力也存在争议。

三是电子数据证据的质证。在证据提交法庭质证的环节中,要求提交原件、原物是我国民事诉讼法的一项传统规则,判断电子数据证据的原始性质是又一难题。电子签名法仅对于数据电文的原件要求作了规定,还有诸多电子数据证据缺乏关于出示原件、原物的举证规则。比如,是存储在计算机硬盘、光盘中的不可直接阅读的数据信息是原件,还是显示在计算机显示器上、存储在存储介质中的数据信息或者计算机打印输出是原件;保存在发件人处的电子数据是原件,还是保存在收件人处或者第三人处的电子数据是原件;如何判断电子数据证据在传递、保管的各个环节是否发生过潜在的实质性变化,等等。

四是电子数据证据的认证。电子数据证据一般都具有较高的技术含量,在认定其可靠性上存在很大难度,需要综合考虑多种因素。比如，需要判断电子数据证据生成的软件、命令程序、操作系统、网络状况是否稳定可靠，电子数据证据生成时的设备状态、客观环境是否稳定，计算机操作者的操作方法与电子数据证据收集、提取和保存的手段和程序对电子信息可靠性的影响以及被篡改、破坏的可能性等。

4. 在民事诉讼法中明确规定电子数据证据

如何在民事诉讼法中规定电子数据证据，在修改民事诉讼法时有一定争议，主要涉及电子数据证据的定位问题。

第一种意见认为，应把电子证据视为书证对待，通过完善书证的相关规定来解决电子数据证据带来的法律难题。主要理由是：第一，普通书证与电子数据证据虽然记录方式、记载介质不同，但却具有相同的功能，即均能记录完全的内容；第二，电子数据证据也是以其代表的内容来说明案件的某一问题，且必须输出、打印到纸上（当然也可显示在屏幕上），才能被人们看见、利用，因而具有书证的特点；第三，我国合同法、电子签名法已经将传统的书面形式扩大到电子数据形式；第四，国外立法上运用的功能等同法能解决电子数据证据适用传统书证规则的诸多问题。反对意见主要认为：第一，书面形式并不等同于书证，证人证言、鉴定结论、勘验笔录等也可能是书面形式，但并不是书证；第二，一部分电子数据证据在表现形式和证明方式上类似于书证，但还存在不少与书证有较大不同的电子数据证据，如电子公告信息系统、网络服务器、路由器记录等；第三，书证说难以解决计算机声像资料、网络电子聊天资料等一些电子数据证据的证明机制问题。

第二种意见认为，应将电子数据证据视为视听材料的一种。主要理由是：第一，在表现形式上，两者均显示为“可视或可听”的形式；第二，在存在的客观形态上，两者都是借助非传统的媒介(磁、光或者电介质等)存在的;第三,存储的视听资料及电子数据证据均需借助一定的手段转化为其他形式后才能被人们直接感知;第四,两者的正本与副本均没有区别;第五,目前司法部门在实务操作中大都把电子数据证据作为视听资料处理。反对意见认为:第一,法律上将视听资料与其他证据相区分,强调的是以声音和图像而非文字内容证明案件的真实情况,将电子数据证据中文字的可视与视听资料中的可视混在一起没有充分的理由;第二,有些电子数据证据视为视听资料过于勉强,如通过 E－mail 形式签订的电子合同、电子聊天记录、计算机犯罪中黑客进行网络攻击发出的垃圾数据包等;第三,目前视听资料在司法实践中的证明能力有限,将电子数据证据视为视听资料不利于电子数据证据在诉讼中充分发挥作用;第四,目前司法部门在实务操作中大都把电子数据证据作为视听资料处理,主要是因为立法空白而采取的不得已的做法。

第三种意见认为,电子数据证据既不是一种独立的证据种类,也不能仅划入现有的某一证据种类中去,而应当根据其来源和表现形式分别划入七种证据种类中。主要理由是:电子数据证据形式繁多,法律上的具体调整规则各异,将其划入某一传统证据种类中去的观点都带有一定的片面性,难以适用于全部电子数据证据。同传统证据相比,电子数据证据的不同之处主要在于来源和表现形式方面,而非证明机制方面。这决定了电子数据证据不是一种全新的证据,而是传统证据的演变形式,即我国所有传统证据均存在电子形式。将电子数据证据分别划为电子物证、电子书证、电子视听资料、电子证人证言、电子当事人陈述、电子鉴定结论以及电子勘验检查笔录,按照相应证据种类的运用规则处理,在具体规定上立法再针对电子数据证据的特殊性加以完善，目前来看较合理。反对意见认为：分类划入说具有一定意义上的合理性，但也存在不少问题。第一，该说是将电子数据证据转化后的证据种类和电子数据证据本身相混合，电磁波、电子脉冲等电子记录也很难划入传统的证据种类中。第二，我国证据种类之间本就存在一定交叉，把电子数据证据分别归入现有的证据种类中，将导致证据种类重合的现象更加严重，实务处理上存在较大难度。第三，电子数据证据与传统证据在运用规则上存在较大差别，采用分类划入说将会导致调整传统证据种类的诸多法律规则都要作出较大幅度的调整，实践操作将变得错综复杂，法律效果也难说良好。

第四种意见认为，电子数据证据应当作为一种独立的证据类型，确立一套自身统一的法律规则进行调整。主要理由在于：法律应当适应时代发展和社会需要。随着电子技术特别是计算机网络技术的发展，电子数据证据数量上越来越多，在司法活动中作用越来越大。电子数据证据本身种类上就有很大的复杂性和特殊性，将其简单地划入某一现有的证据种类或者是分别划入七种证据种类中，依靠对现有的各类证据的运行规则进行修补难以解决电子数据证据所带来的诸多法律难题，也无法充分发挥电子数据证据的证明价值。着眼于现实和未来发展的需要，应当把电子数据证据作为一种新类型证据来对待，建立一套自身统一的有关电子数据证据调查收集、质证、认证等的运用规则，更便于实践操作，解决具体问题。视听资料以前也不是一种独立的证据类型，只是随着视听技术的发展和普及，其独立的法律地位才得到三大诉讼法的认可。不少国家和地区针对电子数据证据制定了专门的法律予以调整也是很好的例子。特别是在我国，有关证据法律地位的界定直接决定该类证据的运用规则,对证据采纳和采信的意义重大。赋予电子数据证据以独立性,满足现代信息社会的要求,推动电子技术的发展,适应电子数据证据广泛运用的趋势,更有利于促进电子商务、电子政务的进一步普及,公正、及时地审理计算机犯罪、网络侵权案件,有效地解决各类涉及电子证据的纠纷。反对意见认为:第一,将电子数据证据作为一种独立的证据类型,会导致我国证据分类标准更加混乱,同样难以避免与现有证据种类的交叉,实践中区分具有较大难度,容易引起更大争议。第二,简单地将电子数据证据独立出来并不能解决具体问题,立法上还需要制定一整套相应的运用规则,鉴于电子数据证据本身的复杂性,目前还难以实现。第三,立法应当符合国情,我国现有证据法律制度本身就有不少缺陷,人们对电子数据证据的认识不深,理论界和实务界的研究还很不够,许多规则还在摸索当中,以后赋予电子数据证据独立的法律地位未尝不可,但现在条件还不成熟。

这次民事诉讼法修改采纳了第四种意见,即将电子数据证据作为作为一种独立的证据类型处理。考虑到电子数据证据的复杂性和特殊性,其证据调查收集、质证、认证等问题难以在民事诉讼法中作出明确和统一的规定,因此,这次修改民事诉讼法仅对电子数据证据在本条中作了原则性规定,具体运用规则还需要在司法实践中进一步探索,必要时再在法律中作出具体规定。

(六)证人证言

这是指证人以口头或书面方式向人民法院所作的对案件事实的陈述。证人所作的陈述,既可以是亲耳听到、看到的,也可以是从其他人、其他地方间接得知的。由于民事纠纷的产生和变化总会被某些人直接或间接地了解,所以,证人证言在民事诉讼中被广泛应用。人民法院认定证人证言，可以通过对证人的智力状况、品德、知识、经验、法律意识和专业技能等的综合分析作出判断。

（七）鉴定意见

这是指具备资格的鉴定人对民事案件中出现的专门性问题，通过鉴别和判断后作出的书面意见，如医学鉴定、指纹鉴定，产品质量鉴定、文书鉴定、会计鉴定等。由于鉴定意见是运用专业知识所作出的鉴别和判断，所以，具有科学性和较强的证明力，往往成为审查和鉴别其他证据的重要手段。原民事诉讼法使用了“鉴定结论”的表述，这次修改民事诉讼法将“鉴定结论”修改为“鉴定意见”。这主要是考虑用“鉴定意见”的表述更为科学、准确，更符合鉴定活动的本质特征。鉴定意见作为鉴定人个人的认识和判断，表达的只是鉴定人个人的意见，对整个案件来说，鉴定意见只是诸多证据中的一种证据，审判人员应当结合案件的全部证据，加以综合审查判断，从而正确认定案件事实，作出正确判决，而不是被动地将“结论”作为定案依据。2005 年 2 月第十届全国人民代表大会常务委员会第十四次会议通过的《全国人民代表大会常务委员会关于司法鉴定管理问题的决定》和 2012 年 3 月第十一届全国人民代表大会第五次会议通过的《全国人民代表大会关于修改〈中华人民共和国刑事诉讼法〉的决定》中也都已经将“鉴定结论”修改为“鉴定意见”。

（八）勘验笔录

这是指人民法院对能够证明案件事实的现场或者不能、不便拿到人民法院的物证，就地进行分析、检验、勘查后作出的记录。它是客观事物的书面反映，是保全原始证据的一种证据形式。比如，一些相邻关系纠纷，房屋产权纠纷、农村宅基地界址纠纷等,往往需要审判人员对现场情况亲自了解,将勘验情况制成笔录。

本条第一款所提到的证据,只是可以用于证明案件事实的材料,其内容是否真实还需要查证。因此,本条第二款明确规定:“证据必须查证属实,才能作为认定事实的根据。”证据的查证应当通过法定程序进行,主要是指证据应当在法庭上出示,并由当事人互相质证。当事人在法庭上出示各自证据,互相质证,开展辩论,直接对抗,更有利于发现事实真相。人民法院通过质证等法定程序审查这些证据的真实性和合法性,同时,也对各种证据之间的相互联系以及它们与待证事实的关系进行审查。只有经过人民法院认真、细致的调查和分析,查证属实后,这些证据才能作为认定事实的根据。未查证属实的证据,不得作为认定事实的根据。

第六十四条　当事人对自己提出的主张,有责任提供证据。

当事人及其诉讼代理人因客观原因不能自行收集的证据,或者人民法院认为审理案件需要的证据,人民法院应当调查收集。

人民法院应当按照法定程序,全面地、客观地审查核实证据。

【释义】　本条是关于举证责任的规定。

民事诉讼是因当事人之间权利义务的争议引起的,原告起诉是为了维护自己的民事权益,被告或者第三人提出新的主张,也是为了维护自己的权益。从整个民事案件来看,当事人对发生纠纷的事实最为了解,他们更有能力提出维护自己权益的有力证据。因此,原告对自己诉讼请求所依据的事实,被告对自己答辩或反诉所根据的事实，第三人对自己提出的请求等，都应当提出证据，也就是说，当事人各自不同的主张，都应当由提出这一主张的当事人提出证据，加以证明。当事人对自己提出的诉讼请求所依据的事实或者反驳对方诉讼请求所依据的事实有责任提供证据加以证明。没有证据或者证据不足以证明当事人的事实主张的，由负有举证责任的当事人承担不利后果。人民法院应当向当事人说明举证的要求及法律后果，促使当事人在合理期限内积极、全面、正确、诚实地完成举证。

在民事诉讼中，提供证据既是当事人的权利，也是当事人向人民法院应尽的义务。明确规定当事人应当向人民法院提供证据，反映了民事诉讼的特点，有助于充分发挥当事人的积极性和主动性，保证人民法院及时取得证据，查明案情，同时，也可以防止当事人无理取闹，提出一些无根据的诉讼要求。

人民法院对于当事人提供的证据，应当全面地、客观地审查核对，不能片面地、主观地确认证据的证明效力。审判人员应当本着实事求是的精神，对取得的各种证据去粗取精，去伪存真。审判人员不仅要对具体证据具体分析，而且还要从各个证据与整个案件的内在联系等角度对所有证据进行综合分析、比较和鉴别。

民事诉讼法（试行）中曾规定：人民法院应当按照法定程序，全面地、客观地收集和调取证据。这样规定，实际上是让人民法院承担了提供证据的责任。这使现实中许多当事人认为人民法院有全面地、客观地收集证据的责任，因此，他们往往对自己的主张不加以证明，致使人民法院不得不投入大量人力、物力为当事人收集证据，而不能把重点放在对证据的审查核实这一重要环节上。为了突出民事诉讼的特点，调动当事人和人民法院两方面的力量，做好证据的收集工作，保证人民法院能够准确地判断和认定事实，民事诉讼法规定，人民法院应当按照法定程序，全面地、客观地审查核实证据。

当然，以上规定并不意味着人民法院可以不作任何的证据调查工作。在以下情况，人民法院应当主动地收集证据：（1）当事人及诉讼代理人因客观原因不能自行收集的证据。比如，某些案件的真实情况需要作出勘验笔录的，当事人一般无法提供与此有关的证据，人民法院应当主动收集。又如，涉及土地、房产、公安、档案等方面的证据，根据国家有关规定，有些情况下公民个人不能收集，必须要由人民法院调取。此外，当事人年迈体弱，且无委托诉讼代理人，提供证据确有困难的，人民法院可以主动收集。（2）人民法院认为审理案件需要的证据。民事案件比较复杂，有时仅靠当事人提供的证据不足以认定事实，所以，只要人民法院认为需要，即可主动收集证据。例如，某案件的原、被告提供的证据内容完全相反，但双方均表示自己提供的证据是正确的，那么，在这种情况下，人民法院就可以主动收集证据，以掌握真实的第一手材料。

总之，民事诉讼法一方面规定当事人应当提供证据，另一方面规定人民法院应当全面地、客观地审查核实证据并可以主动调查收集证据，以上两方面结合起来即为民事诉讼法规定的举证责任原则。

第六十五条　当事人对自己提出的主张应当及时提供证据。

人民法院根据当事人的主张和案件审理情况，确定当事人应当提供的证据及其期限。当事人在该期限内提供证据确

有困难的，可以向人民法院申请延长期限，人民法院根据当事人的申请适当延长。当事人逾期提供证据的，人民法院应当责令其说明理由；拒不说明理由或者理由不成立的，人民法院根据不同情形可以不予采纳该证据，或者采纳该证据但予以训诫、罚款。

【释义】 本条是关于当事人及时提供证据义务的规定。

本条规定是这次民事诉讼法修改新增加的内容，主要是对当事人及时提供证据的义务及其后果作了规定。

本条第一款规定："当事人对自己提出的主张应当及时提供证据。"这是对当事人及时提供证据义务的明确规定。当事人及时提供证据义务是指在民事诉讼中，当事人应当根据诉讼进行情况，在合理、适当的期间内对自己的主张提供证据。当事人违反及时提供证据义务的，根据不同情形应当承担一定的法律后果。

原民事诉讼法对当事人的举证期限未作明确规定，司法实践中存在一些弊端：一是当事人滥用举证权利，实施"证据突袭"，庭前不提供证据，在庭审中突然袭击，甚至故意在法庭辩论终结后再提出新的证据，或者一审时不提供证据，在二审或者再审中提出证据，以达到拖延诉讼的目的，损害了诉讼公平和司法公正；二是当事人随时提出证据，对方当事人就必须再花时间收集对抗证据、进行质证和法庭辩论等，增加了不必要的负担，提高了诉讼成本；三是当事人随时提出证据，致使法院重复开庭、延期开庭的现象经常发生，案件久拖不决，影响了人民法院的审判效率；四是当事人故意在二审或者再审中才提出新的证据的，致使本来正确的一审或者二审裁判被改判或者发回重审，既浪费了有限的审判资源，也损害了法院裁判的稳定性和权威性。

在民事诉讼法中明确规定当事人及时提供证据的义务,具有重要意义。第一,有助于程序公正的实现。双方当事人及时提供证据,能互相了解对方所拥有的证据,从根本上保证每一方当事人能够就对方的主张和证据进行充分的准备及辩论,防止在庭审中受到对方的突然袭击,也防止了当事人有证据故意不及时提交,通过随时提交新证据来达到拖延诉讼的目的。第二,有利于诉讼效益的提高。既降低了国家和当事人投入诉讼的成本,也能尽量通过一次开庭和集中审理来提高诉讼效率。第三,有利于民事诉讼法证据制度的完善。一是使举证责任制度落到实处,得到完善;二是有利于促使当事人积极举证;三是使举证期限与审限相配合,促进纠纷的顺利解决。

本条第一款规定了当事人及时提供证据的义务,但仅是原则性规定,要解决现实中存在的突出问题,促使当事人积极举证,还需要作进一步的具体规定,使其具有一定的可操作性。本条第二款便是对当事人及时提供证据义务并承担相应后果的规定,明确了当事人的举证期限和逾期提供证据的法律后果。

1. 举证期限。当事人对自己的主张应当及时提供证据,但如何界定"及时",在修改民事诉讼法时有较大争议。有的意见认为,应当在民事诉讼法中明确规定当事人的举证期限,包括具体的法定期限、双方当事人协商确定的期限和协商不成时人民法院指定的期限,同时对期限的延长和期限外允许举证的情形作出明确规定;有的意见认为,司法实践情况较为复杂,明确界定"及时"难以做到,在民事诉讼法中应当不作具体规定,而留待司法解释细化,由法官根据案件具体情况作出判断。

从我国司法实践的情况看，当事人协商确定举证期限的方式操作性很差，双方当事人很难达成一致意见。同时，民事案件类型众多、复杂程度差别很大，在不同的审判阶段要求当事人提供证据的时间应当有一定差异，根据案情的发展也存在变更的客观需要，法律不宜作出一个统一适用的法定期限的规定。目前看来，由人民法院根据当事人的主张和案件审理情况来具体确定当事人的举证期限更具有合理性和可操作性。因此，本条第二款中规定："人民法院根据当事人的主张和案件审理情况，确定当事人应当提供的证据及其期限。当事人在该期限内提供证据确有困难的，可以向人民法院申请延长期限，人民法院根据当事人的申请适当延长。"

根据这一规定，首先，人民法院应当根据当事人的主张和案件审理情况来确定举证期限。民事案件情况复杂，赋予人民法院在确定举证期限问题上一定的自由裁量权是实践的需要，但人民法院的这一裁量权也不是不受限制的，而应当根据当事人的主张和案件审理情况来确定。其次，人民法院要确定的一般是具体证据的举证期限，而不是对整个案件的所有证据笼统地确定一个举证期限。我国地域辽阔，人口众多，经济发展不平衡，实际情况复杂，在民事诉讼中，还有不少当事人对向人民法院提供证据的重要性认识不足，或者虽有认识，但对应当提供哪些证据以证明自己的主张认识模糊。要使当事人能正确履行及时提供证据的义务，人民法院对当事人举证具有指导义务。在案件审理过程中，人民法院应当明确当事人应当提供的具体证据，如证明借款合同存在的借条，证明其对房屋有所有权的房产证等，在此基础上，才确定该具体证据的举证期限，做到有的放矢。因此，人民法院在民事案件审理过程中确定当事人的举证期限不一定是一次性的，有些复杂案件要根据诉讼发展不同阶段的需要多次确定当事人应当提供的证据和提供该证据的期限。最后，当事人在该期限内提供证据确有困难的，有权向人民法院申请延长期限，人民法院根据当事人的申请适当延长。有的证据当事人在人民法院确定的举证期限内提供确有困难，比如，证人刚好出国旅游或者探亲，在举证期限结束后才能回国，又比如，由有关机关保存的证据，虽已申请调取，但该机关还须经过内部审批程序才能提供等，在这些情况下，当事人可以向人民法院提出证明其在举证期限内提供该证据确有困难，并申请延长举证期限，人民法院经审查后，如情况属实，应当根据当事人的申请适当延长当事人就该证据的举证期限，需要延长多少时间根据该证据和案件审理的具体情况由人民法院确定；如情况不属实，驳回当事人的申请。

2. 逾期提供证据的法律后果。对当事人未及时提供证据的，应当令其承担一定的法律后果，只有这样才能促使其积极举证。从其他国家和地区的规定看，当事人未及时提供证据的，一般需承担的法律后果包括训诫、罚款、赔偿拖延诉讼造成的损失、对该证据不予采纳等。在修改民事诉讼法时，对于如何规定当事人逾期提供证据的法律后果，有不同看法：有的意见认为，为促使当事人积极举证，对当事人逾期提供的证据，都应当不予采纳；有的意见认为，应当主要采取费用制裁等方式，只有在当事人逾期提供证据的目的是拖延诉讼时，才可以考虑不予采纳；有的意见认为，对逾期提供的证据一律不予采纳过于严苛，应当根据当事人的主观状态来确定法律后果，有故意或者重大过失的，可以不予采纳该证据；有的意见认为，应当根据是否会导致诉讼拖延来确定法律后果，如果证据逾期提供会拖延诉讼的终结的，对该证据不予采纳；有的意见认为，应采取主客观相结合的办法来确定法律后果，只有在逾期提供的证据不会导致诉讼拖延，并且当事人对逾期提供没有故意或者重大过失时，才能采纳该证据；有的意见认为，还需要考虑该证据的重要性，如果不审理该证据会导致裁判明显不公的，应当予以采纳。

可以看出，对于当事人逾期提供证据所应承担的法律后果，情况复杂，特别是在是否采纳该证据以及适用条件的问题上，争议很大。从我国实际情况看，司法实践中律师的诉讼代理尚不普遍充分，有的当事人对自身的程序利益认识还比较模糊，一些相关的配套制度，包括当事人调查收集证据制度、证人伪证制裁制度、法官阐明义务制度等还不完善，对逾期提供证据的当事人处以严厉制裁的条件尚不具备。同时，民事案件类型众多、情况复杂，具体个案中可能存在大量证据，有的证据事关诉讼成败，有的证据涉及案件标的范围，有的证据仅起辅助证明作用；当事人逾期提供证据的主观过失也有很大不同，有的是恶意拖延诉讼，有的因重大过失未能及时提供，有的因法律知识、诉讼能力的欠缺导致逾期提供。对复杂程度不一的案件、重要性不同的证据、主观过失不同的当事人，应当承担的法律后果应有区别，在民事诉讼法中统一作出规定是不合适的。基于此，本条第二款对当事人逾期提供证据的法律后果规定："当事人逾期提供证据的，人民法院应当责令其说明理由；拒不说明理由或者理由不成立的，人民法院根据不同情形可以不予采纳该证据，或者采纳该证据但予以训诫、罚款。"

根据这一规定，首先，当事人逾期提供证据的，人民法院应当责令其说明理由，当事人应当向人民法院说明其逾期提供证据的理由，比如，该证据是在举证期限届满后才出现的。

人民法院经审查核实后,如果当事人提出的理由成立的,对当事人提供的逾期证据应当予以采纳,对该当事人不予处罚。如果当事人拒不说明逾期提供证据的理由或者人民法院经审查后,认为当事人逾期提出的理由不能成立的,应当根据不同情形处理,可以不予采纳该证据,或者采纳该证据但对当事人予以训诫、罚款。这些不同情形包括该证据在该民事案件中的作用、当事人主观恶意的大小、逾期提供证据造成的损害等等。人民法院应当充分考虑案件的整体情况后作出合理决定。

第六十六条　人民法院收到当事人提交的证据材料,应当出具收据,写明证据名称、页数、份数、原件或者复印件以及收到时间等,并由经办人员签名或者盖章。

【释义】 本条是关于证据收据的规定。

本条规定是这次民事诉讼法修改新增加的内容。在司法实践中,人民法院收到当事人提交的证据材料后,出现一些证据材料丢失、更改的情况,由此引起不少纠纷,一方面影响审判工作,另一方面也可能损害当事人的合法权益。因此,这次修改民事诉讼法新增了本条规定,规范了人民法院接受当事人证据材料的手续和程序。

收据是人民法院收到当事人证据材料的凭证,能够有效防止证据丢失、更改或者被抽换。根据本条规定,人民法院在收到当事人提交的证据材料后,应当仔细核对证据的名称、页数、份数、原件或者复印件等,确认当事人提交证据的时间,并在收据上写明上述事项。负责接受证据材料的审判人员和书记员应当在收据上签名或者盖章,然后将收据出具给提交证据材料的当事人。

第六十七条　人民法院有权向有关单位和个人调查取证，有关单位和个人不得拒绝。

人民法院对有关单位和个人提出的证明文书，应当辨别真伪，审查确定其效力。

【释义】　本条是关于人民法院调查取证的规定。

人民法院要正确处理民事纠纷，必须运用证据查明案件的事实，审判人员只有掌握了充分的证据，才能在事实清楚的基础上适用法律，对民事案件作出正确的处理。

在民事诉讼中，许多情况下，人民法院需要向有关单位和个人调取证据。调取证据可以说是人民法院行使审判权所进行的重要职权活动。对于单位和个人来说，提供证据则是其应尽的义务。因此，人民法院调取证据时，任何单位和个人都有义务协助。有关单位和个人保存或持有证据的，应当将证据提交人民法院，不得以任何借口拒绝提交。如果有关单位拒绝或者妨害调查取证的，那么，人民法院可以根据民事诉讼法第一百一十一条和第一百一十四条的规定，采取妨害民事诉讼的强制措施。

人民法院对机关、团体，企业事业单位和个人提交的证明文书，如何审查其效力呢？对证明文书的审查主要从两方面进行。首先应当对证明文书的形式证明力进行审查，即对书证的真伪作出确认。如果证明文书本身是伪造的，那么就根本谈不到证明力的问题。此外，应当从实质上看证明文书是否能证明待证的事实。只有形式和实质上符合要求的证明文书，人民法院才能确认其证明力。为什么对机关、团体、企事业单位提交的证明文件，也要进行审查呢？这是因为，在我国有的机关、团体、企事业单位提出的证明文件一般来说具有一定的证明力，但是，有时因工作失误，对情况了解不全面或者为了某些利益,国家机关、团体、企事业单位出具的证明文书也会出现与事实不符的内容。因此,对于人民法院来说,不论证明文书是谁出具的,都不能理所当然地把它们作为认定事实的依据。人民法院应当通过对证明文书的审查、辨别其真伪。比如,人民法院可以将证明文件送交原制作单位核对,或者对有关证人进行询问,核对笔迹、进行鉴定等。如果机关、团体、企事业单位和个人提交的证明文件形式符合要求,内容确实能证明案件事实,那么,人民法院即可以将它们作为认定事实的依据。

第六十八条　证据应当在法庭上出示,并由当事人互相质证。对涉及国家秘密、商业秘密和个人隐私的证据应当保密,需要在法庭出示的,不得在公开开庭时出示。

【释义】 本条是关于法庭质证的规定。

人民法院在当事人提供证据和主动调查收集证据的基础上,要将证据作为认定事实的依据,应当将证据拿到法庭上出示,经当事人互相质证、辩论,这样才能保证证据的真实性和可靠性,避免认定事实的证据出现偏差。在实践中,有的审判人员顾虑证人不愿公开作证,往往不出示证据或者虽出示证据却不讲证据来源和证人姓名,这样使当事人无法质证、辩论,是不利于正确认定案件事实的,应当予以纠正。

作为认定事实根据的证据,必须在法庭上出示。经当事人互相质证,是人民法院审查核实证据最重要、最基本的方式。对于出示的证据,双方当事人无异议的,人民法院即可以确认该证据的证明效力。如果一方当事人对证据提出异议的,人民法院则应当对该证据做进一步的调查和核实,而不能将有异议的证据作为认定事实的依据。对于涉及国家秘密、商业秘密或者个人隐私的证据，虽应在法庭上出示，但不得在公开开庭时出示。

第六十九条　经过法定程序公证证明的法律事实和文书，人民法院应当作为认定事实的根据，但有相反证据足以推翻公证证明的除外。

【释义】　本条是关于公证证明作为证据的效力。

这次修改民事诉讼法将原民事诉讼法本条规定中的“经过法定程序公证证明的法律行为、法律事实和文书”修改为“经过法定程序公证证明的法律事实和文书”，这主要是因为“法律事实”这一概念中已经包括了“法律行为”，因此删除了原规定中“法律行为”这一内容。

公证证明是公证机构根据当事人的申请，依法定程序对法律事实和文书，作出的确认其真实性、合法性的证明。根据我国公证法的规定，公证机构是依法设立，不以营利为目的，依法独立行使公证职能，承担民事责任的证明机构。遵守法律、坚持公正的原则是法律对公证活动的最基本要求。由于公证机构对于申请的事项要经过审查，公证证明是公证机构出具并经过法定程序制作，因此，公证机构作出的证明，一般都具有真实性和可靠性，它们往往有助于人民法院查明案件的真实情况，有效地预防或解决纠纷。

基于公证证明的特点，在民事诉讼活动中，人民法院应当将公证证明作为认定事实的依据，也就是说，经公证证明的法律事实和文书，人民法院一般予以确认。公证证明的证明效力高于其他种类的证据。

但是，根据民事诉讼法的规定，一切证据必须经过法定程序查证属实，才能作为认定事实的根据。因此，不是所有的公证证明都理所当然地可以作为人民法院定案的依据。人民法院应当本着实事求是的态度对待公证证明,如果由于公证机构工作失误或者其他原因,致使公证证明出现错误的,那么,只要有相反的证据足以推翻公证证明的,人民法院就应当否认公证证明的证明效力,人民法院可以将公证证明退回公证机构,以便公证机构重新进行审查。

第七十条　书证应当提交原件。物证应当提交原物。提交原件或者原物确有困难的,可以提交复制品、照片、副本、节录本。

提交外文书证,必须附有中文译本。

【释义】 本条是关于书证、物证的规定。

当事人提交书证的,应当提交原件。所谓"原件"是指文书制作人作出的最初定稿、签字的原本或者加盖印章与原本有同一效力的正本。在实践中,不少原件由国家机关、团体、企事业单位内部归档、保存。如果当事人提交原件确有困难的,比如,原件难以取得或者无法借出的,当事人可以提交复制品、照片、副本、节录本。其中"复制品"是指影印件等;"照片"主要指与原件明暗程度相同的影像;"副本"是指加盖公章或签字的,与原本和正本同一内容的抄送本,它与原本、正本具有同一的效力;"节录本"是指原本、正本、副本的主要内容,即从这些文本中摘录下来的。应当指出的是,提交照片、副本、节录本必须附有有关机关的证明。

当事人提交的书证是外文的,必须附有中文的译本。这是因为在我国审理民事案件,人民法院必须使用我国的语言和文字。否则,有损我们国家的主权,也不利于民事诉讼活动顺利地进行。因此,本条规定,当事人提交外文书证的,必须同时提交外文书证的中文译本。

当事人提交物证的，应当提交原件。如果提交原物确有困难的，比如，该物证无法移动，不易保存的、或者原物不存在的、当事人可以向人民法院提交复制品即根据原物制作的模型或者照片等。

第七十一条　人民法院对视听资料，应当辨别真伪，并结合本案的其他证据，审查确定能否作为认定事实的根据。

【释义】　本条是关于视听资料作为证据的规定。

视听资料是通过现代科学技术手段，记录案件的真实情况，并能使案件得以再现的证据。视听资料可以通过声音、图像、储存的数据和资料形象地反映一定的法律事实。

但是，科学技术的发展也使伪造视听资料变得极其容易，当事人通过对视听资料的剪辑、编排、加工后，往往可以制出对自己有利的证据，或者虚造出新的证据。比如，在继承案件中，有的当事人从被继承人生前的其他谈话中，节选、编造出一份对自己有利的遗嘱录音，以达到独占被继承人遗产的目的。因此，人民法院对于视听资料，应当辨别其真伪，不要被其表面的现象所迷惑，同时，根据案件的情况确定视听资料是在法律关系发生时或者纠纷发生时形成的，还是复制的，当事人对视听资料有无进行剪裁或伪造，在必要的时候，人民法院可以请专业人员对其进行科学的鉴定。此外，人民法院还应当根据本案的书证、物证、证人证言等证据，对视听资料进行综合的分析和判断。只有反映案件真实情况的视听资料，人民法院才能作为认定事实的根据。存有疑点的视听资料，不能单独作为认定案件事实的依据。

第七十二条　凡是知道案件情况的单位和个人,都有义务出庭作证。有关单位的负责人应当支持证人作证。

不能正确表达意思的人,不能作证。

【释义】 本条是关于证人作证义务和证人资格的规定。

这次修改民事诉讼法对原民事诉讼法第七十条作了修改,增加了部分内容,并将其改为三个条文。本条规定就是从中分出来的一个条文,具体内容没有实质变化,主要是对证人作证义务和证人资格的规定。

关于证人作证义务,根据本条的规定,凡是知道案件情况的单位和个人,都有义务出庭作证。人民法院审理案件,查明事实,必须依靠知道案情的各方面证人,对于证人来说,出庭作证是法律规定的义务。因此,知道案件情况的人都应当积极配合人民法院的审理工作,向法庭陈述自己耳闻目睹的事实或者间接了解的情况。有关单位的负责人应当支持证人作证。由于证人作证是法律规定的义务,所以,国家机关、社会团体、企事业单位的负责人,在本单位人员作证时,应当给予支持并提供方便,以保证证人能履行好法律规定的义务。

但是,不是所有的人都能作为证人,根据本条第二款的规定,不能正确表达意思的人,不能作证。根据这一款的规定,精神病患者、呆痴、年幼无知或者其他不能正确表达意思的人,不能作为证人。应当指出的是,生理上有缺陷的人,只要这种缺陷不会成为其了解一定事实的障碍时,仍可以作为证人。比如,聋哑人可以用文字表述其看到的事情,盲人可以证明他听到的事实。至于某些对事实有一定理解和表达能力的儿童,在某些情况下也可以作为证人。也就是说,待证事实与其年龄、智力状况或者精神健康状况相适应的无民事行为能力人和限制民事行为能力人,一般也可以作为证人。

第七十三条 经人民法院通知，证人应当出庭作证。有下列情形之一的，经人民法院许可，可以通过书面证言、视听传输技术或者视听资料等方式作证：

（一）因健康原因不能出庭的；

（二）因路途遥远，交通不便不能出庭的；

（三）因自然灾害等不可抗力不能出庭的；

（四）其他有正当理由不能出庭的。

【释义】 本条是关于证人出庭作证的规定。

本条规定是对原民事诉讼法第七十条部分内容的修改，并单独出来作为一条进行规定。

本条规定主要包括三方面的内容：

第一，证人有出庭作证的义务。民事诉讼中的证人出庭义务，是指证人负有的在人民法院进行法庭审理时出庭接受询问的义务。证人是就其亲身感知的事实向法院作客观陈述的人，具有不可选择性和不可替代性。证人出庭作证，既保证了各方当事人通过质证在法庭上平等对抗的权利，也有利于发现案件真实，提高诉讼效率，促进纠纷公正解决。无论大陆法系国家还是英美法系国家对证人作证都要求以出庭为原则，普遍规定了证人的出庭义务。但在目前我国司法实践中，由于种种原因，证人出庭作证率低的情况较为普遍，基于此，这次修改民事诉讼法特别在本条中增加规定："经人民法院通知，证人应当出庭作证。"

第二，证人确有困难的，可以不出庭作证。证人负有出庭义务，但并不是说在任何情况下都应当出庭。由于各种主客观因素的影响以及从利于诉讼、方便诉讼的角度考虑，在某些例外情形下，证人可以不出庭作证。原民事诉讼法第七十条中规定："证人确有困难不能出庭的，经人民法院许可，可以提交书面证言。”但由于该规定过于原则,证人确有困难不能出庭的情形不明确,人民法院在实践中对证人确有困难不能出庭的情形审查的标准不一,一些法院掌握得较为宽松,只要证人随意提出一个理由都予以准许,这也是证人出庭率低的一个重要原因。最高人民法院《关于民事诉讼证据的若干规定》规定了证人确有困难不能出庭的几种具体情形,此次修改民事诉讼法在该司法解释规定的基础上,结合实际,明确在下列几种情形下,证人可以不出庭作证:

(1)因健康原因不能出庭的。证人由于身患疾病等健康原因不能出庭作证的,可以其他方式作证。

(2)因路途遥远,交通不便不能出庭的。这里的路途遥远与交通不便是相对应的。虽然路途遥远但交通便利的,不能作为证人不出庭作证的理由。只有在路途遥远,且交通不便,使得证人出庭作证不合理或者不可行的情况下,证人才可以不出庭作证。

(3)因自然灾害等不可抗力不能出庭的。不可抗力是指不可预见、不能避免且不可克服的客观情况。证人由于自然灾害等不可抗力不能出庭作证的,也可以采取其他方式作证。

(4)其他有正当理由不能出庭的。除了上述三种情形外,其他有正当理由不能出庭的,经人民法院审查核实后,也可以不出庭作证。

第三,证人不出庭时的其他作证方式。一般来说,证人应当出席庭审提供证言,但如果出现本条规定的法定例外情形,证人可以不出庭作证,此时必须通过其他方法来调查证人证言。原民事诉讼法第七十条中只规定了证人通过提交书面证言来作证。这次修改民事诉讼法根据司法实践情况,增加了通过视听传输技术或者视听资料等作证的方式。

(1)通过书面证言的方式作证。书面证言是证人出庭作证以外的最为简便和常见的作证方式。证人不能出庭的,可以提交其亲笔书写的书面证言,也可以以他人记录的证言笔录的形式作证。

(2)通过视听传输技术的方式作证。视听传输技术是现代科技发展的产物,为相距遥远的人们提供了便捷、有效的交流途径,人们可以通过电视网络、电话网络和因特网即时而且形象地将声音、图像进行传输,具有即时性、互动性的特点。现代科技的发展使这些先进技术可以用来为证人证言的调查服务,从而有利于诉讼顺利进行、降低诉讼成本。通过视听传输技术作证能够更为全面地反映证人作证的现场情况,并能够使质证和询问证人的程序及时展开,更有利于法庭正确地审核判断证据,从而更好地保障证人证言的真实性。

(3)通过视听资料的方式作证。视听资料与书面证言相比,可以比较全面地反映证人作证的环境,能够更好地保证证言的可信性。

第七十四条　证人因履行出庭作证义务而支出的交通、住宿、就餐等必要费用以及误工损失,由败诉一方当事人负担。当事人申请证人作证的,由该当事人先行垫付;当事人没有申请,人民法院通知证人作证的,由人民法院先行垫付。

【释义】　本条是关于证人出庭费用负担的规定。

本条规定是这次民事诉讼法修改新增加的内容。

本法第七十二条规定,凡是知道案件情况的单位和个人,都有义务出庭作证。证人在出庭作证的过程中,势必会耗费精力、财力和时间,影响正常的生活和工作,使其经济利益遭受损失,如果因为履行作为出庭作证的法定义务,而使证人自身的经济利益受到损失,这就违背了权利与义务相对应的原则和公平原则。同时,我国证人作证的意识本来就淡薄,如果不建立证人出庭作证费用补偿机制,补偿证人因出庭作证而产生的经济损失,证人更不愿意出庭作证。从世界范围看,证人出庭作证给予经济补偿也是各个国家和地区民事诉讼立法或者证据立法的普遍做法。因此,证人因履行出庭作证义务而支出的必要费用以及因出庭作证而影响其正常收入时,在经济上理应有权获得必要的补偿。原民事诉讼法没有规定证人出庭费用问题,这次修改民事诉讼法,针对这一问题专门增加了规定,这一规定主要涉及两个问题:

一是证人出庭费用的范围。根据本条规定,这些费用包括证人因履行出庭作证义务而支出的交通、住宿、就餐等必要费用和误工损失两部分。证人作证支出的交通、住宿、就餐等必要费用,应当由法院确定一个以普通公民的行、住、食为基础的差旅费标准,根据证人的住所远近、交通状况、生活水平决定,不能过高也不能过低。至于是否应当给予证人误工损失,存在一定争议。从我国国情出发,虽然本法已经规定证人所在单位应当支持公民出庭作证,但在现行市场经济体制下因证人出庭作证而给所在单位特别是所在企业造成利益损失的,不能一概将这些损失转嫁于该证人所在单位,当然也不能由证人自身负担,这部分损失应当包含在证人出庭费用范围内较为合适。

二是证人出庭费用的负担主体。对于证人出庭费用最终由谁承担,在修改民事诉讼法时,争议较大。有的意见认为,应由败诉一方当事人承担;有的意见认为,谁主张证人出庭,费用就由谁来承担;有的意见认为,该证人作证支持哪一方的诉讼请求,就由哪一方承担证人的费用;有的意见认为,如证人证言未被法庭采信,则由申请证人出庭作证的当事人负担,如果证人证言被法庭采信,则由对方当事人负担;有的意见认为,应由国家负担。

证人出庭费用属于诉讼费用的一部分,从诉讼费用负担原则上来看,应当由败诉一方当事人负担更为合理,这也是规范、警戒、惩罚民事违法当事人的一种客观需要。为鼓励证人出庭作证的积极性,证人作证完毕就应当支付其出庭费用,但从证人出庭作证到确定哪一方当事人败诉有一段时间,因此,本条还对证人出庭作证费用的垫付作了规定。如果当事人申请证人作证的,由该当事人先行垫付;当事人没有申请,人民法院通知证人作证的,则由人民法院先行垫付。

第七十五条　人民法院对当事人的陈述,应当结合本案的其他证据,审查确定能否作为认定事实的根据。

当事人拒绝陈述的,不影响人民法院根据证据认定案件事实。

【释义】　本条是关于当事人陈述作为证据的规定。

当事人的陈述是民事诉讼证据的一种。在民事诉讼中,当事人对于案件的一切事实、证据的判断、法律的适用,以及对方当事人主张的事实和理由,有权表示同意或者提出反驳。那么,当事人的陈述是否都能作为人民法院定案的依据呢?

我们知道,当事人是发生纠纷的民事法律关系的主体,它们都是案件的亲身经历者,最了解案件的真实情况。但是,当事人与案件处理结果有直接的利害关系,为了胜诉,保护自己的利益,他们一般都要陈述对自己有利而于对方不利的事实,同时,无形中会掩盖、缩小对自己不利的事实,甚至还会歪曲事实,虚构情节。总之,当事人的陈述往往带有片面性,甚至会掩盖事实的真相。因此,审判人员不能认为当事人是最了解案情的人,就轻信他们所说的一切,而应当把当事人的陈述和所掌握的其他证据如书证、物证、证人证言等结合起来,进行综合分析判断,审查其是否符合案件的真实情况。只有与案件事实有关,并且符合真实情况的陈述,才能作为人民法院认定案件事实的依据。

人民法院审理民事案件时,对当事人的陈述应认真听取。如果当事人的陈述和其他证据没有矛盾,并且双方当事人的陈述也不存在矛盾的,人民法院应当承认其证明效力。但是,有时当事人由于种种原因在案件审理时拒绝作出陈述,在这种情况下,如果人民法院掌握的书证、物证、证人证言等证据足以证明案件真实情况的,那么,人民法院即可以根据这些证据认定事实、作出判决。当事人拒绝向人民法院陈述的,不影响人民法院对案件的审理和判决,有其他证据就可以认定案件事实的,即使没有当事人陈述,也应当根据其他证据认定案件事实。

第七十六条　当事人可以就查明事实的专门性问题向人民法院申请鉴定。当事人申请鉴定的,由双方当事人协商确定具备资格的鉴定人;协商不成的,由人民法院指定。

当事人未申请鉴定,人民法院对专门性问题认为需要鉴定的,应当委托具备资格的鉴定人进行鉴定。

【释义】　本条是关于鉴定程序启动和确定鉴定人的规定。

这次修改民事诉讼法对原民事诉讼法第七十二条作了修改,增加了部分内容,并将其改为三个条文。本条规定就是在原民事诉讼法第七十二条第一款的基础上作出的修改,并单独出来作为一条进行规定。

随着社会的发展，民事纠纷越来越复杂，涉及专门知识的案件也越来越多，如知识产权纠纷案件、环境污染纠纷案件、产品质量纠纷案件等，对专门性问题进行鉴定日益成为审判实践中的普遍现象。这些专门性问题必须由具有专门知识的专业人员进行鉴定。对专门性问题进行鉴定的人即为鉴定人，他们根据法院的委托，利用专门知识对案件中的某些专门性问题进行鉴别、认定、分析和判断，最后提供的结论性意见即为鉴定意见。在民事诉讼中，鉴定意见在一些情形下往往具有其他证据方式所不能替代的作用，对于印证其他证据的真实和可靠程度，具有不可或缺的作用；在一些特定情形下，正确地运用鉴定意见，便可直接认定案件事实的主要情节或直接否定某些主要事实情节，这在一些疑难案件中显得更为重要。随着现代科学技术的发展和广泛运用，鉴定意见的重要性将越来越显著。但需要明确的是，由于种种原因，鉴定意见也有不准确、不可靠的时候。有的时候，不同鉴定人就同一问题得出的鉴定意见甚至完全相反，因此，审判人员认定案件事实不能唯鉴定意见是从，应当结合案件的全部证据，加以综合审查判断，从而正确认定案件事实，作出正确判决。

原民事诉讼法对于鉴定问题的规定较为原则，这次修改民事诉讼法，在总结以往审判实践经验的基础上，对鉴定程序中涉及的一些重要问题作了进一步的规定。本条主要是完善了鉴定程序的启动和鉴定人的选任问题。

关于鉴定程序的启动，原民事诉讼法第七十二条第一款规定："人民法院对专门性问题认为需要鉴定的，应当交由法定鉴定部门鉴定；没有法定鉴定部门的，由人民法院指定的鉴定部门鉴定。”这一规定没有涉及当事人申请鉴定的内容,使不少人误认为鉴定是人民法院的司法行为,是人民法院主动调查证据的行为。这一规定在实践中也容易导致人民法院不保持独立和中立,随意干涉当事人的诉讼权利,甚至有的人民法院因此对应当鉴定的专门性问题不予鉴定,实际上剥夺了当事人的诉讼权利,导致部分案件裁判不公。在我国的民事审判实践中,鉴定程序实际上在多数情况下也是因当事人的申请而启动的,这也是强化当事人的举证责任,建立现代民事审判制度的客观要求。因此,这次修改民事诉讼法,增加规定了当事人申请鉴定的内容,明确规定:“当事人可以就查明事实的专门性问题向人民法院申请鉴定。”同时也就人民法院主动委托鉴定作了规定:“当事人未申请鉴定,人民法院对专门性问题认为需要鉴定的,应当委托具备资格的鉴定人进行鉴定。”根据本条规定,申请鉴定是当事人的一项权利,人民法院应当予以保护。对查明案件事实的专门性问题需要进行鉴定的,当事人有权向人民法院提出申请。对双方当事人均申请鉴定,或者一方当事人申请、另一方当事人同意的,人民法院应当启动鉴定程序;如果只有一方当事人申请鉴定,鉴定的内容为查明案件事实的专门性问题,另一方当事人虽然不同意,法院一般也应当启动鉴定程序。

本法第六十四条第一款明确规定:“当事人对自己提出的主张,有责任提供证据。”鉴定意见属于证据的一种,申请鉴定是当事人履行自己举证责任的内容。当事人需要鉴定意见来证明自己提出的主张时,理所当然应当申请鉴定;当事人未申请鉴定的,应当承担就该主张举证不能的法律后果,这是当事人对自己诉讼权利的处分,人民法院无须干涉,更不能强制要求当事人进行鉴定。但在某些情况下,虽然当事人没有申请鉴定，但人民法院认为审理案件需要对专门性问题进行鉴定，比如，某些专门性问题可能涉及有损国家利益、社会公共利益或者他人合法权益的事实，需要进行鉴定，在这种情况下，人民法院应当委托有资格的鉴定人进行鉴定。因此，本条第二款明确规定："当事人未申请鉴定，人民法院对专门性问题认为需要鉴定的，应当委托具备资格的鉴定人进行鉴定。"

关于鉴定人的确定，本条规定了两种方式：协商和指定。根据本条规定，当事人申请鉴定的，由双方当事人协商确定具备资格的鉴定人；协商不成的，才由人民法院指定；当事人未申请鉴定，人民法院对专门性问题认为需要鉴定的，可以直接委托具备资格的鉴定人进行鉴定。在当事人申请鉴定的情况下，如果直接由法院指定鉴定人，容易产生法院根本不征求当事人的意见，径直指定某一鉴定人的情况。由于目前鉴定人制度还不完善，鉴定标准不一，法院直接指定鉴定人，当事人容易产生对鉴定人的不信任，导致重新鉴定等问题。为在程序上公正地保障当事人的诉讼权利，应当由双方当事人协商确定鉴定人。这体现了对当事人意愿和诉讼权利的尊重，可以避免当事人对法院和鉴定人中立性的质疑，鉴定意见更有可能使当事人心服口服，有利于法院妥当、迅速、信服地解决纠纷。法院指定鉴定人，只能发生在双方当事人无法达成一致意见、协商不成的情况下。在人民法院主动依职权启动鉴定的情况下，由于双方当事人都没有意愿进行鉴定，所以可以由法院直接指定鉴定人。

需要注意的是，虽然当事人可以协商选择鉴定人，但是决定和委托鉴定仍然是人民法院的工作，因此，双方当事人协商意见一致的，经人民法院审查同意后向双方当事人宣布并向鉴定人出具委托鉴定函。

第七十七条　鉴定人有权了解进行鉴定所需要的案件材料，必要时可以询问当事人、证人。

鉴定人应当提出书面鉴定意见，在鉴定书上签名或者盖章。

【释义】　本条是关于鉴定人权利和义务的规定。

本条规定是原民事诉讼法第七十二条中分出来的一个条文，具体内容上没有实质性变化，主要是对鉴定人权利和义务的规定。

为保障鉴定人能够及时、顺利地开展鉴定活动，本条第一款明确规定，鉴定人有权了解进行鉴定所需要的案件材料，必要时可以询问当事人、证人。鉴定人实施鉴定，就鉴定所需的案件材料，自然有权予以了解，否则将无从履行鉴定，比如，鉴定因伤害而造成的伤情鉴定，鉴定人就有权了解当时纠纷发生时的情况，并查看当事人受伤后治疗情况的有关材料。只要鉴定需要，即使某些材料涉及国家秘密、商业秘密或者个人隐私，经人民法院许可，鉴定人也有权了解。有关当事人在诉讼上应当根据鉴定人的要求，将其掌握、控制的所有对鉴定活动的开展所必需的有关物件材料或者其他相关资料交予鉴定人。对诉讼卷宗和存于法院的证物，也应允许鉴定人利用。出于鉴定需要，鉴定人经过人民法院的许可，还可以向当事人、证人询问与鉴定有关的情况。

鉴定人依法接受委托，经过科学鉴定，不管鉴定结果的性质如何，都应当按照规定和要求提出书面鉴定意见。提出书面鉴定意见是鉴定人进行鉴定必须履行的一项义务。一般说来，书面鉴定意见上应当包括他人姓名或者名称、委托鉴定的内容、委托鉴定的材料、鉴定的依据及使用的科学技术手段、对鉴定过程的说明、明确的鉴定结论和对鉴定人鉴定资格的说明等内容。最后,鉴定人还要在鉴定书上签名或者盖章。

第七十八条 当事人对鉴定意见有异议或者人民法院认为鉴定人有必要出庭的,鉴定人应当出庭作证。经人民法院通知,鉴定人拒不出庭作证的,鉴定意见不得作为认定事实的根据;支付鉴定费用的当事人可以要求返还鉴定费用。

【释义】 本条是关于鉴定人出庭作证的规定。

本条规定是这次民事诉讼法修改新增加的内容。

本法第六十三条规定:“证据必须查证属实,才能作为认定事实的根据。”第六十八条规定:“证据应当在法庭上出示,并由当事人互相质证。”鉴定意见是对民事诉讼中涉及的查明事实的专门性问题进行鉴别和判断形成的意见,属于证据的一种,对于案件的定性具有直接影响,有必要进行质证,这是对当事人诉讼权利的正当的程序保障。鉴定人出庭作证,接受当事人的发问,回答有关鉴定争议的问题,并说明鉴定的过程、依据等,是鉴定人的义务,也是保证鉴定意见真实性、合法性和证明力的重要形式。否则,鉴定意见的证明力无从产生,不得作为认定事实的根据。原民事诉讼法对鉴定人出庭作证规定得过于原则,导致在理论上和司法实践的操作中有很多分歧。据了解,司法审判中鉴定人出庭作证的比例不高,不少法官只是当庭宣读鉴定意见而很少通知鉴定人出庭。另外,即使鉴定人接到出庭通知,也往往拒绝或推诿,法官也没有措施可以促使鉴定人出庭作证。种种情况说明,鉴定人不出庭作证的情况具有一定的普遍性,由此而造成了对鉴定意见基本上无法通过正当程序进行质证,严重地影响了鉴定意见作为认定案件事实的合法性基础。这种现象也对实践中多头鉴定、重复鉴定的产生起到了推波助澜的作用。因此,这次修改民事诉讼法针对鉴定人出庭作证的问题专门增加了本条规定。

本条首先明确了鉴定人出庭作证的条件,即当事人对鉴定意见有异议或者人民法院认为鉴定人有必要出庭的。根据这一规定,鉴定人出庭作证主要有两种情况:一种情况是当事人对鉴定意见有异议。鉴定人提出书面鉴定意见后,人民法院应当将鉴定意见发送双方当事人,双方当事人均对鉴定意见表示没有异议的,可以在开庭时不再对鉴定意见进行质证,直接认可鉴定意见的证明力。如果双方当事人或者一方当事人对鉴定意见提出异议,则需要在开庭时对鉴定意见进行质证,此时,鉴定人应当出庭接受当事人的质询和提问,回答有争议的问题。另一种情况是人民法院认为鉴定人有必要出庭的。有的时候双方当事人对鉴定意见均没有异议,但人民法院根据案件审理需要认为鉴定人有必要出庭作证,比如,鉴定意见涉及可能有损国家利益、社会公共利益或者他人合法权益的事实,涉及依职权追加当事人等。此时,虽然双方当事人对鉴定意见均没有异议,但人民法院还是应当通知鉴定人出庭作证。

关于鉴定人不出庭作证的后果,本条明确规定:经人民法院通知,鉴定人拒不出庭作证的,鉴定意见不得作为认定事实的根据;支付鉴定费用的当事人可以要求返还鉴定费用。根据这一规定,经人民法院通知,鉴定人拒不出庭作证的,首先是鉴定意见不得作为认定事实的根据,即鉴定意见将失去证据作用。这样规定,主要是考虑到:一方面,鉴定意见是对民事诉讼中涉及的查明事实的专门性问题进行鉴别和判断形成的意见,对于案件的定性具有直接影响,有的直接关系到当事人胜诉还是败诉。为保证鉴定意见的真实性、合法性,避免反复鉴定，提高审判效率，同时做到保护当事人正当的诉讼权利，让当事人接受鉴定意见，对裁判结果心服口服，应当在对鉴定意见有争议的情况下，促使鉴定人出庭作证，接受双方当事人的质询和提问，回答相关问题。另一方面，其他证据如证人证言对个案来讲是特定的，在诉讼上具有不可替代性，如果证人确有特殊原因不能出庭作证的，应当允许，并可以通过其他方式如通过书面证言、视听传输技术或者视听资料等方式作证。而鉴定意见是法院委托的，由专业人员根据科学方法和自己的专业知识作出的判断，不具有唯一性，具有可更换性或替代性。鉴定人不出庭的，人民法院可以另行委托其他鉴定人进行鉴定，提出鉴定意见。因此，不能像对待普通证人那样为鉴定人设定特殊原因从而使得鉴定人拒绝出庭作证合法化。如果鉴定人在客观上确实因特殊情况，如长期抱病在身、到国外长期探亲甚至定居等难以出庭作证的，就应当及时更换鉴定人，并重新作出鉴定意见，而不得允许鉴定人不出庭作证。

鉴定人拒绝出庭作证，如果仅规定其鉴定意见不被法院接受作为认定事实的根据，就是把鉴定人不出庭作证的不利后果归于当事人，鉴定人无须承担任何责任。这对当事人来说是很不合理的，特别是已经支付了鉴定费用的当事人，更会起到纵容鉴定人不出庭作证的负面作用。因此，本条进一步规定，经人民法院通知，鉴定人拒绝出庭作证的，支付鉴定费用的当事人可以要求返还鉴定费用。

第七十九条　当事人可以申请人民法院通知有专门知识的人出庭，就鉴定人作出的鉴定意见或者专业问题提出意见。

【释义】　本条是关于有专门知识的人出庭的规定。

本条规定是这次修改民事诉讼法新增加的内容。

随着生产力的发展和现代科学技术的突飞猛进,生产关系也不断产生重大的变革,民事案件中遇到了越来越多的专门性问题,这些专门性问题与科学技术方面的新知识、新手段密切相关,涉及社会生活的方方面面,比如网络、医学、生物、金融等,当事人依据自身的知识往往不能适应诉讼上的需要,当事人委托的诉讼代理人及法官一般也是在法律上有专长,但对案件事实中存在的技术性问题也不一定能清楚。为了充分保障当事人的诉讼权利,维护当事人的正当权益,有助于法官居中裁判和对事实的正确认定,在总结实践经验的基础上,这次修改民事诉讼法新增加了本条规定,明确当事人可以申请有专门知识的人出庭参加诉讼。由于这是一项新的制度,这次修改民事诉讼法只作了较为原则的规定,具体内容还需要在实践的继承上进一步完善。理解本条规定,需要注意以下几方面的内容:

第一,如何认定"有专门知识的人"。本条规定的所谓"有专门知识的人",通俗一点讲就是"专家",有的将其称为"诉讼辅助人""专家辅助人"等,是指在科学、技术以及其他专业知识方面具有特殊的专门知识或者经验的人,根据当事人的申请并经人民法院通知,出庭就鉴定人作出的鉴定意见或者案件事实所涉及的专门问题进行说明或者发表专业意见的人。如何认定"有专门知识的人",首先,涉及对"专门知识"的理解。这里所称的"专门知识"应当是指不为一般法官和当事人所掌握而只有一定范围的专家熟知的那些知识。专门知识的范围应当排除普通知识,即凡有相当学识经验均能掌握的,应为当事人所应知应会、社会公知或者法官所必备的知识,如包括世人共知的自然法则、经验总结、生活规则、伦理道德规范等。专门知识一般也不包括现行法律法规的规定等法律知识，这些应当为法官及诉讼代理人等职务上所具备。其次，有专门知识的人应当是能够证明自己在该专门领域内作为真正的专家具备应有的经验，并被证明合格，能够对案件涉及的专门性问题作出合理证明。比如，有的学者认为，“专家”应当具有四个特征：(1)作为专家的工作，其性质应当属于高度的专门性的义务，其重点不在于体力劳作而在于精神的、判断性的、从事脑力性的工作；(2)由于其职业的社会属性与职业竞争机制所决定的，作为专家的职业应极为重视其职业道德以及与客户相互间的关系；(3)作为专家的职业大都要求其具有一定的资格或者等级论证，并有相应的专家集团来维持和不断增强其业务水平；(4)由于专家的职能性工作在社会上具有的重要作用，因而使专家个人都具有较高的社会地位和声望。最后，“有专门知识的人”没有固定的标准或者认定的程序，在民事诉讼法中也无法作出具体规定，只能由人民法院在司法审判实践中根据案件的具体情况来确定。

第二，有专门知识的人出庭的程序。根据本条规定，需要有专门知识的人出庭的，应当由当事人向人民法院提出申请，说明理由。人民法院接受申请后，应当进行审查，如果符合法律规定，理由充分，就应当通知有专门知识的人出庭；如果不符合法律规定或者理由不成立，就应当驳回当事人的申请。从本条规定来看，有专门知识的人出庭，只能在当事人申请的情况下才能启动，人民法院不能依职权主动通知有专门知识的人出庭。

第三，有专门知识的人出庭的作用。根据本条规定，有专门知识的人出庭，主要是对鉴定人作出的鉴定意见或者专业问题提出意见。因此，有专门知识的人出庭，主要有两个

作用:

一是对鉴定人作出的鉴定意见提出意见。鉴定意见是具备资格的鉴定人对民事案件中出现的专门性问题,通过鉴别和判断后作出的书面意见。随着社会的发展,社会分工的日益细化,民事纠纷日益复杂,在民事案件中需要进行鉴定的专门性问题日益增多,鉴定越来越成为证明事实主张的一种十分重要的证明方法和手段,鉴定意见越来越受到重视。但作为一种证据种类,鉴定意见也存在其一定的局限性。由于需要鉴定的专门性问题错综复杂,鉴定过程容易受到各种因素的影响,鉴定发生错误的情况难以避免。同时,在一个专门性问题领域,可能鉴定人有许多,由于学识、学派、品行、分析判断的角度方法等的不同,对同一个问题不同的鉴定人可能会有不同的鉴定意见,甚至导致选择什么样的鉴定人即等于选择了什么样的判决。另外,鉴定工作的专业性较强,仅凭其他诉讼参与人自身的知识难以发现鉴定中存在的问题,很难对鉴定意见进行质证,当事人对鉴定意见有异议的只能通过重新鉴定来解决;虽然法官可以对鉴定意见进行审查和判断,但由于知识结构上难以也不可能完备,法官往往难以作出正确判断,客观上只能对鉴定意见高度依赖,这种法院的判决被鉴定意见左右的情况最终也会损害司法的权威。为保证鉴定意见的科学性、准确性和公正性,当事人申请人民法院通知有专门知识的人出庭,由其根据其专业知识,对鉴定意见提出意见,寻找鉴定中可能存在的问题,如鉴定方法是否可行、鉴定程序是否合法、鉴定材料的选取是否适合等,从而为法官甄别鉴定意见、作出科学的判断、提高内心的确信提供参考,保证案件的公正审理。“有专门知识的人出庭”对鉴定意见提出意见这一制度设计本身也在客观上会进一步增强鉴定人的责任意识从而对鉴定意见产生正面的促进作用，增加鉴定意见的科学性。同时，这样也会在一定程度上减少重复鉴定的发生，能够节约诉讼资源，提高审判工作的效率，促进案件的尽快解决。

二是对专业问题提出意见。在民事诉讼中，有些问题涉及某一专门领域的专门知识，这些专门问题有的无法或者无须通过鉴定解决，但对于审理案件、认定案件事实又具有一定甚至决定性的作用，比如，某一发明专利是否与另一发明专利采取的方法相类似，建筑、机械、金融或者网络等领域中某一专业词语如何理解是准确的等问题。对这些专业问题的界定和把握，不少显然超出了法官这一职业所应当具备的知识结构和业务素养。有专门知识的人出庭，就专业问题进行说明，回答询问，提出自己的意见，能够帮助法官和当事人对这些专业问题作出适当理解，澄清不当的认识，解决法官因知识结构的局限性和特殊专门经验的贫乏性对于正确认定案件事实所产生的不利影响，从而使得对案件事实的认定，能够建立在对专业人才充分运用的基础上，具备广泛的科学性和充分的客观性，保证案件判决的公正、合理。

第八十条　勘验物证或者现场，勘验人必须出示人民法院的证件，并邀请当地基层组织或者当事人所在单位派人参加。当事人或者当事人的成年家属应当到场，拒不到场的，不影响勘验的进行。

有关单位和个人根据人民法院的通知，有义务保护现场，协助勘验工作。

勘验人应当将勘验情况和结果制作笔录，由勘验人、当事人和被邀参加人签名或者盖章。

【释义】 本条是关于勘验笔录的规定。

在民事诉讼中,当事人争议的标的物,有些是无法移动或者难以携带、搬运到法院的。这些物件有时会成为人民法院审理案件的重要证据。在此情况下,人民法院就需要对这些物品进行勘验,比如,宅基地纠纷案件需要对宅基地进行测量等,在民事诉讼中,勘验是人民法院收集证据的重要方法。

人民法院勘验物证或者现场的,勘验人必须出示人民法院的证件,以表明勘验人的身份和具体执行的勘验任务。同时,人民法院应当邀请勘验物件所在地的基层组织或者有关单位派人前来参加。比如,可以邀请当事人所在的工作单位、村民委员会、居民委员会、公安局派出所、人民调解委员会等组织派人参加。邀请当地基层组织或者有关单位参加勘验工作,有利于勘验工作准确、顺利地进行。

此外,人民法院勘验时,如果当事人是公民的,应当通知当事人或者他的成年家属到场;如果当事人是法人或者非法人组织的,应当通知其法人代表或者其他组织的负责人到场,以便他们能了解勘验的情况,保护其合法的权利。当事人或者其成年家属、法人代表或者有关组织的负责人拒不到场的,不影响人民法院的勘验工作,勘验工作可以照常进行。

根据本条的规定,有关单位和个人有义务协助人民法院的勘验工作。在接到人民法院的通知后,有关单位和个人应当对勘验现场进行保护,并配合人民法院完成勘验任务。人民法院在勘验时,可以对物证或者现场进行拍照和测量,并将勘验情况和结果制作成笔录,分别交勘验人、当事人和被邀请参加的有关单位或个人签名或者盖章。对于绘制的现场图应当注明绘制的时间、方位、测绘人姓名、身份等内容。勘验笔录作为证据之一,人民法院开庭审理时,应当当庭宣读,以便双方当事人以及其他到庭人员了解勘验的情况和结果。

第八十一条 在证据可能灭失或者以后难以取得的情况下，当事人可以在诉讼过程中向人民法院申请保全证据，人民法院也可以主动采取保全措施。

因情况紧急，在证据可能灭失或者以后难以取得的情况下，利害关系人可以在提起诉讼或者申请仲裁前向证据所在地、被申请人住所地或者对案件有管辖权的人民法院申请保全证据。

证据保全的其他程序，参照适用本法第九章保全的有关规定。

【释义】 本条是关于证据保全的规定。

这次修改民事诉讼法对本条规定作了修改。

证据保全是指在证据可能灭失或者以后难以取得的情况下，人民法院依申请或者依职权予以调查收集和固定保护的行为。证据保全有助于保护可能破坏或灭失的证据，能够保障和落实当事人的证据收集权和证据提出权，有利于诉讼的顺利进行和法院公正裁判，促进纠纷的和解，在民事诉讼中具有重要意义。根据证据保全适用的阶段不同，可以将证据保全分为诉讼证据保全和诉前证据保全。诉讼证据保全是当事人起诉之后进行的证据保全。诉前证据保全是当事人起诉之前进行的证据保全。诉讼证据保全和诉前证据保全在适用情形、管辖、程序和救济等方面存在一定差异。大多数大陆法系国家和地区立法上都明确证据保全包括诉讼证据保全和诉前证据保全，并在具体规定中体现了两者的区别。原民事诉讼法第七十四条规定，在证据可能灭失或者以后难以取得的情况下，诉讼参加人可以向人民法院申请保全证据，人民法院也可以主动采取保全措施。这一规定确立了诉讼证据保全制度,但对于诉前证据保全没有明确规定。1999年颁布的海事诉讼特别程序法首次在法律中明确规定了诉前证据保全制度,随后修改的商标法、专利法和著作权法再次确认了诉前证据保全制度。这次修改了原民事诉讼法第七十四条的规定,明确规定了诉前证据保全制度,建立起统一的、普遍适用的民事诉讼证据保全程序。

一、诉讼证据保全

诉讼证据保全是指在诉讼进行过程中,在证据可能灭失或者今后难以取得的情况下,法院依申请或者依职权对证据予以调查收集和固定保护的行为。本条第一款主要规定了诉讼证据保全的启动主体和条件。

根据本条第一款的规定,诉讼证据保全程序的启动有两种途径:一是依当事人申请而启动,二是法院依职权主动启动。依当事人申请而启动诉讼证据保全程序是大陆法系国家和地区的通例。根据本法第六十四条的规定,当事人对自己提出的主张,有责任提供证据,这是当事人进行民事诉讼需要承担的义务。一般情况下应当由当事人自行收集证据,只有在证据可能灭失或者今后难以取得的情况下,人民法院才能介入,为当事人提供救济措施。如果当事人不进行申请,意味着他不需要救济,人民法院当然也无须采取保全措施。只有在人民法院认为必要时,才可以在当事人不申请的前提下,依职权主动采取证据保全措施。

采取证据保全措施应当以下列条件作为前提:

首先,应当在诉讼进行过程中才能采取诉讼证据保全措施。在诉讼开始之前,当事人只能提出诉讼证据保全申请,人民法院也不得主动采取证据保全措施。

其次,被保全的证据必须是与案件待证事实有联系。如果与案件待证事实没有任何联系,就没有保全的必要。但应当注意的是,人民法院只需要审查所要保全的证据与待证事实之间在形式上具有关联性即可,而实质上的关联性如何以及证据与待证事实之间所具有证明价值的大小和强弱则需要等到庭审质证之后才能得出结论,在诉讼证据保全程序中无法做到。

最后,须证据可能灭失或者以后难以取得。所谓证据可能灭失,有的是由客观原因引起的,比如,作为证据的物品由于自身原因可能腐烂、变质,证人因年迈或者疾病等即将死亡等;有的是由主观原因引起的,比如当事人或者第三人对证据材料可能故意毁损等。所谓证据以后难以取得,是指证据虽然不至于灭失,但如果不采取保全措施,将来获取它会遇到相当大的困难或者成本过高,比如,证据即将被带出国留学或者定居,很长一段时间内都不会回国等。

二、诉前证据保全

诉前证据保全是指在提起诉讼或者申请仲裁前,因情况紧急,在证据可能灭失或者以后难以取得的情况下,法院依利害关系人申请对证据予以调查收集和固定保护的行为。原民事诉讼法第七十四条没有明确规定诉前证据保全制度。1999年颁布的海事诉讼特别程序法首次在法律中规定了诉前证据保全,其第十三条规定:“当事人在起诉前申请海事请求保全,应当向被保全的财产所在地海事法院提出。”随后修改的专利法、商标法和著作权法再次确认了诉前证据保全制度。专利法第六十七条规定:“为了制止专利侵权行为,在证据可能灭失或者以后难以取得的情况下,专利权人或者利害关系人可以在起诉前向人民法院申请保全证据。人民法院采取保全措施,可以责令申请人提供担保;申请人不提供担保的,驳回申请。人民法院应当自接受申请之时起四十八小时内作出裁定;裁定采取保全措施的,应当立即执行。申请人自人民法院采取保全措施之日起十五日内不起诉的,人民法院应当解除该措施。”商标法第五十八条规定:“为制止侵权行为,在证据可能灭失或者以后难以取得的情况下,商标注册人或者利害关系人可以在起诉前向人民法院申请保全证据。人民法院接受申请后,必须在四十八小时内做出裁定;裁定采取保全措施的,应当立即开始执行。人民法院可以责令申请人提供担保,申请人不提供担保的,驳回申请。申请人在人民法院采取保全措施后十五日内不起诉的,人民法院应当解除保全措施。”著作权法第五十一条规定:“为制止侵权行为,在证据可能灭失或者以后难以取得的情况下,著作权人或者与著作权有关的权利人可以在起诉前向人民法院申请保全证据。人民法院接受申请后,必须在四十八小时内作出裁定;裁定采取保全措施的,应当立即开始执行。人民法院可以责令申请人提供担保,申请人不提供担保的,驳回申请。申请人在人民法院采取保全措施后十五日内不起诉的,人民法院应当解除保全措施。”

这次修改民事诉讼法在本条第二款明确规定了诉前证据保全制度。根据本款规定,采取诉前证据保全措施须符合下列条件:

第一,在提起诉讼或者申请仲裁前才能采取诉前证据保全措施。在利害关系人提起诉讼或者申请仲裁前进行诉讼证据保全,可以防止证据的灭失或者难以取得,可以避免进行诉讼或者仲裁后的后续举证困难,也可以使欲主张权利的人在起诉或者仲裁前即能收集到相关证据,从而有助于当事人清楚了解争议事实的实际状况，进而更能接受调解或者和解，促进纠纷的顺利解决。同时，通过诉前证据保全，在进入诉讼或者仲裁后双方当事人就某些争议事实能更快达成一致，审理时能减少争点，实现诉讼或者仲裁经济的目的。

第二，须利害关系人提出申请。由于尚未进入诉讼或者仲裁程序，所以还不存在当事人，只能是利害关系人提出申请。这里的利害关系人，是指民事权益可能受到损害或者与他人发生民事权益纠纷的人。是否属于利害关系人，应当由人民法院审查判断予以确定。

第三，须情况紧急，证据可能灭失或者以后难以取得。这里与诉讼证据保全相比，多了一个情况紧急的条件。这是考虑到纠纷尚未进入诉讼或者仲裁程序，为避免相关利害关系人滥用诉前证据保全措施，损害其他人的合法权益，增加一个"情况紧急"的条件，强调只有在证据可能灭失或者以后难以取得，利害关系人不立即申请证据保全就可能使其合法权益难以得到保护的情况下，才能向人民法院申请诉前证据保全，否则，就应当待诉讼或者仲裁过程中申请诉讼保全。是否情况紧急，应当由人民法院根据实践具体情况进行分析判断。

第四，须向证据所在地、被申请人住所地或者对案件有管辖权的人民法院申请。由于尚未提起诉讼或者申请仲裁，案件管辖法院无法确定，为便于利害关系人保护其合法权益，也为了便于人民法院采取证据保全措施，本款规定了利害关系人可以向三类人民法院提出申请，即证据所在地、被申请人住所地或者对案件有管辖权的人民法院。当然，其他法律有特别规定的，应当依照其规定处理，比如，海事诉讼特别程序法第十三条就规定："当事人在起诉前申请海事请求保全，应当向被保全的财产所在地海事法院提出。"

根据本条第三款的规定，证据保全的其他程序，参照适用本法第九章保全的有关规定。民事诉讼法中的“保全”与证据保全具有相类似之处，本法第九章对保全已经作了较为详细的规定。因此，本条对于证据保全仅作了较为原则的规定，其他程序的内容，可以参照适用第九章的有关规定。比如，根据本法第九章第一百零一条第三款的规定，诉前保全的，申请人在人民法院采取保全措施后三十日内不依法提起诉讼或者申请仲裁的，人民法院应当解除保全。同样，对于诉前证据保全，提出申请的利害关系人在人民法院采取证据保全措施后三十日内不依法提起诉讼或者申请仲裁的，人民法院也应当解除证据保全。又比如，根据本法第九章第一百零五条的规定，申请有错误的，申请人应当赔偿被申请人因保全所遭受的损失。同样，证据保全申请有错误的，申请人也应当赔偿被申请人因证据保全所遭受的损失。

第七章　期间、送达

本章共十一条，对期间的种类、期间的计算、期间的顺延、送达的方式和送达的效力分别作了规定。

第一节　期　间

第八十二条　期间包括法定期间和人民法院指定的期间。

期间以时、日、月、年计算。期间开始的时和日，不计算在期间内。

期间届满的最后一日是节假日的，以节假日后的第一日为期间届满的日期。

期间不包括在途时间，诉讼文书在期满前交邮的，不算过期。

【释义】　本条是关于期间种类和期间计算的规定。

一、期间概述

期间，是指法院、诉讼参加人进行某种诉讼行为的期限。如人民法院收到起诉状，经审查认为符合起诉条件的，应当在七日内立案，并通知当事人；当事人不服地方法院一审判决的，从收到判决书之日起十五日内应提起上诉等规定，就属于期间的规定。民事诉讼法规定期间的目的，在于保证当事人和其他诉讼参加人及时行使诉讼权利，履行诉讼义务，节省时间、人力和物力,使人民法院及时地进行审判,使当事人的民事争议及时得到解决,保证诉讼行为的有效性,稳定民事诉讼关系。

理解期间的概念,必须注意它与期日的区别。期日,是指法院指定的开始进行某一诉讼行为的具体时间,如开庭审理日期、宣判日期等。期间和期日有以下几个区别:第一,期日是一个时间点,只规定开始的时间,不规定终止的时间;而期间有始期和终期,是一段期限。第二,期日被确定后,要求人民法院和当事人以及其他诉讼参与人,必须在该期日会合在一起进行某种诉讼行为;而期间则自始至终是各诉讼主体单独进行诉讼行为。第三,期日都是由人民法院指定的;而期间有的由法律规定,有的由人民法院指定。第四,期日因特殊情况的发生可以变更;而期间有的可以变更,有的不能变更。

二、期间的种类

诉讼期间按照不同标准可以分为:法定期间和指定期间;不变期间和可变期间。

以期间是法律规定还是法院指定的为标准,可以将期间分为法定期间和指定期间。法定期间,是指由法律直接规定的期间。比如,立案的期间是七日,从人民法院接到诉状或者口头起诉之日起算;宣告公民失踪的公告的期间为三个月;上诉期间,不服地方法院一审判决提起上诉的期间为十五日,不服地方法院一审裁决提起上诉的期间为十日;申请执行的期间为两年等。指定期间,是指人民法院根据案件的具体情况依职权确定的期间。比如,法院指定当事人补正起诉状的欠缺的期间;法院在判决书中指定当事人履行义务的期间等。指定期间要明确具体,同时,既不能过长亦不能过短,过长会迟延诉讼的进行和案件的审结,过短会限制诉讼参加人行使诉讼权利。

以期间能否变更为标准,可以将期间分为不变期间和可变期间。不变期间,是指在规定的期间内,除法律另有规定的情况外,不准许法院延长或者缩短的期间。比如,上诉期间,当事人不服判决、裁定必须在判决书送达之日起十五日内、裁定书送达之日起十日内提起上诉;宣告公民死亡的公告的期间为一年等。在不变期间内应当进行的诉讼行为没有进行,权利人就丧失了该项诉讼权利。比如,不在上诉期间内提起上诉,就丧失了上诉权,判决或者裁定即发生法律效力;宣告公民死亡的公告期间届满,该公民仍未出现,法院便作出判决,宣告该公民死亡。可变期间,是指期间一经确定,因发生特殊情况,在确定的期间内进行诉讼行为有困难,如因发生地震道路不通,因重病住院不能出庭等,法院根据当事人的申请或者依职权变更原定的期间。指定期间都是可变期间;法定期间依照法律规定可以变更,法律没有规定的不能变更。

三、期间的计算

期间以时、日、月、年计算。期间开始的时、日,不计算在期间内,而从下一个小时或者从次日起算。比如,人民法院采取诉中财产保全措施,在接受当事人的申请后,情况紧急的,应当在四十八小时内作出裁定,并开始执行。如果当事人提出申请是在某日的 10 时,那么计算这一期间时,就应当从该日的 11 时开始起算,到第三日的 10 时止。人民法院必须在这个期间内作出裁定。又比如,当事人在 2007 年 1 月 1 日接到判决书,依照民事诉讼法的规定,他有权在十五日内提起上诉。接到判决书的当日不算,从第二天起算,上诉期间是 1 月 2 日到 1 月 16 日。超过这个期间,他就丧失了上诉权。期间以月计算,则不分大月、小月;以年计算的,不分平年、闰年。以月计算的,期间届满的日期,应当是届满那个月对应于开始月份的那一天;没有对应于开始月份的那一天的,应当为届满那个月的最后一天。例如,在一起宣告失踪的案件中,人民法院于2007年2月28日公告寻找下落不明人,公告期间为三个月,公告期届满日期在2007年5月28日。在该日期下落不明人还未出现的,人民法院就可以判决宣告下落不明人失踪。

期间届满的最后一日是节假日的,如星期六、星期日、“五一”、“十一”、元旦、春节,以节假日后的第一日为期间届满的日期。比如,当事人在2006年12月17日接到判决书,他有权在十五日内提起上诉,从第二天起算,而十五日届满的最后一日是2007年1月1日,1月1日是元旦,扣除这一日,1月2日为期间届满。如果节假日在期间中间,则不应扣除。

期间,无论是法定期间还是指定期间,都不包括在途时间。比如,诉讼文书是邮寄的,在期满前交邮的,不算过期。确定期满前是否交邮,应当以邮局的邮戳为准,只要邮戳上的时间证明在期间届满前,当事人或者人民法院已将需邮寄的诉讼文书交付邮局,就不算过期。

准确地计算期间,对保护当事人的诉讼权利十分重要。

第八十三条　当事人因不可抗拒的事由或者其他正当理由耽误期限的,在障碍消除后的十日内,可以申请顺延期限,是否准许,由人民法院决定。

【释义】 本条是关于期间的顺延的规定。

当事人因不可抗力的事由或者其他正当事由耽误诉讼期间的,可以申请顺延期限。不可抗力的事由,是指人们不能预见、不可避免、不能克服的客观情况。比如,当事人的住所发生地震道路不通,不能按照法院指定的日期出庭。其他正当理由如当事人身患重病住进医院,不能按照法院指定的日期出庭。因为这些情况的发生,不是由于当事人的故意或者过错,责任不在当事人,因此,应当顺延期间。

期间顺延由当事人向原审人民法院申请,申请的期限是在障碍消除后十天之内,超过十天就不得申请顺延了。法院经审查,认为申请顺延期限有理由的,应当顺延当事人的诉讼期间;认为无正当理由的,应当裁定驳回申请。

人民法院准予顺延期间后,顺延多长时间,因法定期间和指定期间的不同而有所不同。法定期间顺延日期的计算,以实际耽误的时间为准。指定期间顺延由法院根据具体情况决定。

民事诉讼法规定期间的顺延,体现了对当事人诉讼权利的保护。

第二节 送 达

第八十四条 送达诉讼文书必须有送达回证,由受送达人在送达回证上记明收到日期,签名或者盖章。

受送达人在送达回证上的签收日期为送达日期。

【释义】 本条是关于送达回证的规定。

一、送达的概念、特征和意义

送达,是指法院依照法定方式和程序,将诉讼文书送交当事人和其他诉讼参加人的行为。执行送达任务,向当事人及其他诉讼参与人履行送达义务的人,称为送达人;接受法院送达的诉讼文书的当事人或者其他诉讼参与人,称为受送达人。

诉讼文书一经送达,就会产生一定的法律后果,当事人及其他诉讼参与人便有在规定的期间内进行某种行为的权利,或者必须履行某种行为的义务,否则,就要承担法律规定的后果。因此,完善送达制度,规范送达行为和送达方式,对于保障当事人和其他诉讼参与人的合法权利,保证诉讼活动的顺利进行具有重要意义。

从历史渊源来看,民事诉讼中的送达,具有两个层面的含义:最初意义上的送达是一项诉讼活动,它是指法院或当事人依照法律规定的程序和方式将诉讼文书交付给当事人及其他诉讼参与人的诉讼行为。这种意义上的送达与诉讼制度的产生是相随相伴的,有着久远的历史,最早的送达活动具有随意性,未形成严格的法定程式;另一层面上的送达指的是一项诉讼制度,它以规范诉讼文书在当事人与法院之间的传递为内容,由一系列的法律原则和具体制度所组成。这一层面上的送达始于近代,是司法走向民主和中立、程序及实体相分离的产物,它以保障当事人及诉讼参与人诉讼权利为核心,全面体现法院与当事人及诉讼参与人的诉讼法律关系有着极为重要的作用,其意义体现在两个方面:一是有利于全面保障当事人及诉讼参与人的诉讼权利,法院及当事人将应予送达的诉讼文书交予对方,告之其争议事实理由及享有的权利义务,便于当事人参加诉讼,实现知情权,全面维护自身利益。二是推动诉讼进程的发展。诉讼活动始于送达,终于送达,送达推动诉讼进程的发展。例如法院将受理案件通知送达原告引起一审程序,随着一审判决的送达,一审程序终结,二审程序则可以引起诉讼进程在送达中往前推进。

综观各国民事诉讼立法,关于送达的立法体例大体有两种:一种是以英美法系为代表的当事人主义,即送达由当事人完成，法院原则上不参与送达，如美国联邦民事诉讼规则第4条第2款明确规定："原告提交起诉状的同时或之后，可以向书记官提交传唤状并要求书记官署名，加盖法院印章。如果传唤状的形式符合要求，书记官应当署名，加盖法院印章，并且将传唤状发还给原告，以便由原告向被告送达"。另一种是职权主义，即送达由法院完成，当事人不承担送达义务，如日本民事诉讼法第98条规定："送达，除另有规定外，依（法院）职权进行。关于送达的事务，由法院书记官处理。"我国采取职权主义，送达在民事诉讼法中单列一节，另因案件涉及范围不同，还分为普通送达和涉外送达。

具体而言，我国民事诉讼法规定的送达具有下列特征：

1. 送达的主体是法院，必须是法院的书记员、司法警察或者其他工作人员送达诉讼文书。当事人向法院递交诉讼文书如起诉状、答辩状或者当事人之间相互交换证据材料等不叫送达。

但是在英美法系国家，民事诉讼中的送达主体主要是当事人，如美国联邦民事诉讼规则第4条第3款明确传唤状（即传票）与起诉状副本的送达由原告在一定期限内负责送达，具体送达行为的完成，可以由年满十八岁以上的非当事人来完成，但根据原告的请求，法院可以指定美国联邦法警总长或法警副总长或者其他经法院特别委任的公民或者官员送达。正是由于两大法系在送达性质认识上的区别，英美法系国家通过当事人或者其律师在他国境内送达传票、起诉状副本等法律文书的行为，被其他国家视为对该国司法主权的侵犯，二十世纪六十年代初瑞士、法国等大陆法系国家曾对美国提出过一系列外交抗议，正是鉴于上述背景，两大法系主要国家于1965年缔结了《海牙送达公约》，通过指定中央机关进行境外送达,以调和各国在民事送达法律制度上的冲突。我国已于1991年3月2日由全国人大常委会作出批准加入《海牙送达公约》的决定,公约自1992年1月1日起对我国生效。在本法第二百六十六条对于涉外送达中的公约送达作了单独规定。即使是在同样采取职权送达主义的大陆法系内部,关于送达主体的规定,也各有差异。如日本民事诉讼法第99条明确规定,实施送达的机关由邮政机关或者(法院)执行官进行,此外,法院书记官也可以亲自送达。法国民事诉讼法则规定,送达行为一般由司法执达员进行。

2. 送达的对象是当事人或者其他诉讼参与人。当事人和其他诉讼参与人之间、法院之间相互递送材料以及法院对其他单位或者个人发送材料,都不是我国民事诉讼法意义上的送达。

3. 送达的内容是各种诉讼文书,如起诉状副本、传票、开庭通知书、判决书、裁定书、调解书等。这里需要注意的是,法律文书的种类不同,送达方式也有所区别。判决书、裁定书、调解书等对当事人诉讼权利和实体权利有重大影响,其送达方式应主要以书面文本的直接递送或者邮寄递送为主,不宜通过传真、电邮等方式进行简易送达,对此,本法第八十七条作了明确规定,"经受送达人同意,人民法院可以采用传真、电子邮件等能够确认其收悉的方式送达诉讼文书,但判决书、裁定书、调解书除外"。

4. 送达必须按法定的程序和方式进行。送达作为法院的职权行为,并且法律文书一经送达,直接对当事人的诉讼权利和实体权利产生重要的法律意义,因此,唯有按照法定的程序和方式进行的送达,才是有效的送达;否则,送达程序和方式的不合法将导致送达无效。

二、送达回证

送达回证,是指人民法院制作的用以证明受送达人收到人民法院所送达的诉讼文书的书面凭证。送达回证是检查人民法院是否按法定程序和方式送达诉讼文书的标志,是送达人完成送达任务的凭证,不仅能够证明人民法院是否履行了法定的职责,完成了送达任务,还是受送达人接受或者拒绝签收送达文书的证明,能够证明当事人是否耽误了诉讼期间,是衡量当事人和其他诉讼参加人的诉讼行为是否有效的依据。

本条规定,送达诉讼文书必须有送达回证,由受送达人在送达回证上记明收到日期、签名或者盖章。受送达人在送达回证上的签收日期为送达日期,它是计算期间的主要根据。

人民法院向当事人或者其他诉讼参与人送达诉讼文书,无论采取何种送达方式,除公告送达外,都应当有送达回证,让受送达人在送达回证上签收,签收的日期即是送达日期。但是,在公告送达中,无须送达回证,公告期间届满的日期即是送达日期。

第八十五条　送达诉讼文书,应当直接送交受送达人。受送达人是公民的,本人不在交他的同住成年家属签收;受送达人是法人或者其他组织的,应当由法人的法定代表人、其他组织的主要负责人或者该法人、组织负责收件的人签收;受送达人有诉讼代理人的,可以送交其代理人签收;受送达人已向人民法院指定代收人的,送交代收人签收。

受送达人的同住成年家属,法人或者其他组织的负责收件的人,诉讼代理人或者代收人在送达回证上签收的日期为送达日期。

【释义】 本条是关于直接送达的规定。

直接送达,是指执行送达任务的书记员、司法警察或者其他工作人员将应当送达的诉讼文书,直接交付给受送达人签收的送达方式。直接送达是送达的主要方式。根据本条规定,以下情况都属于直接送达:

1. 受送达人是公民的,应当由本人签收;本人不在的,交他的同住成年家属签收;

2. 受送达人是法人或者其他组织的,应当由法人的法定代表人、其他组织的主要负责人或者该法人、组织负责收件的人签收;

3. 受送达人有诉讼代理人的,可以送交其代理人签收;

4. 受送达人已向人民法院指定代收人的,送交代收人签收。

受送达人在送达回证上的签收日期即是送达日期,不是受送达人本人签收的,受送达人的同住成年家属、法人或者其他组织的负责收件的人,诉讼代理人或者代收人在送达回证上签收的日期为送达日期。

有关本条直接送达的规定还涉及两个问题:

一是有关送达场所。对于受送达人是公民的,本条规定"应当由本人签收;本人不在的,交他的同住成年家属签收",这里涉及的送达场所主要指当事人的住所。此次民事诉讼法修改过程中,有意见认为,本条将送达场所局限于当事人住所,客观上加剧了实践中的"送达难",建议借鉴日本、我国台湾地区"民事诉讼法"的相关规定,扩大送达场所,由住所扩大至能够与受送达方会面的任何场所及其实际居住地、工作场所、固定从业场所、营业场所等。也有意见认为,"送达诉讼文书,应当直接送交受送达人",从行文来看,法律并未限定在何处直接送达,理论上可以包括一切可以见到受送达人本人的地点，因此不必仿照日本或者我国台湾地区单独就“会面送达”作出规定；此外，受送达人一方为公民的民事案件多涉及当事人的隐私（如婚姻、名誉、医疗损害等案件），出于保护当事人隐私的考虑，直接送达主要还是以当事人的住所为宜，本次民事诉讼法修正案未作修改。

二是有关代收人的范围。对于受送达人是公民的，法律规定本人不在的，交他的同住成年家属签收。此次民事诉讼法修改过程中，有意见认为受送达人不在时，代收人的范围应当进一步扩展，不应局限于“同住成年家属”，可以考虑借鉴日本、德国及我国台湾地区的做法，将同居者、保姆等纳入代收人范围，如台湾地区“民事诉讼法”第137条规定：“送达于住居所、事务所或营业所不获会晤应受送达人者，得将文书付与有辨别事理能力之同居人或受雇人。如同居人或受雇人为他造当事人者，不适用前项规定”。但也有意见认为，以“有辨别事理能力”的标准限定代收人，过于宽泛，司法实践中不宜操作，如日本最高裁判例曾将七岁孩子代为接收的送达被判定为无效送达，而十二岁孩子代为接收则判定为有效送达，判断标准并不统一。此外，因送达行为可能给当事人实体权利与诉讼权利带来重大的法律后果，代收人范围过宽容易对受送达人造成不利影响，直接送达还应严格掌握。鉴于上述背景，对于受送达人为公民而本人不在的，其代收人范围仍以“同住成年家属”为限，本次民事诉讼法修正案未作修改。

第八十六条　受送达人或者他的同住成年家属拒绝接收诉讼文书的，送达人可以邀请有关基层组织或者所在单位的代表到场，说明情况，在送达回证上记明拒收事由和日期，由送达人、见证人签名或者盖章，把诉讼文书留在受送达人的住

所;也可以把诉讼文书留在受送达人的住所,并采用拍照、录像等方式记录送达过程,即视为送达。

【释义】 本条是关于诉讼文书留置送达的规定。

本条规定是本次民事诉讼法修改的内容。在民事案件的审判实践中,有些当事人无故拒绝接收人民法院的送达文书的行为,严重妨碍诉讼活动的正常进行。为了保障民事诉讼活动的正常进行,民事诉讼法对留置送达作了规定。但留置送达是在当事人拒绝签收的情况下直接由法律确定的强制性送达,出于保障当事人诉讼利益的考虑,留置送达需要规定明确的适用条件。

本条规定,受送达人或者他的同住成年家属拒绝接收诉讼文书的,送达人可以采取两种行为完成送达:一是可以邀请有关基层组织或者所在单位的代表到场,说明情况,在送达回证上记明拒收事由和日期,由送达人、见证人签名或者盖章,把诉讼文书留在受送达人的住所,即视为送达。需要强调的是,根据最高人民法院的司法解释,调解书应当直接送达当事人本人,不适用留置送达。当事人本人因故不能签收的,可由其指定的代收人签收。本条规定的"有关基层组织或者所在单位的代表"可以是受送达人居住地的居民委员会、村民委员会的工作人员以及受送达人所在单位的工作人员。二是可以把诉讼文书留在受送达人的住所,并采用拍照、录像等方式记录送达过程,即视为送达完成。留置送达同本法第八十五条规定的直接送达具有同等法律效力。

修改之前的民事诉讼法关于留置送达规定了两项严格的适用前提,二者缺一不可:一是,受送达人或他的同住成年家属拒绝接收诉讼文书;二是,有关基层组织或所在单位的代表到场见证。民事诉讼法修改过程中,有意见认为现行法律关于留置送达适用条件的规定过于严格，在制度设计与实践操作中都存在一些问题：

一是，留置送达过于侧重一方当事人的诉讼利益，忽略了整个诉讼程序的顺畅进行。在现代司法理念的框架下，要树立对程序的尊重，减少程序的恣意，送达程序应当成为一种“刚性”的程序，法律关于送达程序各个环节的规定都应当是严肃的、权威性的，法院依法将诉讼文书送达受送达人是对其权利的尊重和维护，受送达人拒不签收，本身是对司法机关及其职能活动的藐视，诉讼参与者不根据法律规定行事，就应承担特定的不利后果。

二是，留置送达中的见证人制度，该制度易被当事人滥用，成为受送达人拖延诉讼的保障。司法行为具有免证性，监督司法的行为原则上应是事后的，否则都将影响法院独立行使权力，而以留置送达中的见证人制度为例，恰恰表现为事前监督，基层组织或所在单位代表不愿到场见证的事情时有发生，若严格按照法律的规定，送达就无法进行。实践中有些当事人被起诉后，开始搬出固定住所玩“失踪”，而有关基层组织或者所在单位的代表及其他见证人出于种种原因又不愿在送达回证上签字或者盖章，送达无法及时有效完成，延误整个诉讼进程，对另一方当事人的利益保障不足。

三是，见证人制度在实践中成本高昂、效率低下、难以操作。法院受理的每一起案件都存在送达的问题，且每一起案件至少存在两次以上的送达，受送达方为公民的情况下，上班时间在其住所的可能性不大，很多案件法院都需要趁受送达人早上上班之前、晚上下班之后进行送达才能见到受送达人本人或其家属，上述情况下如果受送达人拒绝接收，再去找基层组织人员到场，无疑又为送达工作增加了更大的难度，由于基层组织工作的特殊性,一般不会八小时都在固定的办公地点,常发生见到了当事人却找不到基层组织人员,而找到了基层组织人员又找不到当事人,造成三番五次都难以完成送达的被动局面,不仅影响案件进度,而且增加了诉讼成本,浪费司法资源。此外,法律并未规定基层组织或者所在单位代表的法定见证义务或者送达协助义务,有关基层组织或单位是否到场见证取决于其自觉性和法律意识,实践中基层组织或者有关单位代表拒绝见证的情况并不鲜见。并且,还应看到目前司法人员的素质较以往已有明显的变化,在没有见证人的情况下由法院将诉讼文书直接留置的条件已经成熟,可以借鉴日本与我国台湾地区民事诉讼法的规定,简化留置送达的程序要求。如日本民事诉讼法第106条第3款规定:“应受送达的人或根据第一款规定应接受文书交付的人无正当理由拒绝接受送达时,可以将文书留置在应送达的场所”;再如我国台湾地区“民事诉讼法”第139条规定:“应受送达人拒绝收领而无法律上理由者,应将文书置于送达处所,以为送达。”

鉴于上述背景,本次民事诉讼法修改对原有的留置送达制度作了修订,体现在两个方面:一是,在受送达人或者他的同住成年家属拒绝接收诉讼文书的情况下,将原来“应当”邀请有关基层组织或者所在单位的代表到场修改为“可以”,增加了留置送达的灵活性。二是,在无法邀请有关基层组织、所在单位的代表到场或者上述见证人拒绝见证的情况下,送达人也可以把诉讼文书留在受送达人的住所,并采用拍照、录像等方式记录送达过程,即视为送达。现代信息技术的发展,使得送达人可以充分利用拍照、录像等方式将送达过程客观准确地保存下来,作为送达依据,这也是传统的送达方式在新技术背景下应运而生的新发展。

第八十七条　经受送达人同意，人民法院可以采用传真、电子邮件等能够确认其收悉的方式送达诉讼文书，但判决书、裁定书、调解书除外。

采用前款方式送达的，以传真、电子邮件等到达受送达人特定系统的日期为送达日期。

【释义】 本条是关于传真、电子邮件等简易送达方式的规定。

本条规定是本次民事诉讼法修改的内容。信息技术的发展既对诉讼类型、纠纷解决的理论与实践提出了前所未有的挑战，也提供了前所未有的发展机遇。送达作为连接整个民事诉讼活动的道路与桥梁，同样也面临着信息化发展的契机。在各国民事诉讼制度发展史中，送达方式的演进一直伴随并反映特定历史阶段新技术的发展。四千年前伊努纳法典向被告的送达通过大声喊出其名字并得到应答而完成，自此，直接送达一直是各国诉讼制度中普遍适用的送达方式；而交通工具的进步使邮寄送达逐渐被各国法律接纳；十九世纪末，作为对新生电报技术的回应，美国爱达荷州、犹他州等州际立法允许采用电报方式送达；二十世纪八十年代末，传真方式的送达也逐渐被许多国家纳入立法。二十世纪末，尤其是进入二十一世纪以来，随着全球社会迈入信息化的时代，电子信息传播渠道的普及化构成这个时代的鲜明特征，两大法系主要代表国家都在纷纷推进文书送达电子化的实践。1996 年 4 月 11 日，英国伦敦皇室王座分庭纽曼法官允许原告律师以电邮的方式向法院管辖区内的当事人送达司法命令，这是全球第一起通过电邮方式送达司法命令的案件。随后，1999 年英国新《民事诉讼规则》第 6.2 条明确规定：“送达文书可采取如下方式：根据有关诉讼指引，通过传真或其他电子通讯方式。”

2002年美国联邦第九巡回法院在Rio上诉案中作出史无前例的判决,判定电子邮件送达符合美国联邦民事诉讼程序规则和美国宪法的正当程序原则,该判决阐述:"法院不能对技术变革和进步熟视无睹,我们生活的世界不再是一个仅能通过快速帆船和蒸汽轮船送达信件来进行交流的时代,通过卫星进行电子交流能够及时传送通知与信息,送达不再需要通过寄信到被告家里以便其能接到所有通知,只要被告有一个电子终端,即使其家里的钢制大门紧锁,也丝毫不妨碍被告接收所有信息。"除英美法系外,大陆法系国家主要代表在诉讼电子化方面也逐步推进,如德国自2007年起立法明文规定督促程序只能通过电子形式递交,对于非督促程序的普通诉讼,约五分之一法院允许当事人通过电子途径递交起诉书。

我国民事诉讼法中规定的传统送达方式有六种,即直接送达、留置送达、委托送达、邮寄送达、转交送达和公告送达。在六种传统送达方式中,以直接送达为最基本的送达方式。此次民事诉讼法修改过程中,有意见提出,以直接送达为主的传统送达制度效率有限、成本高昂,越来越难以适应案件数量不断激增的民事司法需求。在当今世界已由"电气化"时代迈入"电子化""网络化"时代,有必要对传真、电子邮件等通过现代技术完成的简易送达方式加以规定。还有意见提出,1999年海事诉讼特别程序法第八十条规定可以"通过能够确认收悉的其他适当方式送达"已经为灵活运用送达方式提供了框架;而司法实践中,最高人民法院《关于适用简易程序审理民事案件的若干规定》已经明确规定了法院可以采取"捎口信、电话、传真、电子邮件等简便方式"传唤当事人、证人,最高人民法院《关于涉外民事或商事案件司法文书送达问题若干规定》第十条也已明确"传真、电子邮件等能够确认收悉的其他适当方式”的送达。

鉴于传真、电子邮件送达在我国司法实践中已经进行了初步尝试并积累了相关经验，尤其是当前互联网的普及使人民法院具备了通过电邮方式等送达文书的物质条件，最高人民法院也对法院的信息化建设提出了更高要求，在普通的民事诉讼程序中采取传真、电子邮件等简易送达的方式具有相当的可行性，鉴于上述背景，本次民事诉讼法修正案草案第十八条增加了传真、电子邮件等简易送达方式的规定，“经受送达人同意，人民法院可以采用传真、电子邮件等能够确认其收悉的方式送达诉讼文书，但判决书、裁定书、调解书除外。采用前款方式送达的，以传真、电子邮件等到达受送达人特定系统地日期为送达日期”。本条规定涉及三方面内容：

一是坚持自愿原则，以受送达人同意为简易送达的适用前提。传真、电子邮件等简易送达的价值取向是提高司法效率、降低审判成本。但是缺陷在于，可能会对程序保障构成威胁。与传统的直接送达相比，简易送达中涉及的一些技术操作问题可能会制造程序“漏洞”，如他人代替回复、电子邮箱自动回复，他人代为接收传真而使受送达人本人并未看到送达的法律文书，在这些情况下，电子邮件送达程序保障弱的局限性就凸显出来。为了保障受送达人的程序利益，应当坚持自愿原则，以受送达人的同意为适用前提。

二是适用范围有限，排除判决书、裁定书、调解书的适用。在经送达的各种法律文书中，判决书、裁定书与调解书对当事人实体利益与程序利益的影响最为关键。这三类法律文书是当事人提起上诉、再审或者作为申请执行的依据，如本法第一百六十四条规定，当事人不服地方人民法院第一审判决的，有权在判决书送达之日起十五日内向上一级人民法院提起上诉;当事人不服地方人民法院第一审裁定的,有权在裁定书送达之日起十日内向上一级人民法院提起上诉;再如根据本法第九十七条的规定,调解书由审判人员、书记员署名,加盖人民法院印章,送达双方当事人。调解书经双方当事人签收后,即具有法律效力。在规定简易送达方式的国家,不同诉讼文书的送达,在方式和程序上也有区别。如日本1996年民事诉讼法修订时,对法律文书的送达,规定了两种方式:第一种程序要求严格,主要适用于诉状、判决书等具有重大法律后果的法律文书,这类送达不能采取传真或者电子邮件等方式进行;第二种程序要求简单,被称为“送付”,适用于不具重大法律后果的诉讼文书,如证据提交命令、出庭通知等,根据日本最高裁判所民事诉讼规则,“送付”可以采取发送传真的方式进行。

三是简易送达日期为传真、电子邮件等到达受送达人特定系统的日期。这里涉及送达回证的取得及送达日期的确定问题。本法第八十四条规定,送达诉讼文书必须有送达回证,由受送达人在送达回证上记明收到日期、签名或者盖章。受送达人在送达回证上的签收日期为送达日期。传真、电子邮件送达中,法院与受送达人并未直接接触,与直接送达比较,该类送达属于拟制送达,那么法律就需要确定送达的生效日期。国外做法一般分为如下几种:第一种是由受送达人采取电子签名的方式确认接收的日期为送达日期,以德国为代表,但由于电子签名法对安全性的高要求,该类方式在德国实践的效果并不理想;第二种是由网络服务提供商介入,如美国在线可以在收件人实际阅读电子邮件之后,网络服务商给发件人发送回证;第三种是设置功能性回执确认送达,由受送达人(接收方)的计算机在收到送达人(源发方)的信息时自动发出信息，确认诉讼文书已经收到。

考虑到简易送达方式是法律顺应新技术发展而作出的新规定，新的送达方式本身也将随着信息网络技术的发展而发展，本条并未详细列举不同简易送达方式的不同送达日期，而是原则概括规定以“到达受送达人特定系统的日期”为送达日期。关于“特定系统”，合同法第十六条第二款曾就电子合同作出规定：“采用数据电文形式订立合同，收件人指定特定系统接收数据电文的，该数据电文进入该特定系统的时间，视为到达时间。”当然，是否到达、何时到达都存在一个事实问题与法律证明问题，尤其是电子邮件送达所依赖的网络系统在技术上隐藏着诸多不安全性，如文书虽经发送，但受送达人邮件系统遭遇黑客袭击，受送文书并未到达受送达人邮箱系统，因此该送达尚未完成。法律规定传真、电子邮件等简易送达方式，一方面对提高司法效率减少司法资源负担具有积极意义，另一方面也对法院信息化建设提出了更高的要求。

第八十八条　直接送达诉讼文书有困难的，可以委托其他人民法院代为送达，或者邮寄送达。邮寄送达的，以回执上注明的收件日期为送达日期。

【释义】　本条是关于委托送达和邮寄送达的规定。

根据本法第八十五条的规定，诉讼文书原则上应当直接送达，但在司法实践中，常常存在直接送达比较困难的情形。这些情形出现后，应当如何处理？根据本条的规定，直接送达诉讼文书有困难的，可以委托送达或者邮寄送达。委托送达或者邮寄送达与直接送达具有同等法律效力。

委托送达，是指人民法院将应送达的诉讼文书，委托其他人民法院代为送达的一种形式。委托送达一般适用于那些受送达人不在受诉人民法院辖区内居住,或者由于受送达人的某种特殊原因,直接送达诉讼文书有困难的情形。受诉人民法院委托送达诉讼文书时,应当把委托的事项和要求明确地告知受委托的人民法院。委托其他人民法院代为送达的,委托法院应当出具委托函,并附需要送达的诉讼文书和送达回证,以受送达人在送达回证上签收的日期为送达日期。

邮寄送达,是指受诉人民法院将所送达的诉讼文件交付邮局,邮局用挂号寄给受送达人的一种形式。邮局的挂号收据为邮寄送达的凭证,挂号回执上注明的收件日期,为送达日期。但需要注意的是,邮寄途中的期间,不计算在送达期间之内。此外,邮寄送达,应当附有送达回证。挂号信回执上注明的收件日期与送达回证上注明的收件日期不一致的,或者送达回证没有寄回的,以挂号信回执上注明的收件日期为送达日期。邮寄送达是因受送达人距送达人住地比较远,直接送有困难而采取的一种比较简便的送达方式。

因受送达人自己提供或者确认的送达地址不准确、拒不提供送达地址、送达地址变更未及时告知人民法院、受送达人本人或者受送达人指定的代收人拒绝签收等原因,导致诉讼文书未能被受送达人实际接收的,文书退回之日视为送达之日。但是,受送达人能够证明自己在诉讼文书送达的过程中没有过错的除外。

最高人民法院针对审判实践中出现的问题,于 2004 年以司法解释的方式对以法院专递方式邮寄送达民事诉讼文书作了规定,主要有以下几方面的内容:

一是,有下列情形之一的,人民法院不能邮寄送达:(1)受送达人或者其诉讼代理人、受送达人指定的代收人同意在指定的期间内到人民法院接受送达的;(2)受送达人下落不明的；（3）法律规定或者我国缔结或者参加的国际条约中约定有特别送达方式的。

二是，当事人起诉或者答辩时应当向人民法院提供或者确认自己准确的送达地址，并填写送达地址确认书。当事人拒绝提供的，人民法院应当告知其拒不提供送达地址的不利后果，并记入笔录。送达地址确认书的内容应当包括送达地址的邮政编码、详细地址以及受送达人的联系电话等内容。但当事人要求对送达地址确认书中的内容保密的，人民法院应当为其保密。当事人在第一审、第二审和执行终结前变更送达地址的，应当及时以书面方式告知人民法院。

三是，当事人拒绝提供自己的送达地址，经人民法院告知后仍不提供的，自然人以其户籍登记中的住所地或者经常居住地为送达地址；法人或者其他组织以其工商登记或者其他依法登记、备案中的住所地为送达地址。

四是，邮政机构按照当事人提供或者确认的送达地址送达的，应当在规定的日期内将回执退回人民法院。邮政机构按照当事人提供或确认的送达地址在五日内投送三次以上未能送达，通过电话或者其他联系方式又无法告知受送达人的，应当将邮件在规定的日期内退回人民法院，并说明退回的理由。

五是，受送达人指定代收人的，指定代收人的签收视为受送达人本人签收。邮政机构在受送达人提供或确认的送达地址未能见到受送达人的，可以将邮件交给与受送达人同住的成年家属代收，但代收人是同一案件中另一方当事人的除外。受送达人及其代收人应当在邮件回执上签名、盖章或者捺印。受送达人及其代收人在签收时应当出示其有效身份证件并在回执上填写该证件的号码；受送达人及其代收人拒绝签收的，由邮政机构的投递员记明情况后将邮件退回人民法院。

六是,邮寄送达有下列情形之一的,即为送达:(1)受送达人在邮件回执上签名、盖章或者捺印的;(2)受送达人是无民事行为能力或者限制民事行为能力的自然人,其法定代理人签收的;(3)受送达人是法人或者其他组织,其法人的法定代表人、该组织的主要负责人或者办公室、收发室、值班室的工作人员签收的;(4)受送达人的诉讼代理人签收的;(5)受送达人指定的代收人签收的;(6)受送达人的同住成年家属签收的。

七是,签收人是受送达人本人或者是受送达人的法定代表人、主要负责人、法定代理人、诉讼代理人的,签收人应当当场核对邮件内容。签收人发现邮件内容与回执上的文书名称不一致的,应当当场向邮政机构的投递员提出,由投递员在回执上记明情况后将邮件退回人民法院。签收人是受送达人办公室、收发室和值班室的工作人员或者是与受送达人同住成年家属,受送达人发现邮件内容与回执上的文书名称不一致的,应当在收到邮件后的三日内将该邮件退回人民法院,并以书面方式说明退回的理由。

第八十九条　受送达人是军人的,通过其所在部队团以上单位的政治机关转交。

【释义】　本条是关于军人送达诉讼文书的特殊规定。

军人是一种特殊职业,军队是一个特殊团体,其具有流动性、保密性等特点,在诉讼活动中,如果要将有关诉讼文书直接送达某军人往往比较困难,委托送达或者邮寄送达也存在一定的难度。为了解决对军人送达诉讼文书的问题,本条规定,受送达人是军人的,通过其所在部队团以上单位的政治机关转交。正确理解本条需要注意以下两点：一是本条所指的“军人”仅指现役军人，不包括退伍军人；二是必须通过部队团以上单位的政治机关转交，不得通过团以下的单位转交，也不得通过团以上单位的其他机关转交。本条规定的这种对军人送达的特殊方式与本法第八十五条规定的直接送达具有同等的法律效力。根据本法第九十一条的规定，代为转交的受送达人所在部队团以上单位的政治机关，收到诉讼文书后，必须立即交受送达人签收，以在送达回证上的签收日期，为送达日期。

第九十条　受送达人被监禁的，通过其所在监所转交。

受送达人被采取强制性教育措施的，通过其所在强制性教育机构转交。

【释义】 本条是关于被监禁或者被采取强制性教育措施的人送达诉讼文书的特殊规定。

本次民事诉讼法修改对本条作了修改，删除了劳动改造的相关内容，将劳动教养改为“采取强制性教育措施”。

原条文规定：“受送达人是被监禁的，通过其所在监所或者劳动改造单位转交。受送达人是被劳动教养的，通过其所在劳动教养单位转交。”

“劳动改造”一词在较长的一个时期被使用，1994 年制定的监狱法规定了教育改造，1996 年修改的刑事诉讼法也没有再使用“劳动改造场所”“劳动改造机构”这样的用语，将其修改为监狱、其他执行机关。此后制定或者修改的法律中都没有再使用“劳动改造”一词。这次民事诉讼法修改将原条文中规定的劳动改造的相关内容删除。

“劳动教养”也是被长期使用的一项制度和用语，这项制度的研究一直在进行中,2005年通过的《中华人民共和国治安管理处罚法》不再使用“劳动教养”这一用语,但无论其名称如何确定,其性质是强制性教育措施,因此在治安管理处罚法中就使用了“强制性教育措施”这一概念。这次民事诉讼法相应地将劳动教养也作了修改。

被监禁或者被采取强制性教育措施的人,是一个特殊群体,他们的人身自由受到一定的限制,且他们一般被关押在一些特殊场所,不便于对这些人直接送达诉讼文书,委托送达或者邮寄送达也存在一定的难度。鉴于被监禁人或者被采取强制性教育措施人的人身自由受到限制的特殊性,而被监禁的人与被采取强制性教育措施的人又有所不同,本条对这些人员的送达分别情况作了特别规定,即受送达人是被监禁的,通过其所在监所转交。受送达人是被采取强制性教育措施的,通过其所在强制性教育机构转交。代为转交的机关、单位收到诉讼文书后,必须立即交受送达的被监禁人或者被采取强制性教育措施的人签收,以在送达回证上的签收日期为送达日期。

第九十一条　代为转交的机关、单位收到诉讼文书后,必须立即交受送达人签收,以在送达回证上的签收日期,为送达日期。

【释义】　本条是关于转交送达日期的规定。

转交送达是指法律规定不能直接送达、委托送达或者邮寄送达而由受送达人所在单位代为转交诉讼文书的一种送达方式。根据本法第八十九条、第九十条的规定,在以下三种情况下,可以转交送达:(1)受送达人是军人的,通过其所在部队团以上单位的政治机关转交;(2)受送达人是被监禁的,通过其所在监所转交;(3)受送达人是被采取强制性教育措施的,通过其所在强制性教育机构转交。对于转交送达日期,本条规定,代为转交的机关、单位收到诉讼文书后,必须立即交受送达人签收,以在送达回证上的签收日期,为送达日期。

第九十二条　受送达人下落不明,或者用本节规定的其他方式无法送达的,公告送达。自发出公告之日起,经过六十日,即视为送达。

公告送达,应当在案卷中记明原因和经过。

【释义】 本条是关于公告送达的规定。

在实践中,常常出现受送达人下落不明,或者不能用本法规定的直接送达、委托送达、邮寄送达、转交送达等方式将诉讼文书送达受送达人的情形。为了保证民事诉讼活动的顺利进行,保障当事人的诉讼权利,本条规定,受送达人下落不明,或者用本节规定的其他方式无法送达的,公告送达。

公告送达是指人民法院以张贴布告、登报等方式将诉讼文书的内容,公开告知受送达人的一种送达方式。人民法院公开告知的内容经过一定的期间,即发生直接送达的法律效力。本条规定的期间是六十日,即自人民法院发出公告之日起,经过六十日,即视为送达。由于是公告送达,自然也就不需要受送达人的签收。

根据最高人民法院的司法解释,公告送达,可以在法院的公告栏,受送达人原住所地张贴公告,也可以在报纸上刊登公告;对公告送达方式有特殊要求的,应按要求的方式进行公告。公告期满,即视为送达。公告送达起诉状或上诉状副本的,应说明起诉或上诉要点,受送达人答辩期限及逾期不答辩的法律后果;公告送达传票的,应说明出庭地点、时间及逾期不出庭的法律后果;公告送达判决书、裁定书的,应说明裁判主要内容,属于一审的,还应说明上诉权利、上诉期限和上诉的人民法院。

应当注意的是,公告送达是所有送达方式都无法使用时的送达方式,送达期间届满即视为送达了,法院据此可以作出缺席判决等行为,因此,公告送达方式的运用直接影响到当事人权利义务的行使,应当慎重采用,尤其对起诉状等诉讼文书。司法实践中就出现过从来不知道有诉讼存在的人"被离婚""被判决"的情况。当然,司法实践中也存在诉讼当事人难找的情况,这给法院审判带来许多实际困难,人民法院应当根据案件的具体情况,选择最适当的送达方式,保障当事人的诉讼权益。

第八章 调 解

本章共七条,对调解制度的原则与具体制度作出了规定,规定了调解的原则、调解的程序、调解书的制作和调解的效力等内容。

法院调解是我国民事诉讼中的一项重要制度,是我国司法工作的优良传统和成功经验。法院调解是指人民法院审理民事纠纷案件时,双方当事人在自愿接受调解的前提下,在查明事实、分清是非的基础上,在人民法院审判人员的主持下,双方当事人自愿协商,互谅互让,达成协议,解决纠纷的审结方式。法院调解包括调解活动的进行和以调解的方式结案,无论是否达成调解协议,都是法院调解。法院调解是在诉讼中进行的,所以又称诉讼中的调解。

用调解的方式解决民事纠纷,是我国民事诉讼法的特点之一,是我国民事审判工作的优良传统和审理解决民事纠纷的成功经验,是人民法院审理民事纠纷的重要方式,在民事诉讼中具有十分重要的意义。

调解的作用主要表现在:

第一,有利于促使当事人互相谅解,彻底解决民事纠纷,增强团结,维护社会安定。法院调解是在双方当事人自愿的基础上,以平等协商的方式解决他们之间的纠纷。在调解过程中,人民法院审判人员对双方当事人进行耐心的思想疏导,使其互谅互让,自愿达成调解协议,一旦调解成功,双方当事人一般能自觉地履行调解协议。所以用调解方式处理民事案件,有利于消除隔阂和对立情绪,增强团结,促进社会关系的和谐,彻底地解决民事争议,维护社会的安定。

第二,有利于减少诉讼,节约诉讼成本,提高办案效率。法院调解具有简便快捷的特点,只要当事人达成调解协议,就能迅速解决纠纷,减少了诉讼。同时,调解协议送达双方当事人签收后,立即发生与生效判决同等的法律效力,当事人不得再行起诉或者上诉,这样就可以减少诉讼,节约诉讼成本,提高办案效率。

第三,有利于普及法律知识,增强群众的法制观念。人民法院审判人员主持调解的过程中,要针对案件事实和争议的焦点向当事人进行法律宣传教育工作,引导他们分清是非和责任,尊重对方的民事权益,自觉履行法律规定的义务,从而可以使当事人和旁听群众受到生动的法制教育,增强法制观念。

第九十三条　人民法院审理民事案件,根据当事人自愿的原则,在事实清楚的基础上,分清是非,进行调解。

【释义】 本条是关于人民法院调解中自愿原则和查明事实、分清是非原则的规定。

本法第九条确立了我国民事审判中的法院调解原则,规定:“人民法院审理民事案件,应当根据自愿和合法的原则进行调解;调解不成的,应当及时判决。”法院调解是以当事人行使诉权为基础、以当事人意思自治为条件、以当事人依法行使处分权为内容的一项诉讼制度。对当事人而言,法院调解是当事人通过友好协商处分实体权利和诉讼权利的一种表现,对法院而言,法院调解是法院审判人员在充分尊重当事人行使处分权的基础上解决民事纠纷的一种职权行为，是法院行使审判权的一种方式。

调解并非审理民事纠纷的必经程序，不是一切案件都必须经过调解。在案件审理过程中，能够用调解方式解决的，尽量用调解解决，而不是“久调不决”，调解不成的，应当及时判决。最高人民法院于2004年发布的《关于人民法院民事调解工作若干问题的规定》第二条的规定，以下案件不适用调解：(1)特别程序、督促程序、公示催告程序、破产还债程序的案件；(2)婚姻关系、身份关系确认案件；(3)其他依案件性质不能进行调解的民事案件。最高人民法院于1992年发布的《关于适用〈中华人民共和国民事诉讼法〉若干问题的意见》第九十二条第二款的规定，人民法院审理离婚案件，应当进行调解，但不应久调不决。

调解贯穿于各个审判阶段，在审理前的准备阶段，如果事实清楚，可以进行调解；在开庭审理中，直至辩论终结作出判决前，也可以进行调解。不论是第一审程序，还是第二审程序、再审程序；不论是按普通程序，还是按简易程序审理的案件，只要是能够调解的案件，人民法院都可以进行调解。根据法院调解在开庭审理前进行还是在开庭审理过程中进行，可以把法院调解分为庭审前的调解和庭审中的调解两种。庭审前的调解又分为两种：一种是在立案受理阶段，当事人起诉到法院的民事纠纷，法官认为适宜调解的，先行调解；另一种是在诉讼初始阶段，被告应诉答辩之后，开庭审理前进行的调解。庭审中的调解是在民事案件开庭审理过程中进行的调解。

法院调解必须遵循当事人自愿原则。自愿原则，是指在民事诉讼过程中，人民法院对民事案件进行调解的前提必须是双方当事人自愿,不能有丝毫的勉强。调解自愿原则,一方面,调解的提出和进行必须是双方当事人的意愿。当事人的真实意思表示的形式应当是明示行为而不能是默示行为。当事人是发生争议的民事权益主体,在法律规定的范围内,当事人有权决定是否以调解的方式解决他们的纠纷。人民法院只有在双方当事人自愿接受调解的前提下,才能主持双方当事人进行调解,如果当事人一方坚持不愿调解的,人民法院不能强迫或变相强迫进行调解,应当进入诉讼程序及时作出判决。人民法院根据案件的情况依职权主动提出进行调解,必须征得双方当事人的同意,否则调解也不能进行。另一方面,调解达成的协议内容必须反映双方当事人的真实意思。调解协议的内容直接涉及双方当事人的民事权利义务,应当由当事人按自己的意愿进行处分。人民法院只能根据法律进行一定的说服教育工作,引导他们以和解的方式解决纠纷,不能将自己对案件的处理意见强加给当事人。调解协议的内容,必须是双方当事人自愿协商的结果。

法院调解必须遵循查明事实、分清是非的原则。法院对民事案件进行调解必须在查明案件事实、分清责任的基础上进行。查明事实和分清是非,是法院调解的基础,这也是“以事实为根据,以法律为准绳”原则在调解中的贯彻实施,既是调解工作进行的前提,也是保证调解顺利开展的根本保证。法院调解不是简单的当事人的处分权运用,还有法院的审判权的行使。审判权要求审判人员在主持调解过程中必须查明案件基本事实,分清双方争议的是非曲直,明确当事人各自的责任,然后确定双方当事人的权利义务。只有基本的事实清楚,是非分明后,双方达成的协议,才能让当事人自觉地履行。最高人民法院《关于适用〈中华人民共和国民事诉讼法〉若干问题的意见》第九十一条规定，人民法院受理案件后，经审查，认为法律关系明确、事实清楚，在征得当事人双方同意后，可以进行调解。

第九十四条　人民法院进行调解，可以由审判员一人主持，也可以由合议庭主持，并尽可能就地进行。

人民法院进行调解，可以用简便方式通知当事人、证人到庭。

【释义】　本条是关于调解程序中审判人员的组成、地点与传唤方式的规定。

由于法院调解的过程是人民法院对民事案件的审理过程，因此法院调解没有单独的程序而是与整个审理程序结合在一起的。本法只对法院调解作了原则性的规定，没有规定法院调解的具体程序。法院调解无论在哪种程序和哪个阶段适用，调解的开始均包括两种方式：一是由当事人提出申请而开始，二是法院在征得当事人同意后依职权开始。审判人员在这一阶段的主要工作是，征求双方当事人是否愿意调解的意见，讲明调解的好处、要求和具体做法，并告知有关的诉讼权利和义务，通知当事人和证人到庭，为调解的进行做好准备。本条规定了调解程序中审判人员的组成、地点与传唤方式。

1. 关于调解中审判人员的组成。法院调解是在人民法院审判人员主持下进行的。本条规定人民法院进行调解，可以由审判员一人主持，也可以由合议庭主持。适用简易程序审理的民事案件，由独任审判员一人主持进行调解；适用普通程序审理的第一审民事案件，可以由合议庭主持调解，也可以由合议庭成员中的一名审判员主持调解，第二审程序与审判监督程序中的调解亦然。

2. 关于调解的地点。人民法院进行调解，可以在法院内进行，但应尽可能就地进行。这样规定，是便利当事人诉讼原则的体现。司法实践中出现过许多法官到村间、地头主持调解的情况。

3. 关于调解的传唤方式。本条规定人民法院进行调解，可以用简便方式通知当事人、证人到庭。人民法院的调解活动，可以在任何一个诉讼阶段，根据案件的具体情况，当事人的思想变化而随时进行，其形式是多样化的，所以可以用简便方式传唤当事人、证人到某一地点进行调解，如采用口头或者电话通知等方式，而不必像开庭那样发传票。法院调解时，双方当事人都应出庭，原则上要采取面对面的形式进行调解，但必要时也可以分别对双方当事人做调解工作。当事人不能出庭而委托诉讼代理人参加调解的，必须有当事人的特别授权。离婚案件当事人确因特殊情况无法出庭参加调解的，除本人不能表达意志的以外，应当出具书面意见。对无民事行为能力的当事人进行调解，应当由其法定代理人代为参加。法定代理人与对方达成协议要求发给判决书的，可以根据调解协议的内容制作判决书。

第九十五条　人民法院进行调解，可以邀请有关单位和个人协助。被邀请的单位和个人，应当协助人民法院进行调解。

【释义】　本条是关于调解中邀请有关单位和个人协助的规定。

人民法院进行调解，根据案件需要，可以邀请当事人所在单位、纠纷发生地基层组织以及当事人的亲友、邻居等个人协助人民法院进行调解。被邀请的有关单位和个人应当积极协助法院进行调解,不应推托。有关单位和个人一般了解案情或者为当事人所信任,他们参加调解工作,对当事人进行说服、疏导工作,有助于顺利解决当事人之间的纠纷,容易促使双方当事人达成协议。最高人民法院《关于人民法院民事调解工作若干问题的规定》第三条规定,人民法院可以邀请与当事人有特定关系或者与案件有一定联系的企业事业单位、社会团体或者其他组织,和具有专门知识、特定社会经验、与当事人有特定关系并有利于促成调解的个人协助调解工作。经各方当事人同意,人民法院可以委托前款规定的单位或者个人对案件进行调解,达成调解协议后,人民法院应当依法予以确认。

第九十六条　调解达成协议,必须双方自愿,不得强迫。调解协议的内容不得违反法律规定。

【释义】　本条是关于调解自愿原则与调解合法原则的规定。

自愿原则和合法原则是法院在进行调解中必须坚持的两大原则。本法第九条规定,人民法院审理民事案件,应当根据自愿和合法的原则进行调解;调解不成的,应当及时判决。最高人民法院《关于适用〈中华人民共和国民事诉讼法〉若干问题的意见》第九十二条也规定,人民法院审理民事案件,应当根据自愿和合法的原则进行调解。当事人一方或者双方坚持不愿调解的,人民法院应当及时判决。

在法院调解的原则中,自愿原则居于核心地位,具有特殊的重要性。调解自愿原则包括两个方面:一是调解工作必须在双方当事人自愿的基础上进行,自愿一般表现为双方当事人申请调解或双方当事人自愿接受调解。如果有一方不愿调解解决纠纷,人民法院即不能强迫其接受调解;二是调解达成协议必须双方自愿,即双方都是自愿接受协议的内容,不能用强制的办法要求当事人接受调解协议的内容。人民法院进行调解应当遵循自愿的原则,在双方自愿调解的基础上由双方具体协商,提出意见。主持调解的审判员也可以提出调解意见供双方当事人参考,但不得强迫当事人接受。无论是从尊重当事人的处分权考虑,还是为了使达成的调解协议能够得到自觉的履行,都必须高度重视并认真贯彻自愿原则。

调解合法原则也是法院调解应当遵循的一项重要原则。合法原则,是指人民法院和双方当事人的调解活动及其协议内容,必须符合法律的规定。人民法院进行调解工作,必须以事实为根据,以法律为准绳,协议内容必须符合法律规定。符合法律规定,既包括符合实体法的规定,也包括符合程序法的规定。一方面,人民法院主持双方当事人进行调解活动,必须按照本法规定的程序进行;另一方面,当事人双方达成的协议内容,要符合有关法律的规定。人民法院调解的结果,应当是在分清是非的基础上,正确地适用实体法来确定双方当事人的权利和义务。同时根据在法律规定的范围内当事人有权处分自己的民事权利和诉讼权利的原则,可以互谅互让,达成调解协议。在理解合法原则时,应当注意以下两个问题:第一,要正确处理自愿与合法的关系。调解必须当事人自愿,但当事人自愿的,不等于都合法。目前有个别当事人利用诉讼或者调解,串通侵害其他人的利益或者社会公共利益,虽然双方自愿,但不合法,是应当受到制裁的违法行为。这次民事诉讼法的修改中专门针对恶意诉讼、虚假诉讼的行为作了相应的规定。第二,调解协议合法性的要求与判决合法性的要求有程度上的不同。当事人可以运用处分权在不违反禁止性规定的前提下达成双方所能接受的调解协议,尽管协议的内容与法律上严格认定的权利义务关系并不完全一致。调解合法性原则中的合法性应是一种宽松的合法性,它不是指调解协议的内容必须严格遵照法律的规定,而是指协议内容不得与民事法律中的禁止性规定相冲突,不得违反公序良俗和损害第三人的合法权益。最高人民法院《关于人民法院民事调解工作若干问题的规定》第十二条规定,调解协议具有下列情形之一的,人民法院不予确认:(1)侵害国家利益、社会公共利益的;(2)侵害案外人利益的;(3)违背当事人真实意思的;(4)违反法律、行政法规禁止性规定的。

第九十七条 调解达成协议,人民法院应当制作调解书。调解书应当写明诉讼请求、案件的事实和调解结果。

调解书由审判人员、书记员署名,加盖人民法院印章,送达双方当事人。

调解书经双方当事人签收后,即具有法律效力。

【释义】 本条是关于调解书的制作、调解书的内容和生效的规定。

调解的结束包括两种情况:一是因当事人达成调解协议而结束,二是因调解不成,未达成调解协议而结束。对于经调解达成协议的,人民法院应当及时对调解协议进行审查。对于当事人双方自愿达成,内容又不违反法律禁止性规定的协议,人民法院应当认可。调解协议依法成立后,对于应当制作调解书的,人民法院应当制作调解书,送达双方当事人签收;对于不需要制作调解书的调解协议,由书记员记入笔录,并由双方当事人、审判人员、书记员签名或者盖章。经审查,发现调解协议的内容违反法律的禁止性规定或者有悖于公序良俗的,人民法院不予认可。对于经调解未达成协议或者调解协议不被人民法院认可的,人民法院应当结束调解程序,恢复审判,及时作出裁判,而不能久调不决。

(一)关于调解书的制作

调解达成协议,人民法院应当制作调解书。当事人的调解协议是人民法院制作调解书的前提和基础。当事人的调解协议,只有经人民法院确认后才具有法律上的拘束力。人民法院的调解书,是调解协议产生法律上拘束力的法定条件。生效的调解书与调解笔录具有以下效力:(1)确定当事人之间民事法律关系的效力。调解书或调解笔录生效后,表明双方当事人对曾经发生争议的民事法律关系已经取得共识并得到确认,权利方应该行使权利,义务方应当履行义务。(2)结束诉讼的效力。调解书或者调解笔录生效后,当事人之间的民事权益争议,在法律上已最终解决,当事人不得以同一事实和理由向人民法院再行起诉。(3)强制执行的效力。调解书或调解笔录生效后,由于调解协议是双方当事人在人民法院主持下自愿达成的,一般情况下当事人都会自觉履行。但实践中也存在当事人拒不履行的情况,若有履行义务的当事人拒不履行,另一方当事人有权依据调解书向法院申请强制执行。

(二)关于调解书的内容

调解书中应当写明诉讼请求、案件的事实和调解结果。调解书应按统一的格式制作,一般包括首部、正文和尾部三个部分。首部中包括人民法院的名称、案号,当事人、诉讼代理人的基本情况,案由和原、被告的诉讼请求。正文主要包括案件事实和调解结果两部分。案件事实,即当事人之间的法律关系发生争议的事实、原因及双方的责任。调解结果是当事人在自愿、合法的原则下达成的解决双方间纠纷的合意，包括双方当事人在调解过程中提出诉讼请求和理由，双方互相让步的请求及调解结果。尾部由审判人员、书记员署名，加盖人民法院印章，并写明调解书的制作时间。

（三）关于调解书的生效

本条第三款是关于调解书生效的规定。调解书制作完成后，必须经双方当事人签收后，才具有法律效力。本款有以下几层含义：（1）关于调解书的生效时间。调解书在双方当事人签收时，才发生法律效力。最高人民法院《关于适用〈中华人民共和国民事诉讼法〉若干问题的意见》第九十六条规定，调解书不能当庭送达双方当事人的，应以后收到调解书的当事人签收的日期为调解书生效日期。（2）关于调解书的送达方式。因为调解书是当事人自愿协商后制作的法律文书，以自愿为基础，如果当事人拒绝签收调解书，表明不愿意接受调解，因此，调解书不能强行送达，不适用留置送达和公告送达的方式，一般也不适用邮寄送达和有关单位转交，而是要由当事人签收。最高人民法院《关于适用〈中华人民共和国民事诉讼法〉若干问题的意见》第八十四条的规定，调解书应当直接送达当事人本人，不适用留置送达。当事人本人因故不能签收的，可由其指定的代收人签收。（3）调解书必须经双方当事人签收才生效。如果仅一方当事人签收了，另一方没有签收，调解书还未发生效力。在当事人签收之前，有权就调解达成的协议反悔，如果当事人在签收调解书前反悔，法院应当及时判决。

在这次修改民事诉讼法时，有的部门提出，调解是否应当在达成协议时就生效，不要等到送达签收后再生效，因为实践中出现过法官好不容易做工作使当事人达成了调解协议,送去签字时又反悔的情况。但是,考虑到调解的目的是案结事了,当事人即使勉强达成调解协议,事后反悔可能引起的矛盾更多,给当事人在达成协议后签字前的一个冷静期比较符合调解所具有的特性和解决纠纷的目的,也有利于保障当事人的诉权,当事人一旦反悔不签字,法院可以判决,当事人可以就判决行使上诉权或者申请再审。

第九十八条　下列案件调解达成协议,人民法院可以不制作调解书:

(一)调解和好的离婚案件;

(二)调解维持收养关系的案件;

(三)能够即时履行的案件;

(四)其他不需要制作调解书的案件。

对不需要制作调解书的协议,应当记入笔录,由双方当事人、审判人员、书记员签名或者盖章后,即具有法律效力。

【释义】　本条是关于可以不制作调解书的情形程序的规定。

调解达成协议的案件,人民法院应当根据协议制作调解协议书,这是原则。本条规定有些案件在调解达成协议后,人民法院可以不制作调解书:(1)调解和好的离婚案件;(2)调解维持收养关系的案件;(3)能够即时履行的案件;(4)其他不需要制作调解书的案件。这些案件具有以下特征:一是属于确认、变更之诉的案件。这些案件没有给付的内容,不存在调解协议达成后,一方当事人不履行义务需要强制执行的情况。二是虽然属于给付之诉,但是能够即时履行,也不发生一方当事人不履行义务需要强制执行的情况。

对不需要制作调解书的协议，应当记入笔录，由双方当事人、审判人员、书记员签名或者盖章后，即具有法律效力，也可以通过原告撤诉的方式结案。调解笔录与调解书在法律上具有同等的法律效力，同是人民法院审结案件的一种法律形式。

第九十九条　调解未达成协议或者调解书送达前一方反悔的，人民法院应当及时判决。

【释义】　本条是关于调解未达成协议或者调解书送达前一方反悔的情况处理的规定。

调解书送达双方当事人并由他们签收后，即具有法律效力。对不需要制作调解书的协议，双方当事人、审判员、书记员在笔录上签名或者盖章后，即发生法律效力。调解书与判决书不同，一审审判程序中，人民法院宣判后，如果双方当事人过了上诉期都不上诉，判决书即发生法律效力。二审程序中，人民法院宣判后，判决书即发生法律效力。调解未达成协议的，人民法院应当及时判决。调解协议虽然是当事人自愿达成的，但有的当事人对已经达成的协议事后又反悔，包括在调解书签收前反悔和签收后反悔两种情况。在调解书签收前，双方当事人有权反悔，如果调解书签收前一方反悔的，人民法院应当及时判决。调解书签收后当事人反悔的，不影响调解书的效力，因为调解书在双方当事人签收时已经发生法律效力。

调解书生效后，就确定了双方当事人之间的实体上的权利义务关系，结束了诉讼程序。对发生法律效力的调解协议，当事人不得再以同一事实和理由，向人民法院提起新的诉讼，但是法律允许再起诉的除外。例如，调解和好的离婚案件，原告在调解协议发生法律效力后六个月内不得起诉，但过了六个月就可以再起诉。对发生法律效力的调解协议,当事人不得上诉,调解书生效之后,如果当事人提出异议,人民法院应当进行审查,发现确有错误的,按审判监督程序处理,没有错误的,当事人依照调解书履行义务。当事人对调解书提起再审的,要符合审判监督程序中规定的法定条件,即本法规定的"当事人对已经发生法律效力的调解书,提出证据证明调解违反自愿原则或者调解协议的内容违反法律的,可以申请再审"。检察院发现调解书损害国家利益、社会公共利益的,应当提起抗诉。

最高人民法院《关于适用〈中华人民共和国民事诉讼法〉若干问题的意见》第九十七条规定,无独立请求权的第三人参加诉讼的案件,人民法院调解时需要确定无独立请求权的第三人承担义务的,应经第三人的同意,调解书应当同时送达第三人。第三人在调解书送达前反悔的,人民法院应当及时判决。

第九章　保全和先予执行

本章共九条，原民事诉讼法第九章为“财产保全和先予执行”，这次修改民事诉讼法变更为“保全和先予执行”。本章规定了保全和先予执行制度。保全是人民法院为了确保将来的生效法律文书得以顺利执行或者避免申请人遭受不可弥补的损害，及时、有效地保护当事人或者利害关系人的合法权益，采取限制有关财产的处分或转移、或者在判决前责令被申请人作出一定行为或禁止其作出一定行为的强制措施。先予执行是指法院对某些民事案件作出终审判决前，为了解决一方当事人生活或生产的紧迫需要，根据其申请，裁定另一方当事人给付申请人一定的钱物，或者实施或停止实施某种行为，并立即执行的制度。

在民事诉讼中，保全和先予执行都是法院为了确保将来的执行文书得以顺利执行或满足紧迫性需要，在执行文书生效之前，采取一定的强制性措施以限制义务人处分其财产或责令义务人作为或不作为的程序。建立这两种制度的意义在于：

一是，有助于弥补通常诉讼程序事后救济的不足，全面保护当事人的合法权益。依通常诉讼程序，从原告提起诉讼，经过法庭调查、法庭辩论等程序，再到法院作出判决，这是需要时间的，其间有可能发生债务人转移、处分财产而使判决最终无法得到执行的情况，此时如果等到判决后执行，可能即使当事人胜诉了,也只是形式上的胜诉,实体上的权利并不能得到最终的保护和落实。通过保全和先予执行制度,法院可以在诉前或者诉讼中对被申请人的财产采取查封、扣押等措施以保证将来的强制执行得以实现,可以责令被申请人为或不为一定行为,以防止损害的扩大,或在受理案件后作出判决前裁定义务人给付原告一定钱物,这对于切实、全面地保护当事人的合法权益,具有十分重要的意义。

二是,有利于解决"执行难"问题。如果大量的民事纠纷案件都能在事先对债务人的财产采取保全措施,或预先满足当事人的紧迫需要,那么到生效判决作出之后,执行难的问题就会得到大大缓解。

三是,有利于降低判决实现的成本。申请人申请保全并采取了保全措施后,有些债务人便积极主动地要求和解,加强了迫使义务人自动履行义务的压力,对纠纷解决机制的完善具有十分重要的意义。

第一百条　人民法院对于可能因当事人一方的行为或者其他原因,使判决难以执行或者造成当事人其他损害的案件,根据对方当事人的申请,可以裁定对其财产进行保全、责令其作出一定行为或者禁止其作出一定行为;当事人没有提出申请的,人民法院在必要时也可以裁定采取保全措施。

人民法院采取保全措施,可以责令申请人提供担保,申请人不提供担保的,裁定驳回申请。

人民法院接受申请后,对情况紧急的,必须在四十八小时内作出裁定;裁定采取保全措施的,应当立即开始执行。

【释义】　本条是关于诉讼中保全制度的规定。

这次修改民事诉讼法对本条作了修改,主要有两点:一是增加规定了行为保全制度；二是法院驳回保全申请必须以裁定的形式。

一、保全的概念

各地民事诉讼制度中都规定了保全制度，有的国家规定在民事诉讼法中，有的国家规定在民事执行法中，有的国家专门制定了民事保全法。两大法系关于保全制度的称谓也有所不同，大陆法系一般称为"假扣押""假处分"，英美法系一般称为"临时性救济措施""禁令"，我国民事诉讼法采用了"保全"这一称谓。无论规定在哪部法律中，也无论称谓是什么，其内容大体是一致的，基本包括两个方面：

一是财产保全，是指人民法院作出裁定，对一方当事人的财产采取查封、扣押、冻结等保全措施，防止该当事人转移、处分被保全的财产，以保证将来生效判决的执行。如在金钱给付之诉中，为保证日后生效判决得以顺利执行，以判决可能支付的数额为限对被告的财产进行保全，以防止被告转移财产。

二是行为保全，是指人民法院作出裁定，责令一方当事人作出一定行为，或者禁止其作出一定行为，防止该当事人正在实施或者将要实施的行为给申请人造成不可弥补的损害。一般而言，行为保全包括两层含义：第一层含义是要求被申请人作出或者禁止被申请人作出某种行为，如禁止被申请人处分标的物、要求被申请人停止实施侵权行为等；第二层含义是暂时确定申请人与被申请人之间的权利义务，如要求被申请人支付工资、赔偿金、扶养费、赡养费、医疗费用等。本章除规定保全外，还规定了先予执行制度，先予执行制度是其他国家和地区立法例中所没有的，主要适用于支付赡养费、扶养费、抚育费、抚恤金、医疗费用、劳动报酬以及其他紧急情形，与行为保全制度在一定程度上有所重合。因此，我国民事诉讼法中的保全制度仅指上述第一层含义,第二层含义包含在先予执行制度中。

二、增加规定行为保全制度的必要性

原民事诉讼法第九十二条只规定了财产保全,一方当事人只能对另一方当事人的财产提出保全请求,如扣押诉争标的、查封对方当事人的部分财产等,却无法要求对方当事人停止实施侵权行为,这给司法实践造成了一定的不便。比如,被告某电网公司在距某小区直接距离不足两米的地方建设一座大型变电站,原告认为电磁辐射严重危害了小区居民的人身安全,向法院起诉,请求判令被告停止建设变电站并立即拆除已建设施,在变电站是否威胁居民人身安全尚未确认的情况下,如果允许被告继续建设,一旦判决被告拆除,被告可能会承担更大的损失,在这种情况下,法院可以根据原告的申请裁定被告立即停止施工,等待最终裁判。这就是行为保全案件。

尽管原民事诉讼法未规定行为保全制度,但其他一些单行法律在其适用范围内已经对行为保全制度作了部分规定。2000 年 7 月实施的海事诉讼特别程序法第四章规定了具有行为保全性质的海事强制令制度,据此,海事法院可以在起诉前或者诉讼中根据海事请求人的申请,责令被请求人实施特定的作为或者不作为。2000 年 8 月 25 日第九届全国人大常委会通过了专利法修改决定,修改后的专利法第六十六条第一款规定:"专利权人或者利害关系人有证据证明他人正在实施或者即将实施侵犯专利权的行为,如不及时制止将会使其合法权益受到难以弥补的损害的,可以在起诉前向人民法院申请采取责令停止有关行为的措施。"随后修订的商标法第五十七条规定:"商标注册人或者利害关系人有证据证明他人正在实施或者即将实施侵犯其注册商标专用权的行为,如不及时制止，将会使其合法权益受到难以弥补的损害的，可以在起诉前向人民法院申请采取责令停止有关行为和财产保全的措施。”著作权法第五十条规定：“著作权人或者与著作权有关的权利人有证据证明他人正在实施或者即将实施侵犯其权利的行为，如不及时制止将会使其合法权益受到难以弥补的损害的，可以在起诉前向人民法院申请采取责令停止有关行为和财产保全的措施。”最高人民法院有关司法解释也对“诉前责令停止侵害行为”进行了细化规定，如最高人民法院《关于对诉前停止侵犯专利权行为适用法律问题的若干规定》、《关于诉前停止侵犯注册商标专用权行为和保全证据适用法律问题的解释》和《关于审理著作权民事纠纷案件适用法律若干问题的解释》。

长期以来，学术界一直呼吁在民事诉讼法中建立行为保全制度，现有的海事强制令和知识产权诉讼中的诉前禁令，仅适用于海事案件、知识产权侵权纠纷案件两个专业诉讼领域，不能适用到普通的民事诉讼中。同时，建立行为保全制度也是民事诉讼司法实践的迫切需要，实践中存在需要通过行为保全措施保护当事人合法利益的情形。比如，在家庭暴力，侵犯自然人肖像权、隐私权、名誉权等侵权案件中，有时需要责令加害人立即停止侵权行为；在离婚案件中，一方为了争夺对子女的监护权，往往转移、藏匿子女，需要立即制止这种行为；在相邻纠纷案件中，经常需要强制一方当事人立即拆除危险建筑或者立即停止建设尚未完工的危险建筑等；在环境污染侵权纠纷中，往往需要立即停止实施污染环境的侵权行为；在针对特定物的诉讼中，需要一方当事人对该特定物实施临时管理；在租赁合同纠纷案件中，有时需要强制出租人退出建筑物；在股东争议、企业经营等纠纷中，有些当事人希望法院强制公司召开股东会。当前,有关海事强制令、知识产权诉前禁令的运用,为设计行为保全制度提供了宝贵经验,民事诉讼法学术研究也取得了不少成果,在此基础上,此次修改民事诉讼法,在原有财产保全制度的基础上增加规定了行为保全制度。

三、保全程序的特点

在民事诉讼中,保全程序与普通审判程序相比,一般具有如下特征:

一是暂定性。当事人之间的权利义务需要通过判决才能确定,在依照审判程序作出判决之前,当事人之间的权利义务都处于未定状态,但为了保证日后生效判决的执行,或者避免当事人遭受不可弥补的损害,法院根据一方当事人的申请,非依严格的审判程序,在判断当事人胜诉可能性的基础上,对当事人之间的权利义务关系作出暂时性的裁定,这一裁定是可以撤销的,或者经过一段时间自然失效,这一裁定不具有既判力。

二是程序的简易性。随着诉讼进程的深入,双方当事人胜诉或者败诉的可能性也逐渐显现,债务人可能在判决生效前转移、隐匿财产,即使将来法院作出判决,债权人拿到执行依据,也使其债权无从实现,为避免出现这一结果,在债务人正在实施或者可能实施侵害债权人利益的行为时,法院需要迅速作出裁定,禁止当事人实施侵害行为,正因为时间上的紧急性,法院审理保全案件的程序较为简单,否则保全程序将失去意义。

三是密行性,又称非对审性。只要债权人发现债务人正在转移财产或者准备转移财产,就可以向法院申请保全,保全裁定往往只需要依据债权人提供的证据即可作出,无须通知债务人,并且可以在向债务人送达保全裁定的同时执行,以防止债务人利用送达裁定与采取执行措施之间的时间差转移财产。但如果案件并不是十分紧急，不立即作出保全裁定不会给债务人造成不可弥补的损害的，法院可以通知债务人到庭，就是否应当作出保全裁定进行答辩。

四、申请保全的要件

本条对申请财产保全与行为保全的要件作出了规定，两者之间既有相同之处，也有不同之处。

相同之处在于：(1)申请时间。本条规定的是诉讼中保全，提出保全申请的时间必须是在法院受理案件后，判决作出前。既可以在第一审程序中进行，也可以在第二审程序中进行，最高人民法院《关于适用〈中华人民共和国民事诉讼法〉若干问题的意见》第一百零三条对此作了衔接性的规定："对当事人不服一审判决提出上诉的案件，在第二审人民法院接到报送的案件之前，当事人有转移、隐匿、出卖或者毁损财产等行为，必须采取财产保全措施的，由第一审人民法院依当事人申请或依职权采取。第一审人民法院制作的财产保全裁定，应及时报送第二审人民法院。"(2)提供担保。由于保全具有暂行性和非对审性，通常情况下，法院根据申请人提交的证据即可作出保全裁定，可能会因申请人错误申请保全而给被申请人造成经济损失，为了平等保护双方当事人的利益，根据本条规定，法院采取保全措施，可以责令申请人提供担保，申请人不提供担保的，裁定驳回申请。(3)启动方式。本条规定了两种启动方式：一是由一方当事人提出申请，由法院作出裁定；二是当事人没有提出申请的，法院依职权主动采取保全措施。在这次民事诉讼法修改过程中，针对是否应当取消法院依职权采取保全措施，存在不同意见。有的意见提出，申请保全是当事人的权利，并非所有案件都需要对一方当事人的财产或者行为进行保全,应当由当事人自己作出判断,法院不能越俎代庖;据了解,实践中也几乎没有法院主动采取保全措施的案例。也有的意见认为,我国地域辽阔,经济发展极不平衡,有些当事人连什么是保全都不知道,更遑论主动申请,法院依职权采取保全措施是对当事人申请的有益补充,实践中暂时不存在这方面的案例并不表明实践中并不需要。综合上述两种意见,经研究,我们认为,保全程序原则上应当依照当事人申请启动,在特殊情形下,法院知悉债务人正在实施或者准备实施转移、隐匿财产行为的,可以依职权采取保全措施,有利于维护诉讼秩序。最高人民法院《关于在经济审判工作中严格执行〈中华人民共和国民事诉讼法〉的若干规定》第十三条也对何时须依职权作了细化规定,人民法院对财产采取诉讼保全措施,一般应当由当事人提交符合法定条件的申请。只有在诉讼争议的财产有毁损、灭失等危险,或者有证据表明被申请人可能采取隐匿、转移、出卖其财产的,人民法院方可依职权裁定采取财产保全措施。因此,这次修改民事诉讼法保留了这一规定。

不同之处在于:(1)提出保全案件的类型不同。财产保全的对象是双方争执的标的物,或者与争议有关的财物,提出财产保全的案件必须是给付之诉,或者包含给付之诉的诉讼。而无论在给付之诉,还是确认之诉、形成之诉中,当事人都可以申请行为保全。(2)申请目的不同。本条规定,申请保全的情形是"因当事人一方的行为或者其他原因,使判决难以执行或者造成当事人其他损害"。具体到财产保全和行为保全中,申请保全的事由有所区别。申请财产保全的主要目的在于保证将来的生效判决能够得以执行,顺利实现债权,有必要立即制止债务人正在实施或者准备实施的转移、隐匿财产等行为。申请行为保全的目的主要在于避免债权人遭受其他不可弥补的损害,有必要立即制止债务人正在实施的侵权行为,或者要求债务人实施一定行为进行补救。如在地役权案件中,法院可以要求供役地人维持目前的地役关系,直至判决生效;在侵权案件中,法院可以责令加害人立即停止实施侵权行为;在知识产权案件中,法院可以责令侵权人停止侵害权利人的知识产权。(3)执行内容不同。根据本条规定,保全裁定具有执行性,且需立即执行。财产保全的核心是防止债务人处分财产,最常见的执行措施是查封、扣押、冻结。对不动产实施查封,对动产实施扣押,对金钱账户、证券账户等金融资产实施冻结。行为保全的核心是限制债务人的行为,裁定债务人必须为或者不为一定行为,债务人一旦违反裁定设定的义务,应当承担一定的法律责任,如罚款、拘留直至承担刑事责任。

五、担保与保全的关系

1. 担保的必要性。根据本条规定,法院采取保全措施,可以责令申请人提供担保,申请人不提供担保的,裁定驳回申请。因保全只是一种临时性救济,如果申请有错误的,申请人应当赔偿被申请人因保全遭受的损失,为了使这种赔偿届时不致落空,申请人事先就应当通过提供担保来证实自己确有这种赔偿能力,这充分体现了对被申请人合法权益的保护。但是否所有保全案件都需要申请人提供担保呢?法律并没有作出"一刀切"的规定,本条规定的是"可以",不是"应当",更不是"必须",给予法院一定的自由裁量权。由法院根据案件具体情形,决定是否需要申请人提供担保,主要是考虑具体案件千差万别,有的申请人财力雄厚,完全有能力承担因错误申请保全给对方当事人造成的损失,可以不要求其提供担保;

有的申请人胜诉可能性较大,且不会给对方当事人造成过大的损失,也可以不要求担保;在有些行为保全案件中,要求对方当事人停止实施明显的侵权行为,事实较为清楚,也不会产生不良后果,无须要求担保。

2. 担保金额。本条没有对担保数额作出明确规定。在调研过程中,有的意见提出,司法实践中,法院对担保金额的要求做法不一,有些法院要求申请人提供全额担保,即提供的担保金额必须与保全金额相当,有些当事人因无法提供足额担保被法院驳回申请,如在离婚案件中,多数情形下丈夫为了少分财产给妻子,通过各种手段转移财产,妻子申请保全财产,但难以提供担保。有的意见提出,担保金额不应超过保全金额的十分之一。经研究,我们认为,保全裁定的作出并不需要严格的对审程序,要求申请人提供担保,是为了及时有效地赔偿可能因申请人申请错误而给被申请人造成的损失,也促使申请人在申请保全时慎重考虑。从审判实际来看,如果要求申请人提供担保的数额与请求担保的数额相当,对很多处于弱势的申请人来说是很不公平的,很多情况下,当事人申请保全出于紧急情况,而各地法院一般都要求现金担保或者具体的财物担保,当申请保全额很大时,相应数额的担保难以一时落实,从而错过时机,使债权人失去保全机会。所以,担保金额的确定应当以被申请人可能遭受的损失为基础,综合考虑申请人的经济状况、胜诉可能性、证据充分与否等情形,并不能一概要求申请人提供与保全金额相当的担保。至于担保金额与保全金额的比例,法律中难以作出划一的规定,根据具体案件情况确定为宜。

3. 担保方式。本条没有对担保方式作出明确规定。在调研过程中,有的意见提出,有些法院只接受现金担保,不接受其他方式的担保。一般认为，担保可以分为人的担保和物的担保，人的担保可以分为保证人的担保和当事人签订的定金合同，物的担保又可以分为抵押、质押、留置。强制要求当事人缴纳现金进行担保并不合适，可能导致有些当事人难以提供担保。我们认为，当事人可以选择其认为合适的担保方式，不应局限于现金，只要能够确实起到担保作用，法院不应拒绝。

还有一点需要说明的是，有的意见提出，应当借鉴某些国家的做法，将担保金额作为申请人因错误申请承担的损害赔偿责任的限额，被申请人仅能在担保额度内就其因错误申请遭受的损失请求赔偿，以便申请人在申请时明确知道自己的风险。我们认为，这种安排不适合我国司法实践，关键在于采取保全措施对被申请人可能造成多大损失难以预测，由法院确定担保数额风险较大。

4. 驳回申请的方式。原民事诉讼法第九十二条第二款规定，申请人不提供担保的，驳回申请。这一条没有对驳回申请的方式作出规定，实践中也没有统一的做法，有的法院以裁定的方式作出，有的法院以决定的形式通知，有的法院则口头通知申请人。以口头通知、决定的形式驳回影响当事人权益的申请不尽恰当，不够严肃，口头通知一般适用于简易程序，决定也只能适用于一些程序性事项。经研究，我们认为民事诉讼法应当对此作出规范，法院驳回申请是对当事人申请是否符合法律规定的判断，直接关系到今后生效判决能否顺利执行，应当以裁定的形式作出，当事人对该裁定不服的，还可以根据本法第一百零八条申请复议一次，有利于充分保障当事人的程序权利。

六、作出裁定的时间

根据本条第三款的规定，人民法院接受申请后，对情况紧急的,必须在四十八小时内作出裁定;裁定采取保全措施的,应当立即开始执行。

在调研过程中,有的意见提出,要求法院在四十八小时内作出裁定,实践中难以做到,建议取消这一规定。有的意见提出,当事人申请保全的案件都是情况紧急的,应当一律在四十八小时内作出裁定,不应区分情况是否紧急。经研究,我们认为,保全是对当事人合法权利的临时性救济,保全程序应当适应保全案件的紧急需要,但根据保全案件性质的不同可以有所区分,对于正在实施转移财产的行为,应当尽快作出查封、扣押、冻结的裁定,以防判决落空;对于限制当事人行为自由、经营自由的保全,除特殊情况外,可以听取对方当事人的答辩,并非一律必须在四十八小时内作出裁定。何为情况紧急,应当由法官根据案件具体情形作出判断,法律中难以作出统一规定,因此,这次修改民事诉讼法对本款未作修改。

第一百零一条　利害关系人因情况紧急,不立即申请保全将会使其合法权益受到难以弥补的损害的,可以在提起诉讼或者申请仲裁前向被保全财产所在地、被申请人住所地或者对案件有管辖权的人民法院申请采取保全措施。申请人应当提供担保,不提供担保的,裁定驳回申请。

人民法院接受申请后,必须在四十八小时内作出裁定;裁定采取保全措施的,应当立即开始执行。

申请人在人民法院采取保全措施后三十日内不依法提起诉讼或者申请仲裁的,人民法院应当解除保全。

【释义】　本条是关于诉讼前保全制度的规定。

这次修改民事诉讼法对本条作了修改,主要有四个方面:一是增加规定了仲裁前申请保全的规定;二是明确规定了诉前保全管辖法院;三是人民法院驳回保全申请必须以裁定的形式;四是将起诉或者仲裁的期限从“十五日”延长至“三十日”。

根据申请保全的时间不同,保全可以分为诉讼中保全和诉讼前保全,本条是对诉讼前保全的规定。诉讼前保全,又称诉前保全,是指在起诉或者仲裁前,对于因情况紧急不立即申请保全,将会使利害关系人的合法权益遭受到难以弥补的损害,依据利害关系人的申请而采取的保全措施。

和诉讼中保全一样,本条规定的诉讼前保全也包括财产保全和行为保全,为了简化条文,没有重复第一百条中的表述“可以裁定对其财产进行保全、责令其作出一定行为或者禁止其作出一定行为”。为了便于大家了解诉讼前保全制度,我们对诉讼前保全与诉讼中保全进行对比,介绍两种制度的不同之处:

1. 申请保全的时间。顾名思义,申请诉前保全必须在向法院提起诉讼前申请;而申请诉讼中保全只能发生在诉讼进行中,判决作出前。原民事诉讼法第九十三条仅规定了“可以在起诉前向人民法院申请”,在调研过程中,有的意见提出,目前纠纷解决方式除了诉讼,还有仲裁和调解,在仲裁前也可以申请保全。我们对此进行了认真研究,仲裁作为一种国际通行的纠纷解决途径,具有替代司法的功能,其作出的裁决具有法律效力,可以直接作为执行依据,仲裁法第二十八条仅规定了当事人可以在仲裁进行中申请保全,利害关系人在申请仲裁前向法院申请保全没有明确法律依据,有必要在民事诉讼法中进一步明确这一规定。

2. 启动主体不同。根据本法第一百条第一款规定,诉讼中保全除可由当事人申请外,法院也可依职权采取。根据本条第一款规定,诉前保全只能由利害关系人提出申请。在诉前保全中,因尚未进入诉讼程序,法院无法了解基本案情,不宜赋予法院依职权采取保全的权力。

3. 管辖法院不同。根据本法第一百条第一款规定,当事人申请诉讼中保全,应当向审理案件的法院申请。对于诉前保全,原民事诉讼法第九十三条仅笼统地规定向人民法院申请,未明确哪些法院具有管辖权。为方便利害关系人申请,这次修改民事诉讼法明确规定被保全财产所在地法院、被申请人住所地法院、对案件有管辖权的法院都可以受理,对案件有管辖权的法院是指根据本法对将要提起的诉讼具有管辖权的法院,如侵权案件可以由侵权行为地或者被告住所地法院管辖;合同纠纷案件可以由被告住所地或者合同履行地法院管辖;因不动产纠纷提起的诉讼应由不动产所在地法院管辖等。

4. 是否提供担保。根据本法第一百条第二款规定,诉讼中保全,人民法院可以责令申请人提供担保,申请人不提供担保的,裁定驳回申请。而在诉前保全中,因案件尚未起诉到法院,法院并不了解案件事实、证据材料、申请人和被申请人的基本信息,利害关系人是否起诉,起诉后又能否胜诉尚属未知,而保全措施的适用可能会给被申请人造成经济损失,为了平等保护双方当事人的利益,本条第一款规定,申请人应当提供担保,不提供担保的,裁定驳回申请。也就是说,利害关系人申请诉前保全,一律要求提供担保,而担保的数额可以由法院根据具体情形确定。

5. 作出裁定的前提。根据本法第一百条第三款规定,诉讼中保全,人民法院对情况紧急的,必须在四十八小时内作出裁定。而根据本条规定,申请诉前保全的要件之一即是"情况紧急",人民法院接受申请后,必须在四十八小时内作出裁定。一般而言，“情况紧急”是指必须立即采取保全措施。

6. 解除条件不同。在诉讼中保全制度中，一般认为，关于保全裁定的效力应维持到生效法律文书执行时止。诉前保全是为了在紧急情况下保护申请人免受不可弥补的损害的临时性措施，并没有解决申请人与被申请人之间的实体权利义务，如果申请人未在一定期限内提起诉讼或者申请仲裁，长时间查封、扣押、冻结被申请人的财产或者限制被申请人的行为，将给被申请人日常生活或者正常的生产经营活动造成损害，为了平衡申请人与被申请人之间的利益，根据本条第三款规定，申请人在人民法院采取保全措施后三十日内不依法提起诉讼或者申请仲裁的，人民法院应当解除保全。这一规定相比原民事诉讼法第九十三条，将提起诉讼或者申请仲裁的期限从“十五日”延长至“三十日”。我们研究认为，十五日的期限过于短暂，适当延长起诉期限，不仅有利于申请人准备起诉材料，同时也可能有利于当事人之间协商解决纠纷。

第一百零二条　保全限于请求的范围，或者与本案有关的财物。

【释义】 本条是关于保全范围的规定。

这次修改民事诉讼法将原第九十四条分拆为第一百零二条和第一百零三条。原第九十四条仅对财产保全的范围和措施作了规定，因这次修改民事诉讼法在本章中增加规定了行为保全制度，有必要对行为保全的范围作出规定，故将原第九十四条分拆为两条，第一百零二条单独规定保全范围，且不限于财产保全，还包括行为保全；第一百零三条则专门规定财产保全的措施。

通常来看，所谓“限于请求的范围”，是指所保全的财产或者行为,应当在对象或者价值上与当事人所提诉讼请求的内容相符或者相等。因此,不论是当事人申请保全,还是受诉法院依职权主动采取保全措施,都应当遵循这一原则。如果其保全请求的范围与诉讼请求的范围重合,或者其保全请求的范围小于其诉讼请求的范围,均可直接以其保全请求的范围为准;如果其保全请求的范围大于其诉讼请求的范围,则应对超过其诉讼请求范围的那部分保全请求不予保全,否则,随意扩大保全范围将给被申请人造成不必要的损失。在财产保全中,这一点比较容易理解,比如,原告诉讼请求为要求被告支付货款五千万元,在申请保全时,只能在五千万元范围内申请保全。在行为保全中,比如,在商标权案件中,原告申请保全要求被告立即停止生产、销售侵犯其商标权的商品,被告的生产线除生产涉案商品外,还生产其他商品,原告申请的保全只能针对该涉案商品,不能要求被告停止该生产线上的一切生产活动;再如,在家庭暴力案件中,原告诉请法院判决被告停止实施家庭暴力行为并赔偿损失,原告申请保全也只能在此范围内,不能对被告的其他行为实施保全。

所谓"与本案有关的财物",是指本案的诉争标的,或者当事人在诉讼请求中没有直接涉及,但是与日后本案生效判决的强制执行相牵连的财物。在财产保全案件中,可能出现两种情形:一种情形是请求保全的标的可能就是本案诉争标的,毫无疑问,申请人可以直接申请对该财产申请保全,如双方当事人就房屋权属发生争议,为防止实际控制房屋的一方不当处置该房产,另一方当事人可以申请查封该房屋。另一种情形是诉讼请求是给付金钱,并不涉及特定财物,根据民法原理,债务是以债务人的全部财产作为担保的,为强制执行生效判决,债务人的所有财产都可以作为执行标的,因此,债权人可以申请对债务人所有财产中相当于诉讼请求的部分进行保全，以保证日后生效判决得以顺利执行。

需要说明的是，本条中的“与本案有关的财物”是否可以包括案外人的财产，实践中曾产生争议。案外人并非本案的当事人，日后生效判决也不应执行案外人的财产，保全的效力不应及于该案外人。但案外人可能与案件当事人存在经济联系，如被申请人对案外人拥有到期或者远期债权，该债权应当作为被申请人的财产成为保全标的，但能否因此而直接对该案外人的财产采取保全措施。为明晰这一问题，有关司法解释规定，对于债务人的财产不能满足保全请求，但对案外人有到期债权的，人民法院可以依债权人的申请裁定该案外人不得对债务人清偿，该案外人对其到期债务没有异议并要求偿付的，由人民法院提存财物或价款，但人民法院不应对其财产采取保全措施。

第一百零二条　财产保全采取查封、扣押、冻结或者法律规定的其他方法。人民法院保全财产后，应当立即通知被保全财产的人。

财产已被查封、冻结的，不得重复查封、冻结。

【释义】　本条是关于财产保全措施的规定。

这次修改民事诉讼法将原第九十四条分拆为第一百零二条和第一百零三条，本条专门规定了财产保全措施。

一、财产保全的措施

根据本法第一百条、第一百零一条的规定，人民法院裁定采取保全措施的，应当立即开始执行。根据本条规定，财产保全采取查封、扣押、冻结或者法律规定的其他方法。

查封，是一种针对不动产的临时性措施，是指把被执行人的财产清查封闭贴上封条,就地封存,不准任何人转移和处理。封条是由执行机构制作的表明实施查封机构、时间等内容并加盖执行机构所在法院印章的条幅。被查封的财产,执行员可以指定被执行人保管,被执行人拒绝保管或者保管不善造成损失,由他自己承担;执行员也可以指定其他人保管,被执行财产由他人保管的,所需费用由被执行人负担。

扣押也是一种临时性的措施,一般用于动产,是指把被执行人的财产就地或者运到另外的场所,加以扣留,避免被执行人占有、使用和处分。被扣押的财产可以由人民法院保管,也可以由有关单位和个人保管,保管人员不得任意使用该项财物,保管中发生的费用,由被执行人负担。

冻结,是指人民法院向银行、证券公司等金融机构发出协助执行通知书,不准被执行人在一定期限内提取和转移该项存款、证券的执行措施。

法律规定的其他办法,是指法律规定的除查封、扣押、冻结以外的其他执行措施。例如,清点被保全的财产,并责令被申请人保管,保管期间可以使用,但不得变卖、转移、毁损和隐匿;对不动产和特定的动产(如车辆、船舶等)进行财产保全,可以采用扣押有关财产权证照并通知有关产权登记部门不予办理该项财产的转移手续的财产保全措施;对债务人到期应得的收益,可以通知有关单位限制其支取;被申请人对第三人有到期债权的,人民法院可以通知该第三人不得向被申请人清偿;对季节性商品、鲜活、易腐烂变质以及其他不宜长期保存的物品采取保全措施时,可以责令当事人及时处理,由人民法院保存价款。

二、法院的通知义务

本条第一款中规定,人民法院保全财产后,应当立即通知被保全财产的人。

保全程序的特点之一就是密行性，在财产保全中表现得尤为突出。只要债权人发现债务人正在转移或者准备转移财产，就可以向法院申请财产保全，财产保全裁定往往只需要依据债权人提供的证据即可作出，无须通知债务人，以防止债务人利用答辩的机会转移财产。在执行保全裁定时，也无须事先向债务人发出执行通知，可以不经通知直接执行，但为了保护债务人的合法权益，人民法院应当在采取保全措施后，立即通知被保全财产的人。债务人得到通知后，认为财产保全裁定有错误的，可以根据本法第一百零八条申请复议；认为执行措施不当的，可以提出执行行为异议。

这次修改民事诉讼法，将原民事诉讼法第九十四条第三款中的“冻结”修改为“保全”。主要是考虑到，执行保全裁定可以采取查封、扣押、冻结以及法律规定的其他方法，并非只有冻结财产才需要通知被执行人，采取查封、扣押以及其他措施时，也应当立即通知被执行人。

三、禁止重复查封、冻结

本条第二款规定，财产已被查封、冻结的，不得重复查封、冻结。

禁止重复查封、冻结原则是指执行法院依法对被执行人的财产查封、冻结后，任何单位包括其他法院不得对该执行标的物在相同时间对同一标的物再行查封、冻结，否则后来的查封、冻结行为无效。确立这一原则的目的是理顺执行秩序，也为解决法院之间的执行争议提供依据。

在这次修改民事诉讼法调研过程中，有的意见提出，司法实践中经常发现多个法院对同一标的作出查封或者冻结裁定，这些裁定有的来自保全程序，有的来自执行程序，最高人民法院根据司法实践需要制定了司法解释,对已被人民法院查封、冻结的财产,其他人民法院可以进行轮候查封、冻结,查封、冻结解除的,登记在先的轮候查封、冻结即自动生效。民事诉讼法这一款规定的不得重复查封、冻结,不包括轮候查封、冻结制度,也就是说,轮候查封、冻结不属于重复查封、冻结。

第一百零四条　财产纠纷案件,被申请人提供担保的,人民法院应当裁定解除保全。

【释义】　本条是关于被申请人提供担保后解除保全的规定。

这次修改民事诉讼法对本条作了修改,在条文前部增加了"财产纠纷案件"一词。

一、被申请人提供担保的作用

保全的目的是保障将来生效判决的执行,避免申请人遭受不可弥补的损害,一旦被申请人提供担保,日后生效判决不能执行的可能性便不复存在,申请人可能遭受的损害也能得到弥补,同样达到了法院采取保全措施的目的,因此,继续实施保全已无必要。这种机制的设置与适用,同时具有双重意义,既可使日后生效判决的执行顺利进行,又可避免因继续保全而给被申请人财产功能的有效发挥造成客观障碍。

具体而言,被申请人提供的担保也可以是多样化的,既可以是人的担保,也可以是物的担保;既可以是实物担保,也可以无形财产权等权利作为担保。被申请人提供担保的,担保数额应当以解除保全可能给申请人造成的损失为基础计算,至少不应低于被保全财产的价值或者金额。

二、何谓"财产纠纷案件"

根据本条规定,只有财产纠纷案件,人民法院才可以根据被申请人提供的担保裁定解除保全。原民事诉讼法第九十五条仅规定了财产保全，这次修改民事诉讼法扩大了保全的概念，增加规定了行为保全，并不是所有的保全都可以因为被申请人提供了担保而裁定解除保全。

在民事诉讼理论中，根据原告诉讼请求的性质和内容，可以把诉分为给付之诉、确认之诉和形成之诉，分别对应着实体法上的请求权、支配权和形成权。给付之诉，是指原告请求被告履行一定给付义务的诉讼，原告对被告享有特定的给付请求权，是给付之诉成立的基础。依照给付的内容，给付之诉可分为金钱给付、物之给付和行为给付，如受害人请求加害人承担损害赔偿责任等。确认之诉，是指原告请求法院确认当事人之间有争议的权利或者法律关系是否存在的诉讼。确认之诉必须具有需要诉讼救济或保护的法律利益，确认之诉的判决一般不具有强制执行的效力，如物之所有权人因他人否定其具有物之所有权而针对该他人提起的诉等。形成之诉，是指原告请求法院变更某一法律关系之诉。在形成之诉中，当事人对于现存的法律关系并无争议，而对于现存的法律关系应否变更存在争议，如解除婚姻关系之诉、解除共有关系之诉等。实践中由于诉的复杂性，往往产生诉的竞合。比如，给付之诉的审理必须对给付的权利义务关系予以确认，确认之诉是给付之诉的前提，形成之诉也以确认之诉为前提。

所谓财产纠纷案件，主要是指原告提出的诉讼请求涉及财产归属、要求被告承担金钱或者可以金钱计算的给付义务的案件。我们在此没有采用比较理论化的诉的类型的划分，而是采用了“财产纠纷案件”的表述，包括涉及财产归属的确认之诉、给付内容为金钱或者物的给付之诉案件。确认之诉的核心是确认当事人之间的权利义务关系，既可以是对物之所有权的确认，也可以确认是否存在侵权行为，对确认财产归属的案件，在作出最终判决前，为防止实际控制诉争财产的当事人实施转移、隐匿、处分等行为，对方当事人可以请求法院作出保全裁定，维持目前的法律关系直至判决作出，属于“财产纠纷案件”；给付之诉中的金钱给付之诉、物的给付之诉，因其执行内容涉及财产移转，也属于“财产纠纷案件”。只具有行为给付内容的判决，执行标的也只能是被执行人的行为，不涉及财产移转；形成之诉案件，是对既存法律关系的变更，也不涉及财产移转，这两种都不属于“财产纠纷案件”，不适用本条规定。

在非财产纠纷案件中，即便被申请人提供了担保，也不能裁定解除保全，试想，在家庭暴力案件中，能够因为丈夫提供了担保而解除责令其停止实施家庭暴力的保全吗？

因此，这里规定的财产纠纷案件并不完全等同于财产保全案件，一部分行为保全案件也涉及财产纠纷，如侵犯知识产权中的财产权案件、普通的侵权案件等，也属于本条的适用范围。

第一百零五条　申请有错误的，申请人应当赔偿被申请人因保全所遭受的损失。

【释义】　本条是关于申请保全错误的赔偿的规定。

这次修改民事诉讼法对本条作了修改，删去了原第九十六条中的“财产”二字。

保全是为了保证生效判决能够顺利执行、避免申请人遭受不可弥补的损害，在一定条件下采取的一项临时的强制性措施。在一般情况下，保全措施都是得当的，但是由于现实情况的复杂性，也存在错误申请保全的可能。申请有错误的原因是多种多样的，在诉讼中保全中，如法院最终判决驳回申请人起诉或者诉讼请求、申请保全的原因不存在、因被申请人提出异议法院撤销保全裁定、其他可以归责于申请人的原因导致保全裁定被撤销等。在诉前保全中，利害关系人申请保全后未在法定期限内提起诉讼或者仲裁也将导致保全裁定被撤销。一旦出现错误，被申请人会因为其财产或者行为被采取保全措施而遭受损失。在多数情形下，保全由一方当事人申请启动的，当因保全给对方当事人造成损失时，申请采取保全措施的一方应当赔偿被申请人因保全所遭受的损失。这样规定，既是对被申请人合法权益的保护，同时也要求申请保全的当事人承担一定的义务，防止权利滥用。正是为了保证错误保全时对被申请人损失的赔偿，诉前保全的申请人都应当提供担保；诉讼中保全的，法院视情况可以责令申请人提供担保。

被申请人根据本条要求申请人赔偿损失的，应当满足以下条件：(1)因错误保全被人民法院裁定撤销，但由于达成和解而由申请人向法院申请撤销保全措施的除外；(2)被申请人的损害与申请人错误申请存在因果关系；(3)在诉讼时效期间内主张权利。因诉讼中保全导致被申请人损害的，被申请人可以向审理本案的人民法院起诉，由该法院与本案合并审理；申请人错误申请诉讼前保全的，根据最高人民法院《关于适用〈中华人民共和国民事诉讼法〉若干问题的意见》第三十二条规定，当事人申请诉前财产保全后没有在法定的期间起诉，因而给被申请人造成财产损失引起诉讼的，由采取该财产保全措施的人民法院管辖。

需要说明的是，根据本法第一百条规定，对于诉讼中保全，除了可以因当事人申请启动，法院也可以依职权采取保全措施。本条仅规定因申请人错误申请造成被申请人损失应予赔偿，因法院错误依职权保全造成被申请人损失的，应当根据国家赔偿法以及相关司法解释申请国家赔偿，国家赔偿法第三十八条规定：“人民法院在民事诉讼、行政诉讼过程中，违法采取对妨害诉讼的强制措施、保全措施或者对判决、裁定及其他生效法律文书执行错误，造成损害的，赔偿请求人要求赔偿的程序，适用本法刑事赔偿程序的规定。”最高人民法院《关于在经济审判工作中严格执行〈中华人民共和国民事诉讼法〉的若干规定》第十九条也规定：“受诉人民法院院长或者上级人民法院发现采取财产保全或者先予执行措施确有错误的，应当按照审判监督程序立即纠正。因申请错误造成被申请人损失的，由申请人予以赔偿；因人民法院依职权采取保全措施错误造成损失的，由人民法院依法予以赔偿。”

第一百零六条　人民法院对下列案件，根据当事人的申请，可以裁定先予执行：

（一）追索赡养费、扶养费、抚育费、抚恤金、医疗费用的；

（二）追索劳动报酬的；

（三）因情况紧急需要先予执行的。

【释义】　本条是关于先予执行制度适用情形的规定。

先予执行是指人民法院在审理民事案件中，因当事人一方生活或生产的急需，在作出判决之前，根据当事人的申请，裁定一方当事人给付另一方当事人一定数额的款项或者特定物，或者停止或实施某些行为，并立即执行的法律制度。

先予执行是相对于根据生效判决所进行的强制执行而言的。通常情况下，债务人的给付义务应当由判决加以确定，并在判决发生法律效力后予以强制执行。但是，法院审理民事案件,从立案到受理再到判决,从作出判决到强制执行,都是需要时间的,如本法第一百四十九条规定:“人民法院适用普通程序审理的案件,应当在立案之日起六个月内审结。有特殊情况需要延长的,由本院院长批准,可以延长六个月;还需要延长的,报请上级人民法院批准。”第一百六十一条规定:“人民法院适用简易程序审理案件,应当在立案之日起三个月内审结。”第一百七十六条规定:“人民法院审理对判决的上诉案件,应当在第二审立案之日起三个月内审结。有特殊情况需要延长的,由本院院长批准。人民法院审理对裁定的上诉案件,应当在第二审立案之日起三十日内作出终审裁定。”在这段时间里,个别原告可能因为经济困难,难以维持正常的生活或者生产经营活动。为了使这部分当事人在诉讼期间能够维持最起码的生活,或使其生产经营活动不至于陷入完全停顿的状态,有必要创设先予执行制度,解决他们的燃眉之急,于终审判决前让被告先行给付一定数额的款项或者财物。由于先予执行是在尚未作出正式判决之前采取的临时救济措施,如果执行内容与日后判决主文不一致,将给执行回转造成困难,也会给被告造成一定的经济损失。因此,民事诉讼法对能够适用先予执行的案件以及适用条件都作了较为严格的限定。最高人民法院《关于适用〈中华人民共和国民事诉讼法〉若干问题的意见》第一百零六条对此也进一步规定,民事诉讼法规定的先予执行,人民法院应当在受理案件后终审判决作出前采取。先予执行应当限于当事人诉讼请求的范围,并以当事人的生活、生产经营的急需为限。

先予执行制度为我国民事诉讼法所独创,在一定程度上替代了行为保全制度的部分内容。根据调研的情况来看,先予执行制度在司法实践中运行良好,并不存在亟须修改的地方,这次修改民事诉讼法在增加行为保全制度的同时,也保留了先予执行制度,两种制度各有侧重,与财产保全制度一起共同构成了有中国特色的民事诉讼临时救济体系。

根据本条规定,人民法院对下列案件,根据当事人的申请,可以裁定先予执行:

1. 追索赡养费、扶养费、抚育费、抚恤金、医疗费用的

追索赡养费、扶养费、抚育费的案件,通常情形下的支付对象是老人、妇女、儿童等弱势群体,追索的赡养费、扶养费、抚育费一般是他们的基本生活保障。追索抚恤金的案件,一般是指军人、国家机关工作人员以及其他因公牺牲或伤残人员,由民政部门依法对死者的家属或者伤残者本人发给抚恤金而未发的案件。允许这种案件先予执行,有利于激励军人、国家机关工作人员的爱国和献身精神。追索医疗费用的案件,不能一概而论,只有遇到不先予执行会使正在进行的医疗措施难以继续,严重影响申请人生命、健康的情况时,才能先予执行。如果医疗救治虽正在进行,但是申请人有能力支付费用的,也就无须先予执行。

2. 追索劳动报酬的

劳动报酬是当事人应得的劳动收入,一般关系到劳动者及其家属的生活,对于这类案件,人民法院可以根据当事人的申请先予执行。根据劳动合同法第三十条规定:“用人单位应当按照劳动合同约定和国家规定,向劳动者及时足额支付劳动报酬。”

3. 因情况紧急需要先予执行的

因情况紧急需要先予执行的,是指在诉讼中,因一方当事人的行为或责任,使另一方当事人的生产或生活发生严重困难,不及时采取先予执行措施,生产、生活就难以维持下去的

情况。最高人民法院《关于适用〈中华人民共和国民事诉讼法〉若干问题的意见》第一百零七条对此进行了细化，包括(1)需要立即停止侵害、排除妨碍的；(2)需要立即制止某项行为的；(3)需要立即返还用于购置生产原料、生产工具货款的；(4)追索恢复生产、经营急需的保险理赔费的。在这些情况下，人民法院可以根据当事人的申请，采取先予执行措施。

人民法院准予先予执行的，应当以书面裁定的形式作出。

第一百零七条　人民法院裁定先予执行的，应当符合下列条件：

(一)当事人之间权利义务关系明确，不先予执行将严重影响申请人的生活或者生产经营的；

(二)被申请人有履行能力。

人民法院可以责令申请人提供担保，申请人不提供担保的，驳回申请。申请人败诉的，应当赔偿被申请人因先予执行遭受的财产损失。

【释义】　本条是关于先予执行的适用条件、对先予执行的担保和对被申请人因先予执行遭受损失的赔偿的规定。

一、关于先予执行的适用条件

民事案件种类众多，情况又十分复杂，人民法院对哪些案件、哪些情况可以裁定先予执行，哪些案件、哪些情况不予准许，如果没有一个标准，仍然很难掌握。本条对适用先予执行的条件作出规定，人民法院裁定先予执行的，应当符合下列条件：

1. 当事人之间的诉是给付之诉。诉可以分为确认之诉、变更之诉和给付之诉。适用先予执行的案件一般来说是给付之诉，因为具有执行性是给付之诉的一个特点，只有具有可以执行内容的案件才能先予执行。

2. 当事人之间权利义务关系明确。当事人之间的权利义务关系明确，是指该案件的事实十分清楚，当事人之间的是非责任显而易见。例如，一位老年人无劳动收入也无其他经济来源，该老年人有两个成年子女，这一老年人起诉两个成年子女要求支付赡养费，在这种情况下，当事人之间的权利义务关系非常明确，人民法院可以根据原告的申请，在诉讼请求的限度内，裁定被告预先给付一定数额的金钱。

3. 不先予执行将严重影响申请人的生活或者生产经营的。不先予执行将严重影响申请人的生活或者生产经营的，主要指两种情况：一是申请人是依靠被告履行义务而维持正常生活的，在法院作出生效判决前，如果不裁定先予执行，原告将难以维持正常的生活。二是原告的生产经营活动，须依靠被告提供一定的条件或履行一定的义务才能进行，在法院作出生效判决前，如果不裁定先予执行，将严重影响原告的生产经营活动。如有的原告缺少生产经营资金，急需被告返还货款购置生产原料，如不先予执行将使原告停产甚至破产的，法院应根据申请及时裁定先予执行。

4. 被申请人有履行能力。被申请人有履行能力也是先予执行的必备条件，如果被申请人无履行能力，先予执行也就无法进行，因为此时如果裁定先予执行，可能会使被申请人无法维持生活或者生产经营，甚至破产，人民法院作为国家的审判机关，不仅要维护申请人的合法权益，也要维护被申请人的合法权益。因此，在这种情况下，不宜裁定先予执行。

5. 当事人需提出申请。只有当事人生活或者生产经营十分困难，并主动申请，人民法院才能作出对被告先予执行的裁定，人民法院不能依职权主动作出先予执行的裁定，这一点不同于这一章中的诉讼中保全制度。最高人民法院《关于在经济审判工作中严格执行〈中华人民共和国民事诉讼法〉的若干规定》第十六条也规定，人民法院先予执行的裁定，应当由当事人提出书面申请，并经开庭审理后作出。在管辖权尚未确定的情况下，不得裁定先予执行。

这五个条件缺一不可。最高人民法院《关于在经济审判工作中严格执行〈中华人民共和国民事诉讼法〉的若干规定》第十七条规定，人民法院对当事人申请先予执行的案件，只有在案件的基本事实清楚，当事人间的权利义务关系明确，被申请人负有给付、返还或者赔偿义务，先予执行的财产为申请人生产、生活所急需，不先予执行会造成更大损失的情况下，才能采取先予执行的措施。

二、关于对先予执行的担保

根据本条第二款规定，人民法院可以责令申请人提供担保，申请人不提供担保的，驳回申请。

人民法院可以根据案件不同情况，对符合上述条件的申请，如果认为申请人应当提供担保的，可以责令申请人提供担保，申请人不提供担保的，裁定驳回申请。例如，有的经济合同纠纷案件比追索赡养费、扶养费、抚育费等案件的情况要复杂得多，需要先予执行的款项数额较大，万一发生错误，损失难以挽回，在这种情况下人民法院可以要求申请人提供担保。再比如，未成年子女向离异父母追索抚育费，案件事实较为清楚，作为原告的未成年子女本就是因为生活困难而起诉，如果一概要求申请人提供担保，事实上剥夺了其申请先予执行的权利，这也就使先予执行制度丧失其存在的意义了。提供担保的目的，在于保护被申请人的合法权益，当因申请人申请错误使被申请人遭受损失时，对被申请人的赔偿有保障。但是申请人申请先予执行不是必须提供担保,是否应提供担保,由法院根据案件具体情况确定,一旦法院责令申请人提供担保,申请人不提供担保的,驳回申请。

三、关于对被申请人因先予执行遭受损失的赔偿

人民法院裁定先予执行后,案件应当继续审理,最终判决存在两种可能,申请人胜诉或者败诉。申请人胜诉的,先予执行的部分可以在判决中冲抵。申请人败诉的,申请人必须返还被申请人先予执行的部分,而且因先予执行给被申请人造成财产损失的,申请人应当予以赔偿。如果申请人提供了担保,可以用担保的财产予以赔偿。这样规定,一方面保护了被申请人的合法权益,另一方面能促使申请人谨慎申请先予执行。最高人民法院《关于适用〈中华人民共和国民事诉讼法〉若干问题的意见》第一百一十一条规定,人民法院先予执行后,依发生法律效力的判决,申请人应当返还因先予执行所取得的利益的,适用执行回转的规定。最高人民法院《关于在经济审判工作中严格执行〈中华人民共和国民事诉讼法〉的若干规定》第十九条中规定,受诉人民法院院长或者上级人民法院发现采取财产保全或者先予执行措施确有错误的,应当按照审判监督程序立即纠正。因申请错误造成被申请人损失的,由申请人予以赔偿。

第一百零八条　当事人对保全或者先予执行的裁定不服的,可以申请复议一次。复议期间不停止裁定的执行。

【释义】 本条是关于对不服保全和先予执行裁定申请复议的规定。

这次修改民事诉讼法对本条作了修改,删去了原第九十九条中的“财产”二字。

一、当事人对裁定不服的，可以申请复议

民事诉讼法规定的对判决、裁定、决定的救济措施主要有：一是向上一级人民法院提起上诉，适用于判决和三种裁定，判决是指除小额诉讼判决外的第一审判决，三种裁定分别是不予受理裁定、管辖权异议裁定、驳回起诉裁定；二是申请复议，主要适用于保全裁定、先予执行裁定、回避申请的决定；三是向上一级人民法院申请复议，主要适用于执行行为异议裁定、罚款决定、拘留决定；四是审判监督程序，适用于已经发生法律效力的判决、裁定，根据启动主体的不同可以分为当事人申请、法院依职权主动再审、检察机关提出抗诉或者再审检察建议。

保全和先予执行裁定都是法院根据一方当事人申请作出的，可能存在错误，给被申请人造成不必要的损失，为保护被申请人的合法权益，有必要规定其获得救济的权利。根据本条规定，当事人对保全或者先予执行的裁定不服的，可以申请复议。本条中的"不服"应当包括两种情形：一是申请人申请保全或者先予执行，人民法院裁定不予保全或者不予先予执行的。申请人认为其申请保全、先予执行完全符合本法规定的要件，法院裁定不予保全、不予执行是不正确的。二是被申请人认为保全和先予执行裁定存在错误。这里的错误，包含不应当保全或者先予执行，以及保全或者先予执行的范围过大。

本条中的"申请复议"指的是向作出裁定的人民法院申请，并不是向上一级人民法院申请。主要是考虑到，因保全和先予执行只是临时性救济措施，并不是对当事人权利义务关系的最终判决，由原审人民法院复议更为便利。当事人对原审人民法院的复议决定不服的，还可以依据审判监督程序申

请再审。根据最高人民法院《关于适用〈中华人民共和国民事诉讼法〉若干问题的意见》第一百一十条规定，对当事人不服财产保全、先予执行裁定提出的复议申请，人民法院应及时审查。裁定正确的，通知驳回当事人的申请；裁定不当的，作出新的裁定变更或者撤销原裁定。

根据本条规定，当事人申请复议以一次为限。

二、复议期间，不停止裁定的执行

根据本条规定，复议期间不停止裁定的执行。这是关于裁定执行力与复议关系的规定。在民事诉讼程序中，除不予受理、管辖权异议、驳回起诉三种裁定当事人可以提起上诉外，其他裁定立即发生法律效力，当事人不得提起上诉。由于保全和先予执行都是在紧急情况下采取的临时性救济措施，本条规定的"复议"属于事中救济，为了防止当事人利用申请复议的期间转移财产、损害申请人的合法利益，本条特别规定，复议期间不停止裁定的执行。

第十章 对妨害民事诉讼的强制措施

本章共九条,对妨害民事诉讼的行为及应当适用的强制措施作了规定。

妨害民事诉讼的行为,是指诉讼参与人或者其他人故意实施的扰乱、危害正常诉讼秩序,并在客观上妨害了民事诉讼秩序进行的行为。妨害民事诉讼的行为有多种,但在认定某一行为是否构成妨害民事诉讼的行为时,还要做具体分析,只有符合以下几个要件,才构成妨害民事诉讼的行为。

1. 必须实施了妨害诉讼的行为。如果只有妨害诉讼的意图,而没有付诸行动,不能认为有妨害诉讼的行为。比如,对证人作证不满,对自己家里人说要打证人一顿,但并没有去打,就不能认为有妨害诉讼的行为。

2. 必须是在诉讼期间实施的行为。诉讼期间,是指从起诉到执行终结的期间,包括一审普通程序、简易程序、二审程序、特别程序、督促程序、公示催告程序和执行程序的期间。原告在起诉前和在申请再审阶段所为的某些扰乱人民法院工作秩序、殴打人民法院工作人员等违法犯罪行为不能认为是妨害民事诉讼的行为。因为,起诉前诉讼还没有系属人民法院,而申请再审时,诉讼程序已告完结,它们都不在诉讼程序中,因此,所为的行为不能认为是妨害诉讼的行为。但并不是说,对起诉前、申请再审时的违法行为没有人管,对此可依照有关法律,由有关部门处理。比如,对扰乱人民法院工作秩序的,可由公安机关依据《中华人民共和国治安管理处罚法》的规定处理,构成犯罪的,可由人民检察院提起公诉,依法追究刑事责任。

3. 必须是故意的行为。过失不构成妨害诉讼的行为。有的行为只能由故意构成,如以暴力、威胁、贿买方法阻止证人作证或者指使、贿买、胁迫他人作伪证。但有些行为,是否出于故意还要做具体分析,如违反法庭纪律,可能是故意所为,也可能是由于一时气愤、不冷静、没能控制住自己的情绪过失造成。对于过失行为,不能作为妨害诉讼的行为处理,但如果对其进行批评教育,仍不改正的,则构成故意行为。

对妨害民事诉讼的强制措施,是人民法院在民事诉讼中,对有妨害民事诉讼行为的人采取的一种强制教育和制裁的手段,是保证人民法院审判工作顺利进行的一项措施。

第一百零九条　人民法院对必须到庭的被告,经两次传票传唤,无正当理由拒不到庭的,可以拘传。

【释义】 本条是关于拘传的规定。

拘传,是指司法机关对必须到庭的被告,由司法警察强制其到庭的措施。拘传是依法限制被执行人人身自由的强制措施,必须严格限定其适用范围和适用程序。

根据本条规定,拘传适用于必须到庭的被告。通常情况下,被告不出席庭审,并不影响法庭审理,根据本法规定,被告经传票传唤,无正当理由拒不到庭的,或者未经法庭许可中途退庭的,可以缺席判决。但在某些类型的案件中,被告不到庭将使法庭难以查清案情,案件迟迟无法了结。“必须到庭的被告”，一般指追索赡养费、扶养费、抚育费、抚恤金、劳动报酬案件和婚姻案件的被告，以及其他不到庭就无法查清案情的被告。“两次传票传唤”，是指人民法院送达传票，并由受送达人或者法定的代收人在送达回证上签名或者盖章。“无正当理由”，一般指没有不可抗力、意外事件等使被告无法到庭的特殊情况，是否属于正当理由，需要根据具体案件情况判断。需要注意的是，拘传只能适用于被告，即便原告经两次传票传唤，无正当理由拒不到庭，也不得适用拘传，可以根据本法有关规定按照撤诉处理。

拘传必须经院长批准，而且必须用拘传票，并直接送达被拘传人；在拘传前，应向被拘传人说明拒不到庭的后果，经批评教育后仍拒不到庭的，方可拘传其到庭；对抗拒拘传的被拘传人可以采取适当的强制方法，包括可以使用戒具，迫使其到案；但讯问结束后，如无须采用其他强制措施，应恢复被执行人的人身自由。

拘传与拘留都属于本章规定的妨害民事诉讼的强制措施，两者都在一定程度上限制了被执行人的人身自由，但拘传相对较为轻微，两者存在以下不同之处：(1)执行依据不同。拘传需由院长签发拘传票；拘留则需要根据拘留决定书。(2)执行方式不同。拘传由司法警察执行，必要时才可以使用戒具；拘留由司法警察将被执行人送交当地公安机关看管，一般在看守所执行。(3)适用次数不同。拘传没有次数限制，只要符合本条规定的拘传的条件，在同一案件中可以多次适用；对同一妨害民事诉讼的行为不得连续适用拘留，但发生了新的妨害民事诉讼的行为，法院可以重新拘留。(4)适用条件不同。适用拘传的前提是经两次合法传唤，无正当理由拒不到庭，且仅适用于案件的被告；拘留既可以适用于被告，也可以适用于原告。(5)救济方式不同。本法没有规定针对拘传的救济措施;被拘留人对拘留决定不服的,可以向上一级人民法院申请复议。(6)期间不同。拘传的效力在被执行人到达法庭结束,期间较短;拘留的期限最长可达十五天。

第一百一十条　诉讼参与人和其他人应当遵守法庭规则。

人民法院对违反法庭规则的人,可以予以训诫,责令退出法庭或者予以罚款、拘留。

人民法院对哄闹、冲击法庭,侮辱、诽谤、威胁、殴打审判人员,严重扰乱法庭秩序的人,依法追究刑事责任,情节较轻的,予以罚款、拘留。

【释义】 本条是关于对妨害法庭秩序的强制措施的规定。

为保证民事诉讼活动正常进行,诉讼参与人和其他人应当遵守法庭规则。诉讼参与人,是指在民事诉讼过程中,参与诉讼活动的人,包括当事人(共同诉讼人)、诉讼代理人、诉讼中的第三人、证人、鉴定人、翻译人员。其他人,是指并未参与诉讼,但关心诉讼活动进行的人,如法庭审理的旁听人。

在审判实践中,某些人法制观念淡薄,在诉讼过程中违反法庭规则,甚至哄闹冲击法庭,比如,在法庭审理时大喊大叫、未经审判人员许可中途退庭、故意打断其他诉讼参与人陈述或者答辩,甚至当庭起哄、当庭撕毁人民法院判决书、当庭谩骂、殴打审判人员等。对于妨害法庭秩序的人,应当视其行为的违法程度,适用不同的强制措施。比如,当事人因为情绪激动,用粗话、脏话侮辱了对方当事人、证人,违反了法庭规则,对此可以予以训诫,责令退出法庭,仍不改正的,可以予以罚款、拘留。

训诫，是指人民法院以批评、警告的方式，指出行为人的违法事实和错误，并且责令其不许再犯，训诫的强制性在所有强制措施中最弱，仅适用于诉讼参与人和其他人违反法庭规则且情节显著轻微，尚不需适用责令退出法庭、罚款、拘留措施的。适用训诫措施，本法没有规定严格的程序。责令退出法庭，指命令违反法庭规则、扰乱法庭秩序的人暂离法庭或者依法强制其离开法庭，以防止妨害法庭审理的行为继续。罚款，是指责令妨害诉讼的人或者单位按照法律规定交纳一定的金钱，以达到制止妨害诉讼的行为，并防止违法行为再次发生的目的。罚款的适用范围较为广泛。拘留，是指在一定期间限制行为人自由，防止妨害行为继续，这是对妨害诉讼的人采用的一种最严厉的措施。

如果诉讼参与人和其他人哄闹、冲击法庭，侮辱、诽谤、威胁、殴打审判人员，严重扰乱法庭秩序，若是情节严重的，则不属于妨害民事诉讼的行为而属应当依法追究行为人刑事责任的违法犯罪行为。

为便于读者理解，现将1993年最高人民法院制定的《中华人民共和国人民法院法庭规则》摘录如下：

第四条　出庭的审判人员、书记员、公诉人或者抗诉人、司法警察应当按照规定着装；出庭的辩护人、诉讼代理人、证人、鉴定人、勘验人、翻译人员和其他诉讼参与人应当衣着整洁。

第五条　审判人员进入法庭和审判长或者独任审判员宣告法院判决时，全体人员应当起立。

第七条　诉讼参与人应当遵守法庭规则，维护法庭秩序，不得喧哗、吵闹；发言、陈述和辩论，须经审判长或者独任审判员许可。

第八条　公开审理的案件,公民可以旁听;根据法庭场所和参加旁听人数等情况,需要时,持人民法院发出的旁听证进入法庭。

下列人员不得旁听:

(一)未成年人(经法院批准的除外);

(二)精神病人和醉酒的人;

(三)其他不宜旁听的人。

第九条　旁听人员必须遵守下列纪律:

(一)不得录音、录像和摄影;

(二)不得随意走动和进入审判区;

(三)不得发言、提问;

(四)不得鼓掌、喧哗、哄闹和实施其他妨害审判活动的行为。

第十条　新闻记者旁听应遵守本规则。未经审判长或者独任审判员许可,不得在庭审过程中录音、录像、摄影。

第十一条　对于违反法庭规则的人,审判长或者独任审判员可以口头警告、训诫,也可以没收录音、录像和摄影器材,责令退出法庭或者经院长批准予以罚款、拘留。

第十二条　对哄闹、冲击法庭,侮辱、诽谤、威胁、殴打审判人员等严重扰乱法庭秩序的人,依法追究刑事责任;情节较轻的,予以罚款、拘留。

第十三条　对违反法庭规则的人采取强制措施,由司法警察执行。

第一百一十一条　诉讼参与人或者其他人有下列行为之一的,人民法院可以根据情节轻重予以罚款、拘留;构成犯罪

的,依法追究刑事责任:

(一)伪造、毁灭重要证据,妨碍人民法院审理案件的;

(二)以暴力、威胁、贿买方法阻止证人作证或者指使、贿买、胁迫他人作伪证的;

(三)隐藏、转移、变卖、毁损已被查封、扣押的财产,或者已被清点并责令其保管的财产,转移已被冻结的财产的;

(四)对司法工作人员、诉讼参加人、证人、翻译人员、鉴定人、勘验人、协助执行的人,进行侮辱、诽谤、诬陷、殴打或者打击报复的;

(五)以暴力、威胁或者其他方法阻碍司法工作人员执行职务的;

(六)拒不履行人民法院已经发生法律效力的判决、裁定的。

人民法院对有前款规定的行为之一的单位,可以对其主要负责人或者直接责任人员予以罚款、拘留;构成犯罪的,依法追究刑事责任。

【释义】 本条是关于某些妨害诉讼行为的强制措施的规定。

根据本条第一款规定,对下列几种妨害民事诉讼的行为可以予以罚款、拘留;构成犯罪的,依法追究刑事责任:

1. 伪造、毁灭重要证据,妨碍人民法院审理案件。证据是指证明待证事实是否客观存在的材料。证据在民事诉讼中有着极其重要的意义,它既是人民法院认定案件事实的根据,也是人民法院作出裁判的基础。根据本法第六十三条规定,证据包括当事人的陈述、书证、物证、视听资料、电子数据、证人证言、鉴定意见、勘验笔录。伪造证据,是指为了掩盖事实而伪造书证、物证、视听资料等,提供假的鉴定结论和勘验笔录。毁灭证据，是指把能够证明案件事实的证据毁灭掉。

2. 以暴力、威胁、贿买方法阻止证人作证或者指使、贿买、胁迫他人作伪证。这是对证人证言的两个方面的行为：一是不让知道案件情况的人作证；二是让证人或者并非证人的人提供与案件事实相悖或者根本不存在的证据。

3. 隐藏、转移、变卖、毁损已被查封、扣押的财产，或者已被清点并责令其保管的财产，转移已被冻结的财产。查封、扣押、冻结、责令保管财产都是人民法院可以采取的执行措施。查封是一种针对不动产的临时性措施，是指把被执行人的财产清查封闭贴上封条，就地封存，不准任何人转移和处理。扣押也是一种临时性的措施，一般用于动产，是指把被执行人的财产就地或者运到另外的场所，加以扣留，避免被执行人占有、使用和处分。冻结，是指人民法院向银行、证券公司等金融机构发出协助执行通知书，不准被执行人在一定期限内提取和转移该项存款、证券的执行措施。根据本法规定，已被人民法院查封、扣押、冻结的财产，任何人都不得隐匿、转移、变卖、毁损。

4. 对司法工作人员、诉讼参加人、证人、翻译人员、鉴定人、勘验人、协助执行的人，进行侮辱、诽谤、诬陷、殴打或者打击报复。司法工作人员，诉讼参与人、协助执行的人，在诉讼中享有一定的诉讼权利，承担一定的诉讼义务，只要诉讼程序没有结束，在其行使权利或者履行义务时，任何人对其侮辱、诽谤、诬陷、殴打或者以其他方法打击报复的，都是妨害诉讼的行为。

5. 以暴力、威胁或者其他方法阻碍司法工作人员执行职务。这种行为是直接施加于司法工作人员的，是在司法工作人员执行职务时采取的。比如，围攻、殴打审判人员、执行人员等。

6. 拒不履行人民法院已经发生法律效力的判决、裁定。根据本法规定，发生法律效力的判决、裁定具有执行力，当事人可以向有管辖权的人民法院申请执行。这一项规定的拒不执行行为在实践中较为常见，明明有财产，却声称“要钱没有，要命有一条”，背地里却隐藏、转移财产；或者外出躲藏，以逃避履行生效法律文书确定的义务。

根据本条第二款规定，单位有上述行为之一的，可以对其主要负责人或者直接责任人员予以罚款、拘留；构成犯罪的，依法追究刑事责任。主要负责人，一般指单位的法定代表人。直接责任人，指代表单位参加诉讼，并实施了妨害诉讼行为的人。

第一百一十二条　当事人之间恶意串通，企图通过诉讼、调解等方式侵害他人合法权益的，人民法院应当驳回其请求，并根据情节轻重予以罚款、拘留；构成犯罪的，依法追究刑事责任。

【释义】　本条是关于对虚假诉讼、调解侵害他人合法权益行为进行司法处罚的规定。

本条是这次修改民事诉讼法新增加的条文，增加这一规定的目的在于，近年来，当事人之间恶意串通，利用诉讼、调解等方式侵害他人合法权益的现象日益突出，严重侵扰了人民法院的正常诉讼秩序，损害了当事人的合法权益。在民事诉讼法中增加本条规定，明确法律依据，有助于严厉打击虚假诉讼行为，维护司法公平公正的形象，提升社会诚信理念。

一、对虚假诉讼行为进行规制的必要性

随着人们法律意识的增强，通过诉讼途径解决纠纷，维护自己的合法权益越来越广泛地被人接受。然而随之而来的是,有些当事人滥用诉权以达到其非法目的的现象时有发生,虚假诉讼就是典型的表现形式。例如,在离婚案件中,一方当事人为了达到多分共同财产的目的,在离婚诉讼前,与他人恶意串通、虚构债务,并以判决或者调解书的形式确认;在继承纠纷中,一些继承人与案外人串通,虚构被继承人的债务,假借判决、调解书转移遗产;有的当事人为逃避自身债务,与他人串通虚构债务,通过法院判决或者调解书转移财产;有的当事人为逃避债务,与他人串通订立虚假抵押合同,侵害普通债权人的债权;有的公司法定代表人与他人串通,通过诉讼转移公司财产等。

根据民事诉讼法规定,法院通过审判程序作出的判决以及在法院主持下达成的调解书,都是司法文书,具有法律效力并可以强制执行,非经法定程序不得变更和撤销。根据民事诉讼理论,判决、调解书在双方当事人之间发生法律效力,但对案外人也有一定的溢出效力,可以影响案外人的权益,如当事人合谋虚构债务,转移债务人财产,降低偿债能力,使得真正债权人无法受偿;当事人虚构抵押合同,使得虚构的债权具有法定优先清偿的效力,侵害普通债权人的权益等。虚假诉讼的当事人正是利用这一点,伪造证据,虚构民事纠纷,使得原本严肃的审判程序变成一场闹剧,以合法形式掩盖其非法目的,不仅侵害了案外人的合法权益,更是严重干扰了人民法院的正常审判秩序,损害了公众对司法机关的公信力。

目前,双方当事人恶意串通,虚构事实提起诉讼的现象有上升趋势,主要涉及借贷纠纷、离婚析产纠纷、房屋买卖纠纷、购销合同纠纷等。由于虚假诉讼不易认定,缺乏判定标准,受到侵害的利害关系人救济途径不足,为有效惩治虚假诉讼行为,有些地方法院、检察院、公安部门、司法部门联合出台了关于共同防范和查处虚假诉讼行为的规范性意见,在实践中收效显著。但随着打击的深入,虚假诉讼的表现形态也越来越隐蔽,起初,原被告双方往往对案件事实毫无争议,很快达成了调解协议;随着法官警惕性的提高,当事人也装模作样地在法庭上对案件事实、应当适用的法律进行辩论,蒙蔽法官,掩盖虚假诉讼的事实,这也使得在司法实践中对虚假诉讼的认定越来越难。司法界和学术界对这一现象都表达了关切,一致主张在民事诉讼法中对虚假诉讼行为进行规制。

二、虚假诉讼的构成要件

通常所说的虚假诉讼,有广义和狭义之分。狭义上的虚假诉讼是指当事人之间恶意串通,企图通过诉讼、调解等方式侵害他人合法权益的行为。广义上的虚假诉讼还包括单方伪造证据、故意将被告拖入诉讼等情形。本条规范的正是狭义上的虚假诉讼,虚假诉讼是对这一类行为的统称,并非仅指通过诉讼形式,还包括通过仲裁、人民调解等其他形式。符合本条规定的虚假诉讼应当满足下列构成要件:

(一)当事人恶意串通

当事人恶意串通是构成虚假诉讼的主观要件。说明当事人合谋故意实施虚假诉讼的行为,双方当事人有着共同的目的,明知进行虚假诉讼将会损害他人合法权益却仍然实施。在司法实践中,当事人的主观状态难以直接证明,只能通过他们实施的客观行为来推定,如伪造证据、倒签借款协议等。

(二)通过诉讼、调解等方式

当事人恶意串通侵害他人合法权益的表现形式多种多样,本条所规制的是通过诉讼、调解等方式。

民事诉讼是指根据本法提起诉讼,并在法院的主持下,由原告和被告以及诉讼代理人、证人、鉴定人等诉讼参加人参加,依照法定程序,解决当事人之间的民事、经济等权益争议和纠纷的一种活动。诉讼具有国家性、法律性、程序性和强制性等特征。本条规定的虚假诉讼,本质上是一个原本并不存在的诉讼,当事人将严肃的带有国家强制性的司法审判程序作为侵害案外人合法权益的一种手段。

调解是指双方或多方当事人就争议的实体权利、义务,在第三方的主持下,自愿进行协商,通过教育疏导,促成各方达成协议、解决纠纷的办法。在我国法律中,调解不仅包括诉讼程序中在法院主持下的调解,还包括人民调解委员会、农村土地承包仲裁委员会、仲裁庭等组织主持下的调解。本条中的"调解"仅指法院主持下的调解活动,在就本条征求意见过程中,有的意见建议,实践中有些当事人通过其他形式的调解侵害他人合法权益,也应当予以规制。经研究,我们认为,本法是规定民事诉讼程序的法律,主要规范人民法院主持下的诉讼中调解活动,通过其他形式的调解侵害他人合法权益的,可以由人民调解法等法律规定,不宜在本法中作出规定。此外,还有意见提出,仲裁作为与诉讼、调解并列的解决纠纷途径之一,将通过仲裁侵害他人合法权益的案件也时有发生,建议一并纳入本条,我们认为本法不宜规定仲裁庭的职责,应由仲裁法以及仲裁规则作出规定。

(三)侵害他人合法权益

侵害他人合法权益是当事人实施虚假诉讼行为的最终目的。此处的"他人"可能是特定的案外人,也可能是非特定的案外人,如果当事人通过虚假诉讼转移某案外人所有的物,侵犯的是该特定案外人;如果当事人通过虚构债务转移自身财产,侵犯的则是原告的所有债权人的债权。"合法权益”既包括物权，也包括债权、知识产权等法律保护的民事权益。

三、当事人实施虚假诉讼的法律责任

当事人进行虚假诉讼，是一种严重违背诚实信用原则的行为，是典型的侵权行为。据此，受到虚假诉讼侵害的案外人，可以有两种途径获得救济：一是法官在审理案件的过程中确信当事人恶意串通进行虚假诉讼时，可以根据本条规定处理。二是为强化对案外被侵害人的救济，这次修改民事诉讼法特别增加规定了第三人撤销之诉，本法第五十六条第三款规定：“前两款规定的第三人，因不能归责于本人的事由未参加诉讼，但有证据证明发生法律效力的判决、裁定、调解书的部分或者全部内容错误，损害其民事权益的，可以自知道或者应当知道其民事权益受到损害之日起六个月内，向作出该判决、裁定、调解书的人民法院提起诉讼。人民法院经审理，诉讼请求成立的，应当改变或者撤销原判决、裁定、调解书；诉讼请求不成立的，驳回诉讼请求。”根据本条规定，人民法院可以采取的措施有：

（一）驳回请求

驳回请求是指人民法院认为原告请求的内容没有事实依据而作出的对其请求不予支持的判决。虚假诉讼的证据是伪造的，其所要证明的事实并不存在，在此基础上的所谓的诉讼请求也是不成立的，应当予以驳回。当事人进行虚假诉讼是为了以判决或者调解书的形式确认原本并不存在的权利义务关系，通过判决驳回请求，从实体上阻断其实现非法目的。

（二）拘留、罚款

本条规定的拘留、罚款是指法院实施的对妨害民事诉讼的人采取的强制措施,是一种司法行政行为。当事人捏造事实,伪造证据,虚构权利义务关系,侵害案外人合法权益,将司法权作为其实现非法目的的手段,严重干扰了法院正常的审判秩序。根据本条规定,除驳回请求外,法院还应当根据情节轻重予以罚款、拘留。根据本法第一百一十五条规定,对个人的罚款金额,为人民币十万元以下;对单位的罚款金额,为人民币五万元以上一百万元以下;拘留期限为十五日以下。

(三)依法追究刑事责任

当事人进行虚假诉讼,除了需要承担民事责任、司法行政责任外,满足刑事犯罪构成要件的,还应当依法承担刑事责任。根据虚假诉讼的目的和手段不同,可能涉及多项罪名,如为提起虚假诉讼或者在虚假诉讼过程中,指使他人提供虚假的物证、书证、陈述、证言、鉴定结论等伪证,或者指使参与伪造证据的,可以按照妨害作证罪、帮助伪造证据罪处理;当事人以非法占有为目的,进行虚假诉讼,骗取公私财物的,可以按照诈骗罪处理;公司、企业或者其他单位人员利用职务便利,进行虚假诉讼,侵吞本单位财物的,可以根据单位的不同性质分别按照职务侵占罪、贪污罪处理等。

第一百一十三条　被执行人与他人恶意串通,通过诉讼、仲裁、调解等方式逃避履行法律文书确定的义务的,人民法院应当根据情节轻重予以罚款、拘留;构成犯罪的,依法追究刑事责任。

【释义】 本条是关于对恶意串通逃避执行行为进行司法处罚的规定。

本条是这次修改民事诉讼法新增加的条文,增加这一规定的目的在于,从法律上明确对通过恶意串通,以诉讼、仲裁、调解等方式逃避履行法律文书确定的义务的行为进行处罚，具有很强的现实意义，有利于维护执行秩序，增强公众对司法机关的公信力。

一、对恶意串通逃避执行行为进行规制的必要性

历经法庭调查、法庭辩论等一系列严格的审判程序后，法院以判决或者调解书的形式确认双方当事人的权利义务，但胜诉一方当事人的合法权益能否得到真正实现，还需要经过执行程序。因此，执行判决、裁定、调解书等生效法律文书，是民事诉讼制度非常重要的一环，直接关系到申请执行人的合法权益能否实现，也关系到公众对司法机关的信心。近年来，随着有关破解执行难措施的深入，逃避执行的方式也越来越隐蔽，有些被执行人在申请执行人申请执行前或者法院对其财产采取执行措施前，与他人恶意串通，通过诉讼、仲裁、调解等方式转移财产，如判决确定申请执行人为房屋所有权人，被执行人串通他人，由他人提起确认之诉，以判决的形式确认房屋归他人所有，以对抗已生效判决的执行；判决确定被执行人对申请执行人负有金钱给付义务并限定了履行期限，在履行期限届满前，被执行人串通他人转移其全部财产，使判决难以得到执行；有些被执行人在败诉后，以离婚诉讼的方式将全部财产留给配偶，将全部债务留给自己，以逃避执行等。因通过诉讼、仲裁、调解等方式转移财产，具有合法外衣，没有确凿证据难以证明其非法目的。

不断出现的恶意串通逃避执行的现象，严重干扰了人民法院的执行工作。为了保护申请执行人的正当权益，进一步加强法院执行工作的力度，有必要在民事诉讼法中对这种恶意规避执行的行为予以规制，明定法律后果，为法院实施处罚明确法律依据。

二、恶意串通逃避执行行为的构成要件

(一)恶意串通

恶意串通是被执行人与他人共同实施逃避执行行为的主观要件。这一要件要求被执行人与他人之间必须有共同故意,以逃避执行为目的,明知会损害申请执行人的利益仍故意为之。

(二)通过诉讼、仲裁、调解等方式

本条主要规范的是被执行人与他人通过诉讼、仲裁、调解等方式逃避执行。

诉讼,是指根据本法提起的民事诉讼。当事人提起诉讼的目的是转移财产,据以提出诉讼的证据是伪造的,案件事实也是虚构的,这也正是本法第一百一十二条所要解决的虚假诉讼问题。

仲裁,是指根据仲裁法等法律进行的仲裁活动。与诉讼一样,仲裁只是当事人达到转移财产的手段。相比诉讼程序的复杂,仲裁程序相对简便、灵活,审理期限短,一般不公开裁决,较为隐蔽。

调解,不仅包括法院主持下的诉讼中调解,还包括根据人民调解法等法律进行的调解活动。尽管不同主体主持下达成的调解协议的效力不同,如法院制作的调解书与判决具有同等效力,可以直接申请执行;人民调解委员会制作的调解协议,需由当事人向法院申请司法确认后方可执行。但是,当事人借用调解方式的目的是一致的,是要利用达成的调解协议,掩盖其转移财产的非法目的。相比诉讼、仲裁程序,利用调解规避执行更为简便,因调解没有固定的程序,期限更短,不对外公开,更为隐蔽。

本条列举了诉讼、仲裁、调解三种方式,尚未穷尽,实践中

还可能包括通过公证债权文书、支付令等能够取得生效法律文书的方式。所以,本条在诉讼、仲裁、调解后规定“等方式”,为今后实践需要留有余地。

(三)逃避履行法律文书确定的义务

根据原告诉讼请求、案件性质的不同,法律文书确定的义务基本可以分为两种:一种是被执行人负有给付义务,给付义务又可以分为金钱给付与特定物的给付;另一种是被执行人负有履行一定行为的义务。以行为作为执行对象的,被执行人拒绝履行的,法院可以通过替代履行、执行罚等措施强制其履行。

只有当被执行人负有给付义务时,无论是金钱给付还是特定物给付,法院必须查找被执行人的财产,被执行人与他人串通所逃避履行的义务也只能是给付义务,通过生效法律文书确认其转移财产的合法性,阻碍法院的执行行为。

需要说明的是,本条中的“法律文书”,泛指所有可以作为执行依据的法律文书,除法院制作的判决、裁定和调解书外,还包括刑事判决、裁定中的财产部分,仲裁裁决,公证债权文书,支付令,以及法律规定由人民法院执行的其他法律文书。

三、实施恶意串通逃避执行行为的法律责任

根据本条规定,被执行人与他人恶意串通,逃避履行法律文书确定的义务的,人民法院应当根据情节轻重予以罚款、拘留;构成犯罪的,依法追究刑事责任。

(一)罚款、拘留

本条规定的拘留、罚款是指法院实施的对妨害民事诉讼的人采取的强制措施,是一种司法行政行为。被执行人与他人恶意串通,伪造证据,虚构事实,通过诉讼、仲裁、调解等方式转移财产,逃避履行义务,严重干扰了法院正常的执行工作,侵害了申请执行人的合法权益,法院应当根据情节轻重对被执行人以及具有共同故意的他人采取强制措施。根据本法第一百一十五条规定,对个人的罚款金额,为人民币十万元以下;对单位的罚款金额,为人民币五万元以上一百万元以下;拘留期限为十五日以下。

(二)依法追究刑事责任

被执行人以及共同实施恶意行为的他人,除了承担司法行政责任外,符合刑法规定的构成要件的,还应当承担刑事责任。根据刑法第三百一十三条规定,对人民法院的判决、裁定有能力执行而拒不执行,情节严重的,处三年以下有期徒刑、拘役或者罚金。2002 年全国人大常委会通过了《关于〈中华人民共和国刑法〉第三百一十三条的解释》,"刑法第三百一十三条规定的'人民法院的判决、裁定',是指人民法院依法作出的具有执行内容并已发生法律效力的判决、裁定。人民法院为依法执行支付令、生效的调解书、仲裁裁决、公证债权文书等所作的裁定属于该条规定的裁定"。明确将"被执行人隐藏、转移、故意毁损财产或者无偿转让财产、以明显不合理的低价转让财产,致使判决、裁定无法执行的"行为作为刑法第三百一十三条规定的"情节严重"的情形之一。此外,被执行人以及他人共同实施的行为还触犯其他犯罪的,如伪造公司、企业、事业单位、人民团体印章罪,妨害作证罪,帮助伪造证据罪等,依照刑法有关数罪并罚的规定处理。

第一百一十四条　有义务协助调查、执行的单位有下列行为之一的,人民法院除责令其履行协助义务外,并可以予以罚款:

（一）有关单位拒绝或者妨碍人民法院调查取证的；

（二）有关单位接到人民法院协助执行通知书后，拒不协助查询、扣押、冻结、划拨、变价财产的；

（三）有关单位接到人民法院协助执行通知书后，拒不协助扣留被执行人的收入、办理有关财产权证照转移手续、转交有关票证、证照或者其他财产的；

（四）其他拒绝协助执行的。

人民法院对有前款规定的行为之一的单位，可以对其主要负责人或者直接责任人员予以罚款；对仍不履行协助义务的，可以予以拘留；并可以向监察机关或者有关机关提出予以纪律处分的司法建议。

【释义】 本条是关于单位及其主要负责人或者直接责任人员不协助调查、执行的强制措施的规定。

这次修改民事诉讼法对本条第一款第二项作了修改。

民事诉讼是解决双方当事人之间民事纠纷的活动，本与案外人无关。但在人民法院审理案件过程中，有些证据材料可能由案外人掌握，需要相关单位配合人民法院调查取证。在民事执行程序中，需要通过有关单位的配合才能找到被执行人、了解其财产情况。若有关单位拒绝协助调查、执行，可能导致有些案件的事实无法查清、执行工作无法继续，诉讼程序和执行程序将陷入停顿。为维护人民法院的司法权威，保护当事人的合法权益，有必要对拒绝协助调查、执行的行为规定适用妨害民事诉讼的强制措施。

一、关于拒绝或者妨碍人民法院调查取证

根据本法第六十七条第一款的规定："人民法院有权向有关单位和个人调查取证，有关单位和个人不得拒绝。"人民法院要正确处理民事纠纷，必须运用证据查明案件的事实，审判人员只有掌握了充分的证据,才能在事实清楚的基础上适用法律,对民事案件作出正确的处理。在民事诉讼中,许多情况下,人民法院需要向有关单位调取证据,调取证据可以说是人民法院行使审判权所进行的重要职权活动。因此,人民法院调取证据时,有关单位有义务予以协助。有关单位保存或持有证据的,应当将证据提交人民法院,不得以任何借口拒绝提交。

本条第一款第一项中的"拒绝或者妨碍人民法院调查取证",包括拒绝人民法院调查取证和妨害人民法院调查取证两种行为。拒绝人民法院调查取证,既包括不让人民法院调查取证,不向人民法院提供所需要的证据,也包括对人民法院调查取证的请求不予理睬。妨害人民法院调查取证,是指对人民法院的调查取证设置障碍,使人民法院无法得到所需证据。有义务协助调查的单位主要包括:管理某些文书档案的单位,如管理房屋档案的房管部门,管理土地、森林档案的土地、林业部门,存有病历的医院,保管视频监控资料的小区物业等;实际握有某一证据或者在该处可能查到某些证据的单位。

二、关于拒绝协助执行

协助执行,是指受理执行案件的人民法院通知有关单位、个人协助执行生效法律文书所确定的内容的一种法律制度。2007 年修改民事诉讼法后,有关单位协助法院执行的情况有所改观,但协助执行不力的情况仍有发生。有些单位负责人员自身的法律意识淡薄;有些单位在法院执行员出具协助执行通知书的情况下仍采取消极协助、隐瞒真相、拖延时间,甚至公然对抗等方式逃避协助;有些单位出于自身利益的需要,为被执行人通风报信,给法院执行工作设置障碍。

有义务协助执行的单位主要指执行标的物的掌管者、持有人或者有权决定是否给付的人。根据本条第一款第二、三项规定，“拒不协助”主要有两种表现形式：

一是有关单位接到人民法院协助执行通知书后，拒不协助查询、扣押、冻结、划拨、变价财产的。本法第二百四十二条规定：“被执行人未按执行通知履行法律文书确定的义务，人民法院有权向有关单位查询被执行人的存款、债券、股票、基金份额等财产情况。人民法院有权根据不同情形扣押、冻结、划拨、变价被执行人的财产。人民法院查询、扣押、冻结、划拨、变价的财产不得超出被执行人应当履行义务的范围。人民法院决定扣押、冻结、划拨、变价财产，应当作出裁定，并发出协助执行通知书，有关单位必须办理。”这里的“有关单位”主要指银行、信用社、证券公司、证券登记结算机构、股票交易所、保险公司等负有管理金融账户义务的金融机构。这次修改民事诉讼法在第二项中增加了“扣押”“变价”两种执行措施，扣押是指人民法院对有关的金融资产凭证予以扣留，避免被执行人占有、处分；变价是指对被执行人的债券、股票、基金份额等金融资产予以折现，以达到清偿债权人债权的目的。

二是有关单位接到人民法院协助执行通知书后，拒不协助扣留被执行人的收入、办理有关财产权证照转移手续、转交有关票证、证照或者其他财产的。(1)拒不协助扣留被执行人的收入。根据本法第二百四十三条规定，人民法院有权扣留、提取被执行人应当履行义务部分的收入，对人民法院发出的协助执行通知书，被执行人所在单位、银行、信用合作社和其他有储蓄业务的单位必须办理。(2)拒不协助办理有关财产权证照转移手续，如房产、机动车等财产证照。根据本法第二百五十一条规定，在执行中，需要办理有关财产权证照转移手续的，人民法院可以向有关单位发出协助执行通知书，有关单位必须办理。(3)拒不协助转交有关的票证、证照或者其他财产，如仓单、提单、支票、身份证、驾驶证、营业执照等。根据本法第二百四十九条规定，有关单位持有票证的，应当根据人民法院的协助执行通知书转交，并由被交付人签收。

本条第一款第四项“其他拒绝协助执行”指第二、三项以外的拒绝协助的情形。比如，被执行人在判决生效后将诉争房屋出租给第三人，法院需要对该房屋采取执行措施，该第三人有义务予以配合。

三、法律责任

2007 年修改民事诉讼法对本条第二款作了修改，2007 年修改民事诉讼法前，不履行第一款规定的义务的，对单位的主要负责人和直接责任人员只可以罚款。当时有的部门提出，实践中，有些有义务协助调查、执行的单位以各种理由不协助调查、执行，甚至出于自身利益的需要，为被调查、执行人通风报信，对法院调查、执行工作设置种种障碍。对其主要负责人和直接责任人员只能罚款，不能拘留的规定，不能有效解决有关单位不予协助的问题。比如有的单位将对主要负责人和直接责任人员的罚款纳入经营成本，由于个人利益不受任何影响，要求单位协助调查、执行仍然很困难。为了保证人民法院的调查、执行工作顺利进行，应当有更多、更严厉的可以对个人适用的强制措施。

为了加大执行工作的力度，2007 年修改民事诉讼法增加了对单位的主要负责人和直接责任人员可以拘留的规定。由于拘留是限制人身自由的强制措施，本着教育和制裁相结合的原则，本款规定的对单位的主要负责人和直接责任人员的拘留是有条件的，即对单位的主要负责人和直接责任人员需要采取强制措施时，应当首先适用罚款，同时责令改正。如果罚款和责令改正后，有关单位纠正了违法行为，对单位的主要负责人和直接责任人员就不能予以拘留，只有拒不改正的，才可以拘留。

第一百一十五条　对个人的罚款金额，为人民币十万元以下。对单位的罚款金额，为人民币五万元以上一百万元以下。

拘留的期限，为十五日以下。

被拘留的人，由人民法院交公安机关看管。在拘留期间，被拘留人承认并改正错误的，人民法院可以决定提前解除拘留。

【释义】 本条是关于适用罚款和拘留措施的规定。

这次修改民事诉讼法对本条第一款作了修改。为使强制措施的适用更具有适应性，本条对罚款、拘留的幅度以及如何适用拘留措施作了规定。

一、关于罚款金额

2007年修改民事诉讼法时曾对本条第一款作过修改，1991年制定民事诉讼法时，对个人的罚款金额，为人民币一千元以下，对单位的罚款金额，为人民币一千元以上三万元以下。2007年修改民事诉讼法将罚款数额提高了十倍，即"对个人的罚款金额，为人民币一万元以下。对单位的罚款金额，为人民币一万元以上三十万元以下"。这次修改民事诉讼法时，有的意见提出，随着经济发展和加大制裁力度，应当提高罚款数额。为了保证诉讼活动的顺利进行，树立司法权威，此次将标准调整为"对个人的罚款金额，为人民币十万元以下。对单位的罚款金额，为人民币五万元以上一百万元以下"。

二、关于拘留期限

根据本条第二款规定,拘留的期限为十五日以下,即拘留的最长期限不得超过十五天。人民法院可以根据妨害民事诉讼行为人行为的性质,对诉讼影响的大小,决定拘留的天数。采取强制措施应当适度,只要能达到教育行为人,制止妨害行为的目的即可,应当防止任意使用或者滥用。

需要说明的是,在调研过程中,有的意见提出,本条规定的拘留期限过短,不足以威慑被执行人,建议延长至三个月或者六个月。经研究,相比训诫、责令退出法庭、罚款等措施,拘留更为严厉,限制了被执行人的人身自由,期限不宜过长。我国法律规定中除有司法拘留外,还有行政拘留和刑事拘留,根据行政处罚法规定,行政拘留最长不得超过十五日;根据刑事诉讼法规定,一般情况下,刑事拘留的期限最长为十四日;刑事诉讼法、行政诉讼法规定的司法拘留最长期限也是十五日。我们研究认为,司法拘留与行政拘留、刑事拘留的性质不同,司法拘留的目的主要不在于惩罚,而是通过拘留促使其排除妨害诉讼的行为,履行法定义务,目前本条规定的十五日是合适的,并与刑事诉讼法、行政诉讼法有关司法拘留期限的规定保持一致。因此,这次修改民事诉讼法未对本条第二款作出修改。

三、关于拘留的执行

根据本条第三款的规定,对于需要拘留的人,人民法院应当交由公安机关看管,并应随时了解被拘留人的情况,有悔改表现的,可以提前解除拘留。解除拘留的决定应当由人民法院作出,公安机关没有解除拘留的权力。

四、刑事拘留、行政拘留和司法拘留的区别

我国法律规定了三种拘留,分别为刑事拘留、行政拘留和司法拘留,在理解适用上应当将三者加以区别。

1. 性质不同。刑事拘留是刑事诉讼中的保障性措施，其目的是保证刑事诉讼的顺利进行，本身不具有惩罚性；行政拘留是治安管理的一种处罚方式，实质上是一种行政制裁，其目的是惩罚和教育有一般违法行为的人；司法拘留的目的是一种排除性措施，是针对已经出现的妨害诉讼活动的严重行为而采取的。

2. 法律根据不同。刑事拘留是依据刑事诉讼法的规定而适用的；行政拘留是根据行政处罚法、治安管理处罚法等法律采用的；司法拘留则是分别根据刑事诉讼法、民事诉讼法和行政诉讼法的规定适用的。

3. 适用对象不同。刑事拘留适用于刑事案件中涉嫌犯罪的现行犯或者重大嫌疑分子；行政拘留适用于有一般违法行为的人；司法拘留则适用于所有在诉讼过程中实施了妨害诉讼行为的人，既包括诉讼当事人、其他诉讼参与人，也包括案外人。

4. 权力主体不同。刑事拘留依法由公安机关、人民检察院决定，并由公安机关执行；行政拘留由具有行政处罚权的行政机关在法定职权范围内实施，并由公安机关执行；司法拘留依法由人民法院决定并由公安机关执行。

5. 羁押期限不同。对于一般现行犯的刑事拘留最长期限为十四日；行政拘留的最长期限为十五日；司法拘留的期限最长为十五日。

第一百一十六条　拘传、罚款、拘留必须经院长批准。

拘传应当发拘传票。

罚款、拘留应当用决定书。对决定不服的，可以向上一级人民法院申请复议一次。复议期间不停止执行。

【释义】 本条是关于适用拘传、罚款、拘留措施的程序的规定。

为了保障当事人的合法权益,避免他们遭受违法的拘传、罚款、拘留,适用强制措施应当遵守法定的程序,即拘传、罚款、拘留必须经院长批准。拘传应当发拘传票。罚款、拘留应当用决定书。被罚款、拘留人对决定不服的,可以向上一级法院申请复议一次。为了保证制止妨害诉讼行为的有效性,防止时过境迁,达不到适用强制措施的目的,当事人申请复议期间,不能停止罚款、拘留决定的执行。

第一百一十七条 采取对妨害民事诉讼的强制措施必须由人民法院决定。任何单位和个人采取非法拘禁他人或者非法私自扣押他人财产追索债务的,应当依法追究刑事责任,或者予以拘留、罚款。

【释义】 本条是关于非法拘禁他人或者私自扣押他人财产适用强制措施的规定。

我国宪法规定:"中华人民共和国公民的人身自由不受侵犯。任何公民,非经人民检察院批准或者决定或者人民法院决定,并由公安机关执行,不受逮捕。禁止非法拘禁和以其他方法剥夺或者限制公民的人身自由,禁止非法搜查公民的身体。"不仅如此,在刑事诉讼法、行政诉讼法等一些法律中,对有权采取拘禁措施和扣押财产措施的机关也作了规定。根据本条规定,在诉讼过程中,对实施了妨害诉讼行为的人采取强制措施必须由人民法院决定,其他任何单位和个人,如果为索取债务,非法扣押、拘禁他人,或者私自扣押债务人的财产,构成妨害民事诉讼的行为。该种行为触犯刑法的,可以依照刑法关于非法拘禁他人罪的规定处三年以下有期徒刑、拘役、管制或者剥夺政治权利。具有殴打、侮辱情节的，从重处罚。致人重伤的，处三年以上十年以下有期徒刑；致人死亡的，处十年以上有期徒刑。使用暴力致人伤残、死亡的，依照故意伤害罪和故意杀人罪的规定定罪处罚。不够刑事处罚的，人民法院可以予以罚款、拘留。

第十一章 诉讼费用

本章仅一条,对诉讼费用作了原则规定。诉讼费用,是指当事人进行民事诉讼,依照法律规定应当向人民法院交纳和支付的费用。诉讼费用是世界各国在民事诉讼立法中规定的一项制度,法律一般在民事诉讼法中作原则规定。对诉讼费用的范围、标准和计算方法等,以单行法另作规定。征收诉讼费用,有利于减少纳税人的负担和国家的财政开支,有利于防止当事人滥用诉权,有利于制裁民事违法行为,有利于维护国家的经济利益。

第一百一十八条　当事人进行民事诉讼,应当按照规定交纳案件受理费。财产案件除交纳案件受理费外,并按照规定交纳其他诉讼费用。

当事人交纳诉讼费用确有困难的,可以按照规定向人民法院申请缓交、减交或者免交。

收取诉讼费用的办法另行制定。

【释义】 本条是关于诉讼费用的种类和诉讼费用的缓交、减交或者免交的规定。

本条第一款规定了诉讼费用的种类。根据本条规定,诉讼费用有两种:一种是案件受理费,另一种是其他诉讼费用。

案件受理费,是指原告起诉,法院受理该案件时,由原告向法院交纳的费用。有的国家称为“规费”,具有税收性质。

案件受理费有两种：一是非财产案件受理费，二是财产案件受理费。如果案件的诉讼标的既涉及非财产性质，又涉及财产性质时，则要按规定分别交纳两种案件受理费。根据国务院2006年12月8日颁布的《诉讼费用交纳办法》第八条的规定，下列案件不交纳案件受理费：(1)依照民事诉讼法规定的特别程序审理的案件；(2)裁定不予受理、驳回起诉、驳回上诉的案件；(3)对不予受理、驳回起诉和管辖权异议裁定不服，提起上诉的案件；(4)行政赔偿案件。第九条规定，根据民事诉讼法和行政诉讼法规定的审判监督程序审理的案件，当事人不交纳案件受理费。但是，下列情形除外：(1)当事人有新的证据，足以推翻原判决、裁定，向人民法院申请再审，人民法院经审查决定再审的案件；(2)当事人对人民法院第一审判决或者裁定未提出上诉，第一审判决、裁定或者调解书发生法律效力后又申请再审，人民法院经审查决定再审的案件。案件受理费的计算方法是，以超额递减率对诉讼标的额分段计算，然后将各段结果相加，其总数即为应收取案件受理费的数额。

其他诉讼费用，主要是指人民法院在审理民事案件过程中实际支出的，应当由当事人支付的费用。《诉讼费用交纳办法》第六条的规定，当事人应当向人民法院交纳的诉讼费用包括：(1)案件受理费；(2)申请费；(3)证人、鉴定人、翻译人员、理算人员在人民法院指定日期出庭发生的交通费、住宿费、生活费和误工补贴。依据本条规定，其他诉讼费用包括：(一)申请费。申请费包括：(1)申请执行人民法院发生法律效力的判决、裁定、调解书，仲裁机构依法作出的裁决和调解书，公证机构依法赋予强制执行效力的债权文书；(2)申请保全措施；(3)申请支付令；(4)申请公示催告；(5)申请撤销仲裁裁决或者认定仲裁协议效力;(6)申请破产;(7)申请海事强制令、共同海损理算、设立海事赔偿责任限制基金、海事债权登记、船舶优先权催告;(8)申请承认和执行外国法院判决、裁定和国外仲裁机构裁决。(二)证人、鉴定人、翻译人员、理算人员在人民法院指定日期出庭发生的交通费、住宿费、生活费和误工补贴。依据《诉讼费用交纳办法》,证人、鉴定人、翻译人员、理算人员在人民法院指定日期出庭发生的交通费、住宿费、生活费和误工补贴,由人民法院按照国家规定标准代为收取。当事人复制案件卷宗材料和法律文书应当按实际成本向人民法院交纳工本费。

案件受理费一般是在原告起诉时,向人民法院预交,其他诉讼费用是在案件审结后,由人民法院结算并决定由哪方当事人负担。根据本条规定,非财产案件当事人只交纳案件受理费,财产案件当事人除交纳案件受理费外,还要交纳其他诉讼费用。案件受理费一般由败诉一方当事人负担,这是一般原则,也是世界各国的通例。因为,民事案件一般是由于一方当事人不执行法律、违反法律或者不履行义务引起的,官司打败了理应由他负担案件受理费。这不仅是对败诉人的经济惩罚,对一般公民、法人或者其他组织也是一种告诫,打官司前要考虑胜诉把握与经济成本。但是由于案件不同,诉讼费用负担亦应不同。有的按比例负担,如部分败诉部分胜诉,就按比例负担;有的由原告负担,如驳回起诉,就由原告负担;有的协商负担,如调解结案的就由双方当事人协商负担;有的由法院决定负担,如对离婚案件判离或者判不离,因为属于感情问题,不好说谁胜诉谁败诉,就由法院决定负担的主体,等等。人民法院收取诉讼费用,应当严格遵守国家的财政制度,接受财政和审计部门的监督。同时,应当将收取的案件受理费,上交各级财政部门。

本条第二款是对诉讼费用缓交、减交和免交的规定。诉讼费用的缓交、减交和免交，是指依照法律规定应当交纳诉讼费用的当事人，因经济上确有困难，无力负担或者暂时无力交付时，经当事人申请，由人民法院决定缓交、减交和免交的制度。依照本款的规定，当事人交纳案件受理费有困难，可以申请缓交、减交和免交。案件受理费缓交、减交和免交，只适用于自然人，不适用法人或者其他组织。诉讼费用的缓交、减交和免交制度，有利于对那些经济上确有困难的当事人切实行使自己的诉讼权利予以保障，避免了因交纳不起诉讼费而无力涉诉的情况。根据《诉讼费用交纳办法》，当事人交纳诉讼费用确有困难的，可以依照本办法向人民法院申请缓交、减交或者免交诉讼费用的司法救助。诉讼费用的免交只适用于自然人。

1. 关于免交诉讼费用。当事人申请司法救助，符合下列情形之一的，人民法院应当准予免交诉讼费用：(1)残疾人无固定生活来源的；(2)追索赡养费、扶养费、抚育费、抚恤金的；(3)最低生活保障对象、农村特困定期救济对象、农村五保供养对象或者领取失业保险金人员，无其他收入的；(4)因见义勇为或者为保护社会公共利益致使自身合法权益受到损害，本人或者其近亲属请求赔偿或者补偿的；(5)确实需要免交的其他情形。

2. 关于减交诉讼费用。当事人申请司法救助，符合下列情形之一的，人民法院应当准予减交诉讼费用：(1)因自然灾害等不可抗力造成生活困难，正在接受社会救济，或者家庭生产经营难以为继的；(2)属于国家规定的优抚、安置对象的；(3)社会福利机构和救助管理站；(4)确实需要减交的其他情形。人民法院准予减交诉讼费用的,减交比例不得低于30%。

3. 关于缓交诉讼费用。当事人申请司法救助,符合下列情形之一的,人民法院应当准予缓交诉讼费用:(1)追索社会保险金、经济补偿金的;(2)海上事故、交通事故、医疗事故、工伤事故、产品质量事故或者其他人身伤害事故的受害人请求赔偿的;(3)正在接受有关部门法律援助的;(4)确实需要缓交的其他情形。

第二编　审判程序

第十二章　第一审普通程序

第一节　起诉和受理

第一百一十九条　起诉必须符合下列条件：

（一）原告是与本案有直接利害关系的公民、法人和其他组织；

（二）有明确的被告；

（三）有具体的诉讼请求和事实、理由；

（四）属于人民法院受理民事诉讼的范围和受诉人民法院管辖。

【释义】　本条是关于起诉条件的规定。

公民、法人和其他组织之间因财产关系和人身关系发生纠纷，其中一方向人民法院提出诉讼请求，要求人民法院行使国家审判权，依法裁决纠纷双方的民事法律关系，以保护自己合法权益的诉讼行为，称为起诉。为了维护当事人的合法权益，同时便于人民法院对起诉进行审查，法律对起诉的条件进行一定的规范是必要的，这有助于原告在正式起诉前对诉讼目的、诉讼对象、受诉法院等一系列事项进行全面考虑，在一定程度上防止了漫无目的的滥诉，也有助于规范审判秩序。

根据本条规定,公民、法人或者其他组织向人民法院起诉必须符合以下四项条件:

一、原告是与本案有直接利害关系的公民、法人和其他组织

所谓"原告与本案有直接利害关系",是指当事人自己的民事权益受到侵害或者与他人发生争议。只有为保护自己的民事权益而提起诉讼的人,才是本案的合格原告。例如,在损害赔偿诉讼中,与本案有直接利害关系的原告,是认为自己民事权益受到侵害而主张侵权人负赔偿责任的公民、法人和其他组织;因合同纠纷提起诉讼的原告,应当是合同的一方因对方不履行合同中的义务,而依合同主张权利的公民、法人和其他组织;又如,在离婚诉讼中,有直接利害关系的原告,是指提出解除婚姻关系的夫妻一方。

二、有明确的被告

原告提起诉讼,应当明确被告是谁,也就是要明确原告与谁发生了民事争议,或者是谁可能承担民事责任。没有明确的被告,只有起诉的人,而无应诉的人,人民法院无从进行审判活动,因而也就不可能受理。

三、有具体的诉讼请求和事实、理由

具体的诉讼请求,是指原告必须明确其起诉所要解决的问题,也就是向人民法院提出保护自己民事权益的具体内容。一般有以下几种类型:一是请求人民法院确认某种法律关系或者法律事实,比如请求确认双方的收养关系,请求确认某公民失踪或者死亡;二是请求对方当事人履行给付义务,比如请求对方赔偿损失,请求对方偿还贷款本息,请求对方履行合同约定的义务;三是请求变更或者消灭一定的民事法律关系,比如请求离婚,请求变更或者撤销合同。

原告提出诉讼请求应当根据事实和理由。原告提供的事实主要是纠纷发生的事实经过,即客观情况。有证明客观情况的证据的,应当提供证据,并在事实的基础上,根据法律规定说明提出诉讼请求的理由。要求原告在起诉时提供证据,以说明自己的诉讼请求是有根据的,这对于保护自己的合法权益是必要的,但是,应当说明的是,人民法院在受理案件时,不以要求原告提供足以胜诉的证据作为立案条件。起诉是原告的诉讼权利,至于是否胜诉,人民法院应在审理中根据原、被告双方提供的证据,以及人民法院自己调查收集的证据进行分析,才能最后认定。

四、属于人民法院受理民事诉讼的范围和受诉人民法院管辖

1. 属于人民法院受理民事诉讼的范围。主要是指符合本法第三条规定的公民之间、法人之间、其他组织之间以及他们相互之间因财产关系和人身关系提起的民事诉讼。例如,因婚姻、继承、侵权赔偿、抚养、赡养、相邻关系、合同、劳动以及海事海商等纠纷提起的诉讼都属于民事诉讼的范围。如果起诉事项不属于人民法院受理民事诉讼的范围,受诉人民法院应当告知起诉人向有关机关申请解决。

2. 属于受诉人民法院管辖。原告提起的诉讼,除属于民事诉讼的范围外,还必须是根据本法第二章管辖的有关规定,属于受理该案的人民法院管辖。例如,根据本法第三十三条对专属管辖的规定,因不动产纠纷提起的诉讼,只能由不动产所在地人民法院管辖;因港口作业中发生纠纷提起的诉讼,只能由港口所在地人民法院管辖;因继承遗产纠纷提起的诉讼,由被继承人死亡时住所地或者主要遗产所在地人民法院管辖。如果起诉事项不属于受诉人民法院管辖,受诉人民法院应当告知起诉人向有管辖权的人民法院起诉。

第一百二十条　起诉应当向人民法院递交起诉状,并按照被告人数提出副本。

书写起诉状确有困难的,可以口头起诉,由人民法院记入笔录,并告知对方当事人。

【释义】　本条是关于起诉方式的规定。

根据本条规定,原告起诉有两种方式:一为书面方式;二为口头方式。两种方式中以书面方式为主,只有在起诉人"书写起诉状确有困难的"情况下,为便利其行使起诉的权利,才可以允许原告口头起诉。此处所说的"书写起诉状确有困难",主要是指原告本人因文化水平或法律知识等欠缺所造成的自行书写起诉状确有困难的情形,其次也包括在原告无诉讼行为能力时,其法定代理人因类似原因而造成的书写起诉状确有困难的情形。在这两种情形下,都可以口头起诉。

书写起诉状,有利于明确表达原告的诉讼请求及其所根据的事实和理由,也便于人民法院审查起诉,决定是否受理,以及在决定受理后,向被告转达原告的诉讼请求及其根据,方便被告行使答辩的权利。根据本条规定,原告递交起诉状,应按被告人数递交相应份数的起诉状副本,以便在人民法院决定受理后由法院送达被告。所谓起诉状副本,即与起诉状内容相同的文本,是相对于递交人民法院的那份诉状而言的。递交法院的诉状称正本,副本可以抄写也可以打印、复印。

口头起诉的,由人民法院记入笔录,笔录应由起诉人签名或盖章,与起诉状具有同等效力。人民法院既可以将抄录的原告口诉笔录送给被告，也可以将原告口诉的主要内容口头告知被告。

第一百二十一条　起诉状应当记明下列事项：

（一）原告的姓名、性别、年龄、民族、职业、工作单位、住所、联系方式，法人或者其他组织的名称、住所和法定代表人或者主要负责人的姓名、职务、联系方式；

（二）被告的姓名、性别、工作单位、住所等信息，法人或者其他组织的名称、住所等信息；

（三）诉讼请求和所根据的事实与理由；

（四）证据和证据来源，证人姓名和住所。

【释义】　本条是关于起诉状应记明事项的规定。

本条规定是本次民事诉讼法修改的内容。起诉状是重要的诉讼文书，在民事诉讼中具有重要作用，是原告提起诉讼的根据，原告为争取人民法院受理本案并在诉讼中胜诉，应当认真书写起诉状。法律对起诉状的内容进行一定的规范是必要的，这既有利于原告写清楚事实根据与诉讼理由，也有利于送达被告，使其知晓诉讼事由，并行使诉讼权利，同时，也有利于人民法院审查工作的顺利进行，方便审判工作的正式展开。本条对起诉状内容的规定主要有以下几个方面：

一、当事人的基本情况

当事人是自然人的，应当记明原告的姓名、性别、年龄、民族、职业、工作单位、住所和联系方式，被告的姓名、性别、工作单位、住所等能够确定其身份的信息。

当事人是法人或者其他组织的，应当记明法人或者其他组织的名称、住所和法定代表人或者主要负责人的姓名、职务和联系方式。上述基本情况应当按原告、被告的顺序分别列出。如果原告有诉讼代理人的,应当在原告基本情况之后,记明诉讼代理人的姓名、年龄、职务、住所和与被代理人的关系等基本情况,如果委托律师担任诉讼代理人的,则只需记明律师姓名和所在律师事务所的名称。这有助于受诉人民法院审核、认定双方当事人的诉讼主体资格,并在当事人合格的基础上对案件进行审理和作出裁判。

需要说明的是,在起诉状记明事项中区分原被告分别处理,是本次民事诉讼法修改的内容:首先,关于原告应记明事项,除原来法律规定的"姓名、性别、年龄、民族、职业、工作单位和住所"外,本次民事诉讼法修改增加一项内容"联系方式"。民事诉讼法修改过程中,曾有意见提出,民事诉讼法制定之初,当事人联系方式也主要以"住所"为主,随着经济社会的发展,固定电话、移动电话、电子邮件等新型的联系方式已逐渐普及,法律制度也应与时俱进。此外,要求原告记明"联系方式",也为诉讼过程中的送达提供了便利条件。鉴于上述背景,本条补充规定了"联系方式"作为起诉状应当记明的原告事项。

其次,关于起诉状应记明的有关被告的事项,本次民事诉讼法修改为"被告的姓名、性别、工作单位、住所等信息,法人或者其他组织的名称、住所等信息"。与第一款有关原告应记明事项相比,并未要求记明被告"联系方式",而只是原则规定被告姓名、性别、工作单位、住所等能够确定其身份的信息,这是因为提交起诉状的原告往往并不掌握被告的确切联系方式,只要能够提供其他足以确定被告身份的信息,满足本法第一百一十九条第二项"有明确的被告"的条件即可。有关被告"联系方式"等信息,根据本法第一百二十五条的规定,应当由被告在提交答辩状时向法院提供。

二、诉讼请求和所根据的事实与理由

诉讼请求是起诉状中的重要内容，既是原告起诉必须符合的法定条件之一，也是起诉状必须记明的法定事项。原告应当在起诉状中记明诉讼请求，明确提出自己对实体权利的主张，以便受诉人民法院明确其在诉讼上的要求以及通过诉讼所要达到的目的。诉讼请求应力求明确，切忌含糊不清，模棱两可。在记明诉讼请求的同时，应当记明提出诉讼请求的客观基础，这样才能使受诉人民法院明确其起诉的事实依据和具体原因，并在此基础上对案件进行依法审理和作出判决。事实部分应实事求是，陈述力求确切，理由部分应作出有理有据的论证。

三、证据和证据来源，证人姓名和住所

根据本法第六十四条第一款规定，当事人对自己提出的主张，有责任提供证据。因此，原告提出的诉讼请求是否合理，所根据的事实是否存在，应当有证据加以证明，原告在提出证据的同时，应当提供证据的来源，以便人民法院核实，如果提供的是证人，则应记载证人的姓名、住所或工作单位，以便人民法院调查。

除上述规定外，起诉状还应当写明起诉的日期，并由原告署名或盖章。原告起诉时已委托他人代为诉讼的，应当将授权委托书随起诉状一并递交。

第一百二十二条　当事人起诉到人民法院的民事纠纷，适宜调解的，先行调解，但当事人拒绝调解的除外。

【释义】　本条是关于先行调解的规定。

本条规定是本次民事诉讼法修改新增加的内容。对本条的理解，需要把握三个问题：

一是先行调解制度设立的大背景。在早期司法观念中，通过法院诉讼，也就是司法救济，是解决纠纷的最主要途径。因此，法律上有“无诉讼则无权利”的说法。也就是说，如果一个权利不能够通过诉讼来得以救济，那么该权利就不是真正的权利。随着社会的发展，权利实现方式日趋多样化，人们逐步认识到，诉讼只是解决纠纷的一种机制，除了诉讼，还存在其他纠纷解决机制，如调解、仲裁等。之所以需要各种非诉讼性的纠纷解决机制，乃是现实使然。一方面，因诉讼资源有限，不可能所有纠纷都通过法院解决。另一方面，现代社会各种纠纷种类不同，与之适应的解决纠纷的办法也不同，诉讼并不是解决一切纠纷的最好办法，因此必须求助于其他的纠纷解决机制。

作为矛盾纠纷解决重要机制之一的调解制度，具有解决纠纷的独特优势，在倡导“和为贵”的中庸文化氛围中为争议当事人重新架设交流的平台，能够化干戈为玉帛，真正消除矛盾，以致被国际司法界称为“东方经验”。在诉讼与非诉讼相衔接矛盾纠纷解决机制的大背景下，调解可以区分为两类：一类是诉讼外调解机制，运用比较成熟的是人民调解、行政调解等。2010 年通过的人民调解法已经对人民调解的原则、程序等作了明确规定。另一类是诉讼中的调解，民事诉讼法第八章对于人民法院审理民事案件过程的调解制度也作了专章规定。本次民事诉讼法修改过程中，有意见提出，2007 年民事诉讼法第九条规定，人民法院审理民事案件，应当根据自愿和合法的原则进行调解，该条容易使人理解为开庭审理后才可以进行调解，建议法律明确规定立案前的调解和立案后审理前的调解，将多元化调解机制引入审前程序。也有意见提出，2009 年最高人民法院出台的《关于建立健全诉讼与非诉讼相衔接的矛盾纠纷解决机制的若干意见》已经对立案前与立案后至开庭前的调解作了规定，这些调解活动在实践中取得了良好的效果，建议将司法实践中已取得积极效果的经验上升为法律。鉴于上述背景，此次民事诉讼法修改对先行调解作了规定。

二是先行调解的适用范围，主要指向法院立案前或者立案后不久的调解。当事人向人民法院提起诉讼，递交起诉状或者口头起诉之后，人民法院尚未立案，根据案件具体情况，人民法院认为适宜调解的，可以先行调解。当事人不同意调解或者在商定、指定时间内不能达成调解协议的，人民法院应当依法及时立案。需要说明的是，案件受理之后尚未开庭审理前，人民法院仍然可以进行调解。

三是先行调解的适用条件，主要是两项，二者缺一不可：其一，人民法院认为"适宜调解"。"适宜"的判断标准由人民法院根据案件的具体情况具体掌握。一般来说，家庭矛盾、邻里纠纷等民间纠纷适宜调解，其他案件如果事实基本清楚、当事人之间争议不大的也"适宜"调解。其二，当事人不拒绝。调解的一项基本原则是当事人自愿，如果当事人明确表示不同意调解：尚未立案的，人民法院应当依法及时立案；已经受理立案的，应当依法及时判决。需要说明的是，当事人不拒绝不仅包括当事人明示的同意，还包括其默示同意。调解过程中，当事人未明确拒绝调解的，可以视为同意调解。

第一百二十三条　人民法院应当保障当事人依照法律规定享有的起诉权利。对符合本法第一百一十九条的起诉，必须受理。符合起诉条件的，应当在七日内立案，并通知当事人；不符合起诉条件的，应当在七日内作出裁定书，不予受理；

原告对裁定不服的,可以提起上诉。

【释义】 本条是关于人民法院审查起诉、决定受理与否的期间,以及原告对不予受理的裁定不服可以上诉的规定。

本条规定是本次民事诉讼法修改的内容。为提高人民法院的办案效率,维护当事人的合法权益,根据本条规定,人民法院审查起诉必须遵守法定期间,人民法院收到起诉状或者口头起诉,经审查,认为符合起诉条件的,应当在七日内立案,并通知当事人;认为不符合起诉条件的,应当在七日内作出裁定书,通知原告不予受理,并向原告说明理由;如果原告对人民法院不予受理的裁定不服,可以提起上诉。根据本法第一百六十四条规定,当事人不服地方人民法院第一审裁定的,应当在裁定书送达之日起十日内向上一级人民法院提起上诉,否则,即丧失此项诉讼权利。

本条关于立案期间和不予受理的期间,都是从人民法院收到当事人的起诉状的次日起计算。人民法院因起诉状内容欠缺令原告补正的,立案或不予受理的期间自补正后交法院的次日起计算。由上级人民法院交下级人民法院,或者由基层法院转交有关人民法庭受理的案件,从受诉法院或人民法庭收到起诉状的次日起计算。

关于本条的理解,需要把握以下两点:

一是关于人民法院对起诉条件的审查。根据民事诉讼法的规定,原告向法院提起诉讼后,人民法院将对起诉进行审查以便决定是否受理,审查分为两个部分:其一是对起诉状的形式审查,主要是看起诉状记明的事项是否符合第一百二十一条的规定,即是否记明原告姓名、性别、联系方式及被告姓名、性别等能够确定其身份的信息,是否记明诉讼请求和所根据的事实,是否记明证据和证据来源等。如果起诉状不符合格式要求，法院可以要求原告补齐相应的事项信息。对起诉状的形式审查，其他国家民事诉讼法都有相应的规定，如日本民事诉讼法第133条就详细列举了诉状必须记载的事项，包括原被告姓名、代理人姓名、事件经过和原告诉讼请求。如果诉状中缺乏上述内容，法官将要求原告补正；原告拒绝补正的，审判长可以诉状驳回命令的形式驳回起诉。其二是对起诉要件的实质审查，主要是看起诉是否符合民事诉讼法第一百一十九条的规定，原告是否有与本案有直接利害关系的公民、法人和其他组织，是否有明确的被告，是否有具体的诉讼请求和事实、理由，是否属于人民法院受理民事诉讼的范围和受诉人民法院管辖。不符合起诉实质要件的，人民法院应当在七日内作出裁定书，通知原告不予受理。

二是强调人民法院应当保障当事人依照法律规定享有的起诉权利，对不符合起诉条件的，应当在七日内以书面形式作出不予受理的裁定。民事诉讼法修改过程中，“立案难”的反映尤为强烈，其中，有意见提出，有的法院以内部指导意见的形式列举诸多情形不予立案，违背了民事诉讼法关于起诉条件的规定；有的法院对于不予立案仅作出口头裁定，导致当事人难以就该口头裁定提起上诉，建议法律切实保障当事人的诉讼权利，在程序上作出更加明确、严格的规定。

鉴于上述背景，本次民事诉讼法修改着重强调对当事人的诉讼权利的保障，要求人民法院对符合本法第一百一十九条的起诉，必须受理；同时，进一步规范人民法院的立案行为，对原告起诉不予立案的，人民法院应当制作民事裁定书，由负责审查的审判人员、书记人员署名，报请庭长或院长批准，并加盖人民法院印章，从立案流程上杜绝口头裁定不予立案情形的发生。对经书面裁定不予受理的案件，当事人不服的，可以向上一级人民法院提起上诉。

第一百二十四条　人民法院对下列起诉,分别情形,予以处理:

(一)依照行政诉讼法的规定,属于行政诉讼受案范围的,告知原告提起行政诉讼;

(二)依照法律规定,双方当事人达成书面仲裁协议申请仲裁、不得向人民法院起诉的,告知原告向仲裁机构申请仲裁;

(三)依照法律规定,应当由其他机关处理的争议,告知原告向有关机关申请解决;

(四)对不属于本院管辖的案件,告知原告向有管辖权的人民法院起诉;

(五)对判决、裁定、调解书已经发生法律效力的案件,当事人又起诉的,告知原告申请再审,但人民法院准许撤诉的裁定除外;

(六)依照法律规定,在一定期限内不得起诉的案件,在不得起诉的期限内起诉的,不予受理;

(七)判决不准离婚和调解和好的离婚案件,判决、调解维持收养关系的案件,没有新情况、新理由,原告在六个月内又起诉的,不予受理。

【释义】　本条是关于人民法院对起诉进行审查的规定。

本条规定是本次民事诉讼法修改的内容之一。现实生活中存在很多纠纷,但并不是都可以以民事诉讼的形式向人民法院起诉的,人民法院对当事人以起诉状或者口头方式起诉的,应当按照本法第一百一十九条规定的起诉条件进行审查,对符合起诉条件的,必须予以受理,不得以法定条件之外的其他理由将当事人拒之门外;不符合起诉条件的,不予受理,但应当分别情形,予以处理。

(一)依照行政诉讼法的规定,属于行政诉讼受案范围的,告知原告提起行政诉讼

行政诉讼与民事诉讼性质不同,行政诉讼是指公民、法人或者其他组织认为行政机关或行政机关工作人员的具体行政行为侵犯其合法权益而提起的诉讼。具体行政行为是行政机关和行政机关工作人员依照法律赋予的职权对特定的公民、法人或者其他组织进行行政管理的行为。而民事诉讼是平等主体的公民、法人或者其他组织之间因财产关系和人身关系发生纠纷而提起的诉讼。对于公民、法人或者其他组织以行政机关和行政机关工作人员的具体行政行为违法侵犯了自己的合法权益为由提起的诉讼,人民法院应当告诉原告按行政诉讼法规定的程序提起行政诉讼。

(二)依照法律规定,双方当事人达成书面仲裁协议向仲裁机构申请仲裁、不得向人民法院起诉的,告知原告向仲裁机构申请仲裁

本项是此次民事诉讼法修改的内容之一。修改之前的民事诉讼法规定"依照法律规定,双方当事人对合同纠纷自愿达成书面仲裁协议向仲裁机构申请仲裁、不得向人民法院起诉的,告知原告向仲裁机构申请仲裁",本次修改删除了"对合同纠纷"的限定。根据仲裁法第二条的规定,平等主体的公民、法人和其他组织之间发生的合同纠纷和其他财产权益纠纷,可以仲裁。因此,可以仲裁的纠纷范围不仅限于"合同纠纷",还包括其他财产权益纠纷。

当事人在争议发生前或者发生后,可以就争议的解决达成仲裁协议,系当事人真实意思表示,对当事人具有法律约束

力,有效的书面仲裁条款或者仲裁协议具有排除人民法院司法管辖权的法律效力。仲裁法第五条对此作出规定,当事人达成仲裁协议,一方向人民法院起诉的,人民法院不予受理,但仲裁协议无效的除外。我国关于仲裁的规定还散见于多部法律之中。例如,本法第二百七十一条第一款规定,涉外经济贸易、运输和海事中发生的纠纷,当事人在合同中订有仲裁条款或者事后达成书面仲裁协议,提交中华人民共和国涉外仲裁机构或者其他仲裁机构仲裁的,不得向人民法院起诉。对于当事人以书面形式达成仲裁协议后又起诉的,人民法院不予受理,应当告知当事人按照仲裁协议申请仲裁机构解决争议。

(三)依照法律规定,应当由其他机关处理的争议,告知原告向有关机关申请解决

依照宪法、组织法以及其他法律法规的规定,人民法院和其他国家机关的职权范围有着明确的分工,凡依法应当由其他机关处理的争议,人民法院无权处理。例如,行政机关工作人员对其机关给予的行政处分不服的,不属于人民法院的管辖范围,如果被处分的人向人民法院起诉,人民法院应当告知其向有关行政机关申请解决。

(四)对不属于本院管辖的案件,告知原告向有管辖权的人民法院起诉

原告依照民事诉讼法提出诉讼的,应当向有管辖权的人民法院提出。如果原告向没有管辖权的法院提起诉讼,其应当告知原告向有管辖权的人民法院起诉。

(五)对判决、裁定、调解书已经发生法律效力的案件,当事人又起诉的,告知原告申请再审,但人民法院准许撤诉的裁定除外

需要说明的是,该项内容是本次民事诉讼法修订的内容。

与原有法律相比,除“判决、裁定”外,增加了有关“调解书”的内容,并将“告知原告按照申诉处理”修改为“告知原告申请再审”。

当事人在法定期间对一审判决、裁定没有提起上诉的,该一审判决、裁定发生法律效力,或者上诉后经过第二审人民法院作出判决、裁定的,该第二审判决、裁定立即发生法律效力,不得上诉。当事人必须履行,不得以同一事实和同一诉讼标的再次提起诉讼。如果当事人认为已生效的判决、裁定有错误的,只能按照本法第一百九十九条的规定,向上一级人民法院申请再审,通过再审程序解决。但是,经人民法院裁定准许撤诉的,当事人可以再行起诉。原告申请撤诉,只是其对诉讼权利的处分,并不意味着放弃实体权利,从诉讼程序上讲,人民法院用裁定方式准许原告的撤诉申请,仅意味着同意原告对自己诉讼权利的处分,当事人还可以同一事实和理由,就同一诉讼标的再次提起诉讼。

但是除发生法律效力的判决、裁定外,对于已经发生法律效力的调解书,根据民事诉讼法第二百零一条的规定,当事人提出证据证明调解违反自愿原则或者调解协议的内容违反法律的,可以申请再审。鉴于法律制度的相互衔接,本条相应增加了有关“调解书”的内容。

(六)依照法律规定,在一定期限内不得起诉的案件,在不得起诉的期限内起诉的,不予受理

依法在一定期限内不得起诉的案件,主要是指《中华人民共和国婚姻法》第三十四条以及《中华人民共和国妇女权益保障法》第四十五条的规定,女方在怀孕期间、分娩后一年内或者终止妊娠后六个月内,男方不得提出离婚。女方提出离婚的,或者人民法院认为确有必要受理男方离婚请求的,不在

此限。

(七)判决不准离婚和调解和好的离婚案件,判决、调解维持收养关系的案件,没有新情况、新理由,原告在六个月内又起诉的,不予受理

婚姻关系、收养关系的基础是双方的感情,人民法院判决不准离婚、维持收养关系的案件或者调解和好的离婚案件,原告在没有新情况、新理由的情况下,在六个月内又起诉的,人民法院不予受理。这是为了给双方一段时间,以消除双方的隔阂,促进双方和好。原告撤诉或者按撤诉处理的离婚案件,没有新情况、新理由,六个月内又起诉的,也不予受理。但是,如果在六个月内,双方有了新的冲突,感情进一步恶化,即有新情况、新理由,原告又起诉的,人民法院应当予以受理。没有新情况、新理由,原告在六个月后又起诉的,人民法院也应当予以受理。没有新情况、新理由,被告在六个月内向人民法院起诉的,同样应当予以受理。

第二节 审理前的准备

为了保证案件审理顺利进行,人民法院自受理原告的起诉以后到开庭审理之前,需要由案件承办人员依法进行的一系列准备工作,这一阶段总称为审理前的准备,它是普通程序中开庭审理前的一个必经阶段,也是民事诉讼程序的重要组成部分,是保证庭审质量、提高庭审效率必不可少的基础,是民事诉讼活动顺利进行的必要前提,这一阶段的工作是否依法进行,关系到审判工作的有效性和合法性,对于保护当事人充分行使诉讼权利,保证法院正确行使审判权,切实维护当事人的合法权益,均具有十分重要的意义。

第一百二十五条　人民法院应当在立案之日起五日内将起诉状副本发送被告，被告应当在收到之日起十五日内提出答辩状。答辩状应当记明被告的姓名、性别、年龄、民族、职业、工作单位、住所、联系方式；法人或者其他组织的名称、住所和法定代表人或者主要负责人的姓名、职务、联系方式。人民法院应当在收到答辩状之日起五日内将答辩状副本发送原告。

被告不提出答辩状的，不影响人民法院审理。

【释义】　本条是关于人民法院发送起诉状副本、被告提出答辩状和人民法院发送答辩状副本以及期间的规定。

本条规定是本次民事诉讼法修改的内容。根据本条规定，人民法院受理案件后，应当在立案之日起五日内将起诉状副本发送被告，如果原告是口头起诉的，人民法院也应在五日内将口诉笔录的复制本发送被告。

被告在收到起诉状副本后，应当按照原告的人数，自收到之日起十五日内向人民法院提交答辩状。答辩状应当记明被告的性别、年龄、民族、职业、工作单位、住所、联系方式；法人或者其他组织的名称、住所和法定代表人或者主要负责人的姓名、职务、联系方式。有关被告身份信息及联系方式的规定，是本次民事诉讼法修改新增加的内容，与第一百二十一条规定起诉状应记明的有关原告信息的事项相呼应，关于联系方式的规定也为诉讼进程中的后续送达提供便利条件。

除被告的身份信息及联系方式外，答辩状可以对原告提出的诉讼请求和所依据的事实与理由进行回答和辩解，答辩的内容既包括程序方面的，如提出原告没有诉权、起诉不符合条件或者受诉人民法院对案件无管辖权等，也包括实体方面的,如说明纠纷的原因、案件的事实,反驳原告的诉讼请求和理由,提出自己的诉讼请求等。人民法院应当自收到答辩状之日起五日内将答辩状副本发送给原告。

需要说明的是,如果被告不提出答辩状,或逾期不作出答辩的,不影响人民法院对案件的审理,即并不影响民事诉讼程序下一阶段的进行。

第一百二十六条　人民法院对决定受理的案件,应当在受理案件通知书和应诉通知书中向当事人告知有关的诉讼权利义务,或者口头告知。

【释义】 本条是关于人民法院告知当事人有关诉讼权利义务的规定。

根据本条规定,人民法院对决定受理的案件,应当告知当事人有关的诉讼权利和义务,方便当事人充分行使诉讼权利,更好地维护自己的合法权益,同时也是诉讼程序顺利进行的保证。告知可以采用两种方式:一是书面方式,即在受理案件通知书和应诉通知书中,向当事人写明有关的诉讼权利和义务。受理案件通知书是人民法院接到原告起诉后,经审查符合起诉条件的,在决定立案后向原告发出决定立案和预交诉讼费的通知书。应诉通知书是人民法院对原告的起诉决定受理后,应向被告发出的通知书,主要内容包括:原、被告姓名,案由,送达起诉状副本,告知被告按期提出答辩,可以委托诉讼代理人及其他事项。二是口头方式,如果不在通知书中记明,应当在送达通知书的同时,用口头方式告知,以便当事人及时了解诉讼权利和义务。

人民法院分别发送给原、被告的受理案件通知书和应诉通知书中关于诉讼权利义务的内容主要有以下几个方面:根据民事诉讼法第四十四条规定，当事人有权对本案的承办法官、书记员以及翻译人员、鉴定人、勘验人提出回避申请。根据民事诉讼法第四十九条、第五十条、第五十一条及其他有关条款的规定，当事人有权委托代理人，有权收集、提供证据，进行辩论，请求调解和自行和解，提起上诉，申请执行，查阅本案有关材料，复制本案有关材料和法律文书。当事人必须依法行使诉讼权利，遵守诉讼秩序，履行发生法律效力的判决书、裁定书和调解书。原告可以放弃或者变更诉讼请求，被告可以承认或者反驳诉讼请求，有权提起反诉。

另外，根据最高人民法院《关于民事诉讼证据的若干规定》第三十三条第一款的规定，人民法院在送达案件受理通知书和应诉通知书的同时向当事人送达举证通知书。举证通知书应当载明举证责任的分配原则与要求、可以向人民法院申请调查取证的情形、人民法院根据案件情况指定的举证期限以及逾期提供证据的法律后果。

第一百二十七条　人民法院受理案件后，当事人对管辖权有异议的，应当在提交答辩状期间提出。人民法院对当事人提出的异议，应当审查。异议成立的，裁定将案件移送有管辖权的人民法院；异议不成立的，裁定驳回。

当事人未提出管辖异议，并应诉答辩的，视为受诉人民法院有管辖权，但违反级别管辖和专属管辖规定的除外。

【释义】 本条是关于管辖权异议和应诉管辖的规定。

本条规定是本次民事诉讼法修改的内容。本条内容上并未作修改，第一款内容来自 2007 年民事诉讼法第三十八条有关管辖异议的规定，第二款内容是 2007 年民事诉讼法涉外编第二百四十三条有关应诉管辖的规定。关于管辖异议，原来民事诉讼法将其列入移送管辖和指定管辖一节,但是从整个诉讼结构来看,管辖异议的提出一般是在被告提出答辩状阶段,且主要涉及对当事人异议事项的审查而非法院之间管辖权的分配,因此,放入第十二章第一审普通程序中的审理前的准备一节更为适宜;此外,有关应诉管辖的内容,不只适用于涉外民事案件的审理程序,应作为一项基本的制度在第一审普通程序中加以规定。

对本条的理解,需要把握两个方面:

一是管辖权异议的提出与法院的审查处理。管辖权异议,是指人民法院受理案件后,被告对人民法院对案件是否有管辖权提出异议,这是当事人的一项诉讼权利。受诉人民法院收到当事人提出的管辖权异议后,应当认真进行审查,必要时需召集双方当事人听证。对当事人所提出的管辖权异议,区别情况作出不同的处理:

1. 当事人就地域管辖权提出异议。经审查,异议成立的,受诉法院依照裁定将案件移送有管辖权的人民法院处理;异议不成立的,裁定驳回。当事人对裁定不服的,可以在裁定书送达之日起十日内向上一级人民法院提出上诉。当事人未提出上诉或者上诉被驳回的,受诉法院应通知双方当事人参加诉讼。当事人对管辖权问题申诉的,不影响受诉法院对该案件的审理。

2. 当事人就级别管辖权提出异议。级别管辖是上下级法院之间就一审案件审理方面的分工。受诉法院审查后认为没有管辖权的,应将案件转移给有管辖权的人民法院,并告知双方当事人,但不作裁定。受诉法院拒不转移,当事人向上级法院反映并就此提出异议的,如情况属实确有必要转移的,上级法院应当通知受诉法院将案件转移给有管辖权的人民法院；对受诉法院拒不转移且作出实体判决的，上级法院应当以程序违法为由撤销受诉法院的判决，并将案件转移给有管辖权的人民法院审理。

3. 当事人在答辩期内以双方自愿达成书面仲裁协议应向仲裁机构申请仲裁为由提出管辖权异议，受诉法院应当依法进行审查。如果仲裁条款、仲裁协议有效，人民法院对该案无管辖权，当事人提出的异议成立，受诉法院依法应裁定驳回原告的起诉，告知当事人向仲裁机构申请仲裁；如果仲裁条款、仲裁协议无效、失效或者内容不明确无法执行的，只要符合本法第一百一十九条受理条件规定的，受诉法院就应裁定驳回对管辖权提出的异议。

二是应诉管辖。应诉管辖，学理上也称为默示或者拟制的合意管辖。关于应诉管辖的适用范围，虽然在国内学术界仍存在一定争议，认为应诉管辖不是协议管辖的一种，而且会导致协议管辖范围的无限制扩大，但是从国外许多国家民事诉讼的立法情况来看，设立完善的应诉管辖制度对于节省司法资源还是具有积极意义的。德国民事诉讼法第 39 条规定，一审程序中，被告不主张管辖错误而进行本案的言辞辩论时，也可以发生管辖权。日本民事诉讼法第 12 条规定，被告在一审不提出违反管辖的抗辩而对本案进行辩论或者在辩论准备程序中不提出违反管辖而进行陈述时，该法院则拥有管辖权。从上述国家的规定情况来看，应诉管辖的适用范围并未区分涉外案件与国内案件，在可选择法院的范围限制上，除去不违反专属管辖的规定外，并无特殊要求。鉴于上述背景，将应诉管辖的适用范围由原来的涉外民事案件扩大到非涉外民事案件，不仅为当事人减少诉累，也为法院管辖赋予正当的法律依据，节省司法资源，体现公正与效率。

根据本条的规定,当事人如果在答辩期间未提出管辖异议并应诉答辩的,视为受诉人民法院有管辖权,但是违反本法第十七条、第十八条、第十九条、第二十条及第三十三条有关级别管辖和专属管辖的除外。对于被告"应诉答辩"具体包括的情形,从各国及有关管辖权的国际公约(《国际有体动产买卖协议管辖权公约》)来看,应该包括被告出庭、被告就实体内容进行答辩和陈述、被告提出反诉等活动中未提出的对管辖权的异议。

第一百二十八条　合议庭组成人员确定后,应当在三日内告知当事人。

【释义】　本条是关于告知合议庭组成人员的规定。

根据本法规定,人民法院立案后,将案件交由审判人员承办,依照第一审普通程序审理的案件,人民法院必须组成合议庭进行审理,第一审合议庭有两种组织形式:一是由审判员和陪审员共同组成合议庭,陪审员在执行陪审职务时,享有与审判员同等的权利义务;二是由审判员单独组成合议庭,陪审员不参与该合议庭的组成。合议庭的人数必须是三人以上的单数,对于审判员与陪审员的比例,本法未作规定。

根据本条规定,人民法院应当在确定审判组织后三日内将合议庭组成人员告知当事人。当事人有权及时知晓负责审判的合议庭所有组成人员,以便日后开庭审理时依法充分、有效地行使申请回避的权利。申请回避的权利是当事人最重要的诉讼权利之一,也是保证案件得到公正审理的基础。

需要说明的是,人民法院在告知当事人后,可以根据需要对合议庭组成人员进行必要的调整,因情事变化,必须调整合议庭组成人员的，应当于调整后三日内告知当事人。在开庭前三日内决定调整合议庭组成人员的，原定的开庭日期应予顺延。

第一百二十九条　审判人员必须认真审核诉讼材料，调查收集必要的证据。

【释义】 本条是关于审判人员审核诉讼材料、调查收集必要证据的规定。

所谓诉讼材料，是指原、被告双方向受诉法院提交的起诉状、答辩状，以及他们各自提交的有关证据材料。必要的证据，是指对于认定事实、适用法律必不可少的证据材料。

审核诉讼材料，主要是指承办案件的审判人员对原告的起诉状、被告的答辩状以及他们提出的证据和其他诉讼材料进行审查和核实。这包括：再次审查案件是否属于人民法院受案范围和受诉人民法院管辖，发现该案件不属于人民法院受理范围的，裁定驳回起诉，发现不属于本法院管辖的，移送有管辖权的人民法院管辖；了解原告的诉讼请求和被告对诉讼请求的反驳是否还需要一定的证明材料，如需要，通知当事人补正；审查被告是否提出了反诉，反诉是否符合条件，反诉的诉讼请求是什么，有何事实和理由；查明有无必要对证据进行鉴定或者勘验，是否需要人民法院调查、收集必要的证据，是否需要对可能灭失的证据采取保全措施；确定是否有必要按法定程序通知其他人参加诉讼。通过审核，可以使审判人员对案情有初步了解，掌握矛盾的焦点和争议的实质，把握案件的中心环节，及案件能否进入开庭审理阶段。因此，审核诉讼材料是审判前准备工作中的必要步骤，它对于案件能否及时开庭审理具有重要的意义。

人民法院调查、收集证据分为两种情形:一是人民法院依职权主动调查、收集与案件有关的证据;二是人民法院依当事人的申请,调查、收集与案件有关的证据。两种情形适用条件是不一样的。根据本法第六十四条第一款的规定,当事人对自己提出的主张,有责任提供证据。依据民事诉讼"谁主张,谁举证"的原则,当事人对其提出的诉讼请求、事实、主张有提供证据的责任,人民法院根据真实性、关联性、合法性对当事人提供的证据材料进行认定,并以此查清案件事实,作出裁判,如果不能提供证据予以证明,可能导致败诉的法律后果。但是,在审判实践中,有一些证据材料是当事人难以自行收集,但对于查明案件事实却是不可缺少的,如涉及土地、房屋、公安、存款等方面的证据,需要由人民法院依职权调取。所以,根据最高人民法院《关于民事诉讼证据的若干规定》第十七条的规定,当事人及其诉讼代理人有下列情形之一的,可以申请人民法院调查、收集证据:其一,申请调查、收集的证据属于国家有关部门保存并需人民法院依职权调取的档案材料;其二,申请调查、收集的证据属于涉及国家秘密、商业秘密、个人隐私的材料;其三,当事人及其诉讼代理人确因客观原因不能自行收集的其他材料。

人民法院在诉讼过程中并不是完全消极被动的,对于审理案件是必需的而当事人没有提供的证据材料,人民法院可以依职权进行调查、收集,这对于案件审判程序的顺利进行,以及在开庭审理过程中查清案情、分清是非,并作出正确裁判有着重要意义。人民法院主动调查、收集相关证据是当事人提供证据的补充。

值得注意的是,审核诉讼材料和调查、收集必要证据的工作,并不是使审判人员在开庭审理前对案件事实以及证据的认定形成结论性的意见，否则将会造成审判人员认识上的先入为主，使日后即将进行的开庭审理失去意义而流于形式，而在于使审判人员通过认真审核诉讼材料和调查、收集必要的证据来了解案情，审查证据，以便掌握双方当事人争议的焦点和需要庭审调查、辩论的主要问题，为在庭审活动中正确地指挥诉讼做好前期准备。从性质上讲，此项工作只是一种程序性的准备而非实体性审理。

第一百三十条 人民法院派出人员进行调查时，应当向被调查人出示证件。

调查笔录经被调查人校阅后，由被调查人、调查人签名或者盖章。

【释义】 本条是关于人民法院调查程序问题的规定。

人民法院要正确处理民事纠纷，必须运用证据查明案件事实，只有掌握了充分的证据，才能在事实清楚的基础上适用法律，对民事案件作出公正裁判。

在民事诉讼中许多情况下，人民法院需要向有关单位和个人进行调查，这是人民法院行使审判权的重要职权活动，任何单位和个人都有义务协助，不得以任何借口予以拒绝。如果有关单位或者个人拒绝或者妨碍调查取证的，人民法院可以根据本法相关规定对其采取妨害民事诉讼的强制措施。

根据本条规定，人民法院派出的审判员或书记员进行调查时，应当向被调查人出示表明调查人员身份的证件，取得被调查人的信任和合作。调查应当由两人以上共同进行。调查时应当制作调查笔录，调查完毕后应当将制作的调查笔录送请被调查人校阅，经核对准确后，由被调查人、调查人、记录人在笔录末尾处签名或者盖章。调查中摘抄的有关材料，除应注明原材料的名称、出处外,还应由有关单位和个人盖章。未经上述程序取得的调查材料,不具备证明效力.不得据以作出裁判。本条对于规范调查人员的调查行为,维护被调查人的合法权益,增强调查活动的合性法、严肃性具有重要意义。

第一百三十一条　人民法院在必要时可以委托外地人民法院调查。

委托调查,必须提出明确的项目和要求。受委托人民法院可以主动补充调查。

受委托人民法院收到委托书后,应当在三十日内完成调查。因故不能完成的,应当在上述期限内函告委托人民法院。

【释义】　本条是关于委托调查的规定。

根据本条规定,受诉人民法院除自行调查以外,对在外地的证据,在必要的时候可以委托外地人民法院调查,这样可以在保证调查质量的前提下降低调查成本,提高调查效率。委托调查是一种法定调查方式,受委托的人民法院有义务协助调查取证。委托调查,必须提出明确的项目和要求。为了保证调查事项的完整性并以此满足诉讼活动的客观需要,受委托的人民法院除根据委托调查的项目和要求进行调查外,如果发现与委托项目有关的证据,可以主动补充调查。

为了防止调查滞延,受委托的人民法院收到委托书后,应当在三十日内完成调查,并将调查材料函复委托人民法院。如果因故不能完成,或者需要延长期限完成的,应当在上述期限内函告委托人民法院。

第一百三十二条　必须共同进行诉讼的当事人没有参加诉讼的,人民法院应当通知其参加诉讼。

【释义】 本条是关于人民法院追加当事人的规定。

追加当事人是指人民法院发现对诉讼标的具有共同权利或义务的当事人未参加诉讼时，依照职权追加其为案件的原告或被告的诉讼行为。此项工作并非每一案件在审理前的准备过程中都必须经过的程序，追加当事人只存在于必要的共同诉讼中，普通的共同诉讼不会发生追加当事人的问题。

根据本法第五十三条的规定，以共同诉讼人之间对诉讼标的的关系，可分为必要的共同诉讼和普通的共同诉讼。若争议的诉讼标的是同一的共同诉讼，是必要的共同诉讼；争议的诉讼标的是同种类的共同诉讼，则是普通的共同诉讼。所谓必要的共同诉讼，必须具备两个条件：一是一方或双方当事人为两人以上，二是诉讼标的是共同的。例如，合伙关系中基于合伙财产的诉讼，共同继承人基于被继承财产的诉讼。在实体法律关系中，当事人存在共同的利害关系，享有共同的权利或者承担共同的义务，这体现在诉讼法律关系中即诉讼标的是共同的，它要求共同诉讼人必须一同起诉或应诉；未一同起诉或应诉的，应予以追加。对于必要的共同诉讼，法院应当合并审理，且作出合一判决，避免因分别审理和判决导致分割实体权利义务的内在联系，造成相互矛盾的判决。

所谓普通的共同诉讼，是指当事人一方或双方为两人以上，其诉讼标的是同一种类的，法院将其合并审理的诉讼。诉讼标的是同种类的，是指各个共同诉讼人与对方当事人争议的法律关系的性质相同，即他们各自享有的权利或承担的义务属于同一类型。例如，一加害人对数人实施了加害行为，数个受害人作为共同诉讼人分别向加害人提出损害赔偿请求。在普通的共同诉讼中，当事人的权利义务都是各自独立的，只是因为他们之间存在一定的关联或者在性质上是同一类型的,基于审判上的便利,法院予以合并审理。普通的共同诉讼中,当事人之间没有共同的权利义务关系,不是必须共同参加诉讼,因此,不会产生追加当事人问题,人民法院也不得擅自追加。

人民法院通过审核诉讼材料和审前调查,如果发现必须共同进行诉讼的当事人没有参加诉讼,应当通知其参加诉讼。依法追加当事人参加诉讼,这样才可以使人民法院解决争议实现全面彻底。必须共同进行诉讼的当事人没有参加诉讼的,除人民法院有权通知其参加诉讼以外,当事人也可以向人民法院申请追加。人民法院对当事人提出的申请,应当进行审查,申请没有理由的,裁定驳回;申请有理由的,书面通知应被追加的当事人。人民法院依法追加共同诉讼的当事人时,应当通知其他当事人。

人民法院依法追加原告时,如果应当追加的原告已经明确表示放弃实体权利的,可不予追加;既不愿意参加诉讼,又不放弃实体权利的,仍应追加为共同原告,其不参加诉讼,不影响人民法院对案件的审理和判决。人民法院依法追加被告时,不以其本人和案内所有其他诉讼当事人的主观意愿为转移,均应通知追加,即便其不来参加诉讼,也不影响人民法院对案件的审理与判决,且判决生效以后,对其同样具有约束力。但是,如果应当追加的被告属于依法必须到庭的被告,在其经人民法院通知追加后拒不到庭参加诉讼的,经两次传票传唤,无正当理由拒不到庭的,可以对其实行拘传。

另外,如果发现原告或被告不符合当事人条件的,应当通知符合条件的原告或被告参加诉讼,更换不合格的当事人。

第一百三十三条 人民法院对受理的案件，分别情形，予以处理：

（一）当事人没有争议，符合督促程序规定条件的，可以转入督促程序；

（二）开庭前可以调解的，采取调解方式及时解决纠纷；

（三）根据案件情况，确定适用简易程序或者普通程序；

（四）需要开庭审理的，通过要求当事人交换证据等方式，明确争议焦点。

【释义】 本条是关于开庭前准备阶段对案件处理情况的规定。

本条规定是本次民事诉讼法修改新增加的内容。开庭前的准备程序，是整个民事诉讼程序的重要组成部分，是建设以庭审为中心的现代化民事诉讼程序结构的重要基础，因此也是此次民事诉讼改革的重要内容之一。对本条的理解，需要把握以下三个方面：

第一，开庭前准备程序的概念与范围。虽然两大法系主要国家对于开庭前的准备程序（许多国家多称为“审前程序”）有着不同的理解，但是作为与开庭审理相区别的一个阶段性程序，各国还是有一些共通性的认识：首先，该程序具备功能多元化的特点，兼有实体法和程序法的意义，如法院组织双方交换证据、整理争点等具有程序法上的意义，而法院对民事纠纷进行调解或双方当事人进行和解就具有实体审理的特征；其次，主要的参加主体是当事人，两大法系中都是由当事人决定需要判断的案件事实，由当事人收集、提出并与对方交换证据，以此形成对庭审有约束力的争点，同时为法官断案提供基础。

需要说明的是，本条规定的开庭前准备程序，与两大法系其他国家规定的审前程序既有联系又有区别,尤其是与英美法系的审前程序相比,本条规定的开庭前准备程序是指以法院主导为原则,在正式开庭审理前按一定方式、程序实施的并由当事人及其他诉讼参与人参加的一系列诉讼活动的总和,具体包括法院根据案件的具体情形进行繁简分流,对于适宜通过特别程序或者非诉机制解决的纠纷,采取调解或者督促程序定纷止争;对于必须通过诉讼机制解决的纠纷,法院根据案件性质,选择适宜的审理程序,指示当事人交换证据、明确争议焦点,为下一阶段的集中开庭审理做好准备。

第二,完善我国民事诉讼开庭前准备程序的背景。主要来自国际发展与国内需求两个方面:

其一是世界多数国家有关民事审前程序改革的大背景。从国际上有关民事诉讼制度改革的最新发展来看,为了达到诉讼机制的效率与公正,当前世界各国日益重视对审前程序的改革和完善,尤其是采取法院职权主义诉讼模式的大陆法系主要国家,开始借鉴以当事人主义为主导的英美法系诉讼模式在审前程序中体现出的效率价值,从原来偏重开庭审理转向审前准备与开庭审理并重。典型代表如德国,德国曾实行证据“随时提出主义”,因而审前准备并不充分,后来德国进行了审前程序改革,将原来的“一步到庭”改为审前准备和审理程序两个阶段,设立口头辩论或交换书证两种准备方式供法官选择,并将证据“随时提出主义”改为“适时提出主义”,加强了证据的失权效力。再如日本,1996 年修订后的日本民事诉讼法,加强了审前准备程序,设立了三种准备程序:一是预备性口头辩论;二是辩论程序,由法官或书记官召集双方当事人出席不公开、非正式的对话;三是在一方当事人出庭,而另一方当事人未出庭的情况下,法官可通过电话联络和证据调查等方式开展工作。

其二是国内司法实践的迫切需求。民事诉讼法修改过程中，有意见认为，1991 年民事诉讼法第十二章第二节关于审理前准备的七个条文只是有关开庭前准备工作的规定，该项工作是围绕庭审所做的一系列辅助工作，包括一些事务性工作，主要包括送达起诉状副本和答辩状副本、告知当事人诉讼权利和义务、告知当事人合议庭的组成人员、审核诉讼材料调查收集必要的证据、通知必要的共同诉讼人参加诉讼等，其目的是保障庭审合法有效地进行，并不具备独立的审前程序所具有的多元化功能。完善的审前程序，对庭审的辅助功能主要应体现于整理争议焦点，确定无争议的事实，交换证据、固定证据、排除没有证明力的证据，使当事人在相互充分了解的基础上对簿公堂，增加庭审活动的针对性和有效性；此外，根据我国社会的现实需求，该程序还应具备繁简分流及多元化机制解决纠纷的功能。还有意见认为，司法实践层面，最高人民法院《关于民事诉讼证据的若干规定》颁布实施后，以证据交换为中心环节的审前程序基本确立，程序的功能范围有所扩张，但尚不具有终结诉讼和分流案件的功能。鉴于上述背景，考虑到司法实践中关于开庭前准备程序的改革早已先行并积累了相关经验，尤其是考虑到法律对开庭前准备程序的合理设置，对透明、公正、高效解决纠纷，实现公正与效率的重要意义，本次民事诉讼法修改新增加了有关开庭前准备程序的规定。

第三，开庭前准备程序中处理不同案件的具体内容。主要包括以下四个方面：

1. 对于当事人之间没有争议并且符合督促程序适用条件的案件，转入督促程序。所谓“督促”是指对于给付金钱或者有价证券为标的的请求,人民法院根据债权人的申请,向债务人发出附有条件的支付令,如果债务人在法定期间内未履行义务又不提出书面异议,债权人可以根据支付令向人民法院申请强制执行。从性质上看,督促程序不同于普通的诉讼程序。重要区别在于督促程序主要适用于当事人之间无争议的关于给付金钱、有价证券的债权债务纠纷,法院只作形式审查,省去了答辩、调查、开庭、上诉和二审等环节,这使督促程序具有简便、迅速的特点。大陆法系的德国是较早适用督促程序的国家之一,德国的司法实践中,适用督促程序最多的案件类型依次为:供货买卖合同纠纷、服务合同纠纷和加工承揽合同纠纷。

我国自 1991 年在民事诉讼法中设立督促程序开始,这一制度在司法实践中有效利用不够。原因之一在于,一旦债务人针对支付令提起异议,人民法院收到债务人提出的书面异议后,应当裁定终结督促程序,支付令自行失效,债权人需另行起诉。这意味着,法院针对债权人关于支付令的申请进行的前期审查不具有意义,法官不得不在争讼程序中对案件重新进行审理,这种重复工作造成了司法资源的浪费。其次,督促程序与诉讼程序之间没有衔接程序,督促程序终结,该争议并不能直接转入诉讼程序,债权人必须重新起诉,这加重了债权人的诉讼成本,弱化了债权人适用督促程序的积极性。有意见提出,我国的督促程序在很多情况下都沦为了耗时的诉前热身程序,甚至常常"打草惊蛇",给债务人提供了转移财产的时间。此外,电脑与网络等现代化通讯手段在督促程序中的欠缺、诉讼费用与费用分担机制的不合理以及当事人诚信义务的缺失等,都影响了督促程序功能的发挥。

一方面是督促程序在实践中运行不畅难以发挥应有的作

用,另一方面是当前我国民事司法体系面临着诉讼案件逐渐增多的巨大挑战,“案多人少”已经成为很多基层法院亟须解决的问题,这迫切需要督促程序发挥其应有的功能。此外,随着银行借贷案件特别是消费贷款、信用卡欠款等纠纷数量的逐渐增多,督促程序应当发挥作用的范围在逐渐拓大,这些因素都对快捷、便利与高效的督促程序的制度设计提出了迫切性的要求。

鉴于上述背景,本次民事诉讼法修改进一步完善了现有的督促程序,其中之一就是扩大了督促程序的适用范围。修改之后的法律规定人民法院对于“当事人没有争议,符合督促程序规定条件的,可以转入督促程序”,即本条第(一)项的规定。这里“符合督促程序规定条件”,指本法第二百一十四条规定的督促程序适用条件,“债权人请求债务人给付金钱、有价证券,符合下列条件的,可以向有管辖权的基层人民法院申请支付令:(一)债权人与债务人没有其他债务纠纷的;(二)支付令能够送达债务人的”。此外,本次民事诉讼法修改对督促程序的完善还体现在督促程序与诉讼程序的衔接性规定上,根据本法第二百一十六条的规定,人民法院对债务人提出的书面异议不是当然裁定督促程序的终结,而是首先进行审查,异议成立的,裁定终结,支付令自行失效。支付令失效的,除申请支付令的一方当事人(债权人)不同意提起诉讼外,该争议转入诉讼程序。

2. 对开庭前可以调解的,采取调解等方式及时解决纠纷。本项规定的是开庭前调解的内容。调解是我国民事诉讼法的一项基本原则,本法第九条明确规定:“人民法院审理民事案件,应当根据自愿和合法的原则进行调解;调解不成的,应当及时判决。”调解这一基本原则,贯彻于整个民事诉讼的各主要环节:首先是立案前的先行调解,本法第一百二十二条明确规定,当事人起诉到人民法院的民事纠纷,适宜调解的,先行调解,但当事人拒绝调解的除外;其次是本项规定的开庭前的调解,本条第二项规定,“开庭前可以调解的”,采取调解等方式及时解决纠纷;除先行调解和开庭前的调解外,其后还有开庭审理后的调解,如本法第一百四十二条规定,法庭辩论终结,应当依法作出判决。判决前能够调解的,还可以进行调解,调解不成的,应当及时判决。

需要说明的是,如何理解开庭前“可以调解的”,还是应遵循自愿和合法的原则,当事人拒绝调解的,应尊重当事人的意愿,及时开庭审理。

3. 根据案件情况,确定案件适用简易程序或者普通程序。该项规定是关于法院确定案件审理程序的内容。民事诉讼法对于简易程序的适用条件作了明确的规定,主要分为两类:一类是“事实清楚、权利义务关系明确、争议不大的简单的民事案件”,上述标准由受理该类案件的基层人民法院和它派出的法庭判断掌握;另一类是在上述民事案件之外,“当事人双方也可以约定适用简易程序”。本项规定“根据案件情况,确定适用简易程序或者普通程序”,这里的“案件情况”不仅包括法院对案件是否属于“事实清楚、权利义务关系明确、争议不大的简单的民事案件”的判断,还包括当事人双方是否约定适用简易程序的情况。即使案件不属于“事实清楚、权利义务关系明确、争议不大的简单的民事案件”,如果当事人双方约定适用简易程序的,人民法院也可以采取简易程序进行审理。需要说明的是,案件的审理程序主要还是应由法院根据案件性质确定,即使当事人约定适用简易程序,但人民法院在审理过程中,发现案件不宜适用简易程序的,裁定转为普通程序。

4. 需要开庭审理的，通过要求当事人交换证据等方式，明确争议焦点。有关开庭审理前的证据交换和争议焦点的明确，是本条规定的重要内容之一。民事诉讼中的庭前证据交换，是指人民法院在案件开庭审理前，组织当事人及其诉讼代理人在指定的时间和地点互相交换已经持有的、证明各自诉讼主张的各种证据的活动。强调庭前准备活动，是现代诉讼程序的重要特点。而证据交换制度则是现代司法改革和司法理念的产物，其产生的理论基础和目标是现代司法的两大价值目标：公正与效率。英美法系国家的证据开示制度源于防止证据突袭、维护诉讼公正的需要，而在其发展过程中，对诉讼效率的要求使得其逐步改革以往的复杂程序，保留法官对程序的管理职能，最终达到公正与效率的平衡。

我国司法实践中，尤其是最高人民法院《关于民事诉讼证据的若干规定》实施后，有不少法院对庭前程序特别是庭前证据交换进行了大胆的改革和探索。通过庭前证据交换，明确争议焦点，提高质证的效果，有利于法官正确判断和认定事实，从而提高案件审理的质量，减少二审和再审的可能，使纠纷得到迅速及时的处理。此外，通过证据交换，双方所持有的证据及审理结果胜败预期一目了然，法官稍加推动，就很有可能使纠纷在进入庭审前就得到解决。目前美国近95%的民事案件经过审前准备程序而以和解告终，进入法庭审理的不超过5%。需要说明的是，本条规定的证据交换与焦点明确，是在法院的指挥和管理下进行的。具体而言，是否需要在开庭审理前明确争议焦点，是通过要求当事人以证据交换的方式还是以其他方式明确争议焦点，如何确定证据交换的日期等诸项事宜都是法院根据案件的具体情况作出判断并在其主导下组织当事人及其他诉讼参加人完成的,方式与方法可以灵活掌握。

第三节　开 庭 审 理

人民法院完成审理前的准备工作之后,进入开庭审理阶段。开庭审理是指在审判人员主持和当事人、其他诉讼参与人的参加下,在法庭上对案件进行全面审理的过程。

第一百三十四条　人民法院审理民事案件,除涉及国家秘密、个人隐私或者法律另有规定的以外,应当公开进行。

离婚案件,涉及商业秘密的案件,当事人申请不公开审理的,可以不公开审理。

【释义】　本条是关于不公开审理的规定。

公开审理是我国民事诉讼的一项基本原则,对于维护司法公正、保护当事人的合法权益具有极其重要的意义。根据本条规定,除法律有特别规定外,所有民事案件的审理一律公开进行。

开庭审理根据是否向公众和社会公开,分为公开审理和不公开审理。根据本法第十条的规定,人民法院审理民事案件,依照法律规定实行公开审判制度。公开审理是人民法院审判案件的一项基本原则,是开庭审理的主要形式,本条规定正是公开审判原则的具体实施。公开审理包括两个内容:一是对群众公开,指民事案件的审判过程,包括审理过程和宣告判决的过程都允许群众旁听,法院应当在开庭审理前将审理案件的日期予以公告,以便群众旁听;二是对社会公开,指允许新闻记者对庭审过程作采访,并允许其对审理过程作报道,将案件向社会披露。通过公开审理案件,便于群众监督人民法院的审判活动,增强审判人员依法办案的自觉性,提高审判质量,也有利于当事人更好地行使诉讼权利,维护自己的合法权益,从而有助于纠纷的公正解决,同时,可以扩大法制宣传,教育公民、法人和其他组织自觉遵守法律。

但根据本法规定,公开审理也存在例外情形。在特殊情形下,公开审理可能会对当事人造成消极影响,不利于保护当事人的合法权益,甚至可能对国家利益、社会利益造成难以弥补的损失。主要有两类案件:一类是法定不公开审理,主要是指涉及国家秘密、个人隐私的案件。根据保守国家秘密法的规定,所谓国家秘密是关系国家的安全和利益,依照法定程序确定,在一定时间内只限一定范围的人员知悉的事项。根据国家秘密的泄露使国家的安全和利益遭受损害程度的不同,国家秘密分为绝密、机密、秘密三级,绝密级国家秘密是最重要的国家秘密,泄露会使国家的安全和利益遭受特别严重的损害;机密级国家秘密是重要的国家秘密,泄露会使国家的安全和利益遭受严重的损害;秘密级国家秘密是一般的国家秘密,泄露会使国家的安全和利益遭受损害。凡是涉及国家秘密的案件一律不公开审理,以免国家秘密泄露,给国家的安全和利益造成损失。所谓个人隐私,是指个人不愿意为别人知晓和干预的私人生活,主要包括私人生活安宁不受他人非法干扰,私人信息保密不受他人非法搜集、刺探和公开等。例如,强奸行为的受害人对加害人提起的民事诉讼,为了保护当事人的合法权益,不使当事人因为案件的审理而受到不必要的消极影响,本条规定涉及个人隐私的案件不公开审理是必要的。另一类是依当事人申请而不公开审理的案件。离婚案件涉及当事人感情问题,还可能涉及家庭私生活,这些方面可能是当事人所不愿意向社会公开的,为了尊重当事人的隐私权,当事人申请不公开审理的,可以不公开审理。商业秘密是指采取一定措施进行保护,可以带来经济利益的技术、情报及其他信息,当事人对技术情报等相关信息的保密意识和要求日益增强,公开审理可能会泄露这些信息,给当事人造成难以挽回的损失。在审理民事案件过程中,当事人可以案件涉及商业秘密为由,申请不公开审理,但案件是否涉及商业秘密,以及案件标的是不是商业秘密,应当结合相关司法解释和案件具体情况予以认定。但是,即便是依法不公开审理的,也必须传唤双方当事人并通知其他诉讼参与人到庭诉讼。

根据本法第一百四十八条的规定,不公开审理的案件,宣判应当公开进行。

第一百三十五条　人民法院审理民事案件,根据需要进行巡回审理,就地办案。

【释义】　本条是关于人民法院巡回审理、就地办案的规定。

便利人民群众进行诉讼,便利人民法院审理案件,是民事诉讼法和审判实践一贯遵循的"两便原则"。这是我国民事审判工作的优良传统,是人民法院审理民事案件的一种行之有效的工作方法和制度。

巡回审理、就地办案就是人民法院派出流动法庭,轮流到民事案件发生地就近审理简单的民事案件。根据本条规定,人民法院可以根据需要决定是否巡回审理,就地办案。此制度在审判实践中主要有以下几点积极意义:一是有利于人民法院查明案情、分清是非、正确及时处理纠纷。二是可以避免当事人和其他诉讼参与人因往返于住所和人民法院之间而延误正常的工作和学习，浪费时间、金钱，浪费诉讼资源。三是可以对当地群众进行法制宣传教育，特别是通过对在当地影响比较大，受群众关注比较多，而且反复发生的案件的审理，可以起到教育大多数群众的作用。

本条将这一行之有效的传统做法法律化，用以规范民事审判活动，有利于密切司法机关与人民群众的联系，提高办案效率，及时审结为数众多的情节简单、争议标的额不大的民事案件，维护良好的社会、经济秩序，切实做到“司法为民”。

第一百三十六条　人民法院审理民事案件，应当在开庭三日前通知当事人和其他诉讼参与人。公开审理的，应当公告当事人姓名、案由和开庭的时间、地点。

【释义】　本条是关于人民法院通知当事人等诉讼参与人参加诉讼和对决定公开审理的案件发布公告的规定。

为了给当事人准备开庭审理留有必要的时间，人民法院审理民事案件，应当依法告知当事人和其他诉讼参与人出庭日期。鉴于开庭日期是法院根据审理前准备情形单方决定的，人民法院应当在开庭三日前用通知书通知诉讼代理人、证人、鉴定人、翻译人员等出席庭审，对当事人应当采用传票传唤。应当说明的是，这一规定是要求人民法院将开庭通知书至迟在开庭三日以前送达当事人和其他诉讼参与人，而不是开庭前三日内才送到，更不是开庭前三日才发出开庭通知。提前发出开庭通知的主要目的是给当事人和其他诉讼参与人留有充裕的时间，按时参加庭审。根据《关于民事经济审判方式改革问题的若干规定》第七条的规定，按普通程序审理的案件，开庭审理应当在答辩期届满并做好必要的准备工作后进行。当事人明确表示不提交答辩状，或者在答辩期届满前已经答辩,或者同意在答辩期间开庭的,也可以在答辩期限届满前开庭审理。

为了使公开审理制度落到实处,方便公众旁听庭审和记者采访报道,凡公开审理的案件应当在开庭三日前发出公告。公告应当注明当事人姓名、案由、开庭的时间和地点。

第一百三十七条　开庭审理前,书记员应当查明当事人和其他诉讼参与人是否到庭,宣布法庭纪律。

开庭审理时,由审判长核对当事人,宣布案由,宣布审判人员、书记员名单,告知当事人有关的诉讼权利义务,询问当事人是否提出回避申请。

【释义】　本条是关于人民法院在开庭审理前和审理时应作事项的规定。

在审理开始阶段,主要任务是为开庭审理作必要的准备工作,解决影响庭审开始有关程序方面的问题。

1. 开庭审理前,由书记员查明当事人和其他诉讼参与人是否到庭。一方当事人或双方当事人以及其他诉讼参与人没有到庭的,应将情况及时报告审判长,并由合议庭决定是否延期开庭或者中止诉讼。决定延期开庭审理的,应当及时通知当事人和其他诉讼参与人;决定中止诉讼的,应当制作裁定书,发给当事人。

2. 书记员宣布当事人及其诉讼代理人入庭,并宣布法庭纪律。依照《人民法院法庭规则》第七条、第九条和第十条的规定,法庭纪律主要包括:诉讼参与人应当遵守法庭规则,维护法庭秩序,不得喧哗、吵闹;发言、陈述和辩论,须经审判长或者独任审判员许可;旁听人员不得录音、录像和摄影,不得随意走动和进入审判区,不得发言、提问,不得鼓掌、喧哗、哄闹和实施其他妨害审判活动的行为；新闻记者未经审判长或者独任审判员许可，不得在庭审过程中录音、录像、摄影。

3. 审判长应当核对当事人，查明原告、被告及其诉讼代理人的姓名、性别、年龄、职业等身份情况，查明诉讼代理人有无授权委托书及代理权限。

4. 审判长宣布案由及开始庭审，对依法不公开审理的案件应当说明理由。原告经传票传唤，无正当理由拒不到庭的，可以按撤诉处理；被告经传票传唤，无正当理由拒不到庭的，审判长可以宣布缺席审理并说明传票送达合法和缺席审理的根据，如果经两次合法传唤仍未到庭并属于法律规定必须到庭的情形的，可以适用拘传；无独立请求权的第三人，无正当理由拒不到庭的，不影响案件的审理；当事人提供的证人在人民法院通知的开庭日期，没有正当理由拒不到庭的，由提供该证人的当事人承担举证不能的责任。

5. 审判长宣布合议庭组成人员、书记员名单，并逐项告知当事人法律规定的诉讼权利和义务。审判长应当询问各方当事人是否申请回避，当事人提出申请回避的，合议庭应当宣布休庭。根据本法第四十六条的规定，院长担任审判长时的回避，由审判委员会决定；审判人员的回避，由院长决定；其他人员的回避，由审判长决定。当事人申请回避的理由不能成立的，由审判长在重新开庭时宣布予以驳回，并记入笔录。当事人申请理由成立，决定回避的，由审判长宣布延期审理。当事人对驳回回避申请的决定不服，申请复议的，不影响案件的开庭审理。人民法院对复议申请，应当在三日内作出复议决定并通知复议申请人，也可以在开庭时当庭作出复议决定并告知复议申请人。

第一百三十八条　法庭调查按照下列顺序进行:

(一)当事人陈述;

(二)告知证人的权利义务,证人作证,宣读未到庭的证人证言;

(三)出示书证、物证、视听资料和电子数据;

(四)宣读鉴定意见;

(五)宣读勘验笔录。

【释义】 本条是关于法庭调查顺序的规定。

法庭调查,是指人民法院依照法定程序,在法庭上对案件事实进行调查,对各种证据予以核实的诉讼活动。法庭调查是开庭审理的核心,是案件进入实体审理的主要阶段,主要任务是进一步明确当事人的诉讼请求,在当事人均在场的情况下,通过法院的直接审理,查明案件事实,审查核实证据,从而全面揭示案情,为认定案件事实、正确适用法律提供依据。对法庭调查的顺序进行规范是必要的,对于规范法庭秩序、维护当事人的合法权益具有重要意义,也有利于法庭审理的有序进行。根据本条规定,法庭调查应当按照下列顺序进行:

(一)当事人陈述

审判人员宣布进入法庭调查阶段后,审判人员直接就有关问题询问当事人,并让当事人陈述。首先由原告及其诉讼代理人陈述其诉讼请求和所根据的事实和理由,同时提出有关证据。然后由被告及其诉讼代理人陈述是否承认原告的诉讼请求,以及对其所持不同的意见,包括反诉,提出事实和理由,并提出有关证据。有独立请求权的第三人参加诉讼的,由其陈述诉讼请求和理由;无独立请求权的第三人参加诉讼的,可以针对原、被告的陈述提出承认或者否认的答辩意见。原告或者被告可以对第三人的陈述进行答辩。

(二)告知证人的权利义务,证人作证,宣读未到庭的证人证言

证人到庭作证,对澄清案件事实和查明证人证言的真实性有很大作用。根据本法第七十二条、七十三条的规定,凡是知道案件情况的单位和个人,都有义务出庭作证。有关单位的负责人应当支持证人作证。证人确有正当理由不能出庭的,经人民法院许可,可以通过书面证言、视听传输技术或者视听资料等方式作证。证人出庭作证的,法庭应查明证人身份,告知证人的权利义务以及作伪证应负的法律责任。证人应当就其所知的案件事实向法庭作全面、客观的陈述,审判人员可以对证人的陈述加以引导,还可以就有关事实询问证人。证人作证后,应征询双方当事人对证人证言的意见。经法庭许可,当事人及其诉讼代理人、第三人可以向证人发问。证人有两个以上的,应分别出庭作证。几个证人的证言之间有矛盾的,可以当庭对质核实。对确有正当理由不能出庭的证人作出的书面证言,应当当庭宣读,当事人及其诉讼代理人、第三人可以发表对证言的意见。

(三)出示书证、物证、视听资料和电子数据

根据本法第六十八条的规定,证据应当在法庭上出示,并由当事人互相质证。未经质证的证据,不得作为认定案件事实的依据。因此,作为证明案件事实的书证、物证、视听资料和电子数据都应当在法庭上出示。对涉及国家秘密、商业秘密和个人隐私的证据应当保密,需要在法庭上出示的,不得在公开开庭时出示。当事人及其诉讼代理人、第三人可以对出示的证据陈述自己的意见,以辨明真伪,必要时可以责令提供书证的当事人或其他人对书证的内容作出说明。物证原件无法在法庭上出示的,可以出示物证的照片或者复制品。案件

的视听资料应在法庭上播放，必要时，应由录制人员说明录制情况和经过，回答法庭提出的问题。

本条规定的电子数据这一证据形式，是指与案件事实有关的电子邮件、网上聊天记录、电子签名、网络访问记录等电子形式的证据。随着电子技术特别是计算机网络技术的发展，电子数据在司法活动中的作用也越来越大，许多国家和地区的立法都对电子数据证据作了明确规定。目前，我国相关法律也对电子数据作了一些规定，例如，根据合同法第十一条的规定，合同的书面形式是指合同书、信件和数据电文（包括电报、电传、传真、电子数据交换和电子邮件）等可以有形地表现所载内容的形式。电子签名法对数据电文的书面形式、原件形式、保存要求、可采性和证明力等作了规定。2012 年新修改的刑事诉讼法也明确规定了电子数据为证据种类之一。为了适应现代社会信息技术的发展和司法实践的需要，修订后的本法第六十三条增加规定了电子数据这一证据形式。本条相应增加了在法庭调查阶段出示电子证据的规定。由于电子数据证据通常存储在各种电子介质上，难以为人们所直接认识，且容易被篡改，目前在确保电子数据证据的原始性、真实性方面还存在一些困难。在进行法庭调查出示电子数据证据时，人民法院应当充分考虑到电子数据的特殊性，为当事人出示电子数据证据提供条件。在对电子数据证据进行认定时，也要严格遵守相关证据规则，确保认定的电子数据证据的真实性。

经过庭审质证的证据，能够当即认定的，应当当即认定；当即不能认定的，可以休庭合议后再予以认定。合议之后认为需要继续举证或者进行鉴定、勘验等工作的，可以在下次开庭质证后认定。

根据最高人民法院《关于民事诉讼证据的若干规定》第五十一条的规定，质证按下列顺序进行：原告出示证据，被告、第三人进行质证；被告出示证据，原告、第三人进行质证；第三人出示证据，原告、被告进行质证。人民法院依照当事人申请调查收集的证据，作为提出申请的一方当事人提供的证据；人民法院依照职权调查收集的证据应当在庭审时出示，听取当事人意见，并可就调查收集该证据的情况予以说明。

（四）宣读鉴定意见

鉴定意见，是指具备资格的鉴定人对民事案件中出现的专门性问题，通过鉴别和判断后作出的书面意见。考虑到鉴定主要是鉴定人利用自己的专业知识作出的一种判断，它只是证据获取途径中的一种，而非绝对的、最终的结论，对鉴定所出具的材料，用“鉴定意见”的表述更为科学、准确，也更符合鉴定行为的本质特征。因此，本次修改时将原法中的“鉴定结论”修改为“鉴定意见”。

开庭审理前，人民法院对专门性问题认为需要进行鉴定的，应当鉴定。开庭审理时，应当宣读鉴定意见，让当事人及其诉讼代理人知道鉴定情况和鉴定意见。

由鉴定人宣读鉴定意见的，应当告知鉴定人其权利和义务，告知如果故意作出不正确的鉴定意见，要负法律责任。然后由鉴定人宣读鉴定意见及其主要根据。如果当事人及其诉讼代理人认为鉴定不十分明确，可以请求人民法院让鉴定人就某些问题作进一步说明。当事人及其诉讼代理人对鉴定意见可以表示同意或者提出异议，也可以要求重新鉴定，是否准许，由人民法院决定。人民法院决定重新鉴定的，审判人员可以宣布休庭或者宣布延期审理。

(五)宣读勘验笔录

勘验笔录是由审判人员或者法院指定的其他人员依法对现场进行勘验所制作的笔录。作为证据的一种,应当在法庭上宣读。拍摄的照片或绘制的图表,都应当出示。当事人及其诉讼代理人、第三人可以向勘验人发问,认为勘验有误的,可以要求重新勘验,是否准许,由人民法院决定。

第一百三十九条　当事人在法庭上可以提出新的证据。

当事人经法庭许可,可以向证人、鉴定人、勘验人发问。

当事人要求重新进行调查、鉴定或者勘验的,是否准许,由人民法院决定。

【释义】 本条是关于当事人在法庭调查阶段的诉讼权利的规定。

法庭调查阶段对于案件的审理结果具有重要影响,明确当事人在法庭调查阶段的诉讼权利,有利于当事人及时行使权利,维护自己的实体权益,但庭审活动必须在法庭的指挥下进行,当事人行使诉讼权利也应当遵循一定的程序。

根据本法规定,当事人有权提供证据。提供证据是当事人的一项权利。当事人可以在起诉和受理的阶段提供,也可以在法院审理前的阶段提供,同样在法庭调查阶段也有权提出新的证据。

在法庭调查中,如果当事人对证人证言、鉴定的情况和鉴定意见、勘验的情况和勘验笔录有异议,经法庭许可,可以向证人、鉴定人、勘验人发问,证人、鉴定人、勘验人应如实回答。如果当事人认为鉴定意见或勘验笔录有错误,可以提出申请要求重新调查或鉴定、勘验,合议庭对当事人提出的申请应进行合议,决定是否重新调查或鉴定、勘验。

在法庭辩论阶段，如果发现当事人提出了新的证据，那么应将辩论阶段转换为调查阶段，等到审判人员对所提出的新证据调查核实完毕，再重新恢复法庭辩论。

第一百四十条 原告增加诉讼请求，被告提出反诉，第三人提出与本案有关的诉讼请求，可以合并审理。

【释义】 本条是关于合并审理已有诉讼请求和新增诉讼请求的规定。

根据本条的规定，人民法院合并审理已有诉讼请求和新增诉讼请求主要包括以下三种情形：

（一）原告增加诉讼请求

作为民事实体权利的主张人和民事诉讼的发起人，原告对自己的实体权利和诉讼权利拥有处分权，可以根据自身情况和诉讼形势的变化调整诉讼请求，包括在已提出的诉讼请求不足以满足自己的主张时，增加新的诉讼请求。在司法实践中，原告在诉讼过程中要求增加诉讼请求时，一般向审理本案的审判长提出，由审判长根据本案的具体情况以及当事人新的诉讼请求，认为合并审理更有利于案件的处理和纠纷的解决的，可以合并审理。比如，某合同纠纷案件中，原告甲向被告乙购买10万双运动鞋，乙交付后，甲发现其中3万双鞋属于劣质产品。原告甲到人民法院起诉，根据合同法第一百一十一条的规定，要求被告乙更换不符合质量要求的产品。通过法庭调查，原告甲发现，根据有关证据，被告乙交付的10万双运动鞋中，除了明显劣质的3万双鞋外，还有5万双鞋也存在质量问题，不符合合同约定。于是原告甲在原来更换3万双鞋的诉讼请求之外，要求被告乙就另5万双质量达不到合同约定的鞋，承担减少价款的违约责任。由于原告甲新提出的诉讼请求与原诉讼请求基于同一事实发生,合并审理可以简化诉讼程序,为了全面解决纠纷,充分保护当事人的合法权益,审判长可以将新的诉讼请求与原诉讼请求合并审理。

(二)被告提出反诉

作为民事纠纷的另一方,被告对自己的实体权利和诉讼权利有与原告相同的处分权。根据本法第五十一条的规定,原告可以放弃或者变更诉讼请求;被告可以承认或者反驳原告提出的诉讼请求,也有权提起反诉。反诉是指在已经开始的民事诉讼程序中,被告针对原告提出的与本诉牵连的诉讼请求。被告提出反诉的目的,是抵消或者吞并本诉的诉讼请求,或者使本诉的诉讼请求失去意义。比如甲向乙提起诉讼,要求乙赔偿将其打伤的医疗费用。在诉讼过程中,乙提出诉讼请求,要求甲赔偿在同一打架事件中甲伤害乙而使乙花费的医疗费用。乙对甲提出诉讼请求的诉讼就是反诉。

反诉有四个条件:

1. 反诉是在本诉进行中提起的,如果本诉尚未提起,或者本诉已经审理终结,就不能提出反诉。

2. 反诉的被告必须是本诉的原告,即反诉与本诉的当事人必须相同,只是他们之间的诉讼地位互换而已。

3. 本诉与反诉的诉讼标的或者诉讼理由必须有联系。

4. 提起反诉的目的是抵消或者吞并本诉的诉讼请求,或者使本诉的诉讼请求失去存在的意义。

理解本条中"被告提出反诉"的意义,还要与诉讼中被告提出反驳的情况相区别。反驳是指在诉讼过程中,被告对原告的诉讼请求不予承认,对原告所提供的证据证明其虚假,或者提出新的事实和证据证明原告的诉讼请求部分或者全部不成立。反驳也是被告享有的一项诉讼权利。

反驳与反诉的不同之处在于：

1. 反驳是被告针对原告的诉讼请求提出的，反驳不会引起新的诉讼；反诉是被告提出的诉讼请求，反诉产生新的诉讼。

2. 反驳是在本案的诉讼过程中发生；反诉虽然也在本诉的诉讼过程中提出，但是否和本诉合并审理，由人民法院根据案件的具体情况决定。

3. 被告在反驳原告的诉讼请求时，仍然是本案的被告；被告在反诉中，与本诉的原告交换了诉讼地位，成了原告。

4. 被告反驳的目的，旨在通过反驳，对原告的诉讼请求不予承认，证明原告的诉讼请求部分或者全部不成立；被告反诉的目的，旨在通过反诉，抵消或者吞并本诉的诉讼请求，或者使本诉的诉讼请求失去存在的意义。

（三）第三人提出与本案有关的诉讼请求

民事诉讼的复杂性往往体现在，一个民事纠纷往往涉及双方当事人之外的民事主体的权利，会出现第三人与双方当事人的权利义务争议。本法第五十六条规定，对当事人双方的诉讼标的，第三人认为有独立请求权的，有权提起诉讼。第三人在诉讼过程中提出与本案有关的诉讼请求时，人民法院根据案件的具体情况及第三人提出的诉讼请求，认为合并审理可以避免程序上的重复，节省时间和人力、物力，防止作出相互矛盾的裁判的，可以合并审理。例如，甲和乙订立了房屋租赁合同，约定甲将房屋租赁给乙。后乙因甲未履行合同而起诉甲。在案件的审理过程中，第三人丙称自己是房屋所有人而起诉甲和乙。这里原告甲和被告乙之间的诉讼可以称为本讼，第三人丙提出的诉讼可以称为第三人之诉。尽管这里第三人丙的起诉与本诉不是基于同一法律关系,也不是基于同一事实,但丙的诉讼请求与本诉的诉讼标的密切相关,人民法院可以决定将这两个诉合并审理。

不管是原告、被告还是第三人提出了新的诉讼请求,是否合并审理,都应当由人民法院依据民事诉讼的基本理论和案件的实际情况决定。

从理论上看,将原告的新的诉讼请求、被告的反诉以及第三人的起诉与本诉合并审理,应当具备以下两个条件:(1)原告的新的诉讼请求、被告的反诉以及第三人的起诉都是在本诉进行中提起的。本诉已经审理终结,新的诉讼请求只能通过另外构成的新的诉讼来实现。(2)原告的新的诉讼请求、被告的反诉以及第三人的起诉的诉讼请求应当与正在进行的诉讼在决定诉讼标的基础法律关系、讼争事实或者诉讼理由方面有足够的联系。

从司法实践经验来看,将原告的新的诉讼请求、被告的反诉以及第三人的起诉与本诉合并审理,应当有利于解决纠纷,简化诉讼程序。如果人民法院根据新旧诉讼请求的实际内容,结合案件的具体情况,认为合并审理并不能同时解决几个方面的问题,也不能简化诉讼程序,反而会给案件的处理增加困难,或者不利于当事人、第三人及其他诉讼参与人进行诉讼,人民法院可以作出不合并审理的决定。人民法院对于不合并审理的案件,应当告知当事人另行起诉,或者对第三人的起诉另行立案审理。

对于原告、被告和第三人而言,将原告的新的诉讼请求、被告的反诉以及第三人的起诉与本诉合并审理,可以有效降低诉讼成本。例如,2006年国务院颁布的《诉讼费用交纳办法》第十八条规定:“被告提起反诉、有独立请求权的第三人提出与本案有关的诉讼请求，人民法院决定合并审理的，分别减半交纳案件受理费。”对于人民法院而言，通过合并审理也可以充分利用司法资源，有效息诉止争。最高人民法院在有关司法解释中多次对在复杂纠纷中利用合并审理，简化案件办理作出了规定。合理利用合并审理，充分保护各方当事人利益，简化司法程序，对构建高效、便捷的民事纠纷解决方式一直具有重要意义，在今后我国民事诉讼法律实践的发展中也将继续发挥应有的作用。

第一百四十一条　法庭辩论按照下列顺序进行：

（一）原告及其诉讼代理人发言；

（二）被告及其诉讼代理人答辩；

（三）第三人及其诉讼代理人发言或者答辩；

（四）互相辩论。

法庭辩论终结，由审判长按照原告、被告、第三人的先后顺序征询各方最后意见。

【释义】　本条是关于法庭辩论的规定。

法庭辩论是在法庭调查的基础上，双方当事人运用法庭调查已查实的证据和有关法律规定，对认定案件事实、确定诉讼请求等方面仍有争议的问题进行辩论，反驳对方的意见，阐明自己主张的正确性。通过法庭辩论，便于认定事实，辨明是非，使人民法院作出正确的裁判。

（一）法庭辩论的一般流程

法庭调查后，当事人、第三人及其诉讼代理人为维护自己一方的诉讼请求、反驳对方提出的主张，可以在审判人员主持下在法庭上相互进行辩论。根据本条规定，法庭辩论应当按照下列程序进行：

1. 原告及其诉讼代理人发言

审判长宣布进入法庭辩论阶段后,先由原告就法庭调查的事实和证据、应当适用的法律,陈述自己的意见。原告陈述后,有代理人的,由代理人对原告的发言作补充或者进一步说明,以便更好地维护原告的合法权益。原告不到庭的,可由其诉讼代理人发言。

2. 被告及其诉讼代理人答辩

原告及其诉讼代理人发言完毕,由被告就法庭调查的事实和证据、应当适用的法律发表意见,并针对原告的发言进行答辩。被告有诉讼代理人的,在被告发言完毕后,其诉讼代理人对被告的发言作补充或进一步说明,以便更好地维护被告的合法权益。被告不到庭的,可由其诉讼代理人发言和答辩。

3. 第三人及其诉讼代理人发言或者答辩

有第三人参加诉讼的,原、被告发言、答辩后,法庭应当让第三人发言或者答辩,让其就法庭调查的事实和证据,应当适用的法律,以及原、被告的发言、答辩,提出自己的意见。第三人有诉讼代理人的,可由其诉讼代理人发言或者答辩。

4. 互相辩论

经过上述法庭辩论顺序后,审判员应当让双方当事人、第三人就本案的问题互相向对方发问,辩驳对方的主张并阐述自己的意见。审判人员在当事人互相辩论时,应当使辩论集中在案件必须解决的问题上,必要时,可以对当事人进行启发、引导,审判人员必须公平地保障双方当事人的辩论权利。当事人也不得滥用辩论权利,无理狡辩,互相争吵,甚至哄闹滋事。

在司法实践中,法庭辩论由各方当事人按照本条规定次序依次发言。一轮辩论结束后,审判长会询问当事人是否还有补充意见。当事人要求继续辩论的,可以再次按照顺序进行下一轮辩论，但审判长要提醒不可重复已经发表的意见。

经过一轮或者几轮辩论，当事人在法庭辩论终结时，都有陈述最后意见的权利。因此，法庭辩论终结，由审判长按照原告、被告、第三人的先后顺序征询各方最后意见，以充分保证当事人行使诉讼权利。

（二）法庭调查与法庭辩论的结合

一般来说，法庭辩论应当在法庭调查明确争点、揭示事实的基础上进行，但是在审判实践中，对一些争议较多的案件，审判人员为避免法庭调查与法庭辩论在一些问题上重复，或辩论的问题分散，庭审时间过长，有的会在法庭调查中合并一部分法庭辩论内容。当事人为避免说前忘后，也愿意每调查一个问题，先就这个问题进行辩论。这是法院根据案件的不同情况和特点，从有利于发挥开庭审理的效率和提高审理的效果出发，所采取的审理方式。但是，即使根据审理的需要，也不得省略诉讼阶段依法应当进行的事项。

在司法实践中，法庭调查与法庭辩论往往以下列形式结合：法庭调查阶段，一方当事人认为另一方当事人陈述的某些事实不清，或者认为其他证据需要另一方当事人进行证实等，在征得审判长同意后，向另一方当事人发问，审判长认为一方当事人的请求合理，应当允许其向另一方当事人发问或者与另一方当事人进行辩论，并应指挥当事人的发问和辩论。审判长一旦发现当事人所提的问题或者辩论的问题超出了本案的范围，应当及时制止。当事人之间的发问或者辩论结束后，审判人员继续进行法庭调查。

（三）法庭辩论的意义

从诉讼程序的进行来看，法庭辩论是当事人庭审交锋的最后一环，所以，在司法实践中，法庭辩论往往是就一些事实问题作出判断的重要环节。比如,审理人身损害赔偿案件时,最终确定赔偿标准和数额,就有赖于一审法庭辩论终结前实际发生的数额;城镇居民人均可支配收入、农村居民人均纯收入、城镇居民人均消费性支出、农村居民人均年生活消费支出、职工平均工资等,也要根据一审法庭辩论终结时的上一统计年度相关统计数据确定。

法庭辩论是民事诉讼法第十二条规定的当事人的辩论权的直接体现。辩论是当事人的诉讼权利,民事诉讼法第十二条意义上的辩论权,涵盖当事人在诉讼过程中表达各自意思的各种方式,不仅法庭辩论是辩论权的体现,当事人提出起诉状、答辩状,当庭作出陈述等诉讼行为也是行使辩论权。法庭辩论是当事人各自表达意思最直接最集中的庭审阶段,审判人员应当尊重并保障当事人充分行使法庭辩论的权利。

理解法庭辩论的意义还可以与本法第二百条第(九)项相结合。第二百条第(九)项规定的违反法律规定剥夺当事人辩论权利的情形,针对的是民事诉讼法广义上的辩论权。偏听偏信,只听取一面之词,完全不允许另一方以任何方式发表意见的审判当然应当纠正。但是,辩论权的行使也是有边界的。具体到法庭辩论阶段,当事人离题万里、长时间争辩,不仅会影响其他诉讼参加人行使辩论权,也会影响人民法院行使审判权,不属于法律应当保护的辩论权。因此对当事人在法庭辩论阶段的合理引导,及时制止和纠正不当发言,是法律赋予审判人员的职责所在,不属于对当事人辩论权的剥夺。

第一百四十二条　法庭辩论终结,应当依法作出判决。判决前能够调解的,还可以进行调解,调解不成的,应当及时判决。

【释义】 本条是关于法庭辩论后的调解的规定。

调解是民事诉讼的一个基本原则，贯穿民事诉讼的整个过程。调解是人民法院解决民事纠纷的两种法定方式之一，调解和判决各有所长，在定纷止争方面相辅相成。在司法实践中，能调解的要努力调解，调解不成的，应当及时判决。

从诉讼开始，审判人员就应根据双方当事人的意愿，能够调解的，予以调解。法庭辩论终结后，当事人双方如果自愿调解，在判决宣告前，人民法院还可以进行调解。

司法实践中，经过法庭调查和辩论，如果事实清楚的，审判长会按照原告、被告和有独立请求权第三人的顺序询问当事人是否愿意调解。无独立请求权的第三人需要承担义务的，在询问原告、被告之后，还会询问其是否愿意调解。

当事人愿意调解的，可以当庭进行，也可以休庭后进行。调解时，可以先由各方当事人提出调解方案。当事人意见不一致的，合议庭要讲清法律规定，分清责任，促使双方当事人达成协议。必要时，合议庭还可以根据双方当事人的请求提出调解方案，供双方当事人考虑；也可以先分别征询各方当事人意见，然后进行调解。

经过调解，双方当事人达成协议的，应当在调解协议上签字盖章。人民法院应当根据双方当事人达成的调解协议制作调解书送达当事人。双方当事人达成协议后当即履行完毕，不要求发给调解书的，应当记入笔录，在双方当事人、合议庭成员、书记员签名或盖章后，即具有法律效力。

如果调解进行得非常顺利，双方当事人当庭达成调解协议的，合议庭应当宣布调解结果，告知当事人调解书经双方当事人签收后，即具有法律效力。

民事诉讼法之所以在第八章之外还要在本条强调法庭辩

论后的调解,是因为有些民事案件,诉讼开始时,双方当事人争执很大,互不相让,不愿进行调解。法庭辩论终结后,案件已经查清,是非也已分明,双方当事人比较愿意接受调解。因此,民事案件判决前,能够调解的,审判人员仍可进行调解,如果当事人不愿意调解或者经过调解双方当事人达不成协议,人民法院应当依法判决。法庭辩论后的调解不要能调不调,更不要久调不决,这样才能充分实现调解的意义。

第一百四十三条　原告经传票传唤,无正当理由拒不到庭的,或者未经法庭许可中途退庭的,可以按撤诉处理;被告反诉的,可以缺席判决。

【释义】　本条是关于原告无正当理由拒不到庭,或者未经法庭许可中途退庭如何处理的规定。

在民事诉讼中,经人民法院传票传唤,原告有义务按时到庭,以保证诉讼活动及时、顺利地进行,明确当事人的权利义务关系,保护当事人的合法权益,也使法律的严肃性和人民法院的权威得到维护。尤其作为要求解决纠纷、维护其权益而提起诉讼的原告,更应当配合人民法院的工作,使案件得到及时、正确的处理。如果原告不履行出庭义务,将承担相应的法律后果。

(一)原告无正当理由拒不到庭的法律后果

原告如果确实有不能到庭的事由,在接到人民法院的传票后,应当及早向人民法院提出。人民法院经审查,认为原告提出的不能到庭的理由正当,确实不能到庭的,可以决定延期审理,并及时将延期审理的情况通知被告。人民法院经审查,认为原告提出的理由不正当,可以决定不延期审理,并通知原告。原告接到不延期审理的通知后,应当按时出庭。原告经人民法院传票传唤，没有正当理由拒不到庭的，可以视为放弃自身的诉讼请求，也是一种对自己诉讼权利的消极处分，可以按照撤诉处理。如果被告提出反诉，为了保障被告的合法权益，人民法院可以缺席判决。

（二）原告未经法庭许可中途退庭的法律后果

原告未经法庭许可中途退庭，是一种藐视法庭的行为。这一行为违反了法庭纪律，扰乱了诉讼程序，干扰了诉讼进程。为了维护法律的尊严和人民法院的权威，对原告未经法庭许可中途退庭的，人民法院可以按照原告撤诉处理，被告反诉的，可以缺席判决。

（三）按撤诉处理和缺席判决

撤诉是原告撤回起诉的诉讼行为。民事诉讼法规定撤诉分两种情况：一是原告申请撤诉，二是人民法院按撤诉处理。按撤诉处理，是人民法院在审理过程中，依法对原告经传票传唤无正当理由拒不到庭或者未经法庭准许中途退庭行为进行处理的一种方式。可以按撤诉处理的含义是，要按照撤诉是否符合法律规定来掌握，对符合撤诉条件的，按撤诉处理；对不符合撤诉条件的，人民法院应当继续审理。

根据民事诉讼法的规定，适用缺席判决的，有以下四种情况：（1）被告经合法传唤，无正当理由拒不到庭的，或者未经法庭许可中途退庭的；（2）宣判前，原告申请撤诉，人民法院裁定不准撤诉，经传票传唤无正当理由拒不到庭的；（3）原告经传票传唤，无正当理由拒不到庭或者未经法庭许可中途退庭，又不宜按撤诉处理的；（4）在被告提出反诉的情况下，原告经传票传唤无正当理由拒不到庭的，或者未经法庭许可中途退庭的。

人民法院进行缺席判决，也应当对当事人提出的诉讼材料认真审查,其中包括未出庭的原告已经提供的诉讼材料,在充分考虑缺席一方当事人合法权益的前提下,作出判决。

需要注意的是,有独立请求权的第三人,也是独立起诉的主体,只是由于本诉的存在,他以第三人的身份参加到本诉的审理中。如果原告申请撤诉,人民法院在准许原告撤诉后,有独立请求权的第三人还可以作为另案原告,原案原告、被告作为另案被告,诉讼另行进行。第三人的诉讼权利和相关义务在他的请求范围内与原告相同,所以在司法实践中,对经人民法院传票传唤,无正当理由拒不到庭的,或者未经法庭许可中途退庭的第三人,往往比照本条的规定,按撤诉处理。

第一百四十四条 被告经传票传唤,无正当理由拒不到庭的,或者未经法庭许可中途退庭的,可以缺席判决。

【释义】 本条是关于被告无正当理由拒不到庭或者未经法庭许可中途退庭如何处理的规定。

在民事诉讼过程中,为了保障自己的合法权益,被告应当配合人民法院的工作,在人民法院传票传唤之后,按时出庭,以便人民法院及时查明案情,正确适用法律,公正裁判。

被告确有不能按时到庭的事由,应当及早向人民法院提出。人民法院经审查,认为被告提出的理由正当,确实不能到庭的,可以决定延期审理,并将延期审理的情况及时通知原告。人民法院经审理,认为被告提出的理由不正当,可以决定不延期审理,并将不延期审理的决定通知被告。被告接到人民法院的通知后,应当按时出庭。如果被告经人民法院传票传唤,无正当理由拒不到庭,或者被告虽然到庭,但在审理过程中,未经法庭许可中途退庭的,人民法院可以缺席判决。

对于必须到庭的被告，经人民法院两次传票传唤，无正当理由拒不到庭，人民法院可以根据民事诉讼法的有关规定，对其采取拘传的强制措施。必须到庭的被告，一般是指追索赡养费、扶养费、抚育费、抚恤金、劳动报酬案件和离婚案件的被告，以及其他不到庭就无法查清案情的被告。两次传票传唤，指人民法院送达传票，并由受送达人或者代收人在送达回证上签名或者盖章。无正当理由，一般指没有不可抗力、意外事件等使被告无法到庭的特殊情况。

本条和第一百四十三条都是关于当事人无正当理由不按时出庭或者中途退出法庭的法律后果的规定。本法第二百条第（十）项规定的“未经传票传唤，缺席判决”的再审情形与这两条有着密切的关系。缺席判决是一种对缺席当事人的权益保护非常不利的处理方式，为了正确判决，确保司法公正，我国民事诉讼法对其适用规定了必须经传票传唤的前提条件。

对于各级人民法院而言，在具体适用本条和第一百四十三条时要特别注意遵守法定程序，慎重适用缺席审判，否则就可能导致案件进入再审程序，造成本来可以避免的司法资源消耗。现在人民法院在诉讼准备阶段向当事人提供的《人民法院民事诉讼风险提示书》第十七条中明确提示，原告经传票传唤，无正当理由拒不到庭，或者未经法庭许可中途退出法庭的，人民法院将按自动撤回起诉处理；被告反诉的，人民法院将对反诉的内容缺席审判。被告经传票传唤，无正当理由拒不到庭，或者未经法庭许可中途退出法庭的，人民法院将缺席判决。对于当事人而言，也要明确诉讼中也会因自己的不当行为带来不必要的诉讼风险，应当尊重法庭,遵守规则。

第一百四十五条　宣判前,原告申请撤诉的,是否准许,由人民法院裁定。

人民法院裁定不准许撤诉的,原告经传票传唤,无正当理由拒不到庭的,可以缺席判决。

【释义】 本条是关于原告撤诉的规定。

撤诉,是指原告向人民法院起诉后,在判决宣告前,全部放弃自己诉讼请求的行为。撤诉是原告的一项诉讼权利。民事诉讼法第十三条规定,当事人有权在法律规定的范围内处分自己的民事权利和诉讼权利。

撤诉和起诉都是原告处分权的体现,其行使应当遵循诚实信用原则,不得违反法律的规定。起诉和撤诉是否发生原告希望的法律后果,取决于人民法院的决定。

如果原告的撤诉法院没有支持,诉讼程序就必须继续进行。原告仍然应当配合人民法院的审判工作,如果在接下来的审理过程中,原告经传票传唤,无正当理由拒不到庭的,人民法院可以缺席判决。

一般说来,原告撤诉仅处分自己的诉讼权利,没有处分自己的实体权利,在一定条件下,原告还可以起诉,再次要求通过司法程序保护自己的实体权利。比如,在诉讼过程中,由于证据不足,人民法院无法查清案情,原告也无法胜诉,而作为认定事实的证据,原告在短期内不可能提供,人民法院也不可能在短期内获取,为了避免案件久拖不决,造成人力、物力的浪费,原告可以向人民法院申请撤诉。原告在撤诉后,如果在诉讼时效期间获取了能够证明案件真实情况的新的证据,可以就同一诉讼请求向人民法院重新提起诉讼。

第一百四十六条　有下列情形之一的，可以延期开庭审理：

（一）必须到庭的当事人和其他诉讼参与人有正当理由没有到庭的；

（二）当事人临时提出回避申请的；

（三）需要通知新的证人到庭，调取新的证据，重新鉴定、勘验，或者需要补充调查的；

（四）其他应当延期的情形。

【释义】　本条是关于延期审理的规定。

延期审理是指在诉讼过程中，由于发生了法律规定的情况，致使人民法院不能在原定的日期对案件进行审理时，人民法院把已经开庭审理的案件，改到另一日期进行审理。

有下列情形之一的，可以延期审理：

1. 必须到庭的当事人和其他诉讼参与人有正当理由没有到庭。必须到庭的当事人和其他诉讼参与人，如果确因突然患病等正当理由没法到庭，人民法院就难以正常审查证据、认定事实等，在这种情况下，可以延期审理。

2. 当事人临时申请回避。根据民事诉讼法的规定，被申请回避的人员，在人民法院作出回避决定前，应当暂停参与本案的工作，如果被申请回避的人员不参加本案的工作，致使案件审理一时无法进行的，可以延期审理。

3. 需要通知新的证人到庭，调取新的证据，重新鉴定、勘验或者需要补充调查。

4. 其他应当延期审理的情形。例如，一方当事人在诉讼过程中因妨害民事诉讼而被拘留，不能按期或者继续开庭审理等。

人民法院决定延期审理后，对下次开庭审理的日期和地点能够即时确定的,应当当庭通知当事人和其他诉讼参与人。不能即时确定的,可以在确定以后另行通知。

司法实践中,发现是否存在需要延期审理的情况是开庭前准备的重要内容。开庭审理前,书记员应当查明当事人和其他诉讼参与人是否到庭。当事人或其他诉讼参与人没有到庭的,应将情况及时报告审判长,并由合议庭确定是否需要延期开庭审理或者中止诉讼。决定延期开庭审理的,应当及时通知当事人和其他诉讼参与人;决定中止诉讼的,应当制作裁定书,发给当事人。原告经传票传唤,无正当理由拒不到庭的,可以按撤诉处理;被告经传票传唤,无正当理由拒不到庭的,可以缺席判决。

第一百四十七条　书记员应当将法庭审理的全部活动记入笔录,由审判人员和书记员签名。

法庭笔录应当当庭宣读,也可以告知当事人和其他诉讼参与人当庭或者在五日内阅读。当事人和其他诉讼参与人认为对自己的陈述记录有遗漏或者差错的,有权申请补正。如果不予补正,应当将申请记录在案。

法庭笔录由当事人和其他诉讼参与人签名或者盖章。拒绝签名盖章的,记明情况附卷。

【释义】　本条是关于法庭笔录的制作、宣读以及由当事人和其他诉讼参与人签名或者盖章的具体程序规定。

法庭笔录是由书记员制作的,如实反映人民法院在审判民事案件中审判人员、当事人以及其他诉讼参与人的主要活动的书面记录。

法庭笔录是法庭审判全部活动的反映,是人民法院依法判案的重要依据。真实、准确的法庭笔录,有利于人民法院正确及时解决当事人之间的纠纷,有利于审判人员总结工作经验、提高审判工作的质量;有利于人民检察院、上级人民法院对民事审判活动进行法律监督;也有利于上诉审和再审人民法院处理上诉案件和再审案件。

法庭笔录应当主要记明下列内容:

1. 笔录名称,如开庭笔录、宣判笔录等。

2. 案由,开庭时间和地点,审判人员、书记员的姓名。

3. 原告、被告、第三人、诉讼代理人的姓名、性别、年龄等。若有未到庭的,应当记明未到庭的情况。

4. 审判长告知当事人的诉讼权利和义务,以及是否要求审判人员或者其他出庭人员回避的情况。

5. 当事人陈述。

6. 法庭调查的全部情况:法庭对所有证据进行的调查,当事人对各种证据的辨认和提出的意见和要求,在审理过程中提出的新证据。

7. 原告、被告、第三人、诉讼代理人法庭辩论的发言。

8. 原告提出增加、变更、撤回的诉讼请求,被告提出的反诉,第三人提出的诉讼请求等,以及审判人员对这些情况的处理。

9. 审判人员、书记员、当事人和其他诉讼参与人的签名或盖章,或者当事人和其他诉讼参与人拒绝签名或盖章的情况。

法庭笔录应当当庭宣读,也可以告知当事人和其他诉讼参与人当庭或者在五日内阅读。当事人和其他诉讼参与人认为法庭笔录对自己的陈述记录有遗漏或者差错的,有权申请补正。如果不予补正,应当将申请记录在案。

法庭笔录由当事人和其他诉讼参与人签名或者盖章。拒绝签名盖章的,记明情况附卷。

第一百四十八条　人民法院对公开审理或者不公开审理的案件,一律公开宣告判决。

当庭宣判的,应当在十日内发送判决书;定期宣判的,宣判后立即发给判决书。

宣告判决时,必须告知当事人上诉权利、上诉期限和上诉的法院。

宣告离婚判决,必须告知当事人在判决发生法律效力前不得另行结婚。

【释义】　本条是关于公开宣告判决的规定。

(一)公开宣告判决的意义

从诉讼程序角度讲,宣告判决是审判程序的最后一环。从实体权利角度讲,宣判是当事人争议的民事法律关系得到司法确认的标志。判决的公开宣告既体现了司法程序的文明、进步,又体现了国家司法权力的神圣和庄严。正是因为公开宣告判决在法律程序和实体关系上都具有重要意义,民事诉讼法在本条第一款就规定:“人民法院对公开审理或者不公开审理的案件,一律公开宣告判决。”

(二)公开宣判的注意事项

人民法院经过对案件的审理,查清了争议的事实,可以当庭宣判;由于某种特殊原因不能当庭宣判的(如合议庭需要另行评议、案件需要提交审判委员会讨论决定等),也可以择日公开宣判。

人民法院宣告判决,应当注意以下事项:

1. 人民法院宣告判决,一律公开进行。无论是公开审理的案件,还是不公开审理的案件,宣告判决都应当公开。

2. 人民法院当庭宣判的，应当在十日内发送判决书；定期宣判的，宣判后立即发给判决书。

3. 人民法院宣告一审判决时，必须告知当事人上诉权利、上诉期限和上诉审法院，即告知当事人如果不服本判决，可于接到判决书之日起十五日内，向本院提交上诉状及副本，上诉于第二审人民法院。当事人不清楚的，审判人员应当作出解释。人民法院在宣告第二审判决时，应当告知当事人本判决为终审判决，不准上诉，并说明判决在宣判后即发生法律效力，当事人必须按照判决的内容履行法律义务。

4. 宣告一审离婚判决，必须告知当事人在判决发生法律效力前不得另行结婚。因为一审判决在上诉期限届满前是不发生法律效力的，只要有一方当事人上诉，就要进行二审，二审可能作出不准离婚的判决，因此，只有上诉期限届满当事人双方不上诉，离婚判决才能生效，当事人才可另行结婚。

第一百四十九条　人民法院适用普通程序审理的案件，应当在立案之日起六个月内审结。有特殊情况需要延长的，由本院院长批准，可以延长六个月；还需要延长的，报请上级人民法院批准。

【释义】 本条是关于人民法院审理民事案件的期限的规定。

明确规定人民法院对民事案件的审理期限，要求人民法院对民事案件及时审结，对于保护公民、法人和其他组织的民事权益，维护社会秩序有重要意义。本条根据人民法院按第一审普通程序审结民事案件所需时间的情况，规定人民法院适用普通程序审理案件的期限，为立案之日起六个月。由于民事案件范围广、种类多,不同种类案件的复杂程度不同,有的案件需要专门性知识,如专利、商标等知识产权侵权案件,有的需要做大量的调查取证与核实证据工作,如合同纠纷、知识产权纠纷等案件,还有各类案件中不少需要进行鉴定、公告等,有的案件可能在六个月内不能及时审结。因此,民事诉讼法作了可以延长期限的规定。为了避免任意延长期限,把本院院长批准延长期限的权限,限制在六个月内;还需要延长的,由上级人民法院批准。

人民法院审理的民事案件如果得不到及时处理,容易引起矛盾激化,不利于保护当事人的合法权益,也不利于社会秩序的稳定。因此,民事诉讼法对民事案件的审理规定了上述期限。2000 年和 2001 年最高人民法院出台的有关案件审限管理的规定中也严格重申了有关审限的规定。各级人民法院应当按照法律和相关规定,建立健全审限管理制度,确保高效、及时审结各类案件,不得久拖不结。各级人民法院都应当依法进行审限管理,提高司法效率。

第四节　诉讼中止和终结

第一百五十条　有下列情形之一的,中止诉讼:

(一)一方当事人死亡,需要等待继承人表明是否参加诉讼的;

(二)一方当事人丧失诉讼行为能力,尚未确定法定代理人的;

(三)作为一方当事人的法人或者其他组织终止,尚未确定权利义务承受人的;

(四)一方当事人因不可抗拒的事由,不能参加诉讼的;

（五）本案必须以另一案的审理结果为依据，而另一案尚未审结的；

（六）其他应当中止诉讼的情形。

中止诉讼的原因消除后，恢复诉讼。

【释义】　本条是关于中止诉讼的规定。

一般情况下，民事诉讼程序开始后，应当依照法定程序连续进行，但有时会出现某种无法克服和难以避免的特殊情况，导致诉讼程序不能或者不宜进行，需要使诉讼程序暂时停止。根据本条规定，中止诉讼有下列情形：

（一）一方当事人死亡，需要等待继承人表明是否参加诉讼

在诉讼进行中，一方当事人死亡，其诉讼权利能力自然终止，必须等待其继承人参加诉讼，诉讼程序才能继续进行。但确定继承人往往比较复杂，甚至可能发生争议。如果需要一定时间才能确定继承人是否承担被继承人的诉讼权利义务，就应当中止诉讼；如果能够即时确定继承人参加诉讼，可以不中止诉讼。值得注意的是，需要等待继承人的情况仅发生在因财产关系发生争议的案件中，因身份关系提起的诉讼，不发生等待继承人参加诉讼的问题，如离婚案件中，一方当事人死亡，婚姻关系就自然解除。

（二）一方当事人丧失诉讼行为能力，尚未确定法定代理人

在诉讼中，一方当事人丧失诉讼行为能力，如突发精神病，以致无法表达自身的意志，就不能自主行使诉讼权利、承担诉讼义务。这就需要按照民法通则的规定，确定监护人，由监护人作为法定代理人代为诉讼，确定法定代理人确有困难，需要较长时间的，应中止诉讼。

(三)作为一方当事人的法人或者其他组织终止,尚未确定权利义务承受人

诉讼中,一方当事人为法人或者其他组织,如果因合并、撤销、解散等原因而终止,在权利义务承受人没有确定前,应中止诉讼。

(四)一方当事人因不可抗拒的事由,不能参加诉讼

不可抗拒的事由是指因地震、洪水等自然灾害或者战争等个人力量无法避免的情况。当事人因为这种重大变故,在较长的时间内不能参加诉讼的,应中止诉讼。

(五)本案必须以另一案的审理结果为依据,而另一案件尚未审结

审判实践中,有些民事案件比较复杂,案件之间的法律关系或者事实情况相互牵连。一个案件的事实认定或者法律适用,要以另一案件的审理结果为依据,如果不等另一案件审结而急于裁判,就有可能出现两案件事实矛盾,适用法律失当,出现矛盾的裁判。这不仅不利于保护当事人的合法权益,使已有纠纷更加复杂,还有损法院判决、裁定的严肃性。因此遇到这种情况就应当中止诉讼。例如,他人对作为主要遗产的房屋的所有权的诉讼正在进行中,继承遗产的诉讼就不能审理下去,需要等待该房屋所有权确定。在这种情况下,继承案件应中止,待房屋所有权案件审结后,再恢复诉讼。

(六)其他应当中止的情形

除了上述五项情形外,还可能有其他情况,使案件的审理程序不能继续进行下去,例如,由于当事人住所的临时变动,一时不能知道其新的住所地。

中止诉讼应当由人民法院以书面形式作出裁定,由审判人员、书记员署名并加盖人民法院印章。中止诉讼的裁定一

经作出即发生法律效力，当事人不得上诉，不得申请复议。中止诉讼的裁定的效力体现为：除了已经作出的保全和先予执行的裁定需要继续执行以外，一切属于本案诉讼程序的活动一律暂停，但已经进行的一切诉讼行为继续有效。中止诉讼的原因消除后，应及时恢复诉讼程序，自诉讼程序恢复之日起，中止诉讼的裁定自行失效。诉讼程序恢复后，诉讼程序中止前的状态继续前进，已经进行的诉讼行为对新出现的诉讼承担人具有约束力。

第一百五十一条　有下列情形之一的，终结诉讼：

（一）原告死亡，没有继承人，或者继承人放弃诉讼权利的；

（二）被告死亡，没有遗产，也没有应当承担义务的人的；

（三）离婚案件一方当事人死亡的；

（四）追索赡养费、扶养费、抚育费以及解除收养关系案件的一方当事人死亡的。

【释义】　本条是关于终结诉讼的规定。

通常情况下，民事诉讼因人民法院对案件作出裁判后终结，但在诉讼进行中如果发生了法律规定的某种特殊情况，使案件的审理不可能进行下去或者进行下去没有意义时，就要以裁定终结诉讼的方式结束诉讼程序。本条规定，有下列情形之一的，终结诉讼：

（一）原告死亡，没有继承人，或者继承人放弃诉讼权利

民事诉讼是因原告提出诉讼请求、主张一定权利而引起的。如果原告死亡，没有继承人，或者继承人放弃诉讼权利，就使诉讼失去了权利主张人。这样的诉讼继续下去既不可能也无意义，人民法院应当终结诉讼。

(二)被告死亡,没有遗产,也没有应当承担义务的人

被告死亡,没有遗产,也没有应当承担义务的人,原告的诉讼请求不可能得到满足,诉讼继续进行既不可能也无意义,应当终结诉讼。

(三)离婚案件一方当事人死亡的

离婚案件是为了解除当事人之间的婚姻关系。一方当事人死亡,婚姻关系自然消灭,诉讼要解决的问题的前提已经不复存在,应当终结诉讼。

(四)追索赡养费、扶养费、抚育费以及解除收养关系案件的一方当事人死亡

追索赡养费、扶养费、抚育费案件的原告死亡的,提出给付要求的人不存在了;被告死亡,也不能再支付赡养费、扶养费和抚育费。案件审理的实际意义消失,应当终结诉讼。解除收养关系案件的一方当事人死亡的,收养关系已经不复存在,诉讼也没有进行的必要,应当终结诉讼。

诉讼终结,案件就不再审理,当事人不得再就同一诉讼标的提起诉讼。诉讼终结关系到另一方当事人的民事权益能否得到保护的问题,民事诉讼法明确规定了可以终结诉讼的四种情况,而没有作类似诉讼中止的兜底性条款的规定,其意义在于对诉讼终结的适用,要求严格掌握,依法进行。

人民法院决定案件诉讼终结,应当作出书面裁定。裁定应当由审判人员、书记员署名,并加盖人民法院印章,送达当事人。诉讼终结的裁定,一经作出即发生法律效力,当事人对该裁定,不得提起上诉。

掌握民事诉讼法有关诉讼终结的规定应当注意以下两点:(1)诉讼终结是诉讼程序的终结,终结诉讼的裁定,不能确定死亡一方当事人的财产归属。(2)诉讼终结将从法律上

排除当事人诉讼权利的行使,适用必须严格限制,对于本条规定之外的情形,即便对诉讼进行障碍严重,也不得扩张适用诉讼终结。例如,民事案件的原告起诉时提供的被告住址不准确,往往导致诉讼文书无法送达,案件也无法进行,但是对于这种情况应当要求原告补充材料。因有关部门不准许当事人自行查询其他当事人的住址信息,原告向人民法院申请查询的,人民法院应当依原告的申请予以查询。因客观原因原告不能补充或者依据原告补充的材料仍不能确定被告住址的,人民法院可以依法向被告公告送达诉讼文书。人民法院不能仅以原告不能提供真实、准确的被告住址为由裁定终结诉讼。

第五节 判决和裁定

第一百五十二条 判决书应当写明判决结果和作出该判决的理由。判决书内容包括:

(一)案由、诉讼请求、争议的事实和理由;

(二)判决认定的事实和理由、适用的法律和理由;

(三)判决结果和诉讼费用的负担;

(四)上诉期间和上诉的法院。

判决书由审判人员、书记员署名,加盖人民法院印章。

【释义】 本条是关于制作判决书的规定。

(一)民事判决的意义

民事判决是人民法院通过法定程序,行使国家审判权,对所受理的民事案件,经过审理,依法作出的解决当事人民事纠纷的判决。将判决的内容依规定的格式制成的法律文书,即判决书。判决发生效力后,就具有法律约束力和执行力,除了人民法院按照法律规定的程序撤销或者改判外,任何单位和个人不得否定判决的法律效力。当事人应当自觉履行判决确定的义务,有关单位和个人也有义务协助判决的执行。一方当事人不履行判决确定的义务的,人民法院可以根据对方当事人的申请或者依职权强制执行判决。

人民法院的民事判决可以从不同角度作出不同的分类,按照判决所解决的案件的性质,可以分为确认判决、给付判决和变更判决。按照案件审理的结果,可以分为全部判决和部分判决。按照当事人是否出庭,可以分为对席判决和缺席判决。

(二)民事判决书的内容

判决的目的在于定纷止争,判决结果直接决定了当事人权利义务的归属,是判决书的重要内容。判决书应当写明判决结果,使当事人在拿到判决书后可以非常明确地知道纠纷的处理结果。

除了判决结果,判决的理由也是一个很重要的方面。判决书不但要让当事人知道判决结果是什么,还要说明为什么作出该判决,这样才可以更好促使当事人服判息诉。实践中,有些判决书着重写明判决结果,没有或者很少说明作出该判决的理由,容易引发当事人质疑判决的公开、公平和公正,最终导致司法权威受损。修改后的本条进一步明确规定判决书应当写明作出判决的理由,有利于促使人民法院增强判决书的说理性,不断提高判决书的质量,提升当事人和社会公众对司法判决的认可度,对保护当事人的合法权益和提高司法权威具有重要意义。

具体来讲,判决书应当依次写明以下内容:

1. 案由、诉讼请求、争议的事实和理由

案由是指审理的案件的种类,案由一般是按照诉讼请求的内容划分,如继承、离婚、合同纠纷等案件。

原告提出的诉讼请求以及根据的事实和理由，被告对原告诉讼请求的承认、反驳以及所根据的事实和理由，都应当按原告或者被告的陈述如实载明。被告提出反诉的，也应一并表述。

2. 判决认定的事实和理由、适用的法律和理由

判决书所表述的这一内容，通常称为理由部分，是人民法院作出判决的根据，它包括人民法院根据证据所认定的事实，分清争议双方的责任，表明人民法院对诉讼请求的意见以及所适用的法律条款和理由。

根据民事诉讼法的规定，人民法院审理民事案件，必须以事实为根据，以法律为准绳。确定事实和适用法律是司法裁判的两项重要内容，对解决纠纷起着关键作用。在事实认定方面，在经过法庭调查、法庭辩论等审理过程后，对于哪些事实予以认定采信，哪些事实不予认定采信，人民法院在判决书中都要作出说明，还要针对当事人争议的焦点，说明对相关事实予以认定或者不予认定的理由，这样才能最大程度尊重法庭审理的实际情况，充分回应当事人的争议，增强人民法院判决的规范性和公开性。

在适用法律方面，原民事诉讼法规定判决书应当写明"适用的法律"，本次修改进一步明确规定，判决书对适用法律的理由也要作出说明。判决书应当明确该判决所适用的法律，让当事人明白作出该判决的标准。适用哪些法律以及如何适用法律是人民法院在作出判决时需要考虑的重要内容。有时针对同一个纠纷，适用不同的法律甚至会对当事人的权利义务产生截然不同的后果，因此，在有的诉讼中，当事人对事实的认定没有争议，而对如何适用相关法律却存在较大争议。司法实践中，有的判决书在认定相关事实后，直接引用相关法条作出判决，而不说明适用该法条的依据，体现不出对当事人

争议的法律问题的分析和说明,缺乏说服力。判决书的说理部分,不仅包括要写明认定事实的理由,还应当包括写明适用法律的理由。判决书应当写明适用法律的理由的规定,完善了关于判决书说理部分的内容,有利于人民法院在作出判决时辨法析理,更好地让当事人知悉作出该判决的事实和法律依据,提高裁判质量。

3. 判决结果和诉讼费用的负担

判决结果是人民法院根据上述认定的事实和理由以及适用的法律和理由对案件争议解决的内容,通常称为判决主文。判决主文要求明确具体,有执行内容的主文应当具有可操作性,例如,判决归还某种物品,应当将物品的种类、名称、数量以及归还的时间等表述清楚。

诉讼费的负担,应根据有关法律规定,明确由哪一方负担,或者如何分担。

4. 上诉期间和上诉的法院

在判决书的结束部分应当写明上诉的期间、手续和应当向哪个人民法院提起上诉。例如可以写成:"如不服本判决,可于接到判决书之日起 15 日内,向本院提交上诉状及副本 × 份,上诉于某某人民法院。"

除上述内容外,在判决书的开端,应当写明原告、被告、第三人及他们诉讼代理人的基本情况。判决书的主文下面,应当由审判员和书记员署名,加盖人民法院印章并注明作出判决书的日期。

(三)民事判决书的制作要求

民事判决书是司法公正的载体,其权威性和严肃性决定了它在内容和形式上都要讲求规范和质量。不能简单罗列证据,没有完整叙述案件事实;也不能无的放矢,说理缺乏针对性，没有围绕诉争焦点展开；更不能出现引用法条错误、错漏字等严重的低级错误。一般说来制作民事判决应当符合以下要求：

(1)要依照本条规定的对民事判决书的基本框架制作，不应随意变动。

(2)对于审理案件的重要程序事项和诉讼活动要明确表述，包括原告起诉时间，重要的诉讼文件和证据提交、转递情况，因管辖异议、中止诉讼、委托鉴定等导致审理时间延长的程序事实，采取诉前或诉中的保全措施等。

(3)突出对重点争议证据的认证说理以及对当事人诉讼请求的辨法析理，对相关证据的分析和认证要围绕当事人争议的焦点进行；对事实中当事人无争议的部分要直接陈述，防止证据的简单罗列和重复。

(4)要增强判案的说理性，努力做到"辨法析理、胜败皆明"。针对当事人争议的焦点，要详尽地阐述裁判的理由，不仅应当对实体判决的理由进行阐述，而且要对诉讼证据的采信和对法律的适用阐述理由，这样才能让当事人认可。

(5)要强调案件事实的公开性和完整性、证据认定的逻辑性、判案的说理性以及文字语言的准确性；要根据案件的具体情况区别对待，做到简繁得当；对于难以通过文字表述的内容，可以通过附图、附表等适当方式予以表达；对于涉及个人隐私、商业秘密等不宜直接公开的内容，可以采用附件等形式予以表述，对外不宜公开。

最后，司法的尊严要求司法工作人员具有较强的责任意识。确保判决书的质量，就要树立严谨细致的工作作风，严格遵循裁判文书的格式和要求，严把文字质量关，校对好文字和数字，坚决杜绝不应有的错误，这样民事判决的庄严和权威才能得到保障。

第一百五十三条 人民法院审理案件,其中一部分事实已经清楚,可以就该部分先行判决。

【释义】 本条是关于人民法院就部分已查清事实进行先行判决的规定。

原告向人民法院提起诉讼,可以有一个或几个诉讼请求。一般情况下,在一个诉讼中,法院查明案件事实后,应当对原告提出的全部诉讼请求依法作出裁判。但是,司法实践中存在这样的情况,案件的审理已经进行了一段时间,由于种种原因的限制,人民法院对原告各项诉讼请求的相关事实,难以全部查清,不能一次对所有的诉讼请求作出判决。为了及时保障当事人的合法权益,防止诉讼过分迟延,如果对一部分请求的相关事实已经查明,而且就这部分诉讼请求又需要尽快判决,人民法院可以先就该部分作出判决,其他诉讼请求待相关事实进一步查明后,通过后续判决解决。比如,某继承案件,继承人甲主张继承人乙占有的房屋、车辆均属被继承人的遗产,要求继承。人民法院经过审查,查明车辆属于乙自己的财产,而非遗产,但对于房屋是否属于遗产一时难以查明。此时人民法院可以对车辆的问题先行判决,然后继续审理关于房屋继承的请求。

就当事人的部分诉讼请求先行判决后,整个案件并没有结束,只是人民法院审判活动将集中在其他未决事项上。部分先行判决的法律效力与全案判决的效力相同,如果是一审的,当事人对部分先行判决不服的,可以在判决作出后十五日内,就该判决向上一级人民法院提起上诉。

理解本条还要注意以下两点:

1. 部分先行判决是为了及时保护当事人的民事权益。可以进行先行判决的部分，主要是指在诉讼请求中可以独立分出的部分，或者是几个合并审理的诉中的一个相对独立部分；而且先行判决部分事实必须已经清楚。如果该部分诉讼请求与整个诉讼请求不可分，对该部分先行判决将会使其余的诉讼请求难以确定，就不能对该部分先行判决。

2. 依据本条规定进行的先行判决并不是对全案作出的判决。没有判决的部分不是不管，而是仍然在审理中。所以就部分事实先行作出判决的，不会构成本法第二百条第（十一）项所说的遗漏诉讼请求的情况。对于全案判决出现遗漏当事人诉讼请求的情况必须予以纠正。在就部分已查清的事实进行先行判决时，也要向当事人说明案件的其他部分仍然在审理中，以免发生误解，造成不必要的纠纷。

第一百五十四条　裁定适用于下列范围：

（一）不予受理；

（二）对管辖权有异议的；

（三）驳回起诉；

（四）保全和先予执行；

（五）准许或者不准许撤诉；

（六）中止或者终结诉讼；

（七）补正判决书中的笔误；

（八）中止或者终结执行；

（九）撤销或者不予执行仲裁裁决；

（十）不予执行公证机关赋予强制执行效力的债权文书；

（十一）其他需要裁定解决的事项。

对前款第一项至第三项裁定，可以上诉。

裁定书应当写明裁定结果和作出该裁定的理由。裁定书由审判人员、书记员署名,加盖人民法院印章。口头裁定的,记入笔录。

【释义】 本条是关于裁定适用范围,可否上诉以及形式和内容要求的规定。

(一)裁定的适用范围

在诉讼过程中,需要解决的程序问题较多,根据本条规定,裁定适用于下列范围:

1. 不予受理。根据民事诉讼法第一百二十三条的规定,人民法院对不符合起诉条件的起诉,应当裁定不予受理。例如,提起诉讼的事项不属于人民法院行使民事审判权的范围,原告不是与本案有利害关系的公民、法人或者其他组织,没有明确的被告或者没有具体的诉讼请求和事实、理由。对于不予受理的裁定,当事人不服的,可以上诉。

2. 对管辖权有异议。根据民事诉讼法第一百二十七条的规定,人民法院对当事人提出的管辖权异议认为不能成立的,裁定驳回。当事人,尤其是被告和第三人,认为审理某一案件的第一审人民法院对案件没有管辖权的,可以提出管辖权异议。人民法院对当事人提出的管辖权异议,裁定本院是否有管辖权。对于管辖权异议的裁定,当事人不服的,可以上诉。

3. 驳回起诉。人民法院受理了不属于人民法院受理民事诉讼范围的案件,原告又不愿撤诉的,裁定驳回起诉。人民法院在审理案件的过程中,发现原告的起诉不符合起诉条件的,应当通知原告撤诉,原告不撤诉的,裁定驳回起诉。当事人对驳回起诉的裁定不服的,可以上诉。

4. 保全和先予执行。根据民事诉讼法的规定,人民法院决定保全和先予执行时,应用裁定的方式。人民法院可以依当事人的申请或者依职权作出保全或者先予执行的裁定，该裁定一经作出，即具有法律效力，当事人不能上诉。对于保全和先予执行的裁定，当事人不服的，可以申请复议一次，但复议期间不停止对该裁定的执行。

5. 准许或者不准许撤诉。原告起诉后，在宣判前申请撤回起诉的，人民法院根据法律规定，作出准许或者不准许撤诉的裁定。该裁定一经作出，就具有法律效力，当事人不能上诉，也不能申请复议。

6. 中止或者终结诉讼。在诉讼过程中，发生了法律规定的中止或者终结诉讼的情况，人民法院应当作出中止或者终结诉讼的裁定。中止诉讼的障碍消除，可以恢复诉讼程序时，人民法院应当作出恢复诉讼的裁定。中止或者终结诉讼的裁定一经作出，即具有法律效力，当事人既不能上诉，也不能申请复议。

7. 补正判决书中的笔误。判决书中的笔误，是指错写、误算了个别的字、词和数字等情况。进行补正时，应当用裁定方式。补正笔误的裁定不涉及当事人实体权利和诉讼权利，没有上诉的必要，也没有复议的意义。

8. 中止或者终结执行。人民法院在执行过程中，如果出现了法律规定的中止或者终结执行的情况，应当作出中止或者终结执行的裁定。在造成中止执行的情况消除后，依法具有恢复执行的条件时，应当作出恢复执行的裁定。中止或者终结执行的裁定，送达当事人后立即生效。

9. 撤销或者不予执行仲裁裁决。目前，相关法律规定了人民法院裁定撤销仲裁裁决的制度。例如，根据仲裁法第五十八条、劳动争议调解仲裁法第四十九条的规定，当事人可以依法向人民法院申请撤销仲裁裁决，人民法院认为仲裁裁决有法律规定应当撤销的情形的，应当裁定撤销仲裁裁决。因此，本条第一款第（九）项新增了关于裁定适用于撤销仲裁裁决的规定，和相关法律规定作了衔接，完善了关于裁定的适用范围的规定。对当事人申请执行的仲裁裁决，有民事诉讼法第二百三十七条和第二百七十四条规定情形之一的，经人民法院审查属实，应当作出不予执行仲裁裁决的裁定。撤销或者不予执行仲裁裁决的裁定一经作出，即具有法律效力，当事人不能上诉，也不能申请复议。

10. 不予执行公证机关赋予强制执行效力的债权文书。对当事人申请执行公证机关依法赋予执行效力的债权文书，人民法院认定确有错误，不予执行的，作出不予执行的裁定。对于不予执行公证机关赋予强制执行效力的债权文书的裁定一经作出，即具有法律效力，当事人不能上诉，也不能申请复议。

11. 其他需要裁定解决的事项。除上述十种情形外，为解决某些程序问题，对于其他需要裁定的事项人民法院也应当作出裁定。例如，依特别程序审理案件的过程中，发现本案存在民事权利义务争议，应当裁定终结特别程序。第二审人民法院对于不服第一审人民法院裁定的上诉案件的处理，一律使用裁定。人民法院对按照审判监督程序决定再审的，裁定中止原判决、调解书的执行。人民法院还可以依法裁定返还已被执行的财产等。

对本条第一款第（一）项至第（三）项的裁定，当事人不服的，可以上诉，对第（四）项的裁定不服的，可以申请复议一次。对于可以上诉的裁定，在上诉期间原裁定不发生法律效力。对于可以申请复议的裁定，当事人申请复议的，在作出新的裁定之前，原裁定不停止执行。

（二）裁定的形式、内容

裁定按其形式，可分为口头裁定和书面裁定。口头裁定指审判人员不制作裁定书，而是将裁定的内容口头向当事人宣布。口头裁定一般适用于比较简单的程序问题，如准予撤诉、延期审理等，口头裁定的内容以及宣布的情况应当记入笔录。书面裁定是以书面形式作出的法律文书，适用于关系到当事人权利比较重大的程序问题，如允许上诉的裁定以及终结诉讼、终结执行、不予执行等裁定，都应当采用书面裁定形式。书面裁定应当按照民事诉讼法的规定送达当事人。

裁定书是人民法院对案件审理过程中所发生的程序问题作出的处理决定。本法第一百五十二条规定，判决书应当写明判决结果和作出该判决的理由。与判决书相似，裁定书也影响着当事人的权利义务。例如，人民法院作出的撤销仲裁裁决的裁定，可能导致仲裁裁决确定的当事人权利的丧失。本条原来没有规定裁定书制作方面的内容，为了进一步规范裁定书制作，提高法院裁定书的质量，强化裁定书的公开性和说理性，维护当事人在诉讼过程中的合法权益，本条新增规定，裁定书应当写明裁定结果和作出该裁定的理由。裁定书既应当写明裁定结果，也应当写明事实和法律依据以及理由等内容，让当事人明白作出该裁定的来龙去脉，从而更容易接受该裁定书的内容。这样可以避免在诉讼过程中节外生枝，引起不必要的纠纷，保证诉讼的顺利进行。

具体来讲，裁定书应主要写明以下内容：

（1）当事人的基本情况和诉讼代理人、案由；

（2）认定的事实和理由、适用的法律和理由等作出裁定的理由；

（3）裁定的结果；

(4)允许上诉的裁定,注明上诉期间和上诉的法院,允许复议的,注明复议的权利和复议的法院;

(5)审判人员、书记员署名,加盖人民法院印章,注明日期。

第一百五十五条　最高人民法院的判决、裁定,以及依法不准上诉或者超过上诉期没有上诉的判决、裁定,是发生法律效力的判决、裁定。

【释义】 本条是关于发生法律效力的判决、裁定的规定。

(一)判决的法律效力

1. 法律效力的发生。不同级别的法院和适用不同程序作出的判决,发生法律效力的时间也不同,主要有以下几种情况:

(1)最高人民法院作出的判决,一经宣判即发生法律效力。最高人民法院无论作为第一审人民法院,还是作为第二审人民法院,其作出的判决都是终审的判决。

(2)各级人民法院适用第二审程序作出的判决,一经宣判即发生法律效力。

(3)实行一审终审不准上诉的判决,一经宣告即发生法律效力。依法不准上诉的判决包括:依照特别程序审理的选民资格案件,宣告失踪、宣告死亡案件,认定公民无民事行为能力或者限制民事行为能力案件,认定财产无主案件,确认调解协议案件,实现担保物权案件。

(4)实行两审终审的案件,适用第一审程序作出的判决,当事人在收到判决书后的十五日内未提出上诉,又无延长期限的正当理由的,该判决即发生法律效力。

2. 生效判决的法律效力

民事判决生效后即具有执行力，当事人必须履行。一方当事人拒绝履行的，对方当事人可以向人民法院申请执行。执行员接到申请执行书或者移交执行书，向依判决负有义务的一方当事人发出执行通知，限令其在一定期间履行，逾期不履行的，由人民法院强制执行。

对判决已经发生法律效力的案件，当事人又起诉的，人民法院不予受理。如果当事人认为生效判决确有错误的，只能按审判监督程序申请再审。

（二）裁定的法律效力

由于作出裁定的法院级别不同以及是否准许上诉的情况不同，裁定生效的时间也不同。

1. 最高人民法院作出的所有裁定，是具有法律效力的裁定，无论最高人民法院作为一审法院还是二审法院，还是依照审判监督程序审理再审案件，其作出的裁定都是发生终局效力的裁定。

2. 不准上诉的裁定，一经宣布，即具有法律效力。依法不准上诉的裁定是指不予受理、决定管辖权异议、驳回起诉裁定之外的各种裁定，这些裁定有的可以复议，但复议不停止执行，裁定作出后就发生法律效力。

3. 第二审人民法院对提起上诉的裁定作出的裁定是终审裁定，一经宣布，即发生法律效力。

4. 可以上诉的裁定，超过法定期限当事人未提出上诉，又没有延长期限的正当理由，上诉期届满后，裁定即发生法律效力。对于不予受理、决定管辖权异议、驳回起诉的裁定，当事人不服的，应当在裁定作出之日起十日内向上一级人民法院提起上诉。当事人在规定期间不提起上诉，又无正当理由延长上诉期间的,判决、裁定即发生法律效力。

民事裁定发生法律效力后,即具有约束力,当事人必须履行。对裁定已经发生法律效力的案件,当事人又起诉的,除准许撤诉的裁定外,人民法院不予受理。如果当事人认为生效裁定确有错误的,可以按照审判监督程序申请再审。

第一百五十六条　公众可以查阅发生法律效力的判决书、裁定书,但涉及国家秘密、商业秘密和个人隐私的内容除外。

【释义】 本条是关于裁判文书公开的规定。

在民事诉讼法修改的过程中,律师界、专家等多个方面提出,应当增加对裁判文书公开的规定,进一步完善审判公开制度,使人民法院逐步提高审判质量,增强司法权威。综合考虑各方面意见,结合目前我国司法实践经验,合理借鉴相关国家和地区在裁判文书公开方面的科学做法,本条规定公众可以查阅发生法律效力的判决书、裁定书,但涉及国家秘密、商业秘密和个人隐私的内容除外。

(一)裁判文书公开的意义

裁判文书记录着人民法院审理案件的审判活动、裁判理由、裁判依据和裁判结果等内容。裁判文书公开,是审判公开制度的一项重要内容,对提高审判质量、释法服判具有重要作用。具体来讲,有以下几点:一是裁判文书公开可以使公众知悉其内容,促进人民法院有效落实公开审判原则,实现司法决策透明和司法公开的价值;二是裁判文书公开可以促进法官增强责任心,慎重对待每一个判决,不断提高办案质量,最大限度地赢得公众对司法的信任和支持;三是裁判文书公开能够满足当事人、普通民众、专业人士等的司法需求,可以为普法和理论研究提供重要的资料来源，促进法学的发展；四是裁判文书公开还有利于各级法院之间相互交流、学习和借鉴，有利于统一司法标准，提高司法水平。

（二）一些国家和地区关于裁判文书公开的做法

1. 美国

美国联邦最高法院的判决通常在法庭上宣判后就公布在该院的网站上，判决全文由法院公共信息办公室负责提供。除了在网络上公布，美国联邦最高法院还印制判决的单行本、汇编等。原则上，美国联邦初审法院的裁判可以不公开，但具有判例价值的联邦上诉法院的判决应当公布。目前，许多联邦巡回法院将判决交由出版公司出版，还有的在网络上公布。

2. 日本

在日本，法院一般将裁判文书存在法院书记官处，供公众查阅。法院也可以将一些具有指导性但又不涉及个人隐私或者商业秘密的案件，通过编辑成书或者上传互联网的方式予以公开，但其中所涉及的个人信息都经过技术处理。

对于公开审理的案件的裁判文书，任何人都可以申请查阅，但仅当事人、与案件有利害关系的其他人才可以请求法院书记官提供裁判文书副本或者进行复印、抄录。对不公开审理的案件，仅限于当事人和其他利害关系人可以申请查阅、复制和抄录。裁判文书中涉及个人隐私或者商业秘密的，查阅人有义务保守秘密。如果裁判文书涉及重大个人隐私或者商业秘密，经当事人申请，法院有权禁止当事人以外的其他人查阅、复制或者抄录裁判文书的某些特定内容。

3. 瑞士

在瑞士，法院一般在判决后十至十五日内公布判决书。如果判决公布后可能影响其他案件的裁判，则暂缓公布。在法院的网站上,公众可以查询各类案件的审理情况。根据法院关于信息公开方面的规定,对外公布判决时,必须隐去当事人的名字等信息。

4. 法国

在法国,法院通常以新闻公报的形式发布裁判文书。对外公布的裁判文书应隐去当事人的名字等信息。目前,法国高等法院以上的法院作出的裁判文书可以在相关网站查阅。

5. 我国香港、澳门和台湾地区

香港裁判法院以上的法院,其裁判文书的内容上网公布。香港终审法院网站"判决书及法律参考资料"栏目中包括了香港终审法院、高等法院、区域法院、家事法院和土地审裁所等作出的裁判文书。一般情况下,裁判文书于送达后三个工作日内上传至香港终审法院网站。对于一些重要案件的裁判,可于宣告当日上传。

澳门《司法组织纲要法》规定,合议庭裁判文书须及时公布于《澳门特别行政区公报》。澳门中级法院以上法院的裁判文书,除法律规定不公开的外,均上网公布。裁判文书在网上公布时,必须载有由卷宗裁判书制作人草拟的一份理论性摘要,包括案件的种类、编号、审判日期、主题、摘要、审判结果等。特别需要说明的是,案件的表决结果也是需要公开的。另外,终审法院每年出版一本《澳门特别行政区终审法院合议庭裁判》汇编,包括该法院所有合议庭在该年作出的裁判和决定。

我国台湾地区"法院组织法"规定,除其他法律有特别规定的外,各级法院应当定期出版公报或以其他方式,公开裁判文书。自然人的姓名、身份证统一编号等相关信息不得公开。

（三）关于裁判文书公开的范围

民事诉讼法第四十九条规定，当事人可以查阅本案有关材料，并可以复制本案有关材料和法律文书。民事诉讼法第六十一条规定了代理诉讼的律师和其他诉讼代理人可以查阅本案有关材料。这些规定赋予当事人及其诉讼代理人查阅权，主要是从维护当事人本身合法权益的角度出发。当事人是民事诉讼活动的参加人，几乎所有的诉讼材料和法律文书都可能涉及当事人的诉讼权利和实体权利保护问题，因此应当尽可能地确保当事人及其代理人的查阅权。

本条规定的公众查阅权，与民事诉讼法第四十九条、第六十一条的区别有以下几点：一是查阅主体不同，本条规定的公众，主要是指诉讼当事人及其代理人以外的人。由于本条主要是从司法公开和社会公众监督人民法院的司法活动的角度所作的规定，因此，无论与本案是否有利害关系，公众均可根据本条的规定依法查阅生效的判决书、裁定书。二是查阅范围不同。根据本条的规定，公众查阅的对象为发生法律效力的判决书、裁定书。判决书、裁定书以外的法律文书不属于本条规定的公众查阅的范围；另外，法院已经作出，但尚未发生法律效力的判决书、裁定书，也不属于本条规定的公众查阅的范围。而当事人则可以查阅、复制起诉状、答辩状、法庭笔录、法庭上出示的有关证据等有关材料和法律文书。诉讼代理人在诉讼中可以查阅、摘抄和复印起诉书、答辩书、庭审笔录及各种证据材料等。三是对于涉密内容的查阅存在区别。根据本条的规定，公众无权查阅涉及国家秘密、商业秘密和个人隐私的内容。而相关规定并未禁止当事人及其代理人查阅本案中涉及国家秘密、商业秘密和个人隐私的内容。例如，2002年最高人民法院《关于诉讼代理人查阅民事案件材料的规定》提出,查阅案件材料中涉及国家秘密、商业秘密和个人隐私的,诉讼代理人应当保密。

(四)关于裁判文书公开的方式

为了有效实施本条关于裁判文书公开的规定,人民法院应当积极采取相应措施,依法保障公众查阅发生法律效力的判决书、裁定书的权利。目前,一些国家和地区公开裁判文书的方式主要包括在法院书记室存放供查阅、定期编纂判决汇编、在政府公告以及互联网上公布等。在我国,人民法院可以根据司法实践情况,依法采取多种方式公开裁判文书。

目前,最高人民法院出台的相关规定也已经涉及了裁判文书公开的内容。例如,最高人民法院 2009 年公布的《关于司法公开的六项规定》提出,人民法院可以根据法制宣传、法学研究、案例指导、统一裁判标准的需要,集中编印、刊登各类裁判文书。除涉及国家秘密、未成年人犯罪、个人隐私以及其他不适宜公开的案件和调解结案的案件外,人民法院的裁判文书可以在互联网上公开发布。当事人对于在互联网上公开裁判文书提出异议并有正当理由的,人民法院可以决定不在互联网上发布。2010 年最高人民法院公布《关于确定司法公开示范法院的决定》和《司法公开示范法院标准》,确定了一百个法院作为司法公开示范法院。在裁判文书公开方面,规定示范法院在法院网站设立专门的裁判文书公开栏目。除不予上网公布的裁判文书以外,人民法院按照有关规定应当将审理各类案件公开宣告的裁判文书上网公布。指定专门机构或专门人员管理裁判文书上网公布工作,监督管理上网公布的文书数量、质量和信息安全等问题,并建立相应的管理制度。

需要说明的是,根据本条的规定,查阅发生法律效力的判决书、裁定书,是公众享有的权利。裁判文书公开应当是人民法院必须遵守的法律规定，人民法院可以根据实际情况依法采取多种方式公开裁判文书，但前提是应当依法保障公民的查阅权，不能设置不合理的条件，限制公众依法查阅生效的裁判文书。人民法院在公开裁判文书时还应当确保及时性，在合理的时间内予以公开，不能无故拖延。同时，人民法院还应当确保公众查阅的生效裁判文书的规范性，使公众查阅到的裁判文书符合法律等规定的格式，除禁止查阅的内容外，应当保证提供的裁判文书相关内容的完整性等。

（五）关于保护国家秘密、商业秘密和个人隐私

裁判文书中涉及国家秘密、商业秘密和个人隐私的内容，公众无权查阅。人民法院在公开裁判文书时，应当通过技术手段，隐去裁判文书中涉及国家秘密、商业秘密和个人隐私的内容。

最高人民法院《关于司法公开的六项规定》明确规定，为保护裁判文书所涉及的公民、法人和其他组织的正当权利，可以对拟公开发布的裁判文书中的相关信息进行必要的技术处理。2010年最高人民法院公布的《关于人民法院在互联网公布裁判文书的规定》提出，人民法院在互联网公布裁判文书，对涉及当事人的家庭住址、通讯方式、身份证号码、银行账号等个人信息，以及证人等诉讼参与人或者当事人近亲属的个人信息，应当进行相应的技术处理。对涉及商业秘密及其他不宜在互联网公开的内容，应当进行相应的技术处理。人民法院应当在诉讼须知中写明关于在互联网公布裁判文书的相关内容，并在送达裁判文书时告知当事人在互联网公布裁判文书的事宜。当事人明确请求不在互联网公布的，应当书面提出意见。人民法院经审核认为理由正当的，不应在互联网公布。

第十三章 简 易 程 序

本章共七条,对简易程序的有关问题作了规定。

简易程序是基层人民法院和它派出的法庭审理事实清楚、权利义务关系明确、争议不大的简单的民事案件适用的程序。该程序相对于普通程序来说,在起诉手续、传唤当事人方式、审理程序以及审限等方面都作了简化,可以说是一种简化了的普通程序。民事案件中不少是事实清楚、权利义务关系明确、争议不大的简单民事案件,民事诉讼法规定审理简单的民事案件适用简易程序。完善简易程序,对提高审判效率,降低当事人诉讼成本,合理利用司法资源,具有重要作用。

我国地域辽阔,人口众多,各地的经济发展水平不平衡。针对于我国的国情,在新民主主义革命时期,就开始简化诉讼程序,实践中已建立起一套行之有效的简易程序,受到广大群众的欢迎。我国民事诉讼法规定的简易程序不仅继承了我国人民司法的优良传统和成功经验,而且有利于简易程序的进一步完善和规范化。随着经济和社会的发展,我国民事案件的数量逐年增加,虽然法官队伍也在发展,但是相对于增加的案件而言,审判人员仍然较少。如果所有案件都采取普通程序,势必会造成案件积压,拖延案件的审理期限,使当事人之间的纠纷不能得到及时的解决。由于简易程序具有办案手续简便,审理方式灵活,不受普通程序有关规定的约束的特点,所以,有助于及时审结案件,保护当事人的合法权益。简易程序对于人民法院来说，解决好一些权利义务关系明确、事实清楚、争议不大的简易民事案件，从而集中人力和物力办理大案要案，保证案件的审理质量。我国民事诉讼法规定简易程序，体现了我国民事诉讼法便于当事人诉讼，方便人民法院审判工作的“两便”原则，反映了我国民事诉讼的特点。

第一百五十七条　基层人民法院和它派出的法庭审理事实清楚、权利义务关系明确、争议不大的简单的民事案件，适用本章规定。

基层人民法院和它派出的法庭审理前款规定以外的民事案件，当事人双方也可以约定适用简易程序。

【释义】 本条是关于简易程序适用范围的规定。

本条第二款是本次修改民事诉讼法决定增加的条款。

本条第一款对简易程序的强制适用的条件和范围作了规定。简易程序只能适用于基层人民法院和它派出的法庭，中级以上人民法院不得适用简易程序。

简易程序只能适用于简单民事案件。简单民事案件，是指“事实清楚、权利义务关系明确、争议不大的案件”。“事实清楚”，是指当事人所争议的民事法律关系发生变化的事实基本是清楚的，双方都能提出有关证据，人民法院不需要进行大量的调查和取证工作，人民法院可以在全面审核当事人证据或者作少量调查工作后就能查清案件的事实，进行审理工作。如果在主要事实上有争议，并且认定事实的证据又不充分，就很难说“事实清楚”了。“权利义务关系明确”，是指诉讼当事人之间的民事权利义务关系简单、清楚，双方争议的矛盾了也比较明确，当事人之间的纠纷的形成和发展过程也不太复杂。“争议不大”，是指双方当事人对他们之间的法律关系的发展、变更或者消灭的法律事实,以及案件发生的原因、权利义务的归属等问题,都没有太大的争议。"争议不大"和"事实清楚"、"权利义务关系明确"相互关联,是判断属于简单民事案件的一个重要要素,它说明对案件的审判没有很大阻力。

比较其他国家和地区的立法例,对于简易程序的适用范围,有的国家采用数额限制,如日本规定标的额140万日元以下的案件由简易法院管辖,德国规定标的额5000欧元以下的案件由初级法院管辖;有的地区采用数额、案由和当事人合意几种方式规范,如我国台湾地区。关于如何完善我国简易程序的适用范围的规定,学界提出过不少建议:有的建议,基层人民法院以简易程序为主,通过开庭认为事实复杂、关系一时难以查清的,可转普通程序审理。有的建议,采用法定数额限制、法定案件类型列举限制、法定反向排除列举限制和当事人合意选择的模式划定简易程序的适用范围。

从以上国家和地区的立法例及学者的建议来看,对简易程序的适用范围的规定,有以下几种模式:一是法定数额模式,即规定一定标的额以下的案件适用简易程序;二是案由模式,即限制规定适用简易程序的案件类型;三是两种模式的结合。关于法定数额模式,我国幅员辽阔,各地经济发展不均,"一刀切"的法定数额限制不适合我国国情。关于案由模式,从司法实践来看,适用简易程序的案件,几乎延伸到各类一审民事案件,合同纠纷、劳动争议、财产权、人身权、相邻权、雇主受害、特殊侵权、婚姻家庭、"三养"纠纷等无不涉及。从案由角度无法科学合理地划分哪些案件应适用简易程序,因为各类案件都有难易之分。

因此,我国现有的关于简易程序适用范围的规定较为合适，基层人民法院审理事实清楚、权利义务关系明确、争议不大的简单的民事案件，适用简易程序，至于案件简单或者复杂，由法官根据具体案情进行判断，在此基础上，增加规定当事人的程序选择权。

本次修改民事诉讼法增加规定了当事人对简易程序的程序选择权，本条第二款规定，基层人民法院和它派出的法庭审理前款规定以外的民事案件，当事人双方也可以约定适用简易程序。

简易程序相对于普通程序，在起诉手续、传唤当事人方式、审理程序以及审限等方面都作了简化，可以说是一种简化了的普通程序。适用简易程序比适用普通程序的诉讼费用低，《诉讼费用交纳办法》第十六条规定，适用简易程序审理的案件减半交纳案件受理费。在简易程序的适用范围中增加规定当事人的程序选择权，一方面使当事人能在权衡简易程序和普通程序的利弊后，发挥能动性对程序进行选择。民事程序选择权并不影响对当事人的程序保障，它是从当事人的角度，为满足当事人的个性化的利益需要，由当事人权衡并作出相应的选择而设计的制度，主要通过当事人之间在充分权衡其实体利益和程序利益的基础上所达成的合意来实现。另一方面扩大了简易程序的适用范围，有利于提高诉讼效率，合理配置司法资源。

新增的第二款有以下几层含义：

一是当事人的程序选择权只适用于基层人民法院和它派出的法庭审理的民事案件，中级以上人民法院审理的民事案件不适用当事人的程序选择权。依据民事诉讼法的规定，简易程序只适用于基层人民法院和它派出的法庭，中级以上人民法院审理民事案件不适用简易程序，一般情况下，中级以上人民法院审理的民事案件,标的额较大,案情较为复杂,因此,本款规定,当事人合意选择适用简易程序的范围仅限于基层人民法院和它派出的法庭。

二是当事人行使程序选择权适用简易程序以当事人双方共同约定为前提。仅原告或者被告一方选择适用简易程序,不能适用简易程序。当事人双方对适用简易程序达成合意即可,当事人双方约定适用简易程序的方式,既可以是口头,也可以是书面。

三是当事人的程序选择权,限于对依据民事诉讼法的规定适用普通程序的民事案件,当事人可经权衡利弊,约定适用简易程序,而不能对依据规定适用简易程序的民事案件约定选择适用普通程序。一方面依据规定适用简易程序的民事案件是事实清楚、权利义务关系明确、争议不大的简单的民事案件,没有必要适用普通程序;另一方面整个社会的司法资源是有限的,对依据规定应适用简易程序的民事案件约定适用普通程序会增加司法资源的负担。因此,本款仅规定了当事人从普通程序向简易程序的程序选择权。

四是一旦当事人双方约定适用简易程序,人民法院应当适用简易程序。最高人民法院司法解释对当事人的程序选择权作过规定,最高人民法院《关于适用简易程序审理民事案件的若干规定》第二条规定,基层人民法院适用第一审普通程序审理的民事案件,当事人各方自愿选择适用简易程序,经人民法院审查同意的,可以适用简易程序进行审理。人民法院不得违反当事人自愿原则,将普通程序转为简易程序。最高人民法院的司法解释规定,当事人选择适用简易程序的,适用简易程序以经人民法院审查同意为前提。依据本款的规定,当事人选择适用简易程序的,当然适用简易程序,不以人民法院审查同意为前提。

简易程序是审判程序，因此要按照第一审程序关于简易程序的规定审判案件，但调解是贯穿审判过程始终的，所以，也应当适用调解的有关规定。如在作出判决前进行调解，达成协议的，也可以制作调解书；达不成协议的，应当作出判决。

第一百五十八条　对简单的民事案件，原告可以口头起诉。

当事人双方可以同时到基层人民法院或者它派出的法庭，请求解决纠纷。基层人民法院或者它派出的法庭可以当即审理，也可以另定日期审理。

【释义】　本条是关于简易程序起诉和受理的方式的规定。

简易程序在起诉和受理方式上都具有自己的特点，以体现便于当事人。

（一）适用简易程序的民事案件，可以采取口头方式起诉

民事诉讼法第一百二十条第二款规定："书写起诉状确有困难的，可以口头起诉，由人民法院记入笔录，并告知对方当事人。"因此，适用普通程序起诉时，只有在书写起诉状有困难的，才可以用口头形式起诉。可以说适用普通程序审理的案件，是以书面起诉为原则，以口头形式为例外。而适用简易程序起诉的案件，原告可以用口头形式起诉，法律上没有附加任何条件。但是对口头起诉的案件，人民法院在审理时应当记入笔录，决定受理的，还应通知另一方当事人。

（二）当事人双方可以同时到法院或者派出法庭起诉

民事诉讼法关于普通一审程序规定，原告起诉后，人民法

院受理的,应当在立案之日起五日内将起诉状副本发送被告,被告应当在收到之日起十五日内提出答辩状。这种方式在简易程序中可以使用,但不是必须使用。简易程序中当事人双方可以同时到基层人民法院或者它派出的法庭,请求解决纠纷。基层人民法院或者它派出的法庭可以当即审理,也可以另定日期审理。这样,起诉和受理就非常便捷了,有利于纠纷的迅速解决。当然法院在适用简易程序审理案件时,应当告知当事人诉讼权利和义务。

第一百五十九条　基层人民法院和它派出的法庭审理简单的民事案件,可以用简便方式传唤当事人和证人、送达诉讼文书、审理案件,但应当保障当事人陈述意见的权利。

【释义】　本条是关于简易程序可以用简便方式传唤、送达和审理案件的规定。

本次修改民事诉讼法决定对本条作了修改,增加规定简易程序可以用简便方式送达诉讼文书,审理案件,并规定适用简易程序应当保障当事人陈述意见的权利。本条包含以下含义:

(一)适用简易程序审理民事案件,人民法院可以用简便方式传唤当事人和证人

适用普通程序审理的案件,人民法院必须在法定期间,用法定发传票的方式传唤当事人、证人出庭。公开审理的,还应当公告当事人的姓名、案由和开庭的时间、地点。而适用简易程序审理民事案件,传唤当事人、证人到庭可以采用发传票的方式,也可以采用简便方式随时传唤。简便方式,是指可以用电话通知、口头通知、在农村还可用有线广播通知等灵活方式传唤当事人、证人。传唤的时间,可以根据审理案件的需要

“随时”传唤,不受民事诉讼法第一百三十六条“应当在开庭三日前通知当事人和其他诉讼参与人”规定的限制。例如,在原告口头起诉后,随即用有线广播传唤被告和证人当即审理。最高人民法院《关于适用简易程序审理民事案件的若干规定》第六条规定,原告起诉后,人民法院可以采取捎口信、电话、传真、电子邮件等简便方式随时传唤双方当事人、证人。但是,任何方式的传唤,都应当以通知到被传唤人本人为准,未通知到本人的传唤,不能视为合法传唤。最高人民法院《关于适用简易程序审理民事案件的若干规定》第十八条规定,以捎口信、电话、传真、电子邮件等形式发送的开庭通知,未经当事人确认或者没有其他证据足以证明当事人已经收到的,人民法院不得将其作为按撤诉处理和缺席判决的根据。

(二)适用简易程序审理民事案件,人民法院可以用简便方式送达诉讼文书

适用普通程序审理的案件,人民法院必须在立案之日起五日内将起诉状副本发送被告,被告应当在收到之日起十五日内提出答辩状,人民法院应当在收到答辩状之日起五日内将答辩状副本发送原告。送达方式,包括直接送达、留置送达、委托送达、邮寄送达、转交送达等。本次修改民事诉讼法还增加规定,经受送达人同意,人民法院可以采用传真、电子邮件等能够确认其收悉的方式送达诉讼文书,但判决书、裁定书、调解书除外。适用简易程序审理民事案件,人民法院可以用简便方式送达诉讼文书。

(三)适用简易程序审理民事案件,人民法院可以用简便方式审理案件

适用简易程序的案件,不受普通程序中审理程序的严格

限制，可以用简便方式审理案件。一是适用普通程序的案件必须经过审理前的准备阶段，开庭三日前通知当事人和其他诉讼参与人，公开审理的，应当公告当事人姓名、案由和开庭的时间、地点；适用简易程序的案件可以随到随审，不是必须经过审理前的准备阶段，不受开庭三日前通知当事人和其他诉讼参与人的限制。二是适用普通程序审理的案件，法庭调查、法庭辩论是两个独立的阶段，每个阶段又有法定的顺序，开庭审理必须严格按照法定的阶段和顺序进行；适用简易程序的案件，审理中法庭调查、法庭辩论两大步骤不必严格划分，也不受法庭调查、法庭辩论先后顺序的限制，法官可根据案件情况，结合进行，灵活掌握审理程序。

（四）适用简易程序审理民事案件，人民法院可以用简便方式传唤当事人和证人、送达诉讼文书、审理案件，但应保障当事人陈述意见的权利

适用简易程序的案件，在程序上较普通程序简便，但在程序简便的同时，应保障当事人陈述意见的权利，这是本次修改民事诉讼法增加规定的内容。简易程序虽然简易，但仍应保障当事人的诉讼权利。程序的简化不能以牺牲公正、降低效率为代价，而当简易程序以效率为唯一价值取向，当简易程序以缓解法院压力而不是以保护当事人的程序利益为出发点，当简易程序成为一种可以不顾及当事人意愿而强制适用的制度时，效率的价值就毫无意义。因此，简易程序在规定程序相对于普通程序简易的同时，应当保障当事人的基本诉讼权利。其中，当事人作为诉讼权利义务的直接主体，对争议发生的过程有着其他人无法比拟的感知，保障当事人陈述意见的权利对查明纠纷事实，明确当事人的真实意愿有重要意义，是当事人基本诉讼权利中较为重要的权利。简易程序简化程序的同

时明确规定应保障当事人陈述意见的权利。

第一百六十条　简单的民事案件由审判员一人独任审理，并不受本法第一百三十六条、第一百三十八条、第一百四十一条规定的限制。

【释义】 本条是关于简易程序审理方式的规定。

我国人民法院审理民事案件的组织形式，分为合议制和独任制。按照普通程序审理民事案件，应当采取合议制的审判方式，即由审判员和陪审员组成合议庭，或者由审判员组成合议庭。由于适用简易程序审理的民事案件，事实清楚、权利义务关系明确、争议不大，因此无须用合议制，一人独任审判也可以保证审判质量。不过一人独任审判，是一个"审判员"独任审判，而不是书记员独任审判。有的法院连审判员都不派，只派书记员审判的做法是违反法律规定的。

独任审判是指审判组织的简化，同时也要遵守有关回避的规定。独任审判同样要告知当事人审判员、书记员的名单，询问当事人是否提出回避申请，当事人如果提出，应按民事诉讼法关于回避的有关规定办理。

最高人民法院《经济纠纷案件适用简易程序开庭审理的若干规定》规定：开庭前，书记员查明当事人及其诉讼参与人是否到庭。当事人或其他诉讼参与人没有到庭的，应将情况及时报告审判员，由审判员决定是否需要延期或者中止审理。决定延期或者中止审理的，应及时通知当事人和其他诉讼参与人。原告经传票传唤，无正当理由拒不到庭的，可以按撤诉处理。审判员决定如期审理的，书记员宣布当事人及其诉讼代理人入庭。开庭后，经双方当事人陈述，权利义务关系明确、事实清楚，在征得双方当事人同意后，可以直接进行调解。

调解达成协议,制作调解书发给当事人;即时履行完毕,当事人不要求发给调解书的,可将协议记入笔录,不制作调解书。双方当事人对案件事实无争议,只是在责任的承担上达不成协议的,开庭审理时可以在双方当事人对事实予以确认的基础上,直接进行法庭辩论。双方当事人对主要事实陈述不一致,或者庭前调解达不成协议的,可以当即开庭审理,也可以另定日期审理,并告知当事人开庭的时间、地点。

此外,简易程序比普通程序在以下程序中还可以简化,简易程序不受民事诉讼法第一百三十六条、第一百三十八条、第一百四十一条规定的限制。

民事诉讼法第一百三十六条规定:“人民法院审理民事案件,应当在开庭三日前通知当事人和其他诉讼参与人。公开审理的,应当公告当事人姓名、案由和开庭的时间、地点。”适用简易程序则不受这个规定的约束。基层人民法院和它派出的法庭公开审理案件,可以采用其他方式通知,如通过有线广播通知或者让村民委员会传话等,无须发布公告。不受这一条的限制并不是说不要公开审理,公开审理是民事诉讼法的基本原则,适用简易程序时也应当遵守该原则。

民事诉讼法第一百三十八条规定的是法庭调查顺序,包括当事人陈述、证人作证、出示书证等。第一百四十一条规定的是法庭辩论顺序。根据这两条的规定,适用普通程序审理民事案件,案件要经过法庭准备、法庭调查、法庭辩论和宣告判决等阶段。而适用简易程序审理民事案件,可以不受法庭调查和法庭辩论阶段的划分以及顺序的限制,人民法院可以根据实际情况,将法庭调查和法庭辩论两个阶段有机结合起来,灵活掌握审理程序。

第一百六十一条　人民法院适用简易程序审理案件，应当在立案之日起三个月内审结。

【释义】 本条是关于简易程序审理期限的规定。

根据民事诉讼法的规定，人民法院适用普通程序审理案件，应当在六个月内审结，有特殊情况需要延长的，报本院院长批准；还需要延长的，报请上级人民法院批准。适用简易程序的案件都是事实清楚、权利义务关系明确、争议不大的案件，所以对于人民法院来说可以在较短的时间内完成审判工作。因此，本条规定适用简易程序审理案件，应当在立案之日起三个月内审结。

第一百六十二条　基层人民法院和它派出的法庭审理符合本法第一百五十七条第一款规定的简单的民事案件，标的额为各省、自治区、直辖市上年度就业人员年平均工资百分之三十以下的，实行一审终审。

【释义】 本条是关于小额诉讼程序的规定。

本条是修改民事诉讼法时增加的条文。

一、建立小额诉讼程序的必要性

（一）是否建立小额诉讼程序的争论

在立法过程中，对我国是否建立小额诉讼程序，有两种不同的观点。一种观点认为我国不宜构建小额诉讼程序，理由为：一是小额诉讼程序无法解决简化诉讼程序与诱发滥讼的矛盾；二是小额诉讼程序进一步强化了法官的职权并缺少相应的制约机制，当事人的诉讼权利将会受到限制和削弱；三是小额诉讼程序无法根本克服诉讼的固有弊病。另一种观点认为我国应建立小额诉讼程序，理由为：一是该程序可以保障当事人平等使用诉讼制度；二是民事纷争的程序设置应与案件类型相适应;三是该程序可以平衡普通程序与速裁程序的保障功能。

(二)人民法院审判民事案件的现状

1. 民事案件大量增长,诉讼需求矛盾突显

随着我国市场经济的发展与深入,人们权利意识的增强,由各种利益诉求引发的矛盾纠纷以诉讼的方式大量进入司法程序,我国民众对司法的需求与日俱增。2008 年至 2010 年上半年,全国法院年均审结各类民事案件 597.58 万件,比前五年年均结案数增长了 22.82%。案件的大量增加使法院"案多人少"的矛盾更加凸显,难以满足人民群众不断增长的司法需求。诉讼的增长一方面对法院施加了很大的压力,导致案件积压、诉讼拖延以及诉讼成本攀升等诸多问题,另一方面民众对更快捷、更低成本的诉讼程序的需求更为迫切。

2. 人民法院管辖的民事案件标的额存在差别

由于各地经济发展情况的不同,各地区人民法院受理的民事案件的标的额大小也存在差异。最高人民法院根据各地经济发展情况规定高级人民法院、中级人民法院管辖第一审民商事案件的标准。北京、上海所辖中级人民法院管辖标的额在 5000 万元以上的第一审民商事案件;江苏、浙江省部分中级人民法院,管辖标的额在 3000 万元以上的第一审民商事案件;福建、湖北省部分中级人民法院,管辖标的额在 800 万元以上的第一审民商事案件;甘肃、贵州省部分中级人民法院,管辖标的额在 100 万元以上的第一审民商事案件;青海省部分中级人民法院,管辖标的额在 60 万元以上的第一审民商事案件。

3. 最高人民法院开展小额诉讼程序试点

为进一步合理配置审判资源,便利人民群众诉讼,探索我国是否应建立小额诉讼程序,2011 年 4 月初,最高人民法院发布《关于部分基层人民法院开展小额速裁试点工作指导意

见》，部署在全国90个基层人民法院开展小额速裁试点工作，为民事诉讼法小额诉讼程序的修改开展试点，积累实践经验。小额速裁试点是在司法改革的背景下，根据我国基本国情和司法审判实践经验，借鉴国内外民事诉讼立法与实践成果特别是小额速裁立法的基础上，能动地适用现有法律规定，完善简易程序的产物。2011年5月，试点法院陆续开始适用小额速裁程序审理案件。

（三）境外民事诉讼程序的新发展

境外民事审判程序的发展大多经历了一个不断简易化的过程。早期的法学领域深深地受到程序优先权利这一理念的影响，在民事诉讼上表现为诉讼制度的形式主义和理性主义，民事诉讼制度被设计为极为缜密的程序，即使解决案情简单或金额较小的纠纷也要适用普通程序，当事人投入的诉讼成本有的远大于其获得的诉讼成果，此时人们只能放弃通过审判获得正义的希望，对诉讼敬而远之。随着市场经济的发展，交易的频繁，人们权利意识的增强，民事纠纷的数量迅速增加，民众对司法的需求与日俱增，人们希望通过一种更快捷高效的诉讼方式维护自己的合法权益，司法资源的严重不足与案件积压的矛盾日趋突出。

从20世纪后半叶特别是60年代以来，西方国家乃至整个世界的民事诉讼制度改革的进程在不断加速。司法的公正与效率，成为世界各地共同关注的问题，也成为各地民事诉讼制度改革的核心问题，改革的重点集中在提高诉讼效率、降低诉讼成本、方便诉讼当事人等方面。很多国家和地区开展了“接近正义”“司法大众化”的运动，对案件进行繁简分流，简化简单案件的审判程序成为改革的主流。采取的主要措施之一是设立小额诉讼程序。目前，美国、英国、德国、意大利、法国、日本、韩国和我国台湾地区等都有小额诉讼程序的相关规定。英国于1967年根据消费者协会的报告,在郡法院设立了请求标的额不足3000英镑的诉讼程序,1973年建立了专门的小额诉讼法庭,以一种低廉简易的诉讼程序处理3000英镑以下的小型消费者争端,占有诉讼和人身伤害赔偿事件,在90年代,其民事诉讼改革又提出少额诉讼、迅速程序与多级程序。德国于1990年12月17日颁布的《审判简化修正法》规定了小额诉讼程序,对于初级法院不足1200马克(现600欧元)的案件可以适用此程序处理。意大利于1973年规定了一个简易、快速的劳动诉讼程序,并于1974年将此程序扩大适用于歧视案件和房屋租赁案件,1991年的民事诉讼改革设置了民事案件的治安法官和适用于该种法官的小额诉讼程序。韩国也早在1973年规定了小额诉讼程序。日本在"二战"后参照美国的小额诉讼程序建立了简易法院的诉讼程序,在1996年修正的民事诉讼法的第六编中规定了不同于简易程序的小额诉讼程序。

这场改革使各国的简易程序得到极大的丰富和长足的发展,确立了简易程序、小额诉讼程序在诉讼制度中新的地位,将民事诉讼向更快捷、更经济、更方便方向推进了一大步,对消除各国普遍存在的诉讼迟延和诉讼成本昂贵的现象起到了积极作用,为实现司法大众化作出了重要贡献。

(四)小额诉讼程序的程序价值

首先,小额诉讼程序使大众接近司法。当事人使用司法程序主张诉求时必然会考虑成本问题。因为无论审判能够怎么完美地实现正义,如果付出的代价过于昂贵,则人们往往只能放弃通过审判来实现正义的希望。小额诉讼程序最核心的价值在于简化诉讼程序、提高诉讼效率,从而使诉讼成本(包括经济成本和时间成本）与案件的复杂程度相适应，让当事人权衡诉讼的利弊后，能用司法手段争取诉求，体现“司法便民”。从各地实行小额诉讼程序的经验来看，小额诉讼程序具有简易、便利、快速等特征，让当事人不因为复杂、高昂的程序而对诉讼避而远之。日本法学家小岛武司谈到，小额诉讼程序的有些当事人过去只能选择调解或完全放弃案件，而现在他们有了另外的机会进入法院获得裁决。

其次，小额诉讼程序可以合理配置司法资源。整个社会的司法资源是有限的，如何针对各类案件合理配置司法资源是在设计程序时应当考虑的问题。设计程序的通行做法是根据案件的复杂程度区分案件所适用的程序，对标的数额特别小的案件配置相对于复杂案件更少的司法资源是小额诉讼程序产生和发展的原因之一。通过诉讼实现权利与社会上通过交易行使权利是不同的，因为除本案原、被告外，还有成千上万的人正在或即将利用法院。为此，各地民事诉讼制度中均采纳了所谓的“费用相当性原则”，即根据案件金额对纠纷作出分类，分别适用繁简不同的程序，以保持案件重要性与诉讼耗费的基本相当。

总之，建立小额诉讼程序，是有限司法资源效益最大化的体现，是对简易程序的创新与发展，其并不是简单的程序简单化和无序化，而是本着对程序正义、程序理念和程序价值的尊崇，赋予程序更多的时代特征。

二、构建我国小额诉讼程序的指导思想

（一）明确程序定位，小额诉讼程序应平衡公正和效率

平衡公正和效率是本次修改民事诉讼法的指导思想之一，构建科学的小额诉讼程序，首先应以平衡公正与效率为原则。小额诉讼程序较普通程序和简易程序，程序更为简易、快

速，如由法官独任审理、审级更少、审限更短等，体现了效率上的提高。设计小额诉讼程序，必须在提高效率的前提下，以各种制度兼顾公平。一是程序的简便并不代表对案件的不重视，对案件的审理仍需坚持以事实为依据、以法律为准绳。二是需在明确其程序定位的基础上，确定适合我国国情的小额诉讼程序的适用范围。三是结合我国现有的再审制度，符合再审条件的小额诉讼案件，可以申请再审。

（二）促进社会和谐，构建多元化的纠纷解决机制

随着我国社会经济快速发展、经济体制变革不断深化、社会利益格局不断调整，社会矛盾纠纷处于高发时期，呈现纠纷类型多样化、利益诉求复杂化、纠纷主体多元化、矛盾交织复合化等特点，构建多元化的纠纷解决机制对社会主义和谐社会的建设具有极端重要性。目前，通过民事诉讼法、人民调解法等法律，构建了诉讼与非诉讼并存的纠纷解决机制。增加规定小额诉讼程序，也是构建多元化纠纷解决机制的重要环节。小额诉讼程序、简易程序和普通程序，根据案件的复杂程度，对案件繁简分流，合理配置司法资源，构建诉讼中的多元化纠纷解决机制。

（三）立足我国国情，构建符合我国国情的小额诉讼程序

法律是社会经济生活的反映，法律制度只有符合本国的政治架构、经济发展水平和历史文化背景，才能扎根于社会土壤。构建我国的小额诉讼程序，必须坚持立足我国国情。目前，英国、美国、德国、日本、韩国等国家和我国台湾、香港地区都设立了小额诉讼程序。构建我国的小额诉讼程序时，不能对其他国家和地区的规定照搬照抄，必须结合我国实际情况，对我国民事审判现状进行调研和分析，在调研的基础上设计我国的小额诉讼程序。只有坚持立足国情，才能构建符合

我国国情的小额诉讼程序。

（四）结合现有制度，与现有民诉程序和制度相衔接

我国现行民事诉讼法是 1991 年七届全国人大四次会议通过的。2007 年十届全国人大常委会第三十次会议曾对民事诉讼法审判监督程序和执行程序的部分规定作了修改。总的来看，民事诉讼法规定的基本原则是正确的，条文规定是可行的，对保证人民法院依法审理民事案件，保护当事人合法权益，维护社会和谐稳定，发挥了重要作用。本次民事诉讼法的修改是对现有民事诉讼法的进一步完善。在此基础上构建我国小额诉讼程序，应当将现有民诉程序和制度相衔接作为指导思想之一。构建小额诉讼程序时，应考虑与现有的普通程序、简易程序、审级制度、再审制度相衔接。

三、我国的小额诉讼程序

在高效快捷的审判需求和案件大量增加的大背景下，如何在保证案件公正审判的同时，提高诉讼效率、降低诉讼成本、方便诉讼当事人，是完善我国民事诉讼审判程序中需要思考的重要问题。虽然小额诉讼程序存在一些弊端，如程序缺乏严格性，法官自由裁量权较大，但我国应当建立小额诉讼程序。因为小额诉讼程序具有让大众接近司法和合理配置司法资源的程序价值，建立小额诉讼程序是民事诉讼程序的新发展。

根据本条规定，基层人民法院和它派出的法庭审理符合本法第一百五十七条第一款规定的简单的民事案件，标的额为各省、自治区、直辖市上年度就业人员年平均工资百分之三十以下的，实行一审终审。本条包含六层含义：

（一）小额诉讼程序只能在基层人民法院和它派出的法庭审理民事案件中适用

小额诉讼程序规定于简易程序一章，表明小额诉讼程序

与简易程序相同,只能在基层人民法院和它派出的法庭适用,一般情况下,中级以上人民法院审理的民事案件,标的额较大,案情较为复杂,不能适用小额诉讼程序。

(二)小额诉讼程序适用于简单民事案件

小额诉讼程序设置的目的,是为小额、简单的民事案件提供更方便、更快捷、更经济的诉讼程序,以小额、简单作为确定适用小额诉讼程序的案件标准,才能真正体现小额诉讼程序的程序定位,发挥其程序功能。因此,小额诉讼程序的适用范围必须是事实清楚、权利义务关系明确、争议不大的简单的民事案件。

(三)适用小额诉讼程序标的额为各省、自治区、直辖市上年度城镇单位就业人员年平均工资百分之三十以下的简单的民事案件

在立法过程中,如何确定小额诉讼的标的额,争议较大。有的认为,应定在五千元以下;有的认为,应以一万元至五万元为限;有的认为,应以五万元为限;有的认为,可确定为五千至两万元之间,各地高级人民法院可以根据本辖区的实际情况在此幅度内确定一个具体的数额,报请最高人民法院核准。为合理确定我国小额诉讼的标的额,我们对其他国家和地区的立法例、我国司法实践中受理民事案件标的额的情况等方面进行了研究。

1. 其他国家和地区的立法例

对小额诉讼程序的适用范围的数额限制,其他国家和地区有不同规定,如美国各州从 1000 美元到 7500 美元不等,英国 5000 英镑,德国 600 欧元,日本 60 万日元,法国 4000 欧元,我国台湾地区 10 万新台币,我国香港地区 5 万港元。我们对其他国家和地区的标的额标准与其人均收入作了对比分

析，标的限额与人均收入的比率从2%到20%不等。以各个国家和地区2008年人均收入为基准，如德国人均收入42440美元，600欧元的标准占人均收入的1.92%；日本人均收入38210美元，60万日元的标准占人均收入的18.4%；美国堪萨斯州人均收入38886美元，4000美元的标准占人均收入的10.29%；英国人均收入45390美元，5000英镑的标准占人均收入的17.56%；我国台湾地区人均收入17393美元，10万新台币的标准占人均收入的18.07%；我国香港地区人均收入31420美元，5万港币占人均收入的20.5%。一般来说，小额诉讼占一审民事案件的比例也较低，如2009年德国适用小额诉讼程序的案件占初审法院审结案件的6.5%，日本适用小额诉讼程序的案件占一审案件的3%～4%左右。

2. 我国人民法院试行小额诉讼标的额的情况

2011年4月，最高人民法院启动了小额速裁试点工作，北京、湖北、青海等十三个省、直辖市的高级人民法院分别指定其辖区内两个基层人民法院作为试点单位。最高人民法院《关于部分基层人民法院开展小额速裁试点工作的指导意见》中将适用小额速裁的案件范围确定为：当事人起诉的案件法律关系单一，事实清楚、争议标的金额不足一万元的下列给付案件：借贷、买卖、租赁和借用纠纷；身份关系清楚，仅在给付的数额、时间上存在争议的抚养费、赡养费、扶养费纠纷；权利义务关系明确的拖欠水、电、天然气费及物业管理费纠纷；责任明确、损失金额确定的道路交通损害赔偿和其他人身损害赔偿纠纷案件；其他可以适用小额速裁的案件。经过近一年的试点，根据最高人民法院小额速裁试点工作总结报告，标的金额在一万元以下的案件占一审民事案件比例情况如下：自2011年5月1日到2012年3月底，东部地区的山东省,两试点法院一审民事案件收案总数为15463件,其中符合小额速裁条件案件1114件,标的额在一万元以下的为469件,约占一审民事案件总数的3.03%;中部地区的江西省,四个试点法院一审民事案件收案总数为4868件,其中符合小额速裁条件的案件共557件,标的额在一万元以下的为271件,约占一审民事案件总数的5.57%;西部地区的贵州省,四个试点法院一审民事案件的收案总数为11155件,其中符合小额速裁条件的案件共1109件,标的额在一万元以下的案件有228件,约占一审民事案件总数的2.04%。

从其他国家和地区的规定和我国实际来看,如果将适用小额诉讼程序的标的额规定得过高,大量一审民事案件适用小额诉讼程序,一方面不能达到合理配置司法资源的目的,另一方面可能违背我国二审终审的审级制度。小额诉讼程序的额度标准关乎老百姓对小额诉讼制度的认识、社会稳定以及纠纷的顺利解决,因此,适用小额诉讼的标的额不宜过高。从最高人民法院试点中三个省份情况来看,标的额一万元以下的民事案件占一审民事案件的比例分别为2.04%~5.57%,将"小额"的标准定为一万元左右比较合适。本次修改民事诉讼法过程中,一次审议稿和二次审议稿均以一个全国统一的具体数额作为划分是否属于"小额"的标准。在立法过程中,常委会组成人员和社会各方面多数意见赞成规定小额诉讼程序,但对小额诉讼的标的额怎么规定有不同意见。有的常委委员认为不宜规定绝对数,可根据经济发展水平规定相对数。

我们研究认为,我国地域辽阔、各地发展差距较大,对于适用小额诉讼的标的额不宜采"一刀切"的方式。因此,本条规定,基层人民法院和它派出的法庭审理符合本法第一百五十七条第一款规定的简单的民事案件，标的额为各省、自治区、直辖市上年度就业人员年平均工资百分之三十以下的，实行一审终审。根据各省、自治区、直辖市上年度就业人员年平均工资为指标的一定比例确定小额诉讼案件的适用标准，一方面可以与各省的经济发展情况相适应，另一方面可以随各省、自治区、直辖市经济发展情况每年调整。根据国家统计局提供的统计数据，2011 年城镇单位就业人员平均工资情况如下表：

单位：万元

	2011 年城镇单位就业人员平均工资	2010 年城镇单位就业人员平均工资	2009 年城镇单位就业人员平均工资
全 国	41799	36539	32244
北 京	75482	65158	57779
天 津	55658	51489	43937
河 北	35309	31451	27774
山 西	39230	33057	28066
内蒙古	41118	35211	30486
辽 宁	38154	34437	30523
吉 林	33610	29003	25943
黑龙江	31302	27735	24805
上 海	75591	66115	58336
江 苏	45487	39772	35217
浙 江	45162	40640	36553
安 徽	39352	33341	28723
福 建	38588	32340	28366
江 西	33239	28363	24165
山 东	37618	33321	29398
河 南	33634	29819	26906
湖 北	36128	31811	26547

续表

	2011 年城镇单位就业人员平均工资	2010 年城镇单位就业人员平均工资	2009 年城镇单位就业人员平均工资
湖 南	34586	29670	26534
广 东	45060	40432	36469
广 西	33032	30673	27322
海 南	36244	30775	24790
重 庆	39430	34727	30499
四 川	37330	32567	28149
贵 州	36102	30433	27437
云 南	34004	29195	26163
西 藏	49464	49898	45347
陕 西	38143	33384	29566
甘 肃	32092	29096	26743
青 海	41370	36121	32481
宁 夏	42703	37166	32916
新 疆	38238	32003	27617

从上表中的数据，我们可以算出各省、自治区、直辖市适用小额诉讼标的额的数据，如 2011 年，北京市就业人员年平均工资为 75482 元，其 30% 为 22000 元左右；上海市就业人员年平均工资为 75591 元，其 30% 也为 22000 元左右；黑龙江省就业人员年平均工资为 31302 元，其 30% 为 9300 元左右。以上可以看出，最终适用小额诉讼程序的数额标准除经济较为发达的地区为二万元左右，大部分地区为一万元左右。具体的适用数额，由最高人民法院根据以上标准每年公布。

（四）小额诉讼程序实行一审终审

小额诉讼程序快捷、简便的特点要求其有不同于普通程序和简易程序特殊的审级制度。其他国家和地区对小额诉讼程序的审级制度都有特殊规定。有的规定一审终审可以异议,如日本;有的规定原则上一审终审,特殊条件下可申请二审,如德国;有的规定有条件的二审终审,可以再审,如我国台湾地区。考虑到小额诉讼涉案标的额较小,为迅速解决民事争议,并减少案多人少的矛盾,小额诉讼没有必要再实行二审终审;同时如果小额诉讼实行二审终审,与简易程序就没有了区别,设立小额诉讼制度也失去了意义。因此,本条规定,小额诉讼实行一审终审。

（五）对小额诉讼的救济

从其他国家和地区设立小额诉讼制度的规定看,很少采用一审终审而无任何救济的方式。最高人民法院《关于部分基层人民法院开展小额速裁试点工作的指导意见》中采用的是当事人不服判决的可以向原审人民法院提出异议申请的救济手段。我们研究认为,一审终审可以异议的方式,是由同一级法院对生效的异议再次审查,救济功能较弱,不利于保护当事人正当利益。保证小额诉讼的审判公正,应当与现有的审判监督程序挂钩。小额诉讼实行一审终审,当事人不服一审判决、裁定的,可以依照民事诉讼法的规定申请再审。民事诉讼法第二百条规定,当事人的申请符合下列情形之一的,人民法院应当再审:(1)有新的证据,足以推翻原判决、裁定的;(2)原判决、裁定认定的基本事实缺乏证据证明的;(3)原判决、裁定认定事实的主要证据是伪造的;(4)原判决、裁定认定事实的主要证据未经质证的;(5)对审理案件需要的主要证据,当事人因客观原因不能自行收集,书面申请人民法院调查收集,人民法院未调查收集的;(6)原判决、裁定适用法律确有错误的;(7)审判组织的组成不合法或者依法应当回避的审判人员没有回避的;(8)无诉讼行为能力人未经法定代理人代为诉讼或者应当参加诉讼的当事人,因不能归责于本人或者其诉讼代理人的事由,未参加诉讼的；(9)违反法律规定，剥夺当事人辩论权利的；(10)未经传票传唤，缺席判决的；(11)原判决、裁定遗漏或者超出诉讼请求的；(12)据以作出原判决、裁定的法律文书被撤销或者变更的；(13)审判人员审理该案件时有贪污受贿，徇私舞弊，枉法裁判行为的。适用小额诉讼程序审结的民事案件，有民事诉讼法第二百条规定情况的，当事人可以申请再审。

（六）简易程序的其他体现简易的规定也适用于小额诉讼程序

为体现小额诉讼程序方便、快捷的程序特点，很多国家和地区对小额诉讼程序的具体程序都规定了其区别于普通程序和简易程序的特殊规定。如美国对小额诉讼程序的设计及运作力求简易、非技术性，如对律师代理予以限制，大力简化起诉和送达的方式，允许被告不答辩，可以在周末或者夜间开庭审理，以一次开庭期日内审理完毕并结案为原则等。德国民诉法规定对小额诉讼程序不必拘泥于普通程序的规定，如可以书面审理方式审理，但当事人明确要求开庭的需开庭，简化证据收集程序，省略判决书记载的内容等。日本民诉法规定了小额诉讼程序应一次审结、证据调查的范围较窄、即日宣判等。我国台湾地区“民事诉讼法”规定了小额诉讼程序可以在夜间或休息日进行，允许选择使用表格化诉状，限制证据调查，限制诉之变更、追加与提起反诉。最高人民法院《关于部分基层人民法院开展小额速裁试点工作的指导意见》对小额诉讼程序也作了相对于简易程序的特殊规定，如人民法院适用小额速裁审理案件，由审判员一人独任审理，可以根据当事人的申请安排在晚间、休息日进行调解或者开庭，可以灵活地安排询问证人的时间；适用小额速裁审理民事案件，应当在立案之日起一个月内审结，到期不能审结的，应当转而适用普通程序。

本次修改民事诉讼法将小额诉讼程序放在简易程序一章，对小额诉讼程序相对于简易程序更为方便快捷的程序特点未作具体规定。简易程序一章中的一些规定，如可以口头起诉、当即审理、用简便方式传唤当事人和证人、送达诉讼文书、审理案件、由审判员一人独任审理以及不受法庭调查、法庭辩论程序的限制等规定在小额诉讼程序中同样适用。

第一百六十三条　人民法院在审理过程中，发现案件不宜适用简易程序的，裁定转为普通程序。

【释义】　本条是关于简易程序转为普通程序的规定。

本条是本次修改民事诉讼法时增加的条款。

人民法院依据本法第一百五十七条的规定确定案件适用简易程序后，在审理过程中，发现案件不宜适用简易程序的，可以裁定转为普通程序。本次修改民事诉讼法之前，民事诉讼法对简易程序向普通程序的转化未作出明确规定。最高人民法院《关于适用简易程序审理民事案件的若干规定》第三条规定，当事人就适用简易程序提出异议，人民法院认为异议成立的，或者人民法院在审理过程中发现不宜适用简易程序的，应当将案件转入普通程序审理。第二十六条规定，审判人员在审理过程中发现案情复杂需要转为普通程序的，应当在审限届满前及时作出决定，并书面通知当事人。从立法调研情况看，司法实践中简易程序转为普通程序主要有以下几种情况：一是当事人改变或增加诉讼请求，导致案情复杂化；二是因当事人依法申请人民法院调取证据、申请证人出庭等原因致使案件在三个月内难以审结；三是无法直接或者留置送达应诉通知书，需公告送达；四是虽然案件较为简单，标的额不大，但代表一类案件，可能影响大量相同或类似案件审理；五是案件较为简单，但关系到基本的生产生活,可能引发群体性事件。由于适用简易程序的民事案件在审判过程中,可能出现发生情况变化导致案情复杂,或者人民法院在审理过程中发现原来认为案情简单的案件案情复杂的情况,因此,本条规定,人民法院在审理过程中,发现案件不宜适用简易程序的,裁定转为普通程序。

其他国家和地区的立法例,对简易程序向普通程序的转换有所规定。如日本新民事诉讼法规定,在依简易程序审理案件的过程中若被告提出的反诉属于地方法院管辖,则经对方当事人申请,简易法院应当以裁定将本诉和反诉移送给地方法院。我国台湾地区“民事诉讼法”规定,依简易程序审理案件的过程中,因当事人为诉之变更、追加及提起反诉而致使诉之全部或一部分不属于简易程序的范围的,除当事人合意继续适用简易程序外,法院就应以裁定改用通常诉讼程序。同时赋予法官在案情繁杂时将简易程序改为通常诉讼程序的自由裁量权。我国台湾地区“民事诉讼法”第427条第5款、第6款规定,第(二)项之诉讼,案情繁杂或其诉讼标的金额或价额逾第(一)项所定额数十倍以上者,法院得依当事人申请,以裁定改用通常诉讼程序,并由原法官继续审理。前项裁定,不得声明不服。

第十四章　第二审程序

本章共十三条，对第二审程序的有关问题作了规定。

第二审程序是指上级人民法院根据当事人的上诉，对下级第一审人民法院未发生法律效力的民事判决、裁定进行审理的程序。第二审程序是因当事人提起上诉引起的，因此可以称为上诉审程序。我国民事案件的审理采取两审终审制，因此，第二审程序又可称为终审程序。

第二审程序从当事人提起上诉开始。上诉，是指当事人不服第一审人民法院对民事案件的判决、裁定而请求上级人民法院对第一审判决、裁定的合法性进行审查，并要求撤销或者改变原判决、裁定的诉讼行为。

当事人提起上诉是基于其享有的上诉权。所谓上诉权，就是法律赋予当事人可以提起上诉的诉讼权利。法律赋予当事人上诉权的目的与规定上诉审的目的是一致的，就是使第一审人民法院对民事案件的错误判决、裁定及时有效地得到纠正，保证当事人的合法权益不因第一审的错误裁判而丧失。

上诉和起诉虽然都是要求人民法院通过审理保护其合法权益不受侵犯，但起诉是要求人民法院解决民事争议，而上诉则不仅要求解决民事争议，而且要求上级人民法院对原审人民法院的错误裁判予以撤销或者改变。

上诉必须是当事人对一审的未生效判决、裁定不服而提起的，对已生效的判决、裁定只能申请再审。

上诉审理的并不是新的民事诉讼法律关系，而只是对同一诉讼法律关系的继续审理。一审人民法院审查原告与被告双方的民事争议、事实与根据，二审人民法院也审查双方当事人的民事争议，并对当事人在二审程序中提出的新的或者补充的事实、理由和证据进行审查；但同时二审人民法院也对一审判决、裁定所根据的事实、理由、证据进行审查。第二审程序与第一审程序是两个不同审级的程序。具体说来，一是程序开始的原因不同。第一审程序是因原告起诉而开始；第二审程序则因一审当事人上诉而开始。二是审理的内容不同。第一审人民法院是就原告的诉讼请求，对当事人之间的民事纠纷进行全面审理，并对他们之间的权利义务关系作出处理；第二审人民法院主要是对上诉请求的有关事实和适用法律进行审查，就上诉请求所涉及的权利义务关系作出处理，同时也是纠正第一审判决、裁定中的错误。三是适用的程序有所不同。简易程序不适用于第二审案件的审理；第二审对事实清楚的上诉案件可以不开庭而迳行判决的程序也不适用于第一审程序的审理。四是判决、裁定的生效不同。第一审判决、裁定在当事人提起上诉的情况下处于不确定状态，暂不生效；第二审判决、裁定一经宣告立即生效。第二审程序虽然与第一审程序有上述不同之处，但两个程序之间有密切的联系。第二审人民法院审理上诉案件，是在第一审的基础上进行的，是第一审程序的继续，即对同一民事案件继续进行审理。

应当明确，第二审程序并不是每个一审案件的必经程序。第一审经调解解决的案件，当事人对第一审判决、裁定在上诉期限内没有提起上诉的案件，都不发生需要经过第二审程序的问题。此外，依照法律规定实行一审终审的案件也不发生第二审程序。

我国实行两审终审制。综观世界各国民事案件的审级制度，都是依其本国的具体情况、司法制度的传统而制定，我国的审级制度，是依照我国民事审判工作实践而制定的。外国关于民事诉讼上诉审程序的立法，有三级三审、四级三审等不同的审级制度，我们不能以审级之多寡判定诉讼制度之优劣，关键在于是否能够切实保障当事人的权益。我们规定了两审终审制，其目的就是通过二审程序纠正一审判决、裁定的错误，保证人民法院裁判的正确、合法，保护公民、法人或者其他组织的合法权益。从当事人方面来讲，设立二审程序，就是为了保障当事人充分行使诉讼权利，以维护自己的合法权益。同时，规定二审程序也便于上级人民法院监督和指导下级人民法院的审判工作，提高办案水平和办案效率，保证人民法院正确行使国家审判权。

第一百六十四条　当事人不服地方人民法院第一审判决的，有权在判决书送达之日起十五日内向上一级人民法院提起上诉。

当事人不服地方人民法院第一审裁定的，有权在裁定书送达之日起十日内向上一级人民法院提起上诉。

【释义】 本条是关于提起上诉的规定。

本条中提起上诉的当事人应是符合法定条件、享有上诉权的人。那么，什么人享有上诉权，可以提起上诉呢？

第一审程序中的原告和被告，在民事诉讼中具有实体权利义务，享有上诉权，可以提起上诉。有权提起上诉的公民如果死亡，其继承人可以提起上诉。有权提起上诉的法人或者其他组织终止，承受其权利的法人或者其他组织可以提起上诉。

有独立请求权的第三人在一审中相当于原告的地位，具有实体权利义务，因此可以提起上诉。无独立请求权的第三人既非原告,也非被告,只是因为原告与被告之间的诉讼涉及其利益才参加到诉讼中辅助当事人一方进行诉讼,不享有独立的上诉权。但是,如果一审法院对其作承担实体权利义务的判决,即当然享有上诉权。

第一审程序中的共同诉讼人享有上诉权。共同诉讼人分为两类。第一类是有共同权利或者共同义务的,即必要的共同诉讼人。如果其中一人提起上诉,其上诉效力及于其他共同诉讼人。即应视为全体共同诉讼人行使上诉权。如果其中有的共同诉讼人声明不上诉,上诉审人民法院应作具体分析,认为上诉案件能成为可分之诉的,对声明不上诉的共同诉讼人可以不列人;认为上诉案件不能成为可分之诉的,其他共同诉讼人都应列人。第二类是没有共同权利义务的,即普通的共同诉讼人。他们是因为所诉标的为同一类而由法院合并审理而成为共同诉讼人的。他们各自享有上诉权,可以独立提起上诉。一个人上诉不对其他人产生上诉效力,只对该提起上诉的人有效。

作为第二审程序中的被上诉人也需要符合一定的条件。在一审程序中作为上诉人相对方的当事人,或者与其争诉的第三人都可作为被上诉人。换句话说,上诉人在二审程序中的相对方即为被上诉人,为一审程序中的相对一方当事人,或者与之争诉的第三人(不具实体权利义务的除外)。第三人提起上诉的,一审中的原、被告双方均为被上诉人。

共同诉讼人作为被上诉人,也分为两种情况。一种情况是共同诉讼人有共同权利义务的,即共同诉讼人为必要的共同诉讼人。当对方当事人提起上诉时,则必要的共同诉讼人都是被上诉人。另一种情况是共同诉讼人没有共同权利义务的,即共同诉讼人为普通的共同诉讼人。当对方当事人提起上诉时,普通的共同诉讼人是否作为被上诉人,取决于对方当事人是否将其列为被上诉人,他们不是自然成为共同被上诉人。

享有上诉权的人,一般都能自己提起上诉,但有时享有上诉权的人没有诉讼行为能力,这时应由其法定代理人代为提起上诉或者指定代理人提起上诉。

如果上诉人为法人或者其他组织,则由其法定代表人或者主要负责人提起上诉。同样,作为被上诉人如为法人或者其他组织,则应由法定代表人或者主要负责人应诉。

被委托的诉讼代理人如果提起上诉必须经过被代理人的特别授权,才能以被代理人的名义提起上诉。因此,诉讼代理人不得擅作主张提起上诉,如果擅作主张提起上诉,其上诉行为属无效行为,不产生上诉法律效果。

第一审人民法院收到上诉状后,应当对上诉人资格、被上诉人资格进行审查。对于无上诉权的人提起的上诉,作出裁定予以驳回;对不符合条件的被上诉人提起的上诉,应通知上诉人更换符合条件的被上诉人,如果上诉人坚持不变更,人民法院应当作出裁定驳回上诉。

本条规定,对判决提起上诉的期限为十五日,对裁定提起上诉的期限为十日。

上诉期的确定基于两点考虑。其一,确保当事人诉权的行使,使其有充分的时间考虑提起上诉,其目的是确保实体权利。其二,要有利于维护社会经济秩序,尽早确定当事人之间的民事法律关系。

规定对判决的上诉期限为十五天,比对裁定的上诉期限长,这是因为,判决是解决民事案件的实体性问题,关系到当事人双方的权利义务,影响较大;规定对裁定的上诉期限为十天,比对判决的上诉期限短,这是因为,裁定是解决秩序性问题,不涉及当事人双方实体权利义务,影响较小。

当事人在法定期限内未提起上诉,判决和裁定即发生法律效力。当事人如果认为生效的判决或者裁定有错误就只能申请再审。当事人如果在法定期限内提起上诉,则必然引起第二审程序。因此,如何确定法定期限,如何进行计算,虽是技术问题,但十分重要,因为时间差一点儿权利可能便会丧失。对判决、裁定不服的,上诉期限从送达之日起计算。

需要明确的是,上诉期限应以每个有上诉权的诉讼参加人各自收到判决书、裁定书后分别计算,任何一方均可在自己的上诉期内上诉,只有在所有有上诉权的诉讼参加人的上诉期限都届满而没有提起上诉的情况下,判决和裁定才发生法律效力。因此,在其他有上诉权的诉讼参加人的上诉期限未满之时,一方诉讼参加人的上诉期限虽已满,判决、裁定对其亦不生效。

在共同诉讼中,有两种情况:其一,在必要的共同诉讼中共同诉讼人的上诉期限,以最后一个共同诉讼人的上诉期限为全体共同诉讼人的上诉期限。其二,普通共同诉讼中共同诉讼人的上诉期,以各自的起算日期计算。谁超过上诉期限便丧失上诉权,一审判决、裁定对其即发生法律效力,其他共同诉讼人上诉以后,二审法院的判决对其不发生效力。

第一百六十五条　上诉应当递交上诉状。上诉状的内容,应当包括当事人的姓名,法人的名称及其法定代表人的姓名或者其他组织的名称及其主要负责人的姓名;原审人民法院名称、案件的编号和案由;上诉的请求和理由。

【释义】　本条是关于递交上诉状的规定。

不服一审人民法院的判决或者裁定,向上级人民法院提起上诉,应当提出上诉状。

上诉状是上诉人不服第一审人民法院的裁判,请求上一级人民法院撤销或者变更原审人民法院裁判的诉讼文书。

上诉状与起诉书虽然同样都是引起人民法院审理程序的诉讼文书,但两者是不同的,起诉书要求人民法院对民事争议进行处理,维护自己的合法的民事权益。上诉状的提起,固然也是从维护自身利益出发的,但这是通过要求上级人民法院撤销或者改变原审人民法院的判决、裁定来达到维护其权利的目的。

上诉状的内容包括以下各项:

1. 上诉人、被上诉人的姓名,法人的名称及其法定代表人的姓名或者其他组织的名称及其主要负责人的姓名。

2. 原审人民法院名称、案件的编号和案由。

3. 上诉的请求和理由。此项为上诉状中的主要内容。因为,上诉的请求是上诉人所要达到的目的,是要求上级人民法院撤销或者改变原裁判,以维护自己合法权益。必须说明的是,请求改判还是撤销原判决、裁定。同时必须将理由叙述清楚,是认为认定事实不清还是适用法律不当,还是两者兼有。同时,可以提出在一审程序中未提供的事实、理由和证据。

上诉人要提出上诉必须提出上诉状,不能口头提出。这与起诉不同,起诉可以口头提出。当事人在一审法院宣告判决、裁定时,当庭表示不服要上诉的,法庭应记入法庭笔录,承认其上诉的意思表示,但不能以此代替上诉状的提出,当事人仍应在法定上诉期内向人民法院提出上诉状,这样才能引起上诉审程序。即使当事人当庭声明不上诉,在法定上诉期内仍然有上诉权。

第一百六十六条　上诉状应当通过原审人民法院提出,并按照对方当事人或者代表人的人数提出副本。

当事人直接向第二审人民法院上诉的,第二审人民法院应当在五日内将上诉状移交原审人民法院。

【释义】 本条是关于上诉状提出方式的规定。

这里规定了两种上诉方式。一种方式是通过原审人民法院提出。由原审人民法院通知被上诉人应诉比较方便,而且,要经原审人民法院上报原审案件的卷宗。同时,原审人民法院也方便审查上诉人提出上诉状是否超过了法定上诉期限,上诉状的内容是否欠缺,如果欠缺则通知上诉人及时补正。同时亦可对上诉人提出的上诉理由提出意见附卷报送,供二审人民法院在审理时参考。因此,这样规定便于当事人行使上诉权,也便于案件得到及时解决。这是提起上诉的主要方式。

另一种方式是直接向第二审人民法院上诉,这是给上诉人又一选择的方式。当事人如果心存疑虑或者有其他原因不愿将上诉状提交一审人民法院,可以直接向第二审人民法院提交。这是从保护当事人的上诉权出发作出的例外规定。二审人民法院接到上诉状后,应于五日内发交原审人民法院,因为原审人民法院还要进行审查上诉人是否超过法定上诉期限,上诉状的内容是否欠缺,给被上诉人送达副本等工作。

第一百六十七条　原审人民法院收到上诉状,应当在五日内将上诉状副本送达对方当事人,对方当事人在收到之日起十五日内提出答辩状。人民法院应当在收到答辩状之日起五日内将副本送达上诉人。对方当事人不提出答辩状的,不影响人民法院审理。

原审人民法院收到上诉状、答辩状,应当在五日内连同全部案卷和证据,报送第二审人民法院。

【释义】 本条是关于受理上诉的规定。

原审人民法院收到上诉人直接提交的或者由上级人民法院发交的上诉状,应当在五日内将副本送达被上诉人,这是原审法院的义务。原审人民法院在接到上诉状后，首先要对上诉状的内容进行审查，如发现上诉状内容不符合本法第一百六十五条有关规定，三个要件如有欠缺，人民法院应限定期限，通知上诉人补正，上诉人逾期不补正的，应予裁定驳回上诉；上诉人在限定期限内补正交到法院的，该五日从此起算。人民法院将副本送达被上诉人后，被上诉人应于十五日内提交答辩状。如果提出答辩状的，人民法院应当在收到答辩状之日起五日内，将副本送达上诉人。被上诉人提出答辩状为诉讼权利，如果不愿提出，也是可以的，并不影响将来口头答辩或者以后再提交书面材料。十五日的规定是说，如果被上诉人愿意提出答辩状应在十五日内提出，十五日内不提出，原审人民法院就不再等待答辩状提交，而直接将案卷材料报送上级人民法院。

原审人民法院在收到上诉状、答辩状以后，或者超过提出答辩状期限，被上诉人不交答辩状的，均应连同原审的全部案卷在五日内报送二审人民法院。

第二审人民法院收到原审人民法院报送的材料后，便开始审理活动。

第一百六十八条　第二审人民法院应当对上诉请求的有关事实和适用法律进行审查。

【释义】　本条是关于审查范围的规定。

第二审人民法院审理上诉案件，应当对上诉请求的有关事实和适用法律进行审查。这一规定要求，第二审人民法院在审理上诉案件时应当对以下两个方面进行审查：第一，上诉请求涉及的有关事实，即针对上诉人提出的原判决、裁定中需要撤销或者变更的部分，以及其主张的民事权利有无事实根据进行审查，如果上诉请求涉及整个案件事实的认定，即应当全面审查一审人民法院对案件的全部事实是否查明,证据是否充分,是非是否分清。当事人在二审中提出了新的事实和证据的,第二审人民法院应当一并审查核实。第二,对当事人提出上诉请求涉及的一审判决、裁定的内容在适用法律上是否正确,进行审查。如果上诉请求涉及一审判决、裁定的所有内容,则对一审判决、裁定所有适用法律的事项都要进行审查。

按照本条的规定,二审的审查限于当事人上诉请求的范围,不一般性地作全面审查,这与 1982 年民事诉讼法(试行)规定的全面审查原则有很大差别。民事诉讼法(试行)的原规定是:"第二审人民法院必须全面审查第一审人民法院认定的事实和适用的法律,不受上诉范围的限制。"这里涉及一个非常重要的问题,即如何确定二审的审理范围。简单地说,就是第二审法院应当对哪些事项进行审理并作出裁判,其核心的问题是第二审法院是否应当对当事人上诉请求以外的事实认定和法律适用进行审查。这个问题涉及当事人对其民事权利的处分权和保证法律贯彻执行两个方面。

当事人有对其民事权利的处分权。当事人没有提起上诉的事项,表明当事人对其没有争议,或者原来虽有争议,但当事人对于一审所作裁判不再争议。既无争议,当然也就没有纠纷,法院也就没有必要审理。当事人对其没有争议,表明当事人接受一审的裁判结果,虽然有些事项对其不利,或者损害其利益,但当事人放弃其权利,或者说当事人处分了其权利,法院就应当尊重当事人的处分权,也就没有必要对这部分事项的事实认定和法律适用问题进行审查。

另外,确保法律原则得到贯彻落实是法院的职责,第二审程序就是要纠正第一审程序的裁判的错误。第一审裁判既然存在认定事实、适用法律上的错误,就破坏了法律原则的贯彻落实,损害了司法的权威性和严肃性。如果第二审程序不加以纠正，法律设立第二审程序的目的就会落空，第二审程序纠正第一审错误的功能设置就无法实现。从这一点上讲，似乎第二审程序对上诉案件的审查就不应限于当事人提出上诉的部分，无论当事人是否提出请求，对第一审裁判中存在的错误就必须予以纠正。

上述两个方面都有道理，但各自的结论不同。在法律上确定第二审程序审理的范围又必须确定一个基本原则，对于是限于上诉请求的事项进行审查或者是对第一审全面审查必须选择其一。从世界各地的民事诉讼立法和实践来看，绝大多数国家和地区都选择审理范围限于当事人上诉请求的范围，原则上只对上诉请求事项的事实认定和法律适用问题进行审理。但也有少数国家规定，第二审程序可以不受当事人诉讼请求范围的限制，对第一审裁判认定的事实和适用的法律作全面审查。可见，对这一问题的认识也并不是统一的。但同时也可以看到，多数国家在这个问题上的认识是基本一致的，看来更多地考虑到尊重当事人对其民事权利的处分权。

但是，问题并不是这么简单。我国 1982 年民事诉讼法（试行）对第二审程序规定了全面审查的原则，也属于上述“少数国家”之列，但不能说这样规定是不尊重当事人的民事权利的处分权。任何一个国家的立法都是根据其本国的国情和实际情况，从实际出发制定法律的。制定民事诉讼法（试行）是在改革开放初期，当时法制不健全，法治意识也很薄弱，律师很少，老百姓不了解诉讼程序，更不懂上诉，当然也就不懂得如何提出上诉请求。如果当时规定第二审程序只限于审查当事人上诉请求的事项，就会因为老百姓不懂法而在实际上损害其民事权利，更谈不上尊重当事人处分权的问题。因此，当时规定全面审查的原则,恰恰是尊重当事人的权利,是为了充分保护当事人的民事权利。当时规定这一原则是完全正确的。1982 年民事诉讼法(试行)实施以后,随着改革开放的深入,经济的飞速发展,我国普法教育的深入和律师队伍的建立和壮大,法制环境有了很大改变,法制日益健全,老百姓法律意识增强,律师法律服务工作也全面展开。1991 年民事诉讼法修改时,根据变化了的情况,对第二审程序对上诉案的审查规定了与多数国家一致的原则。从十多年来的实践来看,1991 年修改民事诉讼法时采取限于对当事人上诉请求事项的事实认定和法律适用进行审查的原则是适当的。

但是,本条规定的二审程序限于对诉讼请求事项进行审查的原则在解释和适用上都不能绝对化。当事人的处分权要得到充分的尊重,同时,也要保证法律原则的贯彻执行,纠正违法行为。两者都不可偏废,必须进行综合平衡,以求最大限度地尊重当事人的权利,最大限度地保障法律的正确实施,维护社会公共秩序和整体利益。在境外,这一审查原则也不是绝对的。如德国民事诉讼法第 519 条之 2 规定:"(1)控诉法律应依职权调查:控诉本身是否准许,是否依法定方式在法定期间内提起控诉并提出理由书。欠缺以上要件之一的,以其控诉为不合法而驳回之。(2)此项裁判不经言词辩论以裁定为之;对此项裁定,可以提起即时抗告,但以对同样内容的判决可以提起上告时为限。"根据上述规定,对于当事人上诉请求以外的事项,除上诉的合法性要件以外,第二审法院原则上不予审查。换句话说,第二审法院不是绝对不审理上诉请求以外的事项,但审理的上诉请求以外的事项仅限于上诉是否合法的问题。我国台湾地区有类似规定。因此,对于上诉请求以外的事项,第二审法院原则上是不予审理的,但是对于上诉是否合法的问题,法院有审查权。

这是因为上诉是否合法的问题，关系到上诉是否成立和第二审程序是否启动。

当事人是否有权提出上诉的问题，在我国法学界一般并不将其作为第二审程序审查原则的问题看待，虽然在法律逻辑上属于第二审程序审查原则的问题。我国法学界讨论的是否将审查原则绝对化的问题，是指当事人虽然在上诉请求中没有涉及，但一审的案件中存在违反法律禁止性规定或者损害国家利益和社会公共利益的情况，或者一审裁判违反法律禁止性规定或者损害国家利益和社会公共利益，对这些问题二审人民法院是否也采取“不告不理”的原则。

如果一审案件有当事人违法或者法官违法的问题，二审人民法院应当依法进行判断以确定审查的范围。法律尊重当事人的处分权，但要看当事人处分的是不是他可以处分的权利。如果当事人或者一审的裁判行为既损害了另一方当事人的利益，同时又损害了国家利益、社会公共利益，即使受损害的当事人在上诉请求中不主张权利，二审人民法院也应当纠正。比如，我国合同法第五十二条中规定了损害国家利益、集体利益或者社会公共利益的合同无效。此类合同纠纷的当事人对有些事项在上诉请求中虽未涉及，二审人民法院也不能以“不告不理”为由不予审查。因为这些上诉请求未涉及事项虽然有些可以认定是当事人放弃权利，但是这些事项损害了国家、集体利益或者社会公共利益，这是当事人无法处分的。二审人民法院应当进行审查。

同时，也要防止另一种倾向。这就是在实际中存在的有的二审人民法院对上诉案件不管上诉请求中是否涉及都进行全面审查的情况。法律规定了第二审程序的“不告不理”原则，就应当得到正确执行。我们传统上坚持“有错必纠”，实行职权主义诉讼模式，过去一直实行全面审理的原则，因此倾向于进行全面审查是有原因的。但是,将本条规定的审查原则绝对化是错误的,不管上诉请求是否涉及都进行全面审查同样也是错误的。我们既要纠正那些法律严格禁止、损害国家和社会公共利益的行为,同时也要充分尊重当事人对民事权利的处分权。这就要求我们准确地掌握法律规定的原则精神,严格依法办事。

第一百六十九条　第二审人民法院对上诉案件,应当组成合议庭,开庭审理。经过阅卷、调查和询问当事人,对没有提出新的事实、证据或者理由,合议庭认为不需要开庭审理的,可以不开庭审理。

第二审人民法院审理上诉案件,可以在本院进行,也可以到案件发生地或者原审人民法院所在地进行。

【释义】 本条是关于二审可以不开庭审理的情况及二审审理地点的规定。

本次修改民事诉讼法时对本条可以不开庭审理的情况作了修改。

二审人民法院审理上诉案件,必须组成合议庭,不能由独任审判员审理。二审人民法院接到上诉状及案卷材料后,应立即组成合议庭开始对上诉案件进行审查。二审的合议庭,应由审判员组成合议庭,与一审可以由审判员、陪审员组成合议庭不同。合议庭的成员,应为三人以上单数。

合议庭组成后,首先应当审查上诉人、被上诉人是否符合法定条件,是不是在法定上诉期内提起的上诉,上诉状的内容是否符合法律规定。对于无上诉权的人提起的上诉作出裁定予以驳回;对于不符合条件的被上诉人通知更换;对于上诉书内容欠缺的,通知补正。对于超过法定上诉期而原审人民法院未裁定驳回上诉而直接送二审人民法院的,合议庭应当裁定驳回上诉。

即使发现原判决确有错误，也应按审判监督程序予以纠正，而不应当进行第二审程序。在对上诉行为审查之后，应立即审阅案卷材料，熟悉案情，必要时可作调查。其目的是看案情是否清楚，一审判决或者裁定是否有错误，上诉人的请求及理由是什么。搞清案情是进一步进行其他事项的基础。

原则上，第二审人民法院对上诉案件应当开庭审理。但是，人民法院经过审查案卷，调查、询问当事人，对于没有提出新的事实、证据或者理由，在事实核对清楚后，如果认为案件事实清楚，上诉人的请求和理由明确，上诉人与被上诉人双方提出的事实和证据基本一致，纠纷也比较清楚，可以不开庭审理而径行判决。但如果案情比较复杂，双方争执不一，事实不清楚，或者当事人又有新的事实、证据或者理由提出，则应当开庭审理。本次修改民事诉讼法时对不需要开庭审理的情况作了修改。修改前第二审人民法院对上诉案件，经过阅卷、调查和询问当事人，在事实核对清楚后，认为不需要开庭审理的，可以不开庭审理。修改后第二审人民法院对上诉案件，决定可以不开庭审理的，须以当事人没有提出新的事实、证据或者理由为前提，在此前提下，经过阅卷、调查和询问当事人，认为不需要开庭审理的，才可以不开庭审理。如果当事人上诉时提出了新的事实、证据或者理由，则第二审人民法院必须开庭审理，此修改是为了进一步保护当事人的诉讼权利和实体权利。

二审人民法院在做好准备工作之后，如果决定开庭审理的，则应当确定开庭的地点。第二审人民法院审理上诉案件，可以在本院进行，也可以到案件发生地或者原审人民法院所在地进行。这些做法的目的是方便当事人，方便人民法院审理，提高办案效率，维护当事人的合法权益。

第一百七十条　第二审人民法院对上诉案件,经过审理,按照下列情形,分别处理:

(一)原判决、裁定认定事实清楚,适用法律正确的,以判决、裁定方式驳回上诉,维持原判决、裁定;

(二)原判决、裁定认定事实错误或者适用法律错误的,以判决、裁定方式依法改判、撤销或者变更;

(三)原判决认定基本事实不清的,裁定撤销原判决,发回原审人民法院重审,或者查清事实后改判;

(四)原判决遗漏当事人或者违法缺席判决等严重违反法定程序的,裁定撤销原判决,发回原审人民法院重审。

原审人民法院对发回重审的案件作出判决后,当事人提起上诉的,第二审人民法院不得再次发回重审。

【释义】　本条是关于对上诉案件进行判决、裁定的规定。

本次修改民事诉讼法时对本条作了修改。

一是修改前的条文仅对原判决的分别处理作了明确规定,对原裁定如何处理未作明确规定,仅规定了第二审人民法院对不服第一审人民法院裁定的上诉案件的处理,一律使用裁定。实践中,法院对原裁定的处理都是参考对原判决分别处理的条文进行处理。在立法过程中,有意见认为,应在民事诉讼法中明确第二审人民法院对裁定分别处理的情况,使人民法院在处理原判决、裁定时都能有法可依。因此,本次修改民事诉讼法增加了对原裁定如何处理的规定。

二是对第一款第(二)、(三)项作了修改。修改前的民事诉讼法规定,原判决适用法律错误的,依法改判;认定事实错误或者认定事实不清、证据不足的,裁定撤销原判决,发回原审人民法院重审,或者查清事实后改判。修改后的民事诉讼法对事实错误区分情况,如果原判决、裁定认定事实错误或者适用法律错误的，以判决、裁定方式依法改判、撤销或者变更；如果原判决认定基本事实不清的，裁定撤销原判决，发回原审人民法院重审，或者查清事实后改判。人民法院过多地将案件发回一审人民法院重审，既增加了当事人的诉讼成本，又影响了审判效率。本次修改以减少第二审人民法院将案件发回原审人民法院重审为原则。在第二审人民法院能查清事实改判的情况下，由第二审人民法院直接查清事实后改判；在基本事实不清，第二审人民法院查清事实有困难，发回一审人民法院查清更有利的情况下，才发回原审人民法院重审。

三是对第一款第(四)项作了修改。修改前的民事诉讼法仅规定原判决违反法定程序，可能影响案件正确判决的，裁定撤销原判决，发回原审人民法院重审。修改后的民事诉讼法规定原判决遗漏当事人或者违法缺席判决等严重违反法定程序的，裁定撤销原判决，发回原审人民法院重审。一方面对违反法定程序的情形进行了限定，必须是遗漏当事人或者违法缺席判决等严重违反法定程序的情况，第二审人民法院才可以发回原审人民法院重审；另一方面删除可能影响案件正确判决的较为弹性的裁量空间。

四是增加第二款的规定，原审人民法院对发回重审的案件作出判决后，当事人提起上诉的，第二审人民法院不得再次发回重审。修改前的民事诉讼法对不服第一审判决的上诉，仅规定了三种处理原则，即维持原判、改判以及发回重审，没有规定发回重审的次数。由于法律对于发回重审的次数没有规定，导致有的地方一个案件多次发回重审，既增加了当事人的诉讼负担，又影响了审判效率和司法公正的实现。为了能在法定的时间内结案，解决案件久拖不决的问题，提高诉讼效率，保障当事人的权益，此次民事诉讼法修改过程中，对发回重审的条件和次数作了限制,即对于不服原审人民法院对发回重审的案件作出判决后又提起上诉的,第二审人民法院不得再次发回重审。

根据本条的规定,第二审人民法院对于上诉案件,应当根据不同的情形,作不同的处理:

1. 以判决、裁定方式驳回上诉,维持原判决、裁定。原判决、裁定认定事实清楚,适用法律正确的,以判决、裁定方式驳回上诉,维持原判决、裁定。驳回上诉,以原判决、裁定的正确合法为根据,原判决、裁定正确合法,上诉理由不成立,以判决、裁定方式驳回上诉,维持原审判决、裁定的法律效力。对判决的上诉,原判决认定事实清楚,适用法律正确的,第二审人民法院以判决方式驳回上诉,维持原判决;对裁定的上诉,原裁定认定事实清楚,适用法律正确的,第二审人民法院以裁定方式驳回上诉,维持原裁定。

2. 以判决、裁定方式依法改判、撤销或者变更。原判决、裁定认定事实或者适用法律错误的,以判决、裁定方式依法改判、撤销或者变更。改判、撤销或者变更出现在以下几种情况下:一是认定事实错误,二是适用法律错误,三是认定事实和适用法律都存在错误。第二审人民法院直接以判决、裁定方式对原审判决、裁定进行改判、撤销或者变更。对判决的上诉,认定事实或者适用法律错误的,第二审人民法院以判决方式直接改判;对裁定的上诉,认定事实或者适用法律错误的,第二审人民法院以裁定方式撤销或者变更。

3. 查清事实后改判。原判决认定基本事实不清的,裁定撤销原判决,发回原审人民法院重审,或者查清事实后改判。首先,本项应与本款第(二)项结合起来理解,在一般事实不清的情况下,第二审人民法院应直接查清事实后改判,只有在基本事实不清的情况下,第二审人民法院才可以考虑在查清事实后改判和发回重审之间选择。基本事实是指案件的关键事实，即可能影响案件最终判决的事实。其次，在原判决认定基本事实不清的情况下，为节约司法资源、提高司法效率，第二审人民法院如果能够直接查清事实后改判的，应当首先考虑查清事实后改判；在由原审人民法院审理更便于查清基本事实的情况下，才考虑将案件发回原审法院重审。

4. 发回重审。为提高诉讼效率，保障当事人的诉讼权利，其他国家和地区也对发回重审作出限制。2002年德国联邦司法部对民事诉讼法进行了改革，改革的内容之一是限制发回重审。规定发回重审应由当事人申请。改革前，二审法院对一审判决一是依法改判，二是发回重审，如二审发现一审应调取的证据没调取，通常会发回重审。德国立法者认为发回重审应是例外，因为发回重审会导致时间和经济成本增加。改革后规定，发回重审以当事人申请为条件，当事人没有申请发回重审的，应由二审直接改判。本次修改民事诉讼法也对发回重审的条件和次数作了限制。根据本条第一款第（三）项、第（四）项的规定，对于原判决认定基本事实不清的，可以发回原审人民法院重审，也可以查清事实后改判。对于原判决遗漏当事人或者违法制度判决等严重违反法定程序的，裁定撤销原判决，发回原审人民法院重审。此外，本条第二款规定，原审人民法院对发回重审的案件作出判决后，当事人提起上诉的，第二审人民法院不得再次发回重审。重新审理不是对原判决的简单更正，而是要严格按照一审程序重新审一遍，并且要另行组成合议庭审理。这样规定的目的就是要人民法院严肃、认真对待，保证合法、正确的审判。发回重审的，由于原审人民法院仍按一审程序进行审理，因此所作判决、裁定仍是第一审的判决、裁定，当事人对重审案件的判决、裁定，可以上诉，对此类案件，第二审人民法院不得以任何理由再次发回重审。

第一百七十一条　第二审人民法院对不服第一审人民法院裁定的上诉案件的处理,一律使用裁定。

【释义】 本条是关于对不服裁定的上诉案件一律使用裁定的规定。

按照本法第一百五十四条的规定,一审当事人对一审法院关于"不予受理"、"对管辖权有异议的"和"驳回起诉"的裁定不服可以上诉。

审查一审的裁定,二审法院可以不开庭审理,因为一审裁定的内容是关于程序上的决定,并非对实体权利义务的确认。二审人民法院在对不服一审裁定的上诉案件的审查中应当查明原审裁定所依据的事实,判断原审裁定是否正确。如果原审裁定依据的事实清楚,适用法律正确,裁定驳回上诉;原审裁定依据的事实不清,适用法律错误,应当撤销原审裁定,自行裁定。

除了上述裁定外,二审人民法院亦可对准予或者不准撤回上诉、中止或者终结诉讼、补正判决书中的失误等项作出裁定。

第一百七十二条　第二审人民法院审理上诉案件,可以进行调解。调解达成协议,应当制作调解书,由审判人员、书记员署名,加盖人民法院印章。调解书送达后,原审人民法院的判决即视为撤销。

【释义】 本条是关于二审调解的规定。

一审程序中可以调解,二审程序中也可以调解。二审的调解与一审的调解一样,调解达成协议,应当制作调解书,由审判人员、书记员署名,加盖人民法院印章。二审的调解书送达后,原审人民法院的判决即视为撤销。如果在调解书送达前当事人反悔的，或者调解不成的，应当及时判决，不应久调不决。二审中的调解准用本法第八章、第十二章第三节的有关规定。在二审程序中达成调解，调解书送达后，原审人民法院的判决即视为撤销。

第一百七十三条 第二审人民法院判决宣告前，上诉人申请撤回上诉的，是否准许，由第二审人民法院裁定。

【释义】 本条是关于撤回上诉的规定。

提起上诉是当事人的诉讼权利，因此可以对此项权利进行处分。当事人提起上诉后，在判决或者裁定宣告之前可以撤回上诉。撤回上诉虽然是当事人的权利，但仍需经人民法院审查，是否准许，由人民法院裁定。这是因为，二审人民法院应当审查撤回上诉的行为是否违反法律的规定，是否因此而侵害国家、集体或者他人的利益。

有人认为，撤回上诉既然是对权利的处分，而且撤回上诉使一审人民法院的判决、裁定产生法律效力，因此不存在违反法律的问题，所以也不用二审人民法院作出是否准许撤回上诉的裁定。但实际上，这里也可能存在如下不能准许撤回上诉的情况：(1)经审查，一审的判决或者裁定在认定事实或者适用法律上有严重错误，必须予以纠正。(2)上诉人撤回上诉，影响被上诉人的利益。(3)上诉审提起后，原审对方当事人也表示要上诉的。(4)上诉撤回上诉是由于受被上诉人或者其他人胁迫。

撤回上诉的请求可以口头提出，但无论以何种方式提出，都需要在判决、裁定宣告之前提出。因为判决、裁定一经人民法院宣告，上诉人便丧失撤诉权。

当事人撤回上诉，就等于放弃了自己的上诉权利，不得再上诉。这与起诉的撤诉不同，起诉后撤诉的，还可以再起诉。

第一百七十四条　第二审人民法院审理上诉案件,除依照本章规定外,适用第一审普通程序。

【释义】　本条是关于二审适用程序的规定。

第二审人民法院审理上诉案件,除依照本章规定外,适用第一审普通程序。二审开庭审理,也要进行开庭前准备、审理开始、法庭调查、法庭辩论、法庭评议和裁判等。这里不再赘述。

第一百七十五条　第二审人民法院的判决、裁定,是终审的判决、裁定。

【释义】　本条是关于二审判决、裁定效力的规定。

二审判决、裁定是终审的判决、裁定,一经宣告或者送达,当事人即不能对二审的判决、裁定再上诉。

终审判决如果是对当事人实体权利义务的裁判,争议自当结束,判决一经作出,任何一方当事人,不得再以此民事争议提起新的诉讼。终审判决如果是具有给付内容的,享有权利的一方有权要求对方履行义务,如拒绝履行,权利方有权申请人民法院强制执行。

第一百七十六条　人民法院审理对判决的上诉案件,应当在第二审立案之日起三个月内审结。有特殊情况需要延长的,由本院院长批准。

人民法院审理对裁定的上诉案件,应当在第二审立案之日起三十日内作出终审裁定。

【释义】　本条是关于审限的规定。

规定审限主要是考虑到如下几个方面:第一,人民法院审判不能久拖不决,久拖不决会使民事关系长期处于一种不稳定状态,既不利于社会安定,也无法维护正常的经济生活秩序。第二，案件久拖不决，必然损害当事人的合法权益。第三，对人民法院的审判活动应当进行监督，应当有个审限，也有利于人民法院提高工作效率。因此，根据民事审判工作的实践经验，规定了审限。

由于审查实体与审查程序简繁不同，本条规定对判决的上诉案件审限为三个月，而裁定为三十日。第二审案件的审理是在第一审的基础上进行的，大量审查核实和调查取证工作已由第一审人民法院进行，第二审人民法院的重点是对上诉请求的有关事实和适用法律进行审查。第二审人民法院审理事实清楚的民事案件，在认真审阅诉讼材料和询问当事人后，即可进行判决。相对来讲适用第二审程序审理上诉案件的工作量与第一审相比要少。因此，本条规定第二审人民法院审理对判决的上诉案件的期限为三个月。但是，有的上诉案件也因调查核实证据的工作量较大，或者有其他疑难问题，不能在三个月内审结。因此，考虑到案件情况不同，本条规定允许由第二审人民法院院长批准延长审限。第二审人民法院审理对裁定的上诉案件，都是关系到第一审案件的审理能否开始进行的程序问题，需要及时作出处理决定，同时审查程序问题也比较简单，因此本条对审理不服原审裁定提起上诉的案件的期限，仅规定为三十天，并不得延长期限。

第十五章　特 别 程 序

本章共七节二十一条,对特别程序的有关问题作了规定。

特别程序是人民法院依照民事诉讼法审理特殊类型案件的一种程序。特别秩序与普通程序相对称,不是审理一般民事权益纠纷案件的程序。因为审理的案件不同,审理的程序也不相同。按照特别程序规定审理的案件,不能按照普通程序、简易程序的规定去处理。

特别程序是一项重要的诉讼制度。法律之所以规定这一程序,将有些非诉案件、非民事案件放入民事诉讼法中适用民事程序,就在于针对特殊的案件,找到特殊的处理方法,方便处理,实事求是。虽然放入民事诉讼中,但这些案件适用普通诉讼程序,都经一、二审没有必要,或者没有可能,所以规定了特别程序。

此次修改,本章增加了第六节"确认调解协议案件"和第七节"实现担保物权案件"。

第一节　一 般 规 定

第一百七十七条　人民法院审理选民资格案件、宣告失踪或者宣告死亡案件、认定公民无民事行为能力或者限制民事行为能力案件、认定财产无主案件、确认调解协议案件和实现担保物权案件,适用本章规定。本章没有规定的,适用本法和其他法律的有关规定。

【释义】 本条是关于适用特别程序的案件的规定。

民事诉讼法修正案对本条作了修改，增加了确认调解协议案件和实现担保物权案件。

特别程序与普通程序不同。特别程序的案件不是由双方当事人之间发生了民事权利义务的争议而引起的，人民法院审理的对象不是解决双方当事人之间的民事权利义务争议，而是确认某种法律事实是否存在，确认某种权利的实际状态。本条所列选民资格案件、宣告失踪或者宣告死亡案件、认定公民无民事行为能力或者限制民事行为能力案件和认定财产无主案件，均具有这个特点。如宣告失踪或者宣告死亡案件，人民法院自发出寻找下落不明人的公告满三个月，根据下落不明的事实，即可判决宣告失踪，或者自发出寻找下落不明人的公告满一年，根据下落不明的事实，即可判决宣告失踪人死亡。判决宣告失踪后可以解决失踪人财产管理、债务清偿等问题；判决宣告死亡可以解决其财产的继承等问题。这是一种法律拟定，是为了解决现实生活中存在的问题而设立的一种制度。

增加第六节"确认调解协议案件"，目的是解决民事诉讼法和人民调解法的衔接。人民调解法规定了对调解协议的司法确认制度，经司法确认的调解协议具有强制执行效力。为做好法律的衔接，本节明确规定当事人申请司法确认调解协议的程序和法律后果。

增加第七节"实现担保物权案件"，目的是解决民事诉讼法与物权法等法律的衔接，明确了行使担保物权请求权的主体、管辖法院以及审查实现担保物权申请的规定。

第一百七十八条　依照本章程序审理的案件，实行一审终审。选民资格案件或者重大、疑难的案件，由审判员组成合议庭

审理;其他案件由审判员一人独任审理。

【释义】 本条是关于特别程序审级制度及审判组织的规定。

特别程序在审级上实行一审终审制度,这一点与普通程序不同。人民法院对这类案件的审理所作的判决,自判决书送达之日起,立即发生法律效力,有关人员不得提起上诉。而按照普通程序或者简易程序审理的案件,除了最高人民法院所作的第一审判决是终审判决以外,其他任何人民法院所作的一审判决,当事人不服,都可以向上诉审人民法院提起上诉。

在审判组织上,特别程序与一般诉讼程序不同。除选民资格案件或者重大、疑难案件外,实行审判员一人独任审判。依照特别程序审理选民资格案件或者重大、疑难案件时,由审判员组成合议庭审理,而依照普通程序审理案件,可以由审判员和陪审员共同组成合议庭或者由审判员组成合议庭审理。按照特别程序规定审理案件的合议庭,没有陪审员参加。

第一百七十九条　人民法院在依照本章程序审理案件的过程中,发现本案属于民事权益争议的,应当裁定终结特别程序,并告知利害关系人可以另行起诉。

【释义】 本条是关于特别程序中对属于民事权益争议处理的规定。

特别程序与一般的民事诉讼程序不同。在一般民事诉讼程序中,人民法院审理案件的目的是解决民事争议,通过审判保护当事人的民事权益。而在特别程序中,人民法院审理案件的目的只是对一定的民事权利或者法律事实加以确认,而不是解决民事权利义务争议。这两种诉讼的目的不同,采用的诉讼形式也不同,不可混淆在一起。所以,本条规定依照特别程序审理案件时发现属于民事争议的，要按一般的民事案件另行起诉，否则有可能侵犯当事人的诉讼权利。

第一百八十条　人民法院适用特别程序审理的案件，应当在立案之日起三十日内或者公告期满后三十日内审结。有特殊情况需要延长的，由本院院长批准。但审理选民资格的案件除外。

【释义】　本条是关于特别程序审限的规定。

特别程序审限短，这是特别程序的一个特点，适用特别程序审理的案件，主要是确认法律事实，除选民资格案件外，不存在权利争议，一般要及时审结。所以规定了与普通程序、简易程序不同的审限，普通程序的审限一般是六个月，简易程序一般是三个月，特别程序一般则为三十天。除审理选民资格案件外，有特殊情况需要延长的，由本院院长批准。

第二节　选民资格案件

第一百八十一条　公民不服选举委员会对选民资格的申诉所作的处理决定，可以在选举日的五日以前向选区所在地基层人民法院起诉。

【释义】　本条是关于选民资格案件的起诉与受理的规定。

选民资格案件，是指公民对选举委员会公布的选民名单有异议，向选举委员会提出申诉后，不服选举委员会所作的处理决定，而向人民法院提起诉讼的案件。

选举权与被选举权是宪法赋予我国公民的一项重要的、基本的政治权利，也是公民参与国家事务管理的基础。为保证公民选举权和被选举权的行使，有关法律从不同的方面进行了规定。一方面,法律规定对有选举资格的公民,将其列入选民名单。选举法规定,中华人民共和国年满十八周岁的公民,不分民族、种族、性别、职业、家庭出身、宗教信仰、教育程度、财产状况和居住期限,都有选举权和被选举权。这是我国公民享有的一项庄严的政治权利。选举资格由选举主持单位确认并公布在选民名单上。如果选民名单把本地区或者本单位享有选举权的公民遗漏,那就会使有选举资格的公民丧失选举权,如果把没有选举资格(如不满十八周岁的公民,被剥夺了政治权利的人)的人列入名单,使他们获得选举资格,就意味着对选举这样的重大政治活动不严肃、不负责。因此,如果有人对选举资格的确认提起诉讼,人民法院都应当受理和审判,以保障选民名单准确无误,保障有选举资格的公民权利不受侵犯。在选举名单中增补有选举资格的公民,排除无选举资格的公民,以确保选举活动依法进行。另一方面,法律又明确规定保障公民选举权和被选举权的行使,如刑法中明确规定了破坏选举罪,对以暴力、威胁、欺骗、贿赂等手段,故意破坏选举或者妨害选民自由行使选举权和被选举权的行为,应当依法给予刑事处罚。

选民资格案件的起诉和审理程序是:

1. 申诉先行。选民资格案件的起诉必须以选举委员会对选民资格的申诉处理作为前置程序。按照我国选举法的规定,公民对公布的选民名单有不同意见的,可以向选举委员会提出申诉,不可以直接向人民法院起诉,起诉人坚持起诉的,裁定不予受理。选举委员会对申诉意见,应在三日内作出处理决定。这是起诉前的必经程序。选举资格是选举委员会确认并公布在选民名单上的,因此它应当负责查处,在三日内作出决定,以免耽误选举。选举委员会认为申诉无理的,应当裁定驳回;认为申诉有理的,应当变更选民名单;有遗漏的补充,没有选举权但列人名单的应当除去。

申诉人可以是中华人民共和国的任何一个公民。

2. 起诉。选举法规定，申诉人如果对处理决定不服，可以在选举日的五日以前向人民法院起诉，人民法院应在选举日以前作出判决。人民法院的判决为最后决定。这一期间属法定的不变期间。如果离选举日不足五日才提出诉讼，人民法院将不予受理。

3. 管辖。由选区所在地的基层人民法院管辖。这样，既便于公民起诉和选举委员会指派代表参加诉讼，又便于人民法院与选举委员会取得联系，查明事实真相，及时解决问题，尽快审理案件。

公民提起诉讼后，人民法院应及时进行审查，对符合上述条件的起诉，应予受理，对不符合上述条件的，应根据不同情况，分别处理。对未经申诉直接提起诉讼和不属于本法院管辖的诉讼，应告知起诉人向选举委员会申诉和向有管辖权的法院起诉，对起诉人无民事诉讼行为能力或者离选举日不足五日的，应以裁定驳回起诉。

第一百八十二条　人民法院受理选民资格案件后，必须在选举日前审结。

审理时，起诉人、选举委员会的代表和有关公民必须参加。

人民法院的判决书，应当在选举日前送达选举委员会和起诉人，并通知有关公民。

【释义】　本条是关于人民法院如何审理选民资格案件的规定。

人民法院审理选民资格案件，关系到公民的选举权与被选举权这一重要的政治权利。因此，审理这类案件必须严肃认真。

1. 诉讼参加人。包括起诉人、选举委员会的代表和有关公民。这里的有关公民是指起诉人认为是漏掉的公民或者不应列入选举名单的人。

2. 审判组织。选民资格案件的审理实行合议制，并由审判员组成合议庭进行审理，即使案情简单也不能由审判员一人独任审判，也不能由审判员与陪审员共同组成合议庭。因为审理选民资格案件涉及公民政治权利，应当慎重、严肃。

3. 判决。人民法院对选民资格案件的审理，必须在选举日前作出判决，并将判决书送达选举委员会和起诉人，通知有关公民，以便于有选举权的公民在选举日到来时能够庄严地行使自己的选举权。人民法院的判决是终审判决，是对选民资格问题的最终决定，判决书一经送达即发生法律效力。

应当说明的是，选民资格案件不适用调解。选民资格案件的审理，虽然有起诉人、选举委员会代表及有关公民参加，但不能适用调解，不得以调解的方式结案。因为某一公民是否具有选举权和被选举权，是否具有选民资格，只能依据法律的具体规定，不受有关主体意志的影响。

第三节　宣告失踪、宣告死亡案件

第一百八十三条　公民下落不明满二年，利害关系人申请宣告其失踪的，向下落不明人住所地基层人民法院提出。

申请书应当写明失踪的事实、时间和请求，并附有公安机关或者其他有关机关关于该公民下落不明的书面证明。

【释义】 本条是关于宣告公民失踪的条件及案件的审理程序的规定。

宣告失踪案件，是指公民离开自己的住所或者经常居住地，去向不明,杳无音讯,持续时间满二年的,利害关系人即可向法院提出申请,法院经查证属实后宣告该下落不明人为失踪人的案件。民法通则规定,公民下落不明满二年的,利害关系人可以向人民法院申请宣告他为失踪人。

公民是民事权利主体,在社会生活中必然同他人发生民事法律关系。公民长期失踪,既会使他本人的财产因无人照管而损坏、丢失,也会使他与别人的民事关系处于不稳定状态。例如,应由失踪人支付和收取的费用无人收付;已由失踪人承包经营的土地、池塘无人经营,但又不宜发包给别人;配偶实际上等于丧偶,但又无法与他人结婚。这对于他的利害关系人,包括对债权人、债务人、配偶、子女、单位都是不利的。确立由人民法院宣告失踪的法律制度,为的是结束这些不确定状态,保护利害关系人的利益,稳定社会经济秩序。

一、宣告公民失踪的条件

1. 被申请人下落不明满二年。下落不明是指公民离开住所地或者居所地去向不明,杳无音讯。满二年是指下落不明状态持续不断地达到二年时间,而不是在音讯时有时无的情况下将下落不明的时间累计相加满二年。在通常情况下,下落不明的期间从公民离开住所或者居所之日起开始计算,但在战争期间失踪的,应当从战争结束之日起计算;在意外事故中失踪的,从事故发生之日起计算。下落不明状态时断时续的,从最后一次下落不明开始之日起计算。

2. 申请人为下落不明公民的利害关系人。利害关系人是指与下落不明的公民在法律上有人身关系和财产关系的人。利害关系人包括下落不明人的配偶、父母、成年子女、祖父母、外祖父母、成年的兄弟姐妹、债权人、合伙人等。公民长期下落不明危及其利害关系人的利益,因而利害关系人有必要也有权利申请宣告失踪。

二、宣告公民失踪案件的审理程序

1. 公民下落不明持续满二年,其利害关系人可向下落不明人住所地的基层人民法院提出申请,请求法院宣告该公民失踪。如果住所地与居所地不一致,则由最后居所地的人民法院管辖,利害关系人向有管辖权的人民法院提出申请,程序上才合法。法院收到利害关系人的申请后,认为申请不符合法定条件的,即以裁定驳回申请;认为申请符合法定条件的,则应当立案受理,并发布寻找下落不明人的公告。公告应当记明申请人的姓名、住所,下落不明人的姓名、年龄、性别、职业、相貌特征,该公民失去音讯的最后时间,公告期间以及知情者向受申请法院陈述该公民的下落和信息的渠道或者方法。

2. 申请必须是书面形式的,不能是口头的。利害关系人应当向人民法院提交宣告失踪的申请书,申请书应当写明公民下落不明的事实、时间和宣告失踪的请求,还应提交公安机关或者其他机关出具的关于该公民下落不明的书面证明。

三、宣告失踪的法律后果

下落不明的公民被宣告失踪后,其法律后果主要体现在失踪人的财产管理方面。根据民法通则的规定,失踪人的财产由他的配偶、父母、成年子女或者关系密切的其他亲属、朋友代管。对谁当代管人有争议或者互相推诿,不愿代管财产的,或者没有以上规定的人或者以上规定的人无能力代管的,人民法院应当根据有利于保护失踪人财产的原则,为失踪人指定财产代管人。失踪人所欠税款、债务和应付的其他费用,由代管人从失踪人的财产中支付。

代管人除法律规定外,不得处分失踪人的财产,不得将财产据为己有,遇有侵害代管财产的行为,代管人有权向人民法院提起诉讼，请求排除妨害；造成损害的，可请求赔偿。失踪人对他人享有债权的，代管人可以请求债务人还债，也可以作为原告向法院提起诉讼。代管人不履行代管的法定职责或者侵犯失踪人合法的财产权益的，失踪人的其他利害关系人可以向人民法院请求代管人赔偿损失，承担责任，也可以向人民法院请求变更财产代管人。代管人认为自己没有能力履行代管职责的，可以向人民法院提出申请，要求变更财产代管人。财产代管人自己向人民法院申请变更与其他利害关系人要求人民法院变更，在性质上是有重大区别的，前者只有变更的申请而不存在争议，后者在申请变更人与财产代管人之间存在争议。

根据最高人民法院《关于适用〈中华人民共和国民事诉讼法〉若干问题的意见》规定，失踪人的财产代管人经人民法院指定后，代管人申请变更代管的，比照民事诉讼法特别程序的有关规定进行审理。申请有理的，裁定撤销申请人的代管人身份，同时另行指定财产代管人；申请无理的，裁定驳回申请。失踪人的其他利害关系人申请变更代管的，人民法院应告知其以原指定的代管人为被告起诉，并按普通程序进行审理。

第一百八十四条　公民下落不明满四年，或者因意外事故下落不明满二年，或者因意外事故下落不明，经有关机关证明该公民不可能生存，利害关系人申请宣告其死亡的，向下落不明人住所地基层人民法院提出。

申请书应当写明下落不明的事实、时间和请求，并附有公安机关或者其他有关机关关于该公民下落不明的书面证明。

【释义】　本条是关于宣告公民死亡的条件及案件的审理程序的规定。

宣告公民死亡案件，是指法院根据利害关系人的申请，依法宣告下落不明满法定期限的公民死亡的案件。

宣告失踪制度虽然能够解决失踪人的财产代管和债务清偿等问题,但在公民长期失踪的情况下,并不能从根本上解决失踪人的财产归属和与失踪人有关的人身方面的法律关系问题,因此,有必要建立宣告死亡制度。宣告死亡必须具备下列条件和程序:

1. 宣告死亡的条件

宣告死亡案件的成立,必须在失踪人生死不明的状态持续一定时间。因为宣告死亡,对于被宣告人的利益关系极大,必须慎重,虽生死不明,未经过法定期间不能轻率宣告死亡。必须在一定期间内等待失踪人的消息,保护其利益。因为一经宣告死亡,法律关系会发生重大变化,失踪人重新出现再恢复以前的法律关系就会相当困难,比如财产已被他人消费,配偶已与他人另行结婚等。但从另一方面讲,失踪人生死不明的状态也不能无限期地持续下去,这样会使法律关系处于不确定状态,影响社会生活秩序的稳定,配偶需另行组成家庭,某些财物不能永远闲置起来无法发挥其经济效益。所以应当有一个法定的合理期间。民法通则规定,公民有下列情形之一的,利害关系人可以向人民法院申请宣告其死亡:(1)下落不明满四年的;(2)因意外事故下落不明,从事故发生之日起满二年的。战争期间下落不明的,下落不明的时间从战争结束之日起计算。民事诉讼法又补充规定,因意外事故下落不明,经有关机关证明该公民不可能生存,利害关系人可申请宣告其死亡,不受时间限制。此类事例比如登山遇雪崩、大海沉船等,持续两年没有必要,只要有有关机关的证明即可。另外,最高人民法院《关于适用〈中华人民共和国民事诉讼法〉若干问题的意见》规定,人民法院判决宣告公民失踪后,利害关系人向人民法院申请宣告失踪人死亡,从失踪的次日起满四年的，人民法院应当受理，宣告失踪的判决即是该公民失踪的证明。

2. 宣告死亡的程序

申请人应向下落不明人住所地的基层人民法院提出。如果住所地与居所地不一致，则由最后居所地的人民法院管辖，利害关系人向有管辖权的人民法院提出申请。利害关系人向人民法院申请宣告下落不明人死亡，必须是书面形式，不能以口头形式提出。申请书应当写明公民下落不明的事实、时间和请求，并附有公安机关或者其他机关出具的关于该公民下落不明的书面证明。

3. 宣告公民死亡的法律后果

公民被宣告死亡，其法律后果与自然死亡基本相同，但是宣告死亡与自然死亡毕竟不同，它是由于被宣告死亡的人仅仅是从法律上推定为死亡，并不一定是真正的死亡，因此，在宣告公民死亡后，如果被宣告死亡的人重新出现，或者有人明确知道他还健在，其法律后果就会出现比较复杂的情况。

(1)宣告死亡人的财产，在宣告期间被他人取得的，宣告死亡的判决被撤销后，该公民有权请求返还。利害关系人隐瞒真实情况使他人被宣告死亡而取得其财产的，除应当返还原物及孳息外，还应对造成的损失予以赔偿。

(2)宣告公民死亡的判决被撤销后，该公民因死亡宣告而消灭的人身关系，有条件恢复的，可以恢复。

(3)被宣告死亡人在被宣告死亡期间，其子女被他人依法收养，被宣告死亡的人在死亡宣告被撤销后，仅以未经本人同意而主张收养行为无效的，一般不应当准许，但收养人和被收养人同意解除收养关系和被收养关系的，不在此限。

(4)被宣告死亡和自然死亡的时间不一致的，被宣告死亡所引起的法律后果仍然有效,但自然死亡前实施的民事法律行为与被宣告死亡引起的法律后果相抵触的,则以其实施的民事法律行为为准。

(5)如果该公民在异地依然生存,并不影响其在那里的民事活动。

第一百八十五条　人民法院受理宣告失踪、宣告死亡案件后,应当发出寻找下落不明人的公告。宣告失踪的公告期间为三个月,宣告死亡的公告期间为一年。因意外事故下落不明,经有关机关证明该公民不可能生存的,宣告死亡的公告期间为三个月。

公告期间届满,人民法院应当根据被宣告失踪、宣告死亡的事实是否得到确认,作出宣告失踪、宣告死亡的判决或者驳回申请的判决。

【释义】 本条是关于人民法院发布宣告失踪、宣告死亡公告和作出判决有关事项的规定。

1. 受理和公告。人民法院接到书面申请和有关证明后,经过审查,认为手续完备,证明无误,应当受理并发出寻找下落不明人的公告。公告应在人民法院的公告栏内张贴,也应当在适当的报纸、刊物等处刊登。公告期限:宣告失踪的案件期满时间是三个月;宣告死亡案件的公告期满时间是一年;因意外事故下落不明经有关机关证明该公民不可能生存的,宣告死亡的公告期间为三个月。

2. 判决。公告期间届满后,如果下落不明人仍然没有消息,人民法院方可作出宣告失踪或者宣告死亡的判决。在公告期间,如果下落不明人重新出现或者有确实消息证明其已有下落,或生或死,人民法院应当驳回利害关系人的申请,裁定终结审理。宣告失踪或者宣告死亡的判决和裁定终结审理,都是终审裁判,不得提起上诉。

人民法院宣告死亡不必先经宣告失踪的程序,只要公民下落不明满四年或者因意外事故下落不明满二年,或者因意外事故而有有关机关证明公民不可能生存的书面证明,经公告一年或者三个月期满后,法院即可宣告死亡。宣告死亡的案件,死亡宣告发生效力的时间,应为人民法院判决之日。

第一百八十六条 被宣告失踪、宣告死亡的公民重新出现,经本人或者利害关系人申请,人民法院应当作出新判决,撤销原判决。

【释义】 本条是关于撤销宣告失踪、宣告死亡的判决的规定。

宣告失踪为法律拟定的一种法律状态,失踪人重新出现或者已知其下落,应重新恢复以前的法律状态。民法通则规定,被宣告失踪的人重新出现或者确知他的下落,经本人或者利害关系人的申请,人民法院应当撤销对他的失踪宣告。

宣告死亡也只是法律拟定的死亡,是一种推定,被宣告死亡并不等于生理上的死亡。公民是否真正死亡,仍然不能肯定。他有可能尚在世上生存,也可能重新出现,或者返回自己离开的住所,或者已知在其他地方生存,并有确切的证明。

下落不明的公民在人民法院宣告他失踪或者死亡后如果重新出现,经本人或者利害关系人申请,人民法院应当作出新判决,撤销原判决。具体处理如下:

1. 关于财产的处理。撤销失踪宣告后,取消财产代管。对于撤销死亡宣告的,民法通则规定,被撤销死亡宣告的人有权请求返还财产。依照继承法取得他的财产的公民或组织,应当返还原物,原物不存在,给予适当补偿。因此,在宣告死亡判决生效期间,国家、集体或者个人无偿取得的财产,应当予以返还。但是被撤销死亡宣告的公民请求返还财产的权利应有所限制。他只能要求返还原物,不能要求给付孳息;请求返还财产不能对抗善意第三人,如果原物已经由继承人转让给第三人的,则不能要求返还原物,只能要求补偿。发生争议的,另外起诉,由人民法院按照民事案件审理。

2. 关于婚姻的处理。在宣告失踪后,配偶已办理离婚尚未再婚的,被宣告失踪的人重新出现,按照婚姻法办理,双方自愿的可再办婚姻登记,不自愿的不能再办;配偶离婚后已婚的,原来的婚姻关系不能自然恢复。在宣告失踪后配偶未办理离婚,在宣告死亡后配偶未再婚,则婚姻关系自然存续,宣告死亡后配偶已婚的,原婚姻关系不能自然恢复。

第四节　认定公民无民事行为能力、限制民事行为能力案件

第一百八十七条　申请认定公民无民事行为能力或者限制民事行为能力,由其近亲属或者其他利害关系人向该公民住所地基层人民法院提出。

申请书应当写明该公民无民事行为能力或者限制民事行为能力的事实和根据。

【释义】　本条是关于认定公民无民事行为能力、限制民事行为能力案件的规定。

一、什么是无民事行为能力人、限制民事行为能力人

民事权利能力,是指享有民事权利、承担民事义务的资格。民事权利包括物权、债权、知识产权、人身权等。民法通则规定,

公民从出生时起到死亡时止，具有民事权利能力。这就是说，不分男女老幼，不分民族信仰，只要是具有中华人民共和国国籍的人，都有资格享有民事权利和承担民事义务。

中国公民都享有民事权利能力，但不是都能享有民事行为能力。民事行为能力是指独立地行使民事权利、履行义务的能力，包括承担其所作的民事行为后果的能力。这个能力不是人人具备的。例如，所有的公民都享有继承权，一个三岁的孩子按照祖父的遗嘱可以继承一所房子，但他自己不会上公证处办理公证，不懂得去房屋登记部门过户，不明白出租、出卖、抵押房子，发生了继承权纠纷，也不会同他人讲理。但一个健康的成年人就可以去办，如果他没有时间，还可以委托别人代理。这个三岁的孩子就是无民事行为能力的公民，这个健康的成年人就是有民事行为能力的公民。这里的区别就是有无分辨是非的能力。

按照民事行为能力的大小或者有无，民法通则规定：

1. 完全民事行为能力人，包括两种人：(1)十八周岁以上的成年人；(2)年满十六周岁且有固定劳动收入的公民。这两种人当然必须不是精神病人。

2. 限制民事行为能力人，包括两种人：(1)年满十周岁不满十八岁的公民；(2)不能完全辨认自己行为的精神病人，比如轻度弱智人、间歇性精神病人等。

3. 无民事行为能力人，包括两种人：(1)不满十周岁的公民；(2)不能辨认和不能控制自己行为的精神病人。

二、民法为什么要规定无民事行为人、限制民事行为能力人

规定未成年人、精神病人是无民事行为能力人、限制民事行为能力人，就是不让他们独立地凭自己的意志去行使民事权利，承担民事义务。例如，一个神志不清的精神病人能不能同别人

签订买卖房屋的合同?再如,一个五岁的孩子创作的书法作品得了奖,许多人想买他的作品,能不能让他自己去开办书法作品展览并销售其作品?由于他们是无民事行为能力人,法律因此不允许他们自己去进行这些民事行为。否则,他们多半会吃亏上当,被别人侵犯了自己的合法权益还不知道,因此也会产生纠纷,社会的民事经济秩序就会出现问题。规定无民事行为能力和限制民事行为能力人的目的,就是保护他们以及与他们进行民事交往的人的合法权益,对社会来说,是消除民事经济活动的不安定因素,维护民事经济活动的秩序。所以,民法通则规定,无民事行为能力人实施的民事行为,限制民事行为能力人依法不能独立实施而实施的民事行为,从行为开始就是无效的民事行为。简单地说,就是不作数。那么,如果他们需要实施这些民事行为怎么办?民法通则还规定了监护制度,由法律规定的监护人作为法定代理人代理他们实施民事行为。例如,未成年人由他的父母当监护人,代理他进行民事活动。

那么,怎么会发生申请人民法院认定无民事行为能力和限制民事行为能力的问题?在有些情况下,如一个八岁的儿童,他肯定是无民事行为能力,不用申请人民法院认定。"认定"往往是指认定精神病人。例如,某乙同精神病人甲签订了买卖房屋的合同,如果甲是精神病人,这个合同就是无效的。对于无效的合同,法律规定要恢复原状,即恢复到没有签订合同以前的状态,有过错的还应当赔偿对方的损失。那么,甲是不是精神病人?乙可能认为他不是,因为订的合同对乙有利,但甲的监护人认为甲是精神病人。这就产生了"认定"的问题。所以,在实践中,认定无民事行为能力或者限制民事行为能力,多半是出于实施民事行为、解决民事纠纷的需要。

根据法律规定,只有具有民事行为能力的人,才可以独立实施一定的民事法律行为,产生如期的民事法律后果,因而,公民是否具有民事行为能力,直接关系到公民进行的民事活动是否具有法律意义。

三、审理认定公民无民事行为能力、限制民事行为能力的程序

公民是否患有精神病,需要通过一定的法定程序来加以确认。根据最高人民法院《关于适用〈中华人民共和国民事诉讼法〉若干问题的意见》规定,在诉讼中,当事人的利害关系人提出该当事人患有精神病,要求宣告该当事人无民事行为能力或限制民事行为能力的,应由利害关系人向人民法院提出申请,由受诉人民法院按照特别程序立案审理,原诉讼中止。法律设定该项制度的目的,是保护精神病人的合法权益,维护社会的秩序。认定公民无民事行为能力、限制民事行为能力案件的条件有:

1. 必须有精神病人不能辨认或者不能完全辨认自己行为的事实存在。精神病的种类很多,临床表现症状也不同,有的表现为狂躁,有的则表现为抑郁等。但大致可以分为两种:一是不能辨认自己行为的人,二是不能完全辨认自己行为的人。人民法院认定公民无民事行为能力、限制行为能力的案件,必须要以该公民确实患有精神疾病,不具有正常人从事民事交往活动所必需的智商和心理状态为特征。具体来说,人民法院应当根据司法精神病学鉴定来认定该公民是否不能辨认自己的行为或者不能完全辨认自己的行为。如果没有医学鉴定,也可以参照医院的诊断证明书来认定。在不具备鉴定诊断的情况下,可以参照群众对精神病人公认的程度去认定。对于曾经患过精神疾病,但已治愈的,而且能够独立地以自己的行为参与民事交往的人,则不得认定为无民事行为能力人或者限制民事行为能力人。

2. 必须由精神病人的近亲属或者利害关系人提出申请。申请人是被申请认定的公民的近亲属或者其他利害关系人,根据民法通则的规定,精神病人的近亲属,是指精神病人的配偶、父母、子女、兄弟姐妹、祖父母、外祖父母、孙子女、外孙子女。精神病人的其他利害关系人,是指精神病人的近亲属以外的,与精神病人关系密切的其他亲属、朋友,或者精神病人的所在单位或者住所地的居民委员会、村民委员会或者民政部门。此外,利害关系人还包括被认定无行为能力人或者限制民事行为能力人的债权人、债务人。精神病人有近亲属的,由其近亲属行使申请权;没有近亲属的,由与精神病人关系密切的其他亲属、朋友,并经精神病人所在单位或者住所地的居委会、村委会同意的人行使申请权。没有这些人或者其所在单位或者居委会、村委会对其他申请人不同意的,由精神病人所在地的居委会或者民政部门行使申请权。

3. 必须采取书面形式提出。申请人提出申请必须以书面形式,不得以口头形式提出,申请书应当写明该公民无民事行为能力或者限制民事行为能力的事实和根据,即该公民的精神健康情况,丧失行为能力或者部分丧失行为能力的原因及其表现,是否经医疗机构诊断以及医生对该公民病情的诊断情况等,都应在申请书中具体写明。

4. 申请认定公民无民事行为能力、限制民事行为能力的案件。申请人应当向被申请人住所地的基层人民法院提出,这样便于就近了解该公民的实际情况。

第一百八十八条　人民法院受理申请后,必要时应当对被请求认定为无民事行为能力或者限制民事行为能力的公民进行鉴定。申请人已提供鉴定意见的,应当对鉴定意见进行审查。

【释义】 本条是关于对被请求认定为无民事行为能力或者限制民事行为能力的公民进行医学鉴定的规定。

民事诉讼法修正案对本条作了修改，将“鉴定结论”改为“鉴定意见”，与本法第六章“证据”的修改相一致。

被要求认定为无民事行为能力、限制民事行为能力的公民是否是精神病人，必须以医学鉴定为依据。如果该公民不是那种公认公知的精神病人，人民法院认为有必要对其进行鉴定时，应当对被请求认定为无民事行为能力或者限制民事行为能力的公民进行医学鉴定。如果申请人提出申请时，已经将有关医院出具的能确切表明被申请人系精神病人的鉴定意见作为证据提交人民法院的，审判人员对申请人提供的鉴定意见审查核实无疑问的，就不必再进行医学鉴定了；如果有怀疑，则应当由人民法院指定鉴定单位重新鉴定。

第一百八十九条　人民法院审理认定公民无民事行为能力或者限制民事行为能力的案件，应当由该公民的近亲属为代理人，但申请人除外。近亲属互相推诿的，由人民法院指定其中一人为代理人。该公民健康情况许可的，还应当询问本人的意见。

人民法院经审理认定申请有事实根据的，判决该公民为无民事行为能力或者限制民事行为能力人；认定申请没有事实根据的，应当判决予以驳回。

【释义】 本条是关于审理认定公民无民事行为能力或限制民事行为能力案件有关事项的规定。

基层人民法院认定公民无民事行为能力或者限制民事行为能力的判决，是终审判决。

人民法院审理认定公民无民事行为能力、限制民事行为能力的案件，应当由该公民的近亲属为代理人，但如果申请人就是近亲属,这个近亲属就不能充当代理人。近亲属互相推诿的,由人民法院指定其中一人为代理人。在审理中,如果该公民的健康状态许可,指定谁作代理人,还需询问被申请人本人的意见。询问本人,目的也是了解情况,调查研究。

人民法院受理认定公民无民事行为能力、限制民事行为能力案件后,在调查研究、弄清事实的基础上应当开庭审理,对于不同情况作出判决:一种情况是,人民法院经审查认为,申请没有根据,该公民精神正常,并未丧失民事行为能力,不能认定该公民为无民事行为能力或者限制民事行为能力人的,应当判决驳回申请。另一种情况是,经过审理,人民法院有充分的事实根据认为,该公民精神不正常、不能辨认自己的行为或者不能完全辨认自己的行为,则应当判决认定该公民为无民事行为能力或者限制民事行为能力人。公民被宣告为无民事行为能力或者限制民事行为能力人后,就应当为其指定监护人。根据民法通则的规定,可以担任监护人的主要有:精神病人的配偶、父母、成年子女及其他近亲属;与精神病人关系密切的其他亲属、朋友愿意承担监护责任,经精神病人的所在单位或者住所地的居民委员会、村民委员会同意的,也可担任监护人。上述既是有资格作监护人的范围,也是承担监护责任的顺序。有监护资格的人员之间如果对由谁承担责任达成协议,应当由协议确定的监护人监护。没有上面所列的监护人的,由精神病人所在单位或者住所地的居民委员会、村民委员会或者民政部门担任监护人。如果对担任监护人有争议的,由精神病人所在单位或者住所地的居民委员会、村民委员会在近亲属中指定,并以书面或者口头形式通知被指定人。被指定人应当从通知之日起履行法定职责;如果对指定不服提起诉讼的,应当在接到通知的次日起三十日内向人民法院起诉，由人民法院裁决；逾期起诉的，按变更监护关系处理。监护人的职责是保护被监护人的人身、财产和其他合法权益，管理被监护人的财产，照顾被监护人的生活，代理被监护人进行民事活动。如果监护人不履行监护职责或者侵害被监护人合法权益的，应当承担责任。给被监护人造成财产损失的，应当赔偿损失。其他有监护资格的人员或者单位向人民法院起诉，请求监护人履行职责变更监护关系的，按特别程序审理；请求监护人承担民事责任的，按普通诉讼程序审理。

第一百九十条　人民法院根据被认定为无民事行为能力人、限制民事行为能力人或者他的监护人的申请，证实该公民无民事行为能力或者限制民事行为能力的原因已经消除的，应当作出新判决，撤销原判决。

【释义】 本条是关于撤销认定公民无民事行为能力或者限制民事行为能力的判决的规定。

公民被认定为无民事行为能力人或者限制民事行为能力人后，就需要有人对其进行监护。民法通则对监护人的范围和顺序作出了规定。无民事行为能力或者限制民事行为能力的精神病人，由下列人员担任监护人：(1)配偶；(2)父母；(3)成年子女；(4)其他近亲属；(5)关系密切的其他亲属、朋友愿意承担监护责任，经精神病人的所在单位或者住所地的居民委员会、村民委员会同意的。通常情况下不必由人民法院来指定。但有时候有监护资格的人会对担任监护人产生争议，发生争议时，应当由被监护人所在单位或者住所地的居民委员会、村民委员会在其近亲属中指定监护人。被指定人如不服指定，应当在接到通知次日起三十日内向被监护人所在地的基层人民法院提起诉讼。人民法院受理后，认为指定并无不当的，以裁定驳回起诉；如果认为指定确有不当的,以判决撤销有关单位的指定,同时另行指定监护人。

人可能患精神病而成为无行为能力人或者限制民事行为能力人,也可能将精神病治愈而成为完全行为能力人。认定公民无行为能力或者限制行为能力,其目的就是保护他们的民事权益和民事活动的正常进行。如果被判决认定为无民事行为能力或限制民事行为能力的原因消除,如精神病人经治疗,病情减轻或者恢复了健康,就可以进行正常的民事活动了。在这种情况下,经本人或者监护人的申请,人民法院在查清事实的基础上,应当作出新判决,撤销原判决。判决送达后,该公民就成为完全民事行为能力人,对自己的行为负完全责任,原判决指定的监护人就不再是该公民的监护人。

第五节 认定财产无主案件

第一百九十一条 申请认定财产无主,由公民、法人或者其他组织向财产所在地基层人民法院提出。

申请书应当写明财产的种类、数量以及要求认定财产无主的根据。

【释义】 本条是关于申请认定无主财产的规定。

认定财产无主案件,是指对于所有人不明或者所有人不存在的财产,人民法院根据申请人的申请,查明属实后,作出判决,宣布为无主财产,判归国家或者集体组织所有的案件。

一般而言,任何财产都是有主的,财产所有人对财产有依法占有、使用、收益、处分的权利。但在实际生活中,经常会出现财产与财产所有人相分离的情形,财产所有人不知其为他人的财产,或者财产所有人死亡而又无人继承,这样就出现了财产无主的事实。此时,法律就有必要对无主财产进行确认,以助于对该财产的管理和保护,做到物尽其用,发挥该项财产应有的经济价值和效益,维护社会生产和生活的稳定。

认定财产无主案件的成立,需要具备以下几个条件:一是需要认定的财产必须是有形财产。无形财产或者精神财富,不能成为认定财产无主案件的对象。二是财产所有人确已消失或者财产所有权人不明,权利的归属问题长期无法确定。三是财产没有所有人或者所有人不明的,其无主的持续状态超过一定期限。

财产无主的情况,大致又发生在以下几种情形下:(1)所有人不明的埋藏物、隐藏物被发现;(2)遗失物(包括源流物、失散的饲养动物等)被拾到,经公安机关或者有关单位公告招领满一年无人认领的财物;(3)无人继承的财产,包括被继承人死亡后没有继承人、全部继承人放弃继承或者丧失继承权情况下的遗产;(4)财产没有所有人或者所有人不明的,如房产所有人不明,停靠在海边的船舶所有人不明,等等。

一切财产,既是所有人的财富,又是社会的财富。是社会的财富,就应当充分发挥财产的效益,为人民谋福利,为社会做贡献。财产无主使财产处于无人管理的状态,通过认定财产无主案件的审理程序,就能够确定财产关系,维护国家、集体和个人的利益,稳定社会经济秩序,使物尽其用,为社会创造更多的财富。

那么,这些财产是不是真的"无主"了?如果是真的无主,财产应当归谁?认定财产无主案件要解决的就是这两个问题。解决这两个问题的权力应当由人民法院行使,由人民法院发出公告,从法律上加以确认和解决。

申请认定财产无主案件的程序是:

1. 申请。民事诉讼法规定,申请人可以是有关机关、企业事业单位、基层组织或者个人。“有关”,是指财产的发现人、财产所在地的基层组织或者基层人民政府,该继承人死亡后的财产管理人,等等。可以说能够提出申请的人的范围是很宽的。但一般而言,公民申请,大致有两种情况:一是他发现了无主财产;二是他知道原主,但原财产所有人已经死亡而该财产又无继承人,无人对财产主张权利。法人或者其他组织提出申请,主要有两种情况:一是在其主管范围内发现了无主财产;二是财产的原财产所有人是它的成员或者和它有经济上的联系,而该原财产所有人无继承人等。

申请人应写出申请书。申请书主要写明财产的种类、数量以及要求认定财产无主的根据。

最高人民法院《关于适用〈中华人民共和国民事诉讼法〉若干问题的意见》规定,认定财产无主案件,公告期间有人对财产提出请求的,人民法院应裁定终结特别程序,告知申请人另行起诉,适用普通程序审理。

2. 管辖。审理认定财产无主案的管辖权是财产所在地的基层人民法院,这是个特殊规定与民事诉讼法一般管辖的规定不同,不是由申请人住所地的法院管辖。这样规定便于法院了解无主财产情况,便于寻找原财产所有人,便于法院及时作出裁判。

第一百九十二条　人民法院受理申请后,经审查核实,应当发出财产认领公告。公告满一年无人认领的,判决认定财产无主,收归国家或者集体所有。

【释义】　本条是关于认定财产无主案件的审理的规定。

人民法院决定受理申请认定财产无主案件后,应当进行认真的审查核实，如果查明是有主的，即应作出驳回申请人申请认定财产无主的判决。通知所有人认领财产。财产所有人确实查不清的，应当发出财产认领公告，如果公告期间有人主张权利的，也应作出驳回申请人申请财产的判决。如果公告期满一年无人认领，即应判决认定财产无主。根据不同情况，将财产收归国有或者集体所有。财产被他人占有的，占有人应自判决生效之日起将财产交给国家或者集体。民法通则规定，所有人不明的埋藏物、隐藏物，归国家所有。这种无主财产经确认收归国有后，由国家授权的机关、单位占有使用或者经营管理。归集体所有的无主财产，主要是指集体组织的成员死后无人继承，如五保户等，因此收归集体所有。

第一百九十三条　判决认定财产无主后，原财产所有人或者继承人出现，在民法通则规定的诉讼时效期间可以对财产提出请求，人民法院审查属实后，应当作出新判决，撤销原判决。

【释义】　本条是关于撤销认定财产无主判决的规定。

现实中，有的财产并非无主财产，而是财产所有人或者继承人因未见到公告等原因没能在人民法院公告期内前来认领财产。为了保护财产所有人或者继承人的合法利益，法律允许他们在一定期限内要求撤销已生效的宣告财产无主的判决。也就是说，人民法院作出认定财产无主的判决并将财产收归国家或者集体所有之后，如果原财产所有人或者合法继承人出现并在诉讼时效期间内对财产提出请求的，人民法院不应以公告期满为由驳回申请，而应审查其是否属实。不属实的，驳回申请；属实的，应当作出新判决，撤销原判决。国家或者集体应将财产归还，如果已经损失，应当给予适当补偿；原财产已不复存在的，应按原财产的实际价值折价返还。

第六节　确认调解协议案件

本节是本次修改民事诉讼法新增加的规定。

确认调解协议案件,是指当事人对经人民调解委员会等调解组织调解达成的协议,依法申请人民法院予以确认,并赋予该调解协议具有强制执行力的案件。

以调解方式解决民间纠纷,在我国已有几十年的历史,随着经济社会的迅速发展,我国社会进入矛盾凸显期,应当充分发挥调解在解决各种纠纷中的作用。为推动和规范人民调解工作,1989 年国务院制定了《人民调解委员会组织条例》,但该条例并没有解决调解协议的司法强制力问题。根据司法体制和工作机制改革"建立健全诉讼与非诉讼相衔接的矛盾纠纷调处机制"的要求,总结人民调解工作的实践经验,2010 年全国人大常委会制定并通过了人民调解法。该法规定:经人民调解委员会调解达成调解协议后,双方当事人认为有必要的,可以自调解协议生效之日起三十日内共同向人民法院申请司法确认,人民法院应当及时对调解协议进行审查,依法确认调解协议的效力。确认调解协议具有方便、快捷、经济地处理矛盾纠纷,减轻当事人诉累,节约司法资源的优势。尽管人民调解法对调解协议的司法确认作出了规定,但修改前的民事诉讼法没有相应的制度对调解协议的司法确认作出衔接。因此,修改后的民事诉讼法在特别程序中增加一节"确认调解协议案件",对确认程序、法院管辖、法律文书形式以及效力等具体事项作出了明确规定。人民调解司法确认机制的建立与完善,强化了人民调解的效力,实现了司法与非诉调解之间的有效衔接,激活了人民调解的生机和活力，促进了多元纠纷解决机制的不断完善。

第一百九十四条　申请司法确认调解协议，由双方当事人依照人民调解法等法律，自调解协议生效之日起三十日内，共同向调解组织所在地基层人民法院提出。

【释义】　本条是关于当事人向人民法院申请司法确认调解协议的规定。

本条是本次修改民事诉讼法新增加的规定。

本条规定包括四方面内容：

1. 申请司法确认的调解协议的范围

哪些调解组织作出的调解协议可以申请司法确认，立法过程中曾有不同意见。有的提出，只有人民调解委员会作出的调解协议才可以申请司法确认。因为人民调解法规定，经人民调解委员会调解达成调解协议，双方当事人可以申请司法确认。有人提出，在实践中，除人民调解委员会的调解；还有行政机关的治安调解、交通事故赔偿调解、医疗纠纷等调解，残联、妇联、消协等社会团体的调解，国际商会的商事调解中心的调解，等等。因此，除人民调解委员会达成的调解协议外，其他有关部门主持调解达成的协议也应当允许申请司法确认。考虑到目前只有人民调解法对人民调解委员会调解的司法确认作出了规定，而行政调解、商事调解情况复杂，是否对其达成的协议规定司法确认，各方面意见还不一致，因此，本条规定，依照人民调解法等法律的规定，才可以申请司法确认。按照人民调解法的规定，人民调解委员会的调解可以申请司法确认。人民调解委员会，包括由村民委员会、居民委员会设立的调解委员会，也包括乡镇、街道以及社会团体或者其他组织根据需要参照人民调解法有关规定设立的人民调解委员会。本条规定既考虑了我国民间纠纷的特点和人民调解工作的实际情况,将通过非诉讼解决民间纠纷与诉讼方式作了衔接,也为将来发展留下了空间,今后的实体法对其他组织的调解与诉讼的衔接有规定的,依照法律规定办理。

2. 须双方当事人共同申请

调解协议生效后,如果当事人想通过人民法院确认调解协议的效力,应当共同申请。现实中许多纠纷经调解达成协议后当事人都能自觉履行。但也存在调解协议不能即时履行完结的情况,有的当事人为防止调解协议履行过程中发生变故,希望通过司法程序来确认协议的效力。需要指出的是,"司法确认"是对已生效的调解协议的确认,并不是调解协议生效的必经程序。按照人民调解法的规定,当事人达成书面调解协议的,调解协议自各方当事人签名、盖章或者按指印,并由人民调解员签名、加盖人民调解委员会印章之日起生效;口头的调解协议自各方当事人达成协议之日起生效。在调解协议达成后,如果双方当事人认为没有进行司法确认的必要,比如调解协议即时履行完毕,或者调解协议的内容不涉及民事给付内容,双方当事人可以不申请司法确认。如果认为有必要申请司法确认,双方当事人应当共同提出申请。一方当事人提出申请,另一方当事人表示同意的,可以视为共同提出申请。

3. 司法确认调解的期限

按照本条规定,申请确认调解协议应当自调解协议生效之日起三十日内提出。根据最高人民法院《关于人民调解协议司法确认程序的若干规定》,人民法院应当自受理司法确认申请之日起十五日内作出是否确认的决定。因特殊情况需要延长的,经本院院长批准,可以延长十日。在人民法院作出是否确认的决定前,一方或者双方当事人撤回司法确认申请的,人民法院应当准许。

4. 司法确认的管辖法院

民事诉讼法明确规定，当事人应当向调解组织所在地的基层人民法院申请确认。

第一百九十五条 人民法院受理申请后，经审查，符合法律规定的，裁定调解协议有效，一方当事人拒绝履行或者未全部履行的，对方当事人可以向人民法院申请执行；不符合法律规定的，裁定驳回申请，当事人可以通过调解方式变更原调解协议或者达成新的调解协议，也可以向人民法院提起诉讼。

【释义】 本条是关于人民法院受理当事人申请后如何处理的规定。

本条是本次修改民事诉讼法新增加的规定。

在人民调解协议司法确认制度出现之前，人民调解和民事诉讼的衔接一般有两种情况：一是调解达成协议当事人自觉履行的，不必进入诉讼程序，不履行协议的，通过诉讼解决争议；二是调解不成的另行起诉。调解协议的司法确认制度将非诉讼纠纷解决机制与诉讼解决机制作出了有机的衔接。

一、对调解协议的审查

人民法院受理调解协议司法确认的申请后，应当对调解协议进行审查，经审查作出如下两种处理：

一是调解协议符合法律规定，裁定调解协议有效。二是调解协议不符合法律规定的，裁定驳回申请。

审查调解协议是否符合法律规定，主要考虑以下情形：一是通过调解方式解决纠纷是否当事人自愿；二是调解协议的内容是否违反法律、法规的强制性规定或者社会公共利益；三是达成调解协议是否出于当事人自愿，是否有重大误解或者显失公平等严重违背其真实意思表示的情形。只有结论是肯定的,才应确认该调解协议有效。否则就要驳回申请。

人民法院驳回申请的,当事人可以通过调解方式变更原调解协议或者达成新的调解协议,也可以向人民法院提起诉讼。

二、司法确认的效力

人民法院确认调解协议效力的裁定自送达双方当事人后发生法律效力,一方当事人拒绝履行或者未全部履行调解协议所约定的义务,对方当事人可以向人民法院申请强制执行。根据本法有关规定,执行管辖法院是作出裁定的基层人民法院或者是被执行财产所在地的基层人民法院。

三、对申请司法确认的救济

申请人民法院确认调解协议的效力有两种结果,相应地也有两种救济方式:一是人民法院裁定确认调解协议,但当事人认为有错误,如双方当事人没有同时到庭、违反自愿原则、徇私舞弊等,对此可以按照审判监督程序的规定,申请再审;二是人民法院驳回了司法确认的申请,对此,当事人可以通过调解方式变更原调解协议或者达成新的调解协议,也可以向人民法院提起诉讼。

第七节　实现担保物权案件

本节是本次修改民事诉讼法新增加的内容。

担保物权是以直接支配特定财产的交换价值为内容,以确保债权实现为目的而设定的物权。担保物权包括抵押权、质权和留置权。担保物权的实现,是指债务人不能履行债务时,担保物权人经法定程序,通过将担保标的物拍卖、变卖等方式,使其债权得到优先受偿的过程。

关于担保物权的实现方式，法律的规定有一个变化过程。1995 年担保法第五十三条规定，“债务履行期届满抵押权人未受清偿的，可以与抵押人协议以抵押物折价或者以拍卖、变卖该抵押物所得的价款受偿；协议不成的，抵押权人可以向人民法院提起诉讼”。

随着改革开放的发展，固定资产投资规模的增长，出现了拖欠工程款无期限，拖欠数额庞大的问题，不仅影响了工程建设进度，制约了投资效益的提高，也制约了建设企业的经营和发展，为了确实解决拖欠工程款的问题，保障承包人价款债权的尽快实现，合同法第二百八十六条规定，“发包人未按照约定支付价款的，承包人可以催告发包人在合理期限内支付价款。发包人逾期不支付的，除按照建设工程的性质不宜折价、拍卖的以外，承包人可以与发包人协议将该工程折价，也可以申请人民法院将该工程依法拍卖。建设工程的价款就该工程折价或者拍卖的价款优先受偿。”该条规定发包人未按约定支付价款，经承包人催告后在合理期限内仍不支付的，承包人也可以申请人民法院将该工程依法拍卖。但该规定没有明确要求通过诉讼实现其法定优先权。2007 年物权法制定过程中，有的提出，实现抵押物权必须经过诉讼，使得抵押权的实现程序变得复杂且漫长，有时抵押权需要一两年才能实现，不利于保障债权人的利益。为使抵押权的实现程序更加简便，应当允许抵押权人在协议不成的情况下，直接向人民法院申请拍卖、变卖抵押财产。因此，物权法修改了担保法的规定，规定“抵押权人与抵押人未就抵押权实现方式达成协议的，抵押权人可以请求人民法院拍卖、变卖抵押财产”。尽管实体法对担保物权的实现作出了规定，但民事诉讼法却没有相应的程序制度保障担保物权的实现。按照修改前的民事诉讼法的规定，作为人民法院执行依据的法律文书只包括:民事判决书、裁定书、调解书、民事制裁决定书和支付令;经法院裁定承认其效力的外国法院作出的确定判决书、裁定书以及国外仲裁机构作出的生效裁决书;刑事附带民事判决书、裁定书、调解书;行政判决书、裁定书、调解书,以及其他机关或者机构制作的且法律规定由法院强制执行的法律文书(其中又包括我国国内和涉外仲裁机构作出的仲裁裁决书和调解书;公证机构依法赋予强制执行效力的债权文书;行政处罚决定书和行政处理决定书)。而债权人享有的担保物权本身不能作为执行依据。也就是说,债权人享有的担保物权不能直接申请人民法院强制执行。

近年来,人大代表、有关单位及法律专家等,建议在民事诉讼法中对担保物权的实现作出衔接性规定。根据各方面的意见和审判实践的需要,为了更好地保护担保物权人的合法权益,节约诉讼资源,这次民事诉讼法修改在本章特别程序中增加"实现担保物权案件"一节。

第一百九十六条　申请实现担保物权,由担保物权人以及其他有权请求实现担保物权的人依照物权法等法律,向担保财产所在地或者担保物权登记地基层人民法院提出。

【释义】　本条是关于行使担保物权请求权的主体及管辖法院的规定。

本条是本次修改民事诉讼法新增加的条款。

本条规定包括两方面内容:

一、申请行使担保物权的主体

依照本条规定,有权申请人民法院实现担保物权的人包括两类:

(一)担保物权人

本条所称的申请担保物权包括抵押权、质权、留置权。担保物权人包括抵押权人、质权人和留置权人。抵押权，是指为担保债务的履行，债务人或者第三人不转移财产的占有，将该财产抵押给债权人，债务人不履行到期债务或者发生当事人约定的实现抵押权的情形，债权人有权就该财产优先受偿。质权，是指为担保债务的履行，债务人或者第三人将其动产或者权利证书等出质给债权人占有，债务人不履行到期债务或者发生当事人约定的实现质权的情形，债权人有权就该动产等优先受偿。留置权，是指债权人可以留置已经合法占有的债务人的动产，并有权就该动产优先受偿。由于抵押权是不转移标的物占有的担保物权，当债务人不履行债务时，抵押权人不能直接将标的物拍卖、变卖，一般需要申请人民法院实现抵押权。而质物和被留置的财产由质权人、留置权人占有，他们实现质权或者留置权时，有的需要申请人民法院，有的不需要申请人民法院。

（二）其他有权请求实现担保物权的人

现实中会出现以下情况：一是债务履行期满，债务人未履行债务时，质权人控制着质物，又不马上行使质权，其结果可能是质物价格下跌，甚至发生毁损、灭失等。二是留置权人长期持续占有留置财产而不实现，造成留置财产自然损耗或者贬值。为了避免质权人、留置权人怠于行使权利，侵害出质人、债务人合法权益，物权法第二百一十九条规定，出质人可以请求质权人在债务履行期届满后及时行使质权；质权人不行使的，出质人可以请求人民法院拍卖、变卖质押财产。第二百三十六条规定，债务人可以请求留置权人在债务履行期间届满后行使留置权；留置权人不行使的，债务人可以请求人民法院拍卖、变卖留置财产。为与实体法的内容衔接，本条规定，其他有权请求实现担保物权的人，也可以申请人民法院实现担保物权。

二、管辖法院

依照本条的规定,申请实现担保物权,向担保财产所在地或者担保物权登记地基层人民法院提出。由担保财产所在地法院管辖实现担保物权的案件,便于担保财产的查封、扣押。规定由担保物权登记地基层人民法院管辖,主要考虑有些担保财产是财产权利。比如,以注册商标专用权、专利权、著作权等知识产权中的财产权,以及股权、应收账款等设立权利质权,由担保物权登记地基层人民法院管辖更便于执行。

第一百九十七条　人民法院受理申请后,经审查,符合法律规定的,裁定拍卖、变卖担保财产,当事人依据该裁定可以向人民法院申请执行;不符合法律规定的,裁定驳回申请,当事人可以向人民法院提起诉讼。

【释义】　本条是关于审查实现担保物权申请的规定。

本条是本次修改民事诉讼法新增加的条款。

人民法院受理申请后,应当对担保物权人等的申请进行审查,经审查,分别情形,作出裁定:

(一)符合法律规定的,裁定拍卖、变卖担保财产

符合法律规定,主要指的是符合物权法的规定,即具备实现担保物权的条件,如债务是否确实发生,债务数额有无异议,担保物权是否生效,债务人的债务到期有无履行,等等。这些条件必须都满足,才谈得上实现担保物权的问题。因此,符合这些法律规定,意指具备实现担保物权的一切条件,人民法院应当裁定拍卖、变卖担保财产。

拍卖是抵押权实现的最为普通的一种方式。拍卖也称为竞卖,是指以公开竞争的方法将标的物卖给出价最高的买者。以拍卖的方式实现抵押权有很大的优点,因为拍卖是以公开竞价

的方式出卖标的物，拍卖的价款能够最大限度地体现拍卖财产的价值，从而充分发挥抵押财产对债权的担保作用。按照本法第二百四十七条的规定，拍卖可以由人民法院主持进行，也可以委托商业性拍卖机构进行拍卖。担保标的物不适于拍卖的，人民法院可以委托有关单位变卖或者自行变卖。变卖，是指交由商业部门收购或者代为出售出卖财物，换取现款。为了保障变卖的价格公允，变卖担保财产应当参照市场价格。

（二）不符合法律规定的，裁定驳回申请

不符合法律规定的情况，如双方对债务是否履行存在争议，对抵押合同的有关条款或者抵押权的效力问题存在争议等。这些问题实际上是实现担保物权的前提条件尚不具备，如果双方对此类事情发生争议，就谈不上实现担保物权的问题。人民法院受理申请后，经审查，不符合法律规定的，裁定驳回申请，当事人可以向人民法院提起诉讼。

第十六章　审判监督程序

审判监督程序是对确有错误的发生法律效力的判决、裁定或者调解书，依法重新审理的程序。已经发生法律效力的判决、裁定或者调解书可能存在错误，包括判决、裁定在认定事实、适用法律方面有错误，审判活动违反法定程序影响正确判决、裁定；调解违反自愿原则、调解协议的内容违反法律，调解书损害国家利益、社会公共利益。审判监督程序通过重新审理原案件纠正错误，保护当事人的合法权益。从需要重新审理原案件的角度，也有将审判监督程序简称为再审程序的。这一程序兼具监督性和补救性的特点：

一、审判监督程序具有监督性

审判监督程序集中体现着国家司法的监督机制，其价值在于保障人民法院依法行使审判权，督促审判人员不断提高审判质量，避免错误，纠正错案，维护司法公正。宪法第一百二十七条第二款规定，最高人民法院监督地方各级人民法院和专门人民法院的审判工作，上级人民法院监督下级人民法院的审判工作。第一百二十九条规定，中华人民共和国人民检察院是国家的法律监督机关。国家司法的权威性和正当性需要合理有效的监督机制。已经发生法律效力的判决、裁定或者调解书是诉讼活动的结果，更需要有相应的监督程序避免当事人的权利义务关系被错误处理，避免国家利益、社会公共利益被错误对待。

在修改民事诉讼法的过程中，有的意见建议把“审判监督程序”改为“再审程序”,而不同意见则提出:“审判监督程序”更能体现法律之间的用语一致。中国特色社会主义法律体系已经初步形成,不同法律之间应当注意协调统一。人民法院组织法、人民检察院组织法以及刚刚修改过的刑事诉讼法等法律,采用的都是“审判监督程序”。民事诉讼法对于同类制度也应用语一致。“审判监督程序”能更全面、恰当地概括本章规定的内容。本章规定了通过哪些途径发现错误,依照什么标准认定错误,如何进行再审审理等。这些规定全面回答了谁来监督、怎样监督以及如何保障监督实效等问题。在民事诉讼法的修改和完善过程中,监督性作为本章程序的重要属性之一,不应当发生淡化,还应当更加鲜明。

二、审判监督程序还具有补救性

审判监督程序不是审判程序中一个审级,只是在特殊情况下才启动的程序,是对受错误判决、裁定、调解书约束的当事人的事后救济。根据民事诉讼法第二条规定,民事诉讼法的任务之一是确认民事权利义务关系,保护当事人的合法权益。为实现这一任务,我国民事诉讼采用两审终审的法律制度,在案件终审前的各个阶段都规定了相应的纠正错误机制。例如,为解决审判开始阶段可能出现的错误,第一百五十四条规定,不予受理、驳回起诉或者管辖权异议的裁定,可以上诉;为应对审判过程中可能出现的错误,不但庭审过程中有申请回避、申请补正笔录等纠错机制,第十四章还专章规定了第二审程序。判决、裁定或者调解书发生法律效力,意味着正常审理程序已经完成,只有之前的纠错机制都未能保证正确认定当事人之间的民事权利义务关系,才有必要进入审判监督程序,重新审理案件,使特定当事人的合法权益得到保护。可见,我国在一审程序、二审程序之外规定的审判监督程序,不是实行三审终审制,而是在维护和尊重两审终审制基础上的事后补救机制。不涉及当事人的权利义务关系,不影响权利人行使权利,无须通过重新审理原案件就可另行解决的问题,不适用审判监督程序。

审判监督程序的补救性,与如何正确认识判决、裁定和调解书法律效力的问题有关。根据民事诉讼法第一百五十五条和第一百七十五条的规定,最高人民法院和第二审人民法院的判决是发生法律效力的判决,超过上诉期没有上诉的一审判决是发生法律效力的判决。最高人民法院和第二审人民法院的裁定,法律允许上诉但超过上诉期没有上诉的裁定,以及法律不允许上诉的裁定,是发生法律效力的裁定。民事诉讼法第九十七条第三款规定,调解书经双方当事人签收后,即具有法律效力。现实中往往存在两方面的疑虑:一方面,通过审判监督程序,纠正已经发生法律效力的判决、裁定和调解书,会不会否认司法权威,造成"终审不终"?另一方面,维护已经发生法律效力的判决、裁定和调解书,会不会违背公平正义,带来"有错不纠"?解除疑虑,需要明确生效判决、裁定和调解书具有什么样的法律效力。一般说来,判决、裁定和调解书所具有的法律效力包括三个方面:一是确定当事人之间的权利义务关系;二是强制当事人履行生效判决、裁定和调解书;三是终结当事人之间的权利义务争议,没有法律规定的特殊条件和专门程序,人民法院不得决定再行审理。这三方面的效力中,前两方面直接体现了民事诉讼法的目的,本身就要求不出错误;第三方面既维护着前两方面效力的稳定性和公信力,也说明审判监督程序是有必要存在的。按照审判监督程序依法纠错,不但不损害司法权威,还是尊重判决、裁定和调解书法律效力的内在要求。启动审判监督程序有明确的条件要求,正确的判决、裁定或者调解书可以得到维护;经过审判监督程序将重新做出结论,最终发生法律效力的判决、裁定和调解书就能摆脱先前的错误,体现公正,赢得公信,真正化解纠纷,切实发挥法律效力。

审判监督程序与一审程序和二审程序相比,有以下几点区别:一是审理的对象不同。一审程序审理的对象是当事人之间发生纠纷的权利义务关系。二审程序审理的对象是一审人民法院作出的尚未发生法律效力的判决、裁定。而审判监督程序是对已经发生法律效力的判决、裁定、调解书的审理。二是提起审理的主体不同。一审、二审程序由当事人提起。审判监督程序可以由当事人提起,也可以由人民法院或者人民检察院提起。三是提起的时间不同。一审程序受诉讼时效限制,二审程序受上诉期限制。审判监督程序在当事人申请再审的情况下,受申请再审期间的限制,而人民法院依职权再审或者依人民检察院抗诉再审不受时间限制。四是提起的理由不同。提起一审程序是因为原告认为自己的民事权利受到了侵害,提起二审程序是因为当事人对一审判决、裁定不服。而提起审判监督程序是发现已经发生法律效力的判决、裁定有错误,或者调解违反自愿原则、调解协议的内容违反法律,或者调解书损害国家利益、社会公共利益。

2007 年修改民事诉讼法和此次修改民事诉讼法都对本章内容作了修改。2007 年修改民事诉讼法,着重解决当事人“申诉难”,切实保障当事人申请再审的权利,同时规范申请再审的行为,避免有的当事人无理缠诉,主要作了以下修改补充:一是进一步将再审事由具体化,增强可操作性,减少随意性,避免应当再审的不予再审,切实保障当事人申请再审的权利。二是明确向上一级人民法院申请再审和再审审查的期限。三是完善检察机关法律监督的规定,将人民检察院的抗诉事由进一步具体化,明确接受抗诉的人民法院裁定再审的期限。从修改以后的实施情况来看,审判监督程序的规定缓解了老百姓的“申诉难”,对解决纠纷,化解矛盾起到了积极作用。各方面总体反映良好,还提出了进一步完善的要求。此次修改民事诉讼法针对实践中的需要,主要作了以下修改补充:一是,强化审判监督程序中的检察监督,保证法律的正确实施。(1)增加检察建议的监督方式;(2)扩大监督范围,将人民法院的调解活动纳入检察监督的范围;(3)强化监督手段,增加规定向当事人或者案外人调查核实的检察监督手段。二是,完善再审审级规定,更加方便公民申请再审。三是,增加当事人申请检察建议或者抗诉的程序规定。

经过两次修正,目前本章共十六条,对人民法院依职权再审、当事人申请再审的事由、审查再审申请以及审理再审案件的法院、申请再审的期间、人民检察院抗诉而引起的再审、当事人申请检察建议或者抗诉的情形、审理再审案件的程序等问题作了规定。

第一百九十八条　各级人民法院院长对本院已经发生法律效力的判决、裁定、调解书,发现确有错误,认为需要再审的,应当提交审判委员会讨论决定。

最高人民法院对地方各级人民法院已经发生法律效力的判决、裁定、调解书,上级人民法院对下级人民法院已经发生法律效力的判决、裁定、调解书,发现确有错误的,有权提审或者指令下级人民法院再审。

【释义】　本条是关于人民法院依职权提起再审的规定。

这次修改民事诉讼法对本条作了修改。

本条规定了发起再审程序的主体之一是人民法院,也可以概括为是人民法院依职权再审。

一、对于发生法律效力的判决、裁定的再审

本条第一款是关于作出生效裁判的法院基于自我监督而对案件进行再审的规定。人民法院审理民事案件必须以事实为根据，以法律为准绳，这是我国民事诉讼法确立的重要原则。但法院的审判人员在认识能力和判断能力上也会有局限性，他们有可能在事实认定或者适用法律方面出现错误。按照有错必纠的原则，各级人民法院应当对本院作出的生效裁判负责。人民法院组织法第十三条第一款规定："各级人民法院院长对本院已经发生法律效力的判决和裁定，如果发现在认定事实上或者在适用法律上确有错误，必须提交审判委员会处理。"按照人民法院组织法和本条的规定，各级法院院长对本院的生效判决、裁定发现确有错误，在本院审判委员会确认并决定后，应当进入再审程序。

本条第二款是基于最高人民法院对地方各级人民法院审判工作的监督，以及上级人民法院对下级人民法院审判工作的监督而引起案件再审的规定。按照人民法院组织法的规定，最高人民法院是国家的最高审判机关，有权监督地方各级人民法院和专门人民法院的审判工作。同时，上级人民法院有权监督下级人民法院的审判工作。上级人民法院对下级人民法院审判监督的主要内容之一就是：对下级人民法院已经发生法律效力的判决、裁定，发现确有错误的，有权提审或者指令下级人民法院再审。

二、对于发生法律效力的调解书的再审

此次修改前的民事诉讼法第一百八十二条规定："当事人对已经发生法律效力的调解书，提出证据证明调解违反自愿原则或者调解协议的内容违反法律的，可以申请再审。经人民法院审查属实的，应当再审。"在民事诉讼法的实施过程中发现，目前一些人采用欺诈、胁迫、恶意串通等手段,通过调解方式损害国家利益、社会公共利益、他人合法权益的情况时有发生。为制止不良现象,不仅需要规定当事人可以对调解书申请再审,还需要进一步明确规定人民法院可以对调解书依职权再审,以及检察院可以对调解书提出再审检察建议或者抗诉。人民法院参照本条原来的规定,已经有过对调解书依职权再审的司法实践。针对现实问题,结合司法实践中的已有经验,这次修改民事诉讼法,在本条中增加规定人民法院可以对调解书依职权再审。

三、依职权提起再审的条件

不管是对发生法律效力的判决、裁定还是调解书,提起再审的条件都是“确有错误”。“确有错误”主要是指有民事诉讼法第二百条和第二百零一条规定的各种情形,包括:有新的证据,足以推翻原判决、裁定的;原判决、裁定认定的基本事实缺乏证据证明的;原判决、裁定认定事实的主要证据是伪造的;原判决、裁定认定事实的主要证据未经质证的;对审理案件需要的主要证据,当事人因客观原因不能自行收集,书面申请人民法院调查收集,人民法院未调查收集的;原判决、裁定适用法律确有错误的;审判组织的组成不合法或者依法应当回避的审判人员没有回避的;无诉讼行为能力人未经法定代理人代为诉讼或者应当参加诉讼的当事人,因不能归责于本人或者其诉讼代理人的事由,未参加诉讼的;违反法律规定,剥夺当事人辩论权利的;未经传票传唤,缺席判决的;原判决、裁定遗漏或者超出诉讼请求的;据以作出原判决、裁定的法律文书被撤销或者变更的;审判人员审理该案件时有贪污受贿,徇私舞弊,枉法裁判行为的;调解违反自愿原则或者调解协议内容违反法律的;以及调解书损害国家利益、社会公共利益的。

第一百九十九条 当事人对已经发生法律效力的判决、裁定，认为有错误的，可以向上一级人民法院申请再审；当事人一方人数众多或者当事人双方为公民的案件，也可以向原审人民法院申请再审。当事人申请再审的，不停止判决、裁定的执行。

【释义】 本条是关于当事人申请再审的规定。

这次修改民事诉讼法对本条作了以下修改。

(一)当事人对判决、裁定申请再审的条件

当事人对判决、裁定申请再审的条件之一是判决、裁定已经发生法律效力。发生法律效力的判决、裁定主要是指当事人超过上诉期而没有上诉的第一审和第二审的判决、裁定。如果第一审程序或者第二审程序还在进行中，判决、裁定还没有发生法律效力，当事人就不可以申请再审。

本条规定的当事人申请再审的条件之二是认为生效判决、裁定有错误。我国再审程序可以说采取了“宽进严出”的做法。所谓“宽进”，即只要当事人认为判决、裁定有错误即有权申请再审。所谓“严出”，是指对于当事人的申请，受理的人民法院经过审查以后，认为有第二百条规定的再审事由的，才能作出裁定，决定再审。采取“宽进严出”的做法，一方面，可以切实保护当事人申请再审的权利，缓解担忧司法不公的焦虑心态，倡导依法维权，维护社会秩序，促进社会和谐。另一方面，体现了尊重判决、裁定已经发生的法律效力，维护司法权威。发生法律效力的判决、裁定需要具有稳定性。如果生效判决、裁定的稳定性总是被打破，不但会使判决、裁定所调整的权利义务关系处于前途未卜的状态，降低当事人对司法权威的信赖；长远来看，司法威信降低，还有可能导致社会公信下降，不利于社会主义建设事业顺利进行。因此，审判监督程序作为一种纠错程序，维护法律的公平与正义，就要兼顾稳定与效率。

(二)当事人应当向哪一级人民法院申请再审

2007年修改民事诉讼法和本次修改民事诉讼法都涉及了向哪一级人民法院申请再审的规定。

1991年通过的民事诉讼法第一百七十八条中规定,当事人"可以向原审人民法院或者上一级人民法院申请再审"。也就是说,当事人申请再审,既可以向原审人民法院提出,也可以向上一级人民法院提出。2007年的修正,删去了当事人向原审人民法院申请再审的规定,保留了当事人可以向上一级人民法院申请再审的规定。这样修改,既可以避免多头申诉、重复审查的问题,也可以避免由原审人民法院自己纠错较为困难,当事人不信任原审人民法院会公正处理的问题。

从实践情况来看,当事人申请再审应当向上一级人民法院提出的规定,受到了当事人的欢迎,效果总体是好的;但是从方便公民申请再审的角度看,还有两方面的情况需要考虑:一是,有些发生法律效力的判决、裁定,涉及的当事人都是公民,有的向上一级人民法院申请再审时会遇到交通不便、开销较大等不便因素,愿意选择向原审人民法院申请再审。二是,有些发生法律效力的判决、裁定,涉及的当事人一方人数众多,由原审人民法院再审,有利于查清事实,将纠纷解决在当地。因此,此次修改民事诉讼法坚持当事人向上一级人民法院申请再审的原则,同时回应司法实践中的需要,增加规定:对当事人一方人数众多或者当事人双方为公民的民事案件,也可以向原审人民法院申请再审。

把握这一规定需要注意三点:第一,向上一级人民法院申请再审是一般原则,只要当事人向上一级法院提出再审申请,就是选择了上一级人民法院。第二,向原审人民法院申请再审是例外规定,只能在当事人一方人数众多或者当事人双方为公民的案件中可以作为当事人的选择之一，其他案件还是要向上一级人民法院申请再审。第三，允许当事人在上一级人民法院和原审人民法院之中选择其一申请再审，并不意味着可以多头申诉、重复申请。如果当事人已经向原审人民法院提出再审申请，就不应当再向上一级人民法院提出，反之亦然。

（三）申请再审与执行程序的关系

当事人申请再审的，不停止判决、裁定的执行。根据民事诉讼法第二百零四条的规定，人民法院对再审申请的审查期间为三个月。在作出是否进入再审程序的裁定前，不停止该判决、裁定的执行。一旦裁定进入再审程序，依照民事诉讼法第二百零六条的规定，对于追索赡养费、扶养费、抚育费、抚恤金、医疗费用、劳动报酬等案件，决定再审的人民法院可以不中止执行；而对于其他案件，决定再审的人民法院裁定中止原判决、裁定的执行。

第二百条　当事人的申请符合下列情形之一的，人民法院应当再审：

（一）有新的证据，足以推翻原判决、裁定的；

（二）原判决、裁定认定的基本事实缺乏证据证明的；

（三）原判决、裁定认定事实的主要证据是伪造的；

（四）原判决、裁定认定事实的主要证据未经质证的；

（五）对审理案件需要的主要证据，当事人因客观原因不能自行收集，书面申请人民法院调查收集，人民法院未调查收集的；

（六）原判决、裁定适用法律确有错误的；

（七）审判组织的组成不合法或者依法应当回避的审判人员没有回避的；

(八)无诉讼行为能力人未经法定代理人代为诉讼或者应当参加诉讼的当事人,因不能归责于本人或者其诉讼代理人的事由,未参加诉讼的;

(九)违反法律规定,剥夺当事人辩论权利的;

(十)未经传票传唤,缺席判决的;

(十一)原判决、裁定遗漏或者超出诉讼请求的;

(十二)据以作出原判决、裁定的法律文书被撤销或者变更的;

(十三)审判人员审理该案件时有贪污受贿,徇私舞弊,枉法裁判行为的。

【释义】 本条是关于申请再审条件的规定。

这次修改民事诉讼法对本条作了修改。

申请再审是当事人的一项权利,即当事人只要认为判决、裁定有错误,就可以申请再审。但决定进入再审程序,则需要符合严格的条件。因为发生法律效力的判决、裁定具有稳定性和公信力,非经法定的条件和程序是不能撤销和改判的。明确应当再审的具体情形,可以增强当事人申请再审的可操作性,减少进入再审的随意性,避免应当再审的不予再审,不应当再审的不当再审,切实保障当事人的申诉权利,同时也在维护正确判决、裁定已经发生的法律效力。

1991 年的民事诉讼法第一百七十九条规定:“当事人的申请符合下列情形之一的,人民法院应当再审:(一)有新的证据,足以推翻原判决、裁定的;(二)原判决、裁定认定事实的主要证据不足的;(三)原判决、裁定适用法律确有错误的;(四)人民法院违反法定程序,可能影响案件正确判决、裁定的;(五)审判人员在审理该案件时有贪污受贿,徇私舞弊,枉法裁判行为的。”2007 年修改民事诉讼法时细化了上述规定。2007 年修改后的民事诉讼法第一百七十九条第一款规定："当事人的申请符合下列情形之一的，人民法院应当再审：（一）有新的证据，足以推翻原判决、裁定的；（二）原判决、裁定认定的基本事实缺乏证据证明的；（三）原判决、裁定认定事实的主要证据是伪造的；（四）原判决、裁定认定事实的主要证据未经质证的；（五）对审理案件需要的证据，当事人因客观原因不能自行收集，书面申请人民法院调查收集，人民法院未调查收集的；（六）原判决、裁定适用法律确有错误的；（七）违反法律规定，管辖错误的；（八）审判组织的组成不合法或者依法应当回避的审判人员没有回避的；（九）无诉讼行为能力人未经法定代理人代为诉讼或者应当参加诉讼的当事人，因不能归责于本人或者其诉讼代理人的事由，未参加诉讼的；（十）违反法律规定，剥夺当事人辩论权利的；（十一）未经传票传唤，缺席判决的；（十二）原判决、裁定遗漏或者超出诉讼请求的；（十三）据以作出原判决、裁定的法律文书被撤销或者变更的。"第二款规定："对违反法定程序可能影响案件正确判决、裁定的情形，或者审判人员在审理该案件时有贪污受贿，徇私舞弊，枉法裁判行为的，人民法院应当再审。"本次修改民事诉讼法在2007年规定的基础上，将申请再审的事由调整为以下十三种情形：

（一）有新的证据，足以推翻原判决、裁定的

所谓新证据，主要指在过去诉讼过程中没有发现的证据，而该证据又足以推翻原判决、裁定，因此可以申请再审。

（二）原判决、裁定认定的基本事实缺乏证据证明的

保证案件审理正确的前提是查明案件事实，而查明案件事实是需要证据加以证明的。当事人对自己提出的主张有责任提供证据，否则将承担不利的诉讼后果。如果当事人不能提出证据，证明自己所提出的诉讼请求有客观依据，或者所提供的证据

不足以证明自己的诉讼请求符合客观事实,法官就支持了当事人的诉讼请求,这个判决就属于缺乏证据的判决。民事诉讼法第六十四第三款明确要求人民法院应当按照法定程序全面地、客观地审查核实证据。全面地收集证据是保证案件正确审理的前提条件。因此,"判决、裁定认定的基本事实缺乏证据证明"违反了民事诉讼法对法院审理案件的基本要求,也就足以构成再审的条件。

(三)原判决、裁定认定事实的主要证据是伪造的

伪造证据的行为属于严重的妨害民事诉讼的行为,理应受到法律规定的惩罚。民事诉讼法第一百一十一条对此有专门规定。审理案件的法官如果没有发现证据材料的虚假性,还把它作为认定事实的根据,对这样的判决、裁定应当进行再审。

(四)原判决、裁定认定事实的主要证据未经质证的

按照民事诉讼法的规定,无论是公开审理还是不公开审理的案件,证据都必须在法庭上出示,并由当事人互相质证。只有经过质证,才能查明证据的真伪,才能去伪存真。质证是对证据查证属实的必要手段,按照民事诉讼法第六十三条的规定,证据只有查证属实之后,才能作为认定事实的根据。因此,未经质证的证据不能作为认定事实的根据。判决、裁定认定事实的主要证据未经质证的,就是进入再审程序的原因之一。没经过质证的证据,可能是真实的,但法律设立质证规则的目的是从程序上保证查明证据的真实性,违反了程序就有可能导致认定事实方面的错误,程序的价值就在于此,因此,规定的程序必须要遵守,程序的价值必须被尊重。

(五)对审理案件需要的主要证据,当事人因客观原因不能自行收集,书面申请人民法院调查收集,人民法院未调查收集的

民事诉讼法第六十四条第二款规定:"当事人及其诉讼代

理人因客观原因不能自行收集的证据，或者人民法院认为审理案件需要的证据，人民法院应当调查收集。”某些案件中的证据，当事人因客观原因是不能自行收集到的，而且这些证据往往对于正确审理案件是至关重要的，一旦取得，将成为案件的主要证据。例如，某离婚案件涉及财产分割时，一方当事人主张对方当事人在某银行有一笔存款，但因不能向该银行进行查询而无法提供证据，只能请求法院向该银行进行查询。这笔存款的证据如果取得，将成为分割财产、确定份额的主要依据。根据民事诉讼法第六十七条和第一百一十四条的规定，人民法院有权向金融机构查询当事人的存款状况，而且金融机构必须协助人民法院进行查询。当人民法院接到当事人调查证据的申请后，查明该证据是当事人不能自行调查收集的，人民法院有权利也有义务进行调查收集。根据民事诉讼法第一百二十九条规定，审判人员在审理前的准备工作中，必须认真审核诉讼材料，调查收集必要的证据。如果人民法院没有调查收集主要证据，就支持或者驳回了当事人的诉讼请求，则该判决、裁定缺乏证据证明，可能导致判决、裁定的实体错误，因此可以作为再审的原因之一。

此次修改民事诉讼法在这一项中将2007年规定的“对审理案件需要的证据”修改为“对审理案件需要的主要证据”。一个案件涉及的证据可能有许多，但对认定案件事实起决定性作用的证据可能只是其中的一部分。如果事无巨细都要求法院去调查收集，不仅会浪费司法资源，而且也无助于案件审理，因此，只有人民法院没有调查收集“主要证据”，从而影响正确认定当事人权利义务的，才能作为应当再审的情形。这样修改完全符合2007年修改民事诉讼法时增加这一项的本意，可以更好地体现本项规定的精神。

(六)原判决、裁定适用法律确有错误的

当事人认为原判决、裁定适用法律有错误的,可以申请再审,但原判决、裁定在适用法律方面是否真的存在错误,则需要法院通过审查予以确认。通过审查,如果原判决、裁定适用法律确有错误的,应当予以再审。需要指出的是,“适用法律错误”中的“法律”,主要是调整当事人发生争议的权利义务关系的民事商事法律。“适用法律错误”中的“适用错误”包括不同情形,比如:适用的法律与案件性质明显不符的;确定民事责任明显违背当事人约定或者法律规定的;适用已经失效或尚未施行的法律的;违反法律溯及力规定的;违反法律适用规则的;明显违背立法本意的,等等。把判决、裁定适用法律错误作为应当再审的情形之一,可以督促审判人员更加全面、准确、及时地掌握法律规定的内容,做到法律规定与案件实际情况的正确结合,提高司法水平,切实体现司法对当事人合法权益的维护。

(七)审判组织的组成不合法或者依法应当回避的审判人员没有回避的

按照民事诉讼法规定,第一审普通程序由审判员、陪审员组成合议庭或者由审判员组成合议庭,合议庭的组成人员必须是单数。如果第一审普通程序没有组成合议庭而采用独任审判,该案判决生效后,当事人可以对此案申请再审;人民法院对再审申请经过审查以后,查证属实的,应当裁定进行再审。

民事诉讼法第四十四条明确规定了审判人员回避本案审理工作的情形。在法律规定的情形下,即使当事人没有提出回避申请,审判人员也应当主动回避,否则即使作出了发生法律效力的判决、裁定,也会面临再审。例如:在某一民事案件中,审判人员是当事人的近亲属。在对方当事人不知底细,没有申请该审判人员回避的情况下,该审判人员没有主动回避,而是继续审理了此案。在该案的判决生效后，对方当事人获知这一情况，就可以据此申请再审。人民法院对再审申请进行审查后，一旦确认确有其事，就要裁定进入再审。

（八）无诉讼行为能力人未经法定代理人代为诉讼或者应当参加诉讼的当事人，因不能归责于本人或者其诉讼代理人的事由，未参加诉讼的

民事诉讼法第五十七条规定，无诉讼行为能力人由他的监护人作为法定代理人代为诉讼。法定代理是为了维护无诉讼行为能力人的合法权益，主要是维护未成年人或者精神病人的合法权益。如果某一案件的当事人是无诉讼行为能力人，法官在未查明的情况下没有通知他的法定代理人代为诉讼就进行了审理，在判决、裁定被作出并发生法律效力以后，该无诉讼行为能力的当事人有权通过法定代理人申请再审。人民法院经过审查发现情况属实的，应当裁定再审。从国外的规定来看，多数大陆法系国家的民事诉讼法对此项再审事由都有规定。

民事诉讼法第一百三十二条规定："必须共同进行诉讼的当事人没有参加诉讼的，人民法院应当通知其参加诉讼。"如果人民法院没有做到第一百三十二条规定的通知，就有可能导致应当参加诉讼的当事人对诉讼无从知晓，更无法参加诉讼并维护其合法权益。这样的情况包括：人民法院应当通知却未作通知；人民法院虽然发出了通知，却有其他当事人从中隐匿、破坏甚至勾结其他人制造通知已经被收到的假象等。应当参加诉讼的当事人没有参加诉讼会直接造成诉讼主体缺失，即使已经作出了发生法律效力的判决、裁定，实际上也没有对相应权利义务关系做出正确判断，因此有必要通过再审来纠正。需要注意的是，如果人民法院按照第一百三十二条规定作出了通知，而接收通知的当事人因为其自身或者其诉讼代理人的故意或者过失，

没有按照通知要求在诉讼中出现并主张自身权利的，就要为自己的不当行为承担责任，不能以自己没有参加为借口申请人民法院进行再审。

(九)违反法律规定，剥夺当事人辩论权利的

民事诉讼法把当事人的辩论权作为基本原则之一。民事诉讼法第十二条规定:“人民法院审理民事案件时，当事人有权进行辩论。”为此，民事诉讼法在第一审普通程序和第二审程序中，都规定了辩论程序。剥夺当事人的辩论权利，在案件审理过程中一般有以下情形:第一，在案件审理前的准备阶段，没有给被告进行书面答辩的权利。被告提出答辩状是被告行使辩论权利的体现。民事诉讼法第一百二十五条规定，人民法院应当在立案之日起五日内将起诉状副本发送被告，被告应当在收到之日起十五日内提出答辩状。被告不提出答辩状的，不影响人民法院审理。是否提交答辩状是当事人的诉讼权利，但如果法院没有给被告进行书面答辩的权利，则属于剥夺了被告的答辩权利。第二，人民法院在开庭审理阶段没有经过辩论程序，而是在法庭调查之后，径行作出了判决。

(十)未经传票传唤，缺席判决的

民事诉讼法第一百三十六条规定，人民法院审理民事案件，应当在开庭三日前通知当事人和其他诉讼参与人。如果在第一审普通程序和第二审程序中，人民法院没有在开庭前三日通知当事人参加庭审，特别是未以传票的形式通知被告出庭应诉，就作出了缺席判决，则被告可以申请对此案进行再审，接受再审申请的人民法院在审查以后，查证属实的，应当裁定进行再审。因为民事诉讼法第一百四十四条明确规定，只有在被告经传票传唤、无正当理由拒不到庭，或者未经法庭许可中途退庭这两种情况下，人民法院才能缺席判决。在第一审普通程序或者在第二

审程序中，如果法院没有给被告送达传票，或者仅仅以电话等形式简单联系被告，即使在被告未到庭的情况下，法院也不宜作出缺席判决。如果违反法定条件，随意作出缺席判决，就属于严重违反法定程序的行为，属于应当再审的情形之一。

（十一）原判决、裁定遗漏或者超出诉讼请求的

按照民事诉讼法的规定，当事人提起民事诉讼必须有具体的诉讼请求和事实、理由，并且在起诉状中予以列明。当事人对自己的诉讼请求有责任提供证据。人民法院应当根据当事人提供的证据和法院调查收集的证据，判断当事人所提供的事实是否为客观事实，以作出是否支持当事人诉讼请求的判决。如果人民法院没有对当事人提出的某项诉讼请求进行法庭调查和法庭辩论，在判决、裁定中遗漏了当事人的这一诉讼请求就草草结案，将构成审判工作的重大失误，当事人有权利对这一判决、裁定申请再审，人民法院经审查查证属实之后，也应当进行再审。

当事人的处分原则是民事诉讼法的基本原则之一。依照民事诉讼法第十三条第二款的规定，当事人有权在法律规定的范围内处分自己的民事权利和诉讼权利。因此，原告提出以及不提出哪些诉讼请求，是原告处分自己民事权利和诉讼权利的体现；被告是否反诉，也是被告处分自己民事权利和诉讼权利的体现。原则上人民法院应当在当事人提出的诉讼请求的范围内审理案件，不能超出当事人的诉讼请求作出判决、裁定。如果判决、裁定超出诉讼请求的，当事人有权申请再审，人民法院查证属实后，也应当裁定进行再审。尊重当事人的处分原则不仅是人民法院审理民事案件的一个原则，也是仲裁机构仲裁民事案件的准则。依照我国民事诉讼法和仲裁法的规定，如果仲裁裁决的事项不属于仲裁协议的范围或者仲裁委员会无权仲裁的，人民法院可以裁定不予执行，当事人可以向仲裁委员会所在地

的中级人民法院申请撤销该仲裁裁决。有一点需要明确的是：人民法院或者仲裁机构在当事人明确提出的请求之外，认定合同无效，不属于超出当事人的诉讼请求，而是体现了国家对违反法律强制性规定以及公序良俗的合同的干预。例如，某杂志社为某饭店作的广告中出现了赌博的内容，后因为该饭店未支付全部广告费，该杂志社将该饭店告上了法庭。人民法院在审理该案件时，认定双方的合同违反了广告法不得作赌博广告的强制性规定，从而判决双方的广告合同无效，并且可以判决将杂志社已收取的部分广告费予以没收，上缴国库。对于这一案件，如果当事人借口判决认定合同无效是超出诉讼请求，提出再审申请，人民法院就会明确判决合同无效并不超出诉讼请求范围，从而裁定驳回不符合法律规定情形的再审申请，维护正确判决已经发生的法律效力。

（十二）据以作出原判决、裁定的法律文书被撤销或者变更的

有些民事案件是以另一民事案件的审理结果作为依据而作出判决。如果另一个民事案件的判决、裁定后来依照法定程序被撤销或者变更了，则之前以这些判决、裁定作为依据所作的判决、裁定也应当相应地被撤销或者变更。例如，甲钢铁厂向乙锅炉厂供应钢材，乙厂未按合同约定支付货款。乙厂将生产的锅炉卖给了丙。丙在使用过程中发生爆炸，并起诉到法院要求乙厂给予赔偿。在案件审理过程中，乙厂提出是钢材的质量问题而引起的爆炸，请求法院对钢材质量进行鉴定，明确是作为第三人的甲厂的责任。此时，甲厂因为乙厂所欠货款问题，将乙厂起诉到法院。乙厂提出抗辩，认为甲厂的钢材质量不合格，应当对此负责，因而拒绝支付货款；但是也提出需要等待乙厂与丙的案件结果出来以后，才能最终认定甲厂的钢材是否存在质量问题。

于是法院中止了甲厂与乙厂的诉讼。乙厂与丙的案件判决结果是：乙厂所使用的钢材质量不存在问题，而是因为乙厂生产的锅炉存在不合理的缺陷，责任在乙厂，因而判决乙厂赔偿丙的损失。在该判决生效后，法院以这个判决为依据，判决乙厂支付甲厂货款并承担相应的违约责任。乙厂后来向法院申请对与丙的侵权案件进行再审。法院经过再审，认定锅炉爆炸的原因是钢材质量原因所致，虽然乙厂仍需首先对丙承担赔偿责任，但最终责任人应当是第三人甲厂。乙厂拿到这个再审判决后，可以申请对与甲厂的合同纠纷案件进行再审，人民法院经查证属实后，应当裁定再审。

有些民事案件的判决、裁定是以其他的法律文书为依据作出的。如果据以作出判决、裁定的其他法律文书后来被撤销或者变更，那么，已经发生法律效力的判决、裁定也应当相应地被撤销或者变更。例如，某一民事案件是依据原告提供的经过公证的法律文书判决的。按照我国公证法第三十六条的规定，经公证的民事法律行为、有法律意义的事实和文书，应当作为认定事实的根据。法院根据公证书证明的法律关系，判决支持了原告的诉讼请求。在该判决生效后，被告认为该公证书存在错误，向出具该公证书的公证机构提出复查。公证机构经过复查，发现公证的内容违法或者与事实不符，撤销了该公证书。因此，被告可以据此向法院申请对该案进行再审，人民法院经查证属实以后，应当裁定对该案进行再审。

（十三）审判人员在审理该案件时有贪污受贿，徇私舞弊，枉法裁判行为的

民事诉讼法第四十三条明确规定，审判人员应当依法秉公办案，不得接受当事人及其诉讼代理人请客送礼。审判人员有贪污受贿，徇私舞弊，枉法裁判行为的，应当追究法律责任；构成

犯罪的,依法追究刑事责任。因此,当事人认为审判人员在审理该案件时有贪污受贿、徇私舞弊或者枉法裁判行为的,可以申请再审;人民法院在审查过程中查证属实的,应当裁定再审。从国外的规定来看,很多国家或地区都规定了此项再审事由。

在以上十三种情形之外,本次修改还删除了2007年修改后的民事诉讼法第一百七十九条第一款第(七)项规定的“违反法律规定,管辖错误”,和第二款规定的“对违反法定程序可能影响案件正确判决、裁定的情形”。删去这二处,主要是考虑到:第一,因管辖问题导致案件有错误的,一般都表现为判决、裁定认定的事实和适用的法律是错误的,而这些错误依照本条有关规定已经明确可以再审。况且,民事诉讼法在第一审程序中就对管辖问题规定了异议和上诉纠错机制。第二,司法实践表明,以上列举的十三项情形已经比较全面,审判过程中有的细微的程序性错误虽然发生,但没有必要启动再审程序。

第二百零一条　当事人对已经发生法律效力的调解书,提出证据证明调解违反自愿原则或者调解协议的内容违反法律的,可以申请再审。经人民法院审查属实的,应当再审。

【释义】 本条是关于调解书再审的规定。

这次修改民事诉讼法对本条的位置作了调整。

调解书是由人民法院制作的、记载当事人双方协商,共同达成协议的法律文书。按照民事诉讼法第九十七条的规定,调解达成协议,人民法院应当制作调解书。调解书应当写明诉讼请求、案件的事实和调解结果,并由审判人员、书记员署名,加盖人民法院印章,送达双方当事人。需要强调的是,调解书经双方当事人签收后,即具有法律效力,对第一审程序中作出的调解书而言,调解书生效后,当事人不能上诉。但是有时调解是违反自愿原则的,调解协议是违法达成的;对不合法的调解书,应当给当事人救济。

本条规定了当事人对已经发生法律效力的调解书申请再审的条件分别是:

第一,调解违反自愿原则。包括两种情形:其一,按照民事诉讼法第九十三条的规定,人民法院审理民事案件,根据当事人自愿的原则,进行调解。这一条要求人民法院进行调解,必须在双方当事人自愿的基础上进行,不得强迫当事人进行调解。如果法院强迫当事人进行调解,就违反了调解自愿原则。其二,按照民事诉讼法第九十六条的规定,调解达成协议,必须双方自愿,不得强迫。这一条讲的是双方当事人对调解协议的内容都是自愿接受的,人民法院不得强迫一方当事人或者双方当事人接受。如果法官强迫当事人接受调解协议,则违反了调解自愿原则。例如,个别法官在双方当事人都不愿意调解的情况下,依然强迫双方进行调解。面对法官的提出调解协议方案,一方当事人明确表示拒绝接受,但是该法官威胁说,如果不接受这个调解方案,一是判决的时间等待过长,二是将来判决的结果与这个调解方案也没有大的出入。在强迫施压之下,当事人最终被迫接受了这个调解方案。上述法官的行为就属于违反调解自愿原则的情况。民事诉讼法第一百四十二条规定,法庭辩论终结,判决前能够调解的,还可以进行调解,调解不成的,应当及时判决。这一条讲的是法官不能久调不决,久调不决属于变相强迫当事人接受调解协议内容的行为,也是违反当事人自愿调解原则的。就以上两种情形而言,如果当事人能够证明,调解是在非自愿的基础上进行的,或者调解协议是在非自愿的基础上达成的,人民法院审查属实,应当再审。

第二,调解协议的内容违法。按照本法第九十三条的规定,人民法院进行调解,应当在事实清楚、分清是非的基础上进行。第九十六条规定,调解协议的内容不得违反法律规定。从以上规定可以看出,调解应当依法进行,调解协议的内容应当符合实体法的规定,不得违反法律强制性规定,然后结合当事人的处分原则,由当事人在法律规定的范围内处分自己的实体权利和诉讼权利。如果调解协议的内容违反法律规定,即使当事人签收了法院制作的调解书,也可以向法院申请再审,提出证据证实违法情形,人民法院经审查属实,应当再审。例如,甲诉乙返还欠款,乙在无力清偿的情况下,接受调解协议,承诺将自己的女儿嫁给甲的儿子为妻,以此偿还甲的债务。这一调解协议实际是在包办婚姻,违反了婚姻法关于婚姻自由的规定,属于内容违法的调解协议。在这种情况下,如果当事人申请再审,人民法院申查属实的,应当再审。

此次修改民事诉讼法虽然对本条内容未作修改,却对本条的位置作了调整。审判监督程序原来主要针对发生法律效力的判决、裁定,本条规定在对当事人申请再审的审查之后。司法实践中,对调解书申请再审的审查,基本是比照适用关于判决、裁定申请再审的审查规定。此次修改将本条规定前移,放到第二百零三条和第二百零四条关于审查当事人申请再审的规定之前,是把实践中的比照适用明确为直接适用,不会影响司法实践。

第二百零二条　当事人对已经发生法律效力的解除婚姻关系的判决、调解书,不得申请再审。

【释义】 本条是关于决定离婚的案件,当事人不得申请再审的规定。

这次修改民事诉讼法对本条作了修改。

实践中，许多离婚案件是通过调解解除婚姻关系的，根据民事诉讼法的规定，调解书与判决书具有同等法律效力。因此，这次修改民事诉讼法增加规定，对解除婚姻关系的调解书也不得申请再审。婚姻关系属于人身关系，按照婚姻法的规定，婚姻关系基于男或女一方死亡或者双方离婚而终止。离婚分为登记离婚和判决离婚。依照婚姻法第三十二条的规定，男女一方要求离婚的，可以直接向人民法院提出离婚诉讼。人民法院审理离婚案件，应当进行调解；如感情确已破裂，调解无效，应准予离婚。

人民法院作出解除婚姻关系的判决或者调解书，一旦发生法律效力，男或女任何一方都可以与他人再婚。如果男方与他人再婚，女方以感情未破裂为由，申请对离婚案件进行再审已失去任何意义，因为男方与他人的婚姻不可能强行解除，所以法律不允许对已经发生法律效力的解除婚姻关系的判决申请再审。

解除婚姻关系的判决或者调解书发生法律效力后，男或女任何一方都没有与他人再婚的，如果双方感情确未完全破裂的，法律也给双方提供了救济渠道。婚姻法第三十五条规定，离婚后，男女双方自愿恢复夫妻关系的，可以到婚姻登记机关进行复婚登记。因此，一方以感情未破裂为由，申请对离婚判决进行再审也没有任何意义。

需要说明的是，当事人可以对离婚判决或者离婚调解书中的财产分割问题申请再审。例如，离婚判决将一方的婚前财产作为夫妻共同财产进行了分割，该当事人可以就该部分判决申请再审。

关于当事人不得申请再审的案件，民事诉讼法只规定了本条一种情况。其他国家的立法对此虽然有更多规定，但是也并不一致。甚至在有的国家，决定离婚的案件也是可以再审的。

可见,哪些情形不得申请再审不是简单的理论问题,主要应当根据具体的司法实际和社会的接受程度,慎重决策。

第二百零三条　当事人申请再审的,应当提交再审申请书等材料。人民法院应当自收到再审申请书之日起五日内将再审申请书副本发送对方当事人。对方当事人应当自收到再审申请书副本之日起十五日内提交书面意见;不提交书面意见的,不影响人民法院审查。人民法院可以要求申请人和对方当事人补充有关材料,询问有关事项。

【释义】 本条是关于当事人申请再审程序的规定。

本条是2007年修改民事诉讼法时新增加的条款。目的是从程序上保障当事人再审权利的行使和人民法院对再审案件的审查。此次修改民事诉讼法继续保持了这一规定。

当事人申请再审是法律赋予当事人的一项诉讼权利,但当事人要启动再审程序,也有义务提交再审申请书等材料。再审申请书应当比照民事诉讼法第一百二十一条和第一百六十五条的规定,记明下列事项:(1)申请人的姓名、性别、年龄、民族、职业、工作单位、住所、联系方式,法人或者其他组织的名称、住所和法定代表人或者主要负责人的姓名、职务、联系方式;(2)对方当事人的姓名、性别、工作单位、住所等信息,法人或者其他组织的名称、住所等信息;(3)作出法律效力判决、裁定的原人民法院的名称、案件编号和案由;(4)再审请求和所根据的事实与理由;(5)证据和证据来源,证人姓名和住所。

人民法院应当自收到再审申请书之日起五日内将再审申请书副本发送对方当事人。对方当事人应当自收到再审申请书副本之日起十五日内提交书面意见;不提交书面意见的,不影响人民法院审查。需要说明的是,第一,人民法院对再审申请的审查，是审查是否符合再审条件，是否应当再审，不是重新审理案件。这与起诉和上诉是有本质区别的。当事人起诉或者上诉后，人民法院正式立案审理，所以将起诉状副本或者上诉状副本发送被告或者被上诉人，由被告或者被上诉人提出答辩状。而对再审申请的审查还没有进入对案件的重新审理阶段，所以对方当事人提交的是“书面意见”，即表明是否同意对案件进行再审的态度及相应的事实和理由，而不是“答辩状”。第二，在人民法院对再审申请进行审查的阶段，被申请人可以提交书面意见，也可不提交书面意见。决定提出书面意见，或者不提数书面意见，都是对方当事人行使法所律赋予的辩论权利的体现。不提交书面意见的，不影响人民法院对再审申请的审查。

人民法院可以要求申请人和对方当事人补充有关材料，询问有关事项。从某些国家或地区的规定来看，在对再审申请的审查阶段，法院可以采用类似于听证的程序，听证程序不是对案件正式进行再次审理的程序，而是证明原判决、裁定是否确实存在错误的程序。在这个阶段，法院可以向一方当事人进行询问，也可以向双方当事人询问原判的有关情况。

第二百零四条　人民法院应当自收到再审申请书之日起三个月内审查，符合本法规定的，裁定再审；不符合本法规定的，裁定驳回申请。有特殊情况需要延长的，由本院院长批准。

因当事人申请裁定再审的案件由中级人民法院以上的人民法院审理，但当事人依照本法第一百九十九条的规定选择向基层人民法院申请再审的除外。最高人民法院、高级人民法院裁定再审的案件，由本院再审或者交其他人民法院再审，也可以交原审人民法院再审。

【释义】　本条是关于人民法院对再审申请进行审查的程

序和再审案件审理法院的规定。

这次修改民事诉讼法对本条作了修改。

一、审查再审申请的期限

人民法院应当自收到再审申请书之日起三个月内审查,作出是否进行再审的裁定。2007 年修正之前的民事诉讼法没有明确规定人民法院对当事人再审申请的答复期限。为了充分保障当事人的再审权利,2007 年对民事诉讼法的修改从法律上明确规定了人民法院对当事人再审申请的审查期限。从实施中的情况看,2007 年新增的这一规定效果较好。此次修正对于审查再审申请的程序规定基本维持了 2007 年的内容,同时为了配合对调解书申请再审规定的前移,涵盖对调解书申请再审的审查,本条第一款将是否裁定再审的条件从是否“符合本法第一百七十九条规定情形之一的”修改为是否“符合本法规定的”,其中增加涵盖了修改后第二百零一条关于对调解书申请再审的条件要求。

人民法院对再审申请,除了要审查再审申请书,还要审查对方当事人提交的书面意见,特别要结合原审法院进行审理的案卷进行审查。除了进行书面审查以外,人民法院根据实际情况,在审查过程中还可以当面询问当事人。经过审查,符合第二百条规定情形之一的,或者符合第二百零一条规定的,裁定再审;不符合第二百条、第二百零一条规定的,裁定驳回申请。

二、审查再审申请的法院

根据民事诉讼法第一百九十九条的规定,当事人对已经发生法律效力的判决、裁定申请再审,一般应当向作出生效裁判的法院的上一级人民法院提出,即对再审申请的审查法院一般是作出生效裁判法院的上一级人民法院。在这条一般规则之外,本次修改民事诉讼法还在第一百九十九条中增加规定了例外情况:当事人一方人数众多或者当事人双方为公民的案件,也可以向原审人民法院申请再审,也就是说,对于这两种情况,如果当事人不向上一级人民法院申请,而向原审法院申请,原审法院就可以审查再审申请。

三、裁定再审后的审理法院

审查当事人再审申请的法院原则上是作出生效裁判法院的上一级人民法院。相应地,经审查裁定再审后审理再审案件的法院原则上也是作出生效判决、裁定、调解书法院的上一级人民法院,但也存在特殊规则。

2007 年修改民事诉讼法时,主要对高级人民法院和最高人民法院裁定再审的案件规定了特殊规则:最高人民法院、高级人民法院裁定再审的案件,由本院再审或者交其他人民法院再审,也可以交原审人民法院再审。这里的原审人民法院应当是作出生效判决、裁定的人民法院;这里的其他人民法院应当是和原审人民法院同级的人民法院。之所以允许高级人民法院和最高人民法院把自己裁定再审的案件交下一级人民法院进行审理,是因为:第一,高级人民法院和最高人民法院承担着大量的对下级法院的指导和监督工作。第二,按照 2007 年的修正,作出生效裁判法院的上一级人民法院,特别是高级人民法院和最高人民法院已经承担了比修改以前增多了的对再审申请的审查工作。第三,规定当事人向原审法院的上一级法院申请再审,已经充分考虑到了对再审申请人合法权益的保护。上一级人民法院经过审查,认定原审判决、裁定存在民事诉讼法规定情形之一的,也就基本认定了发生法律效力的判决、裁定存在错误。即使将案件的再审审理任务交给下一级其他人民法院完成,或者交给原审人民法院完成,一般也都会纠正原判决、裁定的错误,从而维护当事人的合法权益。第四,符合方便当事人诉讼和方便人民法院审判的“两便”原则,在一些情况下既能减少当事人因为再审而向省会城市和首都的奔波之苦、行程开销,又能使重新审理案件的法院更接近纠纷发生地,便于查清事实,正确审判。

本次修改民事诉讼法基本坚持了2007年修正的主要内容,原则上因当事人申请裁定再审的案件应当由中级人民法院以上的人民法院审理。但是为了配合第一百九十九条规定的“当事人一方人数众多或者当事人双方为公民的案件,也可以向原审人民法院申请再审”,进一步便利当事人参加再审案件的审理,本条也增加规定了例外条款,对于基层人民法院作出的发生法律效力的判决、裁定,当事人在第一百九十九条规定的情况下没有向中级人民法院申请再审,而选择向基层人民法院申请再审的,基层人民法院也可以在裁定再审后继续审理再审案件。

第二百零五条　当事人申请再审,应当在判决、裁定发生法律效力后六个月内提出;有本法第二百条第一项、第三项、第十二项、第十三项规定情形的,自知道或者应当知道之日起六个月内提出。

【释义】　本条是关于当事人申请再审期限的规定。

这次修改民事诉讼法对本条作了修改。

1991年的民事诉讼法第一百八十二条规定,当事人申请再审,应当在判决、裁定发生法律效力后二年内提出。对此没有规定例外情况。2007年修改民事诉讼法时,有的提出,在司法实践中存在二年后才发现某些再审事由的情形,一律按照“二年内提出”的规定,限制申请再审,不利于保护当事人的权利。因此,2007年修改后的民事诉讼法在第一百八十四条中增加规定“二年后据以作出原判决、裁定的法律文书被撤销或者变更,以及发现审判人员在审理该案件时有贪污受贿,徇私舞弊,枉法裁判行为的，自知道或者应当知道之日起三个月内提出”。这次修改民事诉讼法从三方面对之前的规定作出修改：一是将二年的申请再审时间缩短为六个月；二是将后来才可能被发现的再审事由增列为四种；三是将自知道或者应当知道之日起三个月的申请再审时间延长为六个月。

需要明确的是，目前本条规定中，申请再审的六个月时间限制为不变期间，不存在中断或中止的情况。一般六个月的期限是从判决、裁定发生法律效力时才开始起算的。但在以下四种情况下，当事人在判决、裁定发生法律效力后，期间及其起算点是不同的：

第一，判决、裁定发生法律效力后，发现有新的证据，足以推翻原判决、裁定的，当事人应当自知道或者应当知道之日起六个月内申请再审。

第二，判决、裁定发生法律效力后，发现原判决、裁定认定事实的主要证据是伪造的，当事人应当自知道或者应当知道之日起六个月内申请再审。

第三，判决、裁定发生法律效力后，据以作出原判决、裁定的法律文书被撤销或者变更的，当事人应当自知道或者应当知道之日起六个月内申请再审。

第四，判决、裁定发生法律效力后，发现审判人员在审理该案件时有贪污受贿、徇私舞弊、枉法裁判行为的，当事人应当自知道或者应当知道之日起六个月内申请再审。

目前民事诉讼法的规定既符合我国民事诉讼司法实践的要求，也有其他各地民事诉讼法的类似制度可作比较。在大陆法系的其他国家或者地区，都有再审期间的例外规定。例如，德国、日本民事诉讼法和我国台湾地区“民事诉讼法”规定，当事人在原审诉讼中未经合法代理的，即使已经超过了再审期间，当事人仍然可以依据这一再审事由申请再审。

第二百零六条　按照审判监督程序决定再审的案件,裁定中止原判决、裁定、调解书的执行,但追索赡养费、扶养费、抚育费、抚恤金、医疗费用、劳动报酬等案件,可以不中止执行。

【释义】 本条是关于对决定再审的案件,中止原判决、裁定、调解书执行的规定。

这次修改民事诉讼法对本条作了修改。

一、关于决定再审应当中止执行的原则

按照审判监督程序决定再审的案件,是判决、裁定、调解书发生法律效力的案件,判决、裁定、调解书所发生的法律效力包括执行力。当事人应当自觉履行发生法律效力的判决、裁定、调解书确定的义务。一方当事人拒绝履行的,对方当事人可以向人民法院申请强制执行。在当事人尚未自觉履行完毕的情况下,或者人民法院强制执行尚未终结的情况下,如果人民法院决定对该案进行再审,原则上应当裁定中止执行。这主要是因为:决定对案件进行再审,前提是发生法律效力的判决、裁定、调解书存在错误。经过再审纠正错误,很可能会改变执行内容。通常情况下,如果继续执行,可能损害再审申请人的利益,并且造成司法资源的浪费。

中止原判决、裁定、调解书的执行主要指以下几种情况:

第一,人民法院依职权决定再审的案件。这包括:(1)各级人民法院院长提交审判委员会讨论决定再审的案件。(2)最高人民法院对地方各级人民法院已经发生法律效力的判决、裁定、调解书,上级人民法院对下级人民法院已经发生法律效力的判决、裁定、调解书,发现确有错误,决定提审或者指令下级人民法院再审的案件。决定再审后,作出决定的人民法院一般应当裁定中止原判决、裁定、调解书的执行。

第二,根据当事人申请,人民法院裁定再审的案件。因当事人申请裁定再审的案件,无论是由本院再审,还是交下一级其他人民法院再审,或者交原审人民法院再审,一般都由作出裁定的人民法院在再审裁定中同时中止原判决、裁定、调解书的执行。

第三,根据人民检察院的抗诉,人民法院裁定再审的案件。裁定再审的案件,无论该再审案件是由接受抗诉的人民法院审理,还是依法交下一级人民法院审理,一般都由接受抗诉的人民法院在再审裁定中同时中止原判决、裁定、调解书的执行。

需要说明的是,如果原判决、裁定、调解书已经执行完毕,再裁定中止执行就没什么意义了。如果再审结果是撤销原判或者对原判进行改判,那就需要执行回转。按照本法第二百三十三条(原第二百一十条)的规定,执行完毕后,据以执行的判决、裁定和其他法律文书确有错误,被人民法院撤销的,对已被执行的财产,人民法院一般应当作出裁定,责令取得财产的人返还;拒不返还的,强制执行。

根据2007年修改后的民事诉讼法第一百八十五条,按照审判监督程序决定再审的案件,裁定中止原判决的执行。此次修改民事诉讼法增加规定了中止对原调解书的执行。民事诉讼法第九十七条第三款规定:“调解书经双方当事人签收后,即具有法律效力。”根据民事诉讼法第二百三十四条的规定,人民法院制作的调解书的执行,适用执行程序的有关规定。此次修改前的民事诉讼法虽然没有规定对调解书的再审是否需要中止执行,但是在司法实践中已经形成了比照判决,中止执行原调解书的惯常做法。当事人对调解书申请再审,人民法院裁定再审的,如果原调解书尚未执行完毕,人民法院也会在同一裁定中中止原调解书的执行。

此次修改民事诉讼法还增加规定了中止对原裁定的执行。此次民事诉讼法修改在特别程序中新增了确认调解协议案件和实现担保物权案件,这两类案件的裁定,都可能涉及实体执行内容,一旦进入再审,就需要有所规定,从而中止对原裁定的执行。

二、关于不中止执行的例外情况

法院决定再审的案件,原则上都应当中止执行,否则不利于保护合法的民事权益,但是对此也存在例外情况。此次修改民事诉讼法时,有意见提出,再审原则上应当中止原判决、裁定、调解书的执行,但决定再审的案件有的不一定会最终改判,特别是对追索赡养费、扶养费、抚育费、抚恤金、医疗费用、劳动报酬的当事人,如果一律终止执行,可能会给这些当事人带来生活困难。对于追索赡养费、抚养费、医疗费用等影响当事人生计、涉及其生命健康的案件,不中止执行有时更有利于扶危济困,以人为本。此次修正作了明确的补充规定,对于上述情况,可以不中止执行。人民法院在适用时可以根据上述案件的具体实际,客观判断是否中止执行,并且作出相应的裁定。

第二百零七条　人民法院按照审判监督程序再审的案件,发生法律效力的判决、裁定是由第一审法院作出的,按照第一审程序审理,所作的判决、裁定,当事人可以上诉;发生法律效力的判决、裁定是由第二审法院作出的,按照第二审程序审理,所作的判决、裁定,是发生法律效力的判决、裁定;上级人民法院按照审判监督程序提审的,按照第二审程序审理,所作的判决、裁定是发生法律效力的判决、裁定。

人民法院审理再审案件,应当另行组成合议庭。

【释义】　本条是关于再审案件审理程序和再审判决、裁定效力的规定。

我国民事诉讼实行二审终审，再审是通过重新审理的方式达到纠错目标的程序，因而再审没有专门的审理程序。人民法院决定或者裁定再审的案件，应当根据原生效判决、裁定作出的法院而分别适用一审程序或者二审程序。分为以下几种情况：

第一，第一审法院作出的判决、裁定发生法律效力后，该第一审法院依职权决定再审的，该再审案件适用第一审程序进行审理，所作的判决、裁定，当事人可以上诉。需要说明的是，如果发生法律效力的判决、裁定是适用简易程序作出的，则再审进行审理时应当适用第一审普通程序，即由合议庭进行审理，且原审的独任审判员不得参加新组成的合议庭。

第二，最高人民法院或者上级人民法院对下级人民法院已经发生法律效力的判决、裁定决定再审并进行提审的，由进行提审的上级人民法院组成合议庭，按照第二审程序进行审理，所作的判决、裁定是发生法律效力的判决、裁定。

第三，最高人民法院或者上级人民法院对下级人民法院已经发生法律效力的判决、裁定决定再审并指令下级人民法院再审的，如果下级人民法院是第一审法院，则再审适用第一审程序；如果下级人民法院是第二审法院，则再审适用第二审程序。但都需另行组成合议庭。

第四，因当事人申请裁定再审的案件，如果由负责审查再审申请的人民法院再审，一般应当适用第二审程序，所作的判决、裁定是发生法律效力的判决、裁定；在例外情况下适用第一审程序，所作的判决、裁定，当事人可以上诉。这里的“例外情况”，是当事人依照第一百九十九条的规定，选择向原审人民法院申请再审后可能面临的一种后续情况。本次修改民事诉讼法在第一百九十九条中增加规定，当事人一方人数众多或者当事人双方为公民的案件，也可以向原审人民法院申请再审。如果上述案件发生法律效力的判决、裁定是第一审法院作出的，而且当事人也选择向该第一审法院申请再审，该第一审法院就可以在裁定再审后继续进行再审审理，在这种例外情况下，应当适用的程序是第一审程序。和发生法律效力的判决、裁定相对比，经过再审后作出的判决、裁定，仍然是第一审人民法院作出的，当事人也仍然可以上诉。

第五，因当事人申请裁定再审的案件，被最高人民法院、高级人民法院交与原审人民法院同级的其他人民法院再审或者交原审人民法院再审的，如果发生法律效力的判决、裁定是第一审程序作出的，则再审适用第一审程序；如果发生法律效力的判决、裁定是二审程序作出的，则再审适用第二审程序。需要说明的是，交原审人民法院再审的，原审人民法院审理时应当另行组成合议庭。

第六，人民检察院抗诉的案件，如果由接受抗诉的人民法院再审，则适用第二审程序，因为接受抗诉的人民法院肯定是作出生效判决、裁定的人民法院的上一级法院。

第七，人民检察院抗诉的案件，交下一级人民法院再审的，如果原生效判决、裁定是一审程序作出的，则再审适用第一审程序；如果原生效判决、裁定是二审程序作出的，则再审适用第二审程序。

第二百零八条　最高人民检察院对各级人民法院已经发生法律效力的判决、裁定，上级人民检察院对下级人民法院已经发生法律效力的判决、裁定，发现有本法第二百条规定情形之一的，或者发现调解书损害国家利益、社会公共利益的，应当提出抗诉。

地方各级人民检察院对同级人民法院已经发生法律效力的

判决、裁定，发现有本法第二百条规定情形之一的，或者发现调解书损害国家利益、社会公共利益的，可以向同级人民法院提出检察建议，并报上级人民检察院备案；也可以提请上级人民检察院向同级人民法院提出抗诉。

各级人民检察院对审判监督程序以外的其他审判程序中审判人员的违法行为，有权向同级人民法院提出检察建议。

【释义】 本条是关于人民检察院对生效判决、裁定、调解书提出抗诉或者检察建议的规定。

这次修改民事诉讼法对本条作了修改。

一、抗诉的检察监督方式

我国宪法第一百二十九条规定："中华人民共和国人民检察院是国家的法律监督机关。"人民检察院对人民法院的审判活动进行监督是我国民事诉讼法律制度的一项原则。我国民事诉讼法第十四条规定："人民检察院有权对民事诉讼实行法律监督。"其中对人民法院作出的发生法律效力的民事判决、裁定、调解书进行抗诉属于事后监督，是对民事审判活动实行法律监督的重要内容。

从来源上看，人民检察院提出的抗诉，很多是由于当事人向人民检察院提出了申诉。人民检察院经过审查，发现发生法律效力的判决、裁定有本法第二百条规定情形之一的，或者发现发生法律效力的调解书损害国家利益、社会公共利益的，可以向人民法院提出抗诉。

关于人民检察院能否依职权抗诉的问题，也就是说，在没有当事人向人民检察院提出申诉的情况下，人民检察院从其他渠道发现某民事案件的判决、裁定、调解书确有错误，能否向人民法院提出抗诉？答案是肯定的。因为人民检察院是国家的法律监督机关，有权对法院的审判活动实行法律监督。人民检察院依职权抗诉的主要是那些损害国家利益和社会公共利益的判决、裁定、调解书。例如,双方当事人恶意串通,签订了损害国家、集体或者第三人利益的合同,后来双方当事人在履行此合同的过程中发生纠纷,一方当事人起诉到法院。法院在审理过程中,没有认定此合同属于无效合同,而是作为有效合同进行了审理并作出了判决。不论有没有当事人向人民检察院提出对该判决的申诉,人民检察院发现该判决确实存在错误后,都有权向人民法院提出抗诉,要求撤销原判,将双方当事人的违法收入收归国家所有或者返还受害人。

2007 年修改前的民事诉讼法第一百八十五条规定了人民检察院对发生法律效力的判决、裁定提出抗诉的四项情形,2007 年的修正,将原有的四项情形具体化,与人民法院裁定再审的情形一致。这样修改,使人民检察院对生效的民事判决、裁定的抗诉范围更加明确,有利于对法院审判活动的监督,从而更好地维护当事人的合法权益和国家的法制统一。此次修改民事诉讼法,进一步将对调解书的抗诉纳入规定:人民检察院发现调解书损害国家利益、社会公共利益的,应当提出抗诉。这样修改,使检察监督在审判监督程序中的规定更为完满,有利于加强监督力度,提高监督实效。

根据人民检察院组织法第十八条和本条的规定,有权提起抗诉的人民检察院是:

第一,最高人民检察院对各级人民法院已经发生法律效力的判决、裁定,发现确有错误的,即符合本法第二百条规定情形之一的,有权提起抗诉;最高人民检察院发现各级人民法院已经发生法律效力的调解书损害国家利益、社会公共利益的,有权提起抗诉。

第二,上级人民检察院对下级人民法院已经发生法律效力的判决、裁定，发现确有错误的，即符合本法第二百条规定情形之一的，有权提出抗诉；上级人民检察院发现下级人民法院已经发生法律效力的调解书损害国家利益、社会公共利益的，有权提起抗诉。

关于抗诉的级别，根据本条第二款的规定，对生效民事判决、裁定、调解书的抗诉原则上实行“上级抗”，即由上级人民检察院对下级人民法院生效的民事判决、裁定、调解书提出抗诉。地方各级人民检察院对同级人民法院的民事审判活动也有法律监督权，但不能提起抗诉，即不能“同级抗”，如果发现同级人民法院已经发生法律效力的判决、裁定有本法第二百条规定情形之一的，以及调解书损害国家利益、社会公共利益的，只能提请上级人民检察院提出抗诉。

需要明确的是，最高人民检察院可以进行“同级抗”，即最高人民检察院对最高人民法院已经发生法律效力的判决、裁定、调解书，发现确有错误的，即符合本法第二百条规定情形之一的，或者调解书损害国家利益、社会公共利益的，有权向最高人民法院提起抗诉。

二、检察建议的监督方式

检察机关对民事诉讼实行法律监督，是保证依法行使审判权，正确实施法律的重要制度，对促进司法公正，维护社会公共利益，具有重要作用。强化检察机关的法律监督，是本次民事诉讼法修正的重要内容，其中的一个方面就是增加规定了检察建议的监督方式。

本次修改前的民事诉讼法只规定了抗诉一种监督方式。近年来，检察机关为了更好地发挥民事检察的作用，通过积极试点探索，在实践中创造了通过检察建议实施民事检察监督的模式。

本条第二款中规定了在审判监督程序中如何运用检察建

议。检察建议不同于抗诉：其一，检察建议不能立刻引发对生效判决、裁定、调解书的再审，但检察建议却可以加强人民法院和人民检察院在审判监督方面的合作配合，能够促使人民法院发现错误、纠正错误。其二，检察建议不同于上级人民检察院提出的抗诉，检察建议是人民检察院向同级人民法院发出的监督建议。此次修改民事诉讼法，通过并行规定向上级人民检察院报请备案检察建议和提请抗诉，也有利于上下级检察机关之间更及时地沟通情况，从而更慎重地决定是否抗诉。

本条第三款规定了对审判监督程序之外的问题进行检察监督。检察建议比抗诉的适用范围更广，除了在审判监督程序中发挥作用外，检察建议还可以用于帮助人民法院发现其他审判程序中审判人员的违法行为，及时纠正相应失误。

第二百零九条　有下列情形之一的，当事人可以向人民检察院申请检察建议或者抗诉：

（一）人民法院驳回再审申请的；

（二）人民法院逾期未对再审申请作出裁定的；

（三）再审判决、裁定有明显错误的。

人民检察院对当事人的申请应当在三个月内进行审查，作出提出或者不予提出检察建议或者抗诉的决定。当事人不得再次向人民检察院申请检察建议或者抗诉。

【释义】　本条是关于当事人申请检察建议或者抗诉的规定。

本条是民事诉讼法修改新增加的内容。

一、申请条件

审判监督程序中既包括人民法院决定再审，又包括人民检察院抗诉引起再审。实践中不少当事人就同一发生法律效力的判决、裁定、调解书重复提出申请，既向人民法院申请再审，又向人民检察院申请抗诉。这往往导致人民法院和人民检察院都对同一发生法律效力的判决、裁定、调解书进行审查，不仅增加了国家机关的重复劳动，占用了宝贵的司法资源，还使当事人也增加了不必要的成本。为更合理地配置司法资源，切实解决重复申请、多头审查的弊端，增强法律监督实效，本次修改民事诉讼法对此增加规定，当事人对于已经发生法律效力的判决、裁定、调解书，应当首先依法向人民法院申请再审，在以下三种情况下才可以转而向人民检察院申请检察建议或者抗诉：一是，人民法院驳回再审申请的。二是，人民法院逾期未对再审申请作出裁定的。三是，再审判决、裁定有明显错误的。在第一种情况下，向人民法院申请再审已经结束，此时向人民检察院申请检察建议或者抗诉不会造成重复工作。在第二种情况下，向人民法院申请再审的程序处于不正常的延宕中，此时向人民检察院申请检察建议或者抗诉有利于发挥监督效能，促进审判监督程序尽快进行。在第三种情况下，有必要迅速决定再审，及时纠正错误，向人民检察院申请检察建议或者抗诉有利于保障当事人的权利，实现公正和效率的和谐兼顾。

二、审查期限

要求当事人注意审判监督程序的效率，更需要人民检察院加强工作力度，及时审查申请。本条第二款规定，人民检察院对当事人的申请应当在三个月内进行审查，作出提出或者不予提出检察建议或者抗诉的决定。这里的三个月审查期限应当严格遵守，以保证检察监督的及时性。这里的决定，是对当事人申请的明确回应。要么决定提出检察建议或者抗诉，要么不予提出，都应当按期给当事人以明确答复，以切实保障当事人的申请权。决定提出检察建议或者抗诉的，人民检察院应当及时向人民法院依法提出;决定不予提出,人民检察院也应当做好疏导工作,明法析理,使申请人尽早服判息诉。

三、限制反复申请

司法实践中,往往存在一些当事人纠结于某一发生法律效力的判决、裁定、调解书,反复缠诉,"终审不终"。审判监督程序如果成为重复程序、反复程序,不仅会违背民事诉讼法律制度的目的,也不利于维护当事人的利益。对此本条第二款明确规定,当事人不得再次向人民检察院申请检察建议或者抗诉。当事人提出申请之后,如果人民检察院已经在审查处理,再次提出是没有必要的;如果人民检察院已经作出了提出检察建议或者抗诉的决定,再次提出也不再具有价值;如果人民检察院已经作出了不予提出检察建议或者抗诉的决定,允许再次提出就可能导致反复纠缠,引发"终审不终"的不良后果。不管是哪种情况,都是不符合法律规定的。

第二百一十条　人民检察院因履行法律监督职责提出检察建议或者抗诉的需要,可以向当事人或者案外人调查核实有关情况。

【释义】　本条是关于人民检察院调查权的规定。

本条是民事诉讼法修改新增加的内容。

根据人民检察院组织法第七条的规定,人民检察院在工作中必须坚持实事求是,贯彻执行群众路线,倾听群众意见,接受群众监督,调查研究。检察权是一项严肃的国家权力,应当在坚持实事求是的基础上行使。民事诉讼中主要体现当事人对自己诉讼权利和民事权利的自主掌控,国家权力的干预应当慎重。在审判监督程序中,人民检察院决定是否提出检察建议或者抗诉,需要对有关情况进行调查核实。本条规定,是建立在检察机关履行法律监督职责的任务要求之上的。

对于案件的有关情况，首先是当事人掌握有关信息。案件之外，未卷入纠纷的其他人有时也可能了解情况。人民检察院为了正确履行法律监督职责，需要对相关情况向有关人士进行调查了解。当事人和案外人应当支持人民检察院依法履行职责，如实提供有关信息。

人民检察院在行使调查权时还要注意严格遵守法律，注意根据提出检察建议或者抗诉的需要了解必要的信息。依照本条行使调查权主要是要了解与生效判决、裁定、调解书有关的特定信息，是为了决定是否提出检察建议或者抗诉。本条所规定的调查权，不应超出为了对生效判决、裁定、调解书提出检察建议或者抗诉而需要了解情况的具体范围，更不能理解为类似刑事诉讼中的侦查权。人民检察院行使相关职权、履行法律监督职责时，应当明确这一区分，尊重并保护民事诉讼当事人的合法权益。特别是对与涉及个人隐私、信息安全的问题，更要依法行事，严格遵守相关规定。

第二百一十一条　人民检察院提出抗诉的案件，接受抗诉的人民法院应当自收到抗诉书之日起三十日内作出再审的裁定；有本法第二百条第一项至第五项规定情形之一的，可以交下一级人民法院再审，但经该下一级人民法院再审的除外。

【释义】　本条是关于人民检察院抗诉的法律后果和审理抗诉案件的法院的规定。

此次修改民事诉讼法对本条作了修改。

人民检察院是国家的法律监督机关，人民检察院对人民法院生效的民事判决、裁定的抗诉必然引起再审程序的发生，这是其与当事人申请再审的重要区别。人民法院只要接到人民检察院的抗诉,就应当裁定案件进入再审。

2007年修改前的民事诉讼法第一百八十六条没有规定人民法院在接到人民检察院的抗诉书后多少日内裁定再审。2007年修改民事诉讼法对此作了规定,明确只要是人民检察院提出抗诉的案件,接受抗诉的人民法院必须在三十日内作出再审的裁定。从实施情况看,2007年增加的这一规定有助于提高对抗诉案件进行再审的效率,应当继续坚持。

2007年修改民事诉讼法时还增加规定了审理抗诉案件的法院。原则上,审理抗诉案件的法院也是接受抗诉的人民法院,同样还是原审人民法院的上级人民法院。在这一通常制度下,也有例外情况:一是对于有新的证据,足以推翻原判决、裁定的抗诉,接受抗诉的人民法院可以交下一级人民法院再审;二是对于原判决、裁定认定的基本事实缺乏证据证明的抗诉,接受抗诉的人民法院可以交下一级人民法院再审;三是原判决、裁定认定事实的主要证据是伪造的抗诉,接受抗诉的人民法院可以交下一级人民法院再审;四是原判决、裁定认定事实的主要证据未经质证的抗诉,接受抗诉的人民法院可以交下一级人民法院再审;五是对审理案件需要的主要证据,当事人因客观原因不能自行收集,书面申请人民法院调查收集,人民法院未调查收集的抗诉,接受抗诉的人民法院可以交下一级人民法院再审。这五方面的情况涉及第二百条第(一)项至第(五)项规定的情形,主要是案件的事实问题;下一级人民法院再审纠正事实认定方面的错误,便于进行证据的调查。这也与刑事诉讼法有关规定的精神有一致之处。例如,刑事诉讼法第二百四十三条第四款规定:"人民检察院抗诉的案件,接受抗诉的人民法院应当组成合议庭重新审理,对于原判决事实不清楚或者证据不足的,可以指令下级人民法院再审。"从实施情况看,2007年增加的这一规定,是符合实际需要的。此次修改民事诉讼法在2007年修改民事诉讼法的基础上，结合司法实践，增加规定“但经该下一级人民法院再审的除外”。也就是说，人民检察院对有本法第二百条第（一）项至第（五）项规定情形之一提出抗诉，接受抗诉的人民法院如果要交下一级人民法院审理，要看抗诉所针对的发生法律效力的判决、裁定、调解书是否是该下一级人民法院再审后作出的。如果发生法律效力的判决、裁定、调解书已经是该下一级人民法院再审之后作出的，就不能再交该下一级人民法院进行再审了。这样有利于保障当事人的合法权益，更好地发挥监督职能，有效纠正错误。

第二百一十二条　人民检察院决定对人民法院的判决、裁定、调解书提出抗诉的，应当制作抗诉书。

【释义】　本条是关于人民检察院抗诉的，应当制作抗诉书的规定。

此次修改民事诉讼法对本条作了修改。

按照我国民事诉讼法的规定，无论是第一审普通程序，还是第二审程序，原告或者上诉人都必须提交起诉状或者上诉状，只有第一审的简易程序，允许原告口头起诉。人民检察院的抗诉是法律赋予其行使监督权的体现，从抗诉形式上必须要严肃，也就是说，要采用抗诉书的方式提出抗诉，而不能以口头方式提出抗诉。本条规定，人民检察院决定对人民法院的判决、裁定、调解书提出抗诉的，应当制作抗诉书。

抗诉书是人民检察院制作的诉讼文书，主要内容包括：（1）提出抗诉的人民检察院的名称；（2）案件来源、作出发生法律效力判决、裁定、调解书的原审人民法院的名称、案件编号和案由；（3）基本案情、人民法院审理情况、抗诉要求和所根据的事实与理由;(4)证据和证据来源。抗诉书由检察长签发,加盖人民检察院印章。

本次修改之前,民事诉讼法对发生法律效力的调解书的抗诉,没有明确作出规定,在制作抗诉书的规定中也没有列明这种情况。此次修改民事诉讼法已经在第二百零八条中把“发现调解书损害国家利益、社会公共利益”的情况列为应当提出抗诉的情形之一,本条也相应增加了人民检察院决定对人民法院的调解书提出抗诉的,应当制作抗诉书。

第二百一十三条　人民检察院提出抗诉的案件,人民法院再审时,应当通知人民检察院派员出席法庭。

【释义】 本条是对人民法院对抗诉案件进行再审时应当通知人民检察院派员出席法庭的规定。

人民检察院对生效民事判决、裁定提出抗诉的,不仅要向法院提交抗诉书,还应当在案件审理时派员出席法庭。按照人民检察院组织法第十八条第二款的规定,人民检察院按照审判监督程序提出抗诉的案件,在案件审理时,人民检察院必须派人出席法庭。

检察院派员出席法庭,检察员在法庭上既不处于原告的地位,也不处于被告的地位,即不影响原审当事人的诉讼地位,而是在法庭上陈述抗诉的请求和所依据的事实理由,并监督人民法院的审判活动是否合法。

第十七章　督 促 程 序

督促程序，是指债权人要求债务人给付金钱、有价证券，人民法院根据债权人的请求发布支付令，催促债务人履行债务的程序。本章共四条，对申请支付令的条件，督促程序的审理，以及督促程序的终止等作了规定。

第二百一十四条　债权人请求债务人给付金钱、有价证券，符合下列条件的，可以向有管辖权的基层人民法院申请支付令：

（一）债权人与债务人没有其他债务纠纷的；

（二）支付令能够送达债务人的。

申请书应当写明请求给付金钱或者有价证券的数量和所根据的事实、证据。

【释义】　本条是关于申请支付令的条件和如何申请支付令的规定。

督促程序是专门针对社会生活中一些简单债务如欠款或者有价证券等纠纷所设定的程序，这类纠纷的案情往往十分清楚，当事人不否认欠债的存在和所欠债务的数额，因此，没有必要按照一般的诉讼程序办理。督促程序规定了简便的办理方式，不仅方便当事人快速解决纠纷，也节约司法资源。

申请支付令应当符合下列条件：

1. 债权人与债务人没有其他债务纠纷。这是指申请人对被申请人没有给付金钱等其他债务，如果申请人虽然对债务人有债权,但也有债务,就不能申请支付令。比如,甲和乙签订了购销钢材的合同,甲如约履行债务后,乙不按期给付价款,这时甲对乙没有对待给付义务,可以申请人民法院发布支付令。如果甲要求乙支付货款前还没有发货,其对乙还有对待给付义务,就不能申请支付命令。

2. 支付令能够送达债务人。能够送达,是指能够通过审判人员、法警直接送达,或者通过邮寄送达、委托送达方式送达受送达人手中。债务人不在我国境内,或者债务人下落不明需要公告送达的,不能申请支付令。

除满足上述法律规定的条件外,支付令还应当根据当事人的申请,并符合下列程序要求:

1. 应当提交申请书。支付令申请书应当写明请求给付金钱或者有价证券的数量和所根据的事实和证据。"事实",是指债权债务关系存在及债务人没有履行债务的事实。对于提出的事实要有相应的证据证明。

2. 向有管辖权的基层人民法院申请。哪个是有管辖权的人民法院,取决于法律关系的性质和民事诉讼法关于管辖的规定。比如,如果是因合同关系请求对方给付金钱,可以向合同履行地或者被告所在地人民法院申请;如果是借贷关系,可以向被告所在地人民法院申请;如果是追索航空事故损害赔偿费用,可以向航空器最先降落地或者被告所在地人民法院申请。总之,如有拖欠房屋租赁的租金、有线电视款、手机费、水电费或者贷款等情形都应当依照本法的规定向有管辖权的法院申请。

第二百一十五条　债权人提出申请后,人民法院应当在五日内通知债权人是否受理。

【释义】　本条是关于受理的规定。

债权人提出申请后，人民法院应当在收到申请后五日内，将是否受理的决定通知债权人。一般说来，只要符合本法第二百一十四条规定的申请支付令的条件，人民法院都应当受理。

第二百一十六条　人民法院受理申请后，经审查债权人提供的事实、证据，对债权债务关系明确、合法的，应当在受理之日起十五日内向债务人发出支付令；申请不成立的，裁定予以驳回。

债务人应当自收到支付令之日起十五日内清偿债务，或者向人民法院提出书面异议。

债务人在前款规定的期间不提出异议又不履行支付令的，债权人可以向人民法院申请执行。

【释义】 本条是关于支付令的审理、异议和执行的规定。

适用督促程序的目的，是要简化程序，尽快稳定经济社会关系。因此，人民法院受理支付令的申请后，仅审查债权人提供的事实和证据，无需询问债务人和开庭审理。人民法院经审查，认为债权债务关系明确、合法，应当在受理之日起十五日内直接向债务人发出支付令；申请不成立的，应当裁定驳回申请。申请不成立，包括债权债务关系不明确，如双方各自有什么样的债权债务、履行情况怎样在申请书上反映不清楚，或者没有证据证明对方负有义务；也包括债权债务不合法，如所谓债权债务系赌博形成。

人民法院发布支付命令前，仅审查了申请人提出的事实并没有接触被申请人，也没有让被申请人对申请人的请求答辩。为了平等地保护当事人双方的合法权益，本条规定，债务人自收到支付令之日起十五日内可以提出书面异议，比如，可以提出债权债务关系不存在，不能给付；也可以提出对方未按合同履约，因此不能给付;还可以提出申请人在另一法律关系中还欠自己的钱,等等。债务人收到人民法院发出的支付令后,如果认为债权债务关系存在,没有异议,就应当自收到支付令之日起十五日内向债权人清偿债务;如果债务人自收到支付令之日起十五日内既不履行支付令,又不提出异议的,申请人可以申请人民法院强制执行。如果被申请一方当事人提出异议,经法院审查,认为异议成立的,裁定终结督促程序,支付令自行失效,当事人可以就纠纷选择解决方式,或者起诉或者调解等。

第二百一十七条　人民法院收到债务人提出的书面异议后,经审查,异议成立的,应当裁定终结督促程序,支付令自行失效。

支付令失效的,转入诉讼程序,但申请支付令的一方当事人不同意提起诉讼的除外。

【释义】　本条是关于终结督促程序的规定。

本条在这次修改中作了两方面完善:一是完善了第一款的内容,原第一款规定:"人民法院收到债务人提出的书面异议后,应当裁定终结督促程序,支付令自行失效。"修改后增加了"经审查,异议成立的"。二是增加了第二款。

根据本章第一条的规定,督促程序是指人民法院对于债权人提出的以给付一定数量的金钱、有价证券为标的物的请求,仅根据债权人单方面的申请,不经开庭审理,直接向债务人发出支付命令的程序。督促程序不以当事人双方直接对抗为必要,但能够产生与诉讼程序类似的法律后果。同时,督促程序也是略式程序,无需传唤债务人开庭审理,就债权人的申请和证据进行单方形式审查。其对于及时解决债权债务,具有快捷、经济等优势。因此,督促程序被大陆法系国家和地区普遍采纳。

最高人民法院对督促程序适用的条件和程序等问题，在最高人民法院《关于适用〈中华人民共和国民事诉讼法〉若干问题的意见》第二百一十五条至第二百二十五条作出了具体规定，2001 年最高人民法院《关于适用督促程序若干问题的规定》以专门的司法解释对督促程序作出详细的规定。最高人民法院有关部门在民事诉讼法修改前对督促程序在实践中的适用情况进行了调研。调研涉及的法院包括东、中、西部地区，在一定程度上反映出督促程序在实践中的基本状况：

第一，适用督促程序案件的绝对数量不多，在人民法院受理民商事案件总量中的所占比例非常低。在调研的法院中，受理适用督促程序案件比例最高的，也只占全部民商事案件总量的5.82%，福建省法院五年来受理的适用督促程序案件仅占民商事案件的0.72%。

第二，各省、自治区、直辖市受理的适用督促程序案件的数量及所占受理民商事案件总量的比例差异较大。但就总体而言，大部分地区受理适用督促程序案件的数量呈现总体减少的趋势，所占民商事案件比例也逐年降低。

总体而言，督促程序在解决无争议债权的实现上，发挥了一定的积极作用，但当事人越来越少地选择适用督促程序、通过申请支付令来实现债权。立法所寄予督促程序的便捷、经济、高效的独特价值，在司法实践中已越来越难以充分体现。

有关部门提出，实践中督促程序适用越来越少的状况，主要由两大原因所致：一是，社会诚信缺失，导致债务人滥用异议权，督促程序的价值受到怀疑，当事人对适用督促程序产生抵触情绪。督促程序针对解决无争议的债权请求权而设立，其适用有赖于债务人的诚信。在市场经济和法治比较完善的国家，督促程序在实践中发挥着非常重要的作用。如德国在 2000 年申请督促决定的数量超过790万,只有约11%提出了异议,这与德国社会诚信度较高,督促程序确实能够发挥作用密切相关。我国虽然没有异议比例的统计数据,但从调研的情况看,基层人民法院的法官对于督促程序普遍反映,由于社会诚信缺乏,债务人即使对于真实无误、无可争议的债务也往往提出异议,很少有债权能够通过督促程序顺利实现。许多债务人故意提出不实异议,以此达到拖延的目的。二是,督促程序的设计不严密,缺乏与诉讼程序的衔接。根据民事诉讼法的规定,督促程序因债务人提出异议终结后,并不自动进入诉讼程序,债权人如果通过诉讼程序实现债权,须另行起诉。从实践中出现的问题来看,这种规定缺乏合理性。由于债权人在督促程序环节需要花费一定的时间和精力,但债权往往由于债务人滥用异议权而无法通过督促程序实现,与直接起诉相比,债权人不仅浪费了时间,又增加了讼累。因此,设置督促程序与诉讼程序相衔接,对于减轻当事人讼累,制约不诚信行为,是十分必要的。

有关部门提出,为了充分发挥督促程序的效能,同时又能够保护债务人的利益,建议对督促程序进行完善:一是建立督促程序与诉讼程序对接的机制。针对实践中债务人滥用异议权而导致督促程序虚化,以及债权人在债务人异议后需另行起诉而产生讼累的情形,建立督促程序与诉讼程序对接的机制,即在督促程序因债务人提出异议而终结后,自动转入诉讼程序。这种做法为德国、日本等大陆法系国家和地区的通例。如德国民事诉讼法第696条规定,被申请人在规定期间对督促决定提出异议后,如一方当事人申请进行诉讼程序,发出督促决定的法院应依职权将诉讼案件送交有管辖权的法院,申请人也可以在申请督促决定的同时就预先提出该申请。这种做法可以促使当事人更加重视督促程序,提高督促程序的适用率,充分合理地保护申请人的合法权益,防止被申请人滥用异议权拖延履行。此外,也有必要规定,如果人民法院在诉讼程序中经审理查明的事实与支付令确定的事实一致,而债务人故意提出不实异议拖延债务履行,或者在督促程序中提供虚假证据,构成妨害民事诉讼的,人民法院可以依法对其采取相应的强制措施,从而避免债务人滥用异议权。二是建立督促程序与执行程序对接的机制,以保护未及时提出异议的债务人的利益。根据民事诉讼法的规定,债务人对于债权债务关系提出书面异议的,人民法院应当裁定终结督促程序。对于逾期提出异议的,不影响支付令的效力,人民法院可以根据债权人的申请强制执行。但如果债务人对于债权债务关系的异议确有实体法上的理由,只是由于异议期限经过而未及时提出,此时如不提供相应的救济渠道,对债务人明显不公平。为此,应当设置督促程序与执行程序相衔接的机制。即债务人未在法定期间提出异议的,可以在支付令进入强制执行程序后,提出执行异议。根据民事诉讼法的规定,通过执行异议之诉解决。

为了激活督促程序,使其在解决纠纷中起到应有的作用,根据有关部门的意见,经反复研究,这次修改不仅在本法第一百三十三条中对案件受理时,分别情形予以处理的条文中规定,当事人没有争议,符合督促程序规定条件的,可以转入督促程序;同时对本条作了完善:

1. 人民法院对异议进行审查。债务人收到人民法院发出的支付令后提出异议的,说明当事人双方对债权债务关系存在争议,为此人民法院应当对债务人提出的书面异议进行审查。经审查,债务人对债务本身没有异议,只是提出缺乏清偿能力的,人民法院应当驳回债务人异议;异议成立的,裁定终结督促程序,发出的支付令自行失效。

最高人民法院《关于适用〈中华人民共和国民事诉讼法〉若干问题的意见》第二百二十二条规定,驳回支付令申请的裁定书和终结督促程序的裁定书,由审判员、书记员署名,加盖人民法院印章。第二百二十三条规定,债务人在收到支付令后,不在法定期间提出书面异议,而向其他人民法院起诉的,不影响支付令的效力。

2. 转入诉讼程序。修改前的民事诉讼法规定,如果申请人在督促程序终结后,仍要对被申请人主张债权,可以就该债权债务关系向人民法院提起诉讼,人民法院对该诉讼按照普通程序审理。修改后的本条第二款规定的是"转入诉讼程序"即申请支付令一方的当事人不需要另行起诉,而直接转入普通诉讼程序,这样就使督促程序较好地与诉讼程序对接,省去了当事人再去立案的麻烦。考虑到有的申请支付令的当事人不一定都会同意转入诉讼,是否诉讼的决定权在于当事人自己,选择督促程序是当事人自己决定的,法律规定如果申请支付令一方不同意转入诉讼的,则不转入诉讼。

第十八章 公示催告程序

公示催告程序，指人民法院根据申请，以公示方法催促不明之利害关系人于一定期间申报权利，如果不申报，不明之利害关系人丧失对公示催告事项的权利的程序。

随着经济和社会的发展，票据的使用频繁了，流转加快了，连续转让的情况也增加了。在票据使用过程中，出现了被盗、遗失和灭失的情况，对此，失票人尽管可以及时通知票据的付款人挂失止付，但由于票据具有可转让性，票据的付款人对挂失的票据也只能止付几天，超过了规定的期限，任何人都可以凭票据主张权利，票据的付款人也不能仅凭×××挂失就不向持票人支付，否则，可能侵犯善意取得该票据的人的权利。现实中，有的人为了防止丢失的票据被他人利用，常常通过电视、报纸公示“×××的票据遗失，声明作废”，这种做法不能约束任何人，声明者不能以自己已声明为根据，要票据的付款人承担声明后又支付的责任。由此可见，实践中需要一个法律程序，在票据被盗、遗失、灭失时，使宣告票据无效的行为具有法律效力，从而更好地保护公民、法人的合法权益，稳定社会经济秩序，为此民事诉讼法规定了“公示催告程序”一章。

本章共六条，对公示催告程序的适用范围，审理程序，公示催告期间申请人、利害关系人、支付人的权利义务等作了规定。

第二百一十八条　按照规定可以背书转让的票据持有人，因票据被盗、遗失或者灭失，可以向票据支付地的基层人民法院申请公示催告。依照法律规定可以申请公示催告的其他事项，适用本章规定。

申请人应当向人民法院递交申请书，写明票面金额、发票人、持票人、背书人等票据主要内容和申请的理由、事实。

【释义】　本条是关于公示催告程序的适用范围和如何申请公示催告的规定。

公示催告程序适用于以下情况：

(一)按照规定可以背书转让的票据被盗、遗失或者灭失

票据有广义、狭义之分，广义的票据指商业上的权利凭证，比如，提单、仓单、保险单；狭义的票据指以支付一定金额为目的，可以转让、流通的证券，如汇票、本票、支票。背书转让，指票据持有人在票据背面签名，将票据上的权利转让给他人。背书的形式很多，有限定性背书，即背书人在票据背面签字，写明"仅付给×××或付给×××不得转让"；有特别背书，又称记名背书，即背书人在票据背面签字，写明"付给×××的指定人"；有空白背书，又称不记名背书，即背书人在票据背面只有签名，不写付给某人；有附条件背书，指背书上带有条件。从目前我国的有关规定看，可以背书转让的票据主要是汇票、支票、本票三种，当这三种票据被盗、遗失、灭失时，可以申请公示催告。

(二)法律规定可以申请公示催告的其他事项

从国外一些国家的民事诉讼法和我国台湾地区"民事诉讼法"的规定看，可以申请公示催告的事项除票据外，还包括：(1)继承人为限定继承者，申请公示催告被继承人的债权人在一定期间内申报债权；(2)无人承认的继承，申请公示催告继承

人在一定期间内承认继承；(3)遗产管理人申请公示催告被继承人的债权人和受遗赠人在一定期间内申报债权和表明是否接受遗赠；(4)申请宣告失踪人死亡的公示催告；(5)对土地所有人、船舶所有人、抵押权人的公示催告，等等。目前，我国民事诉讼法和民事实体法还没有明确规定除票据外哪些事项可以适用公示催告程序。随着市场经济的发展和社会生活的日渐纷繁复杂，今后可能会有法律对适用公示催告程序的事项作出规定，为了今后发展的需要，我国民事诉讼法对公示催告的适用范围作了较为灵活的规定。

公示催告程序，在于宣告不明之利害关系人对公示催告事项的权利无效，在此程序中，没有特定的相对人，如果相对人是明确的，应当提起诉讼，不得适用公示催告程序。

公示催告程序依申请而开始。申请公示催告，应当向人民法院递交申请书，申请书应当写明申请公示催告的事项是什么、票据的种类（是支票、汇票，还是本票）、票面金额、发票人、持票人、背书人、被背书人等票据的主要内容，以及申请的理由和事实。所谓理由和事实，主要是为什么要申请公示催告，票据是被盗，还是遗失或者灭失，申请人对票据有什么样的权利，票据是否被背书转让。申请公示催告，应当向票据支付地的基层人民法院提出。

第二百一十九条　人民法院决定受理申请，应当同时通知支付人停止支付，并在三日内发出公告，催促利害关系人申报权利。公示催告的期间，由人民法院根据情况决定，但不得少于六十日。

【释义】　本条是关于人民法院受理申请后，通知停止支付和进行公示催告的规定。

人民法院收到请求公示催告的申请后,应当进行审查,认为申请事项可以适用公示催告程序的,应当受理。受理后,一方面,为防止公示催告期间票据被支取,使申请人的权利受损害,应当同时通知票据的支付人停止支付。另一方面,人民法院应当在受理之日起三日内发出公示催告,催促利害关系人申报权利。公示催告期间可以根据情况决定。比如票据的公示催告,可以根据票据流转的范围、转让的次数等具体情况决定公示催告的期间。一般说来,流转范围广,转让次数多的票据,公示催告的期间应当比流转范围窄、转让次数少的票据要长一些。比如,支票一般在同城转让,而汇票则更多地在全国范围转让,甚至在世界范围内转让,因此,后者的公示催告期间就应比前者长一些。公示催告的期间虽然可以由人民法院决定,但为了确保利害关系人的合法权益,公示催告的期间不得少于六十日。

公示催告的公告,可以张贴于人民法院的布告栏中,也可以在报纸中刊载,在广播、电视中播放,这样做的目的,一方面是为了使利害关系人能够知晓以便及早申报权利;另一方面,也是为了提醒所有收到票据的人注意该票据的权利处于不确定状态,不要接受该票据。

第二百二十条　支付人收到人民法院停止支付的通知,应当停止支付,至公示催告程序终结。

公示催告期间,转让票据权利的行为无效。

【释义】 本条是关于停止支付的规定。

支付人收到人民法院停止支付的通知后,应当停止向持有该票据的人支付票据所载款额,一直到公示催告程序终结。如果支付人接到通知后,支付了该票据,票据权利人的损失要由支付人赔偿。

公示催告期间，票据上的权利归属处于一种不确定状态，因此，在这期间，转让票据权利的行为无效，如果持有该票据的人想要用此票据抵偿债务，债权人有权拒收。

第二百二十一条　利害关系人应当在公示催告期间向人民法院申报。

人民法院收到利害关系人的申报后，应当裁定终结公示催告程序，并通知申请人和支付人。

申请人或者申报人可以向人民法院起诉。

【释义】 本条是关于申报票据权利的规定。

人民法院发出公示催告后，除申请人外的对票据主张权利的人，为维护自己对该票据的权利，防止人民法院判决宣告票据无效，应当在公示催告期间向人民法院申报，表明自己对该票据享有权利。一旦有人申报，一张票据就有了至少两个主张权利的人，二人就可能因票据权利的归属发生争议。由于公示催告程序并非确权程序，而是非讼程序，因此，只要在公示催告期间有人申报权利，人民法院就应当裁定终结公示催告程序，并通知申请人和申报人。申请人或者申报人可以就票据权利归属向人民法院提起确权之诉。

第二百二十二条　没有人申报的，人民法院应当根据申请人的申请，作出判决，宣告票据无效。判决应当公告，并通知支付人。自判决公告之日起，申请人有权向支付人请求支付。

【释义】 本条是关于公示催告的判决的规定。

公示催告期间，没有人申报权利的，表明票据上的权利为申请人所有，人民法院可以根据申请人的申请作出判决，宣告票据无效。为了使宣告票据无效的判决为人们所知，也为了使票据支付人确定自己的支付行为,宣告票据无效的判决应当公告,并通知票据支付人。宣告票据无效的判决具有两方面的法律后果:一是,除申请人外,其他人失去了对票据的权利,今后其他任何持票人要求支付,票据支付人有权拒付;二是,自公告之日起,申请人可以向票据支付人主张权利,也就是说,申请人可以要求票据支付人付给其失去的票据上所载的金额。比如,某甲丢失一张20万元人民币的汇票,经公示催告程序,人民法院作出宣告该票据无效的判决,这时,甲可以根据人民法院的判决,要求票据支付人付给自己20万元人民币。

第二百二十三条　利害关系人因正当理由不能在判决前向人民法院申报的,自知道或者应当知道判决公告之日起一年内,可以向作出判决的人民法院起诉。

【释义】 本条是关于因故未申报票据权利的利害关系人的权利保护的规定。

人民法院受理公示催告的申请发出公告后,利害关系人应当在公示催告期间申报,但有时因为某些特殊原因,利害关系人没能在法院判决前申报权利。比如,公示催告期间某人正患病或者在国外,不知道法院对票据的公示催告,法院判决作出后,才得知自己所持票据已被宣告无效,但又认为自己取得的票据权利是合法的、正当的。为了维护这部分人的合法权益,本条允许他们在公示催告的判决作出后,向作出票据无效判决的人民法院提起诉讼,请求撤销原判决。但为了促使票据权利人及时主张权利,以利于经济关系的稳定,申请撤销公示催告判决的诉讼应当在知道或者应当知道判决公告之日起一年内提出,超过了一年,人民法院不予保护。

第三编 执行程序

执行,是指法定的执行机关依照法定程序,运用国家强制力,采取法定措施,迫使义务人履行法律文书确定的义务的行为。由于执行是以采取强制措施为主要特征,因此执行又称为强制执行。

执行具有两个基本特征:一是执行的前提是义务人拒绝履行法律文书确定的义务。如果不存在法定义务,或者虽然有法定义务,但义务人已经自觉履行,就不发生执行的问题。二是执行必须是具有执行权的机构采取强制措施,迫使义务人履行义务。

执行和审判既有区别又有联系,其区别表现在:审判是查明案件事实,适用法律,确定当事人之间权利义务关系的行为;执行是实现生效法律文书,保证义务人履行义务和权利人实现权利的行为。人民法院对案件作出判决后不是必然引起执行,但执行是审判的保障,没有执行,人民法院的判决、裁定、调解书就是一纸空文,使审判活动失去意义。同时,没有审判,也就没有执行。审判和执行相辅相成,都是为了解决当事人的民事权益争议,使当事人的合法权益得以保障和实现。

人民法院的执行活动及其在执行活动中与有关单位和个人发生的关系受法律规范调整,调整这些活动和关系的规范的总和,即执行程序。民事诉讼法规定执行程序的意义是:

第一,保护当事人的合法权益。法律文书确定了当事人之间的权利义务关系,规定执行程序,一方面可以促使当事人自觉履行义务,另一方面在义务人不履行义务时,强制实现法律文书确定的义务,从而使当事人的合法权益得到有效的保护。

第二,促进经济的稳定和发展。现实生活中常常出现法律文书作出后,一方当事人不自觉履行法律文书确定的义务,造成另一方当事人生产、经营困难的情况,执行程序可以为债权人及时索回债权,使其生产、经营或者生活能够正常运转。

第三,制裁违法行为,教育民众自觉遵守法律,维护社会主义法制的尊严。依法由人民法院作出的判决书、裁定书和调解书以及仲裁机构的裁决,公证机构作出的具有执行力的债权文书,义务人必须履行。不履行生效法律文书确定的义务,是违法行为,执行可以强制义务人履行义务,使其服从法律的权威,认识到守法的必要性。

民事案件"执行难""执行乱"是近年来人民群众反映较为强烈的问题。为了保障执行工作的顺利进行,规范执行行为,保护当事人的合法权益,这次修改民事诉讼法在2007年修改民事诉讼法执行程序编的基础上,又作了以下几个方面的修改:一是强化执行措施,以适应当前的社会发展和执行工作形势;二是加强对执行活动的法律监督,促使执行工作依法进行;三是将不予执行仲裁裁决的审查标准与仲裁法规定的申请撤销仲裁裁决的审查标准相统一。

第十九章 一 般 规 定

本章共十二条,对执行程序的基本问题,执行应当遵循的基本原则以及执行中的共性规则等作了规定,主要包括以下几个方面的内容:执行根据、执行法院、执行救济、变更执行法院、案外人异议、执行机构、委托执行、执行和解、提供担保的暂缓执行、被执行人死亡或者终止的债务履行、执行回转以及对执行活动的检察监督等。

第二百二十四条 发生法律效力的民事判决、裁定,以及刑事判决、裁定中的财产部分,由第一审人民法院或者与第一审人民法院同级的被执行的财产所在地人民法院执行。

法律规定由人民法院执行的其他法律文书,由被执行人住所地或者被执行的财产所在地人民法院执行。

【释义】 本条是关于执行根据和执行管辖的规定。

一、执行根据

执行根据也称执行文书,是申请人据以申请执行和执行人员据以执行的凭证,即法律规定由人民法院执行的法律文书。

根据本条规定,作为执行根据的法律文书有以下几种:

1. 人民法院制作的发生法律效力的民事判决书、裁定书和调解书。民事判决是人民法院对当事人双方的实体权利所作的结论性判定。作为执行根据的民事判决书必须具有给付内容,比如,给付金钱,交付某种物品,或者要求从事某种行为。变更判决和确认判决一般不发生执行问题。民事裁定书是人民法院为解决案件的程序问题所作的判定。作为执行根据的裁定主要是保全裁定、先予执行裁定,承认和执行外国法院判决、裁定或者仲裁机构作出的裁定。民事调解书是当事人双方意思表示一致的产物,一般不发生执行问题,但在实践中,某些当事人达成调解协议后,又不履行调解协议确定的法律义务。由于调解是人民法院主持下达成的,是审结案件的一种方式,是人民法院行使审判权的内容之一,因此,调解书也可以作为执行根据。

2. 人民法院依督促程序发布的支付令。根据本法规定,债务人自收到人民法院依督促程序发布的支付令之日起十五日内不提出异议又不履行支付令的,支付令可以作为执行根据。

3. 发生法律效力而具有财产内容的刑事判决书、裁定书。比如,依据刑法判处罚金、没收财产或者赔偿被害人的经济损失,都可以作为执行根据。

4. 仲裁机构制作的生效的裁决书。本法第二百三十七条规定:"对依法设立的仲裁机构的裁决,一方当事人不履行的,对方当事人可以向有管辖权的人民法院申请执行。受申请的人民法院应当执行。"从这一规定可以看出,只要仲裁裁决是由依法设立的仲裁机构作出的,都可以作为执行的根据。所谓"依法设立的仲裁机构",指直辖市和省、自治区人民政府所在地的市,依照仲裁法设立的仲裁机构,以及设区的市根据需要依照仲裁法设立的仲裁机构。

5. 公证机构制作的依法赋予强制执行效力的债权文书。公证法第三十七条规定:"对经公证的以给付为内容并载明债务人愿意接受强制执行承诺的债权文书,债务人不履行或者履行不适当的,债权人可以依法向有管辖权的人民法院申请执行。"从这一规定可以看出,公证机构依法赋予强制执行的债权文书，也是人民法院执行根据之一。

以上五方面的执行根据中，第二、四、五项属于本条第二款规定的“法律规定由人民法院执行的其他法律文书”。仲裁、公证等机构作出的具有给付内容的法律文书由人民法院统一执行，是稳定社会经济秩序的需要。如果执行权分散行使，势必造成执行混乱，既不利于执行，也有可能损害当事人的合法权益。因此，法律赋予人民法院享有执行权，由其统一执行生效法律文书。

二、执行管辖

执行管辖，是指生效的法律文书由哪一个法院负责执行。

2007 年对民事诉讼法关于执行管辖的规定作出了修改。1991 年民事诉讼法规定，发生法律效力的民事判决、裁定，以及刑事判决、裁定中的财产部分，由第一审人民法院执行。这一规定总的看是适当的，但实践中存在一些问题：其一，有些案件的被执行人的财产不在第一审人民法院所在地，被执行人住所也不在第一审人民法院所在地，由第一审人民法院执行较为困难。其二，由于有些案件的被执行人或者被执行人的财产不在第一审人民法院辖区，执行法院要到异地执行，造成人力、财力的浪费；法院的异地执行，容易引发暴力抗拒执行事件。其三，为了减少异地执行，民事诉讼法规定了委托执行制度，但由于委托的案件被视为原一审法院的案件，受托法院往往不认真办理，致使委托执行案件积压严重。通常情况下，被执行财产所在地法院更方便采取执行措施，更有利于节约执行成本。从境外规定情况看，各地大都将被执行财产所在地作为执行法院。例如，日本民事执行法第 44 条第 1 款规定：“关于不动产，由管辖其所在地的地方法院，作为执行法院进行管辖。”韩国民事执行法第 79 条规定：“不动产的强制执行，由不动产所在地的地方法院管辖。不动产在几个地方法院的管辖区域时,各地方法院均有管辖权。在此种情况下,法院认为必要的,可以向其他法院移送该案件。”我国台湾地区“强制执行法”第7条规定:“强制执行由应执行之标的物所在地或应为执行行为地之法院管辖。应执行之标的物所在地或应为执行行为地不明者,由债务人之住、居所、公务所、事务所、营业所所在地之法院管辖。同一强制执行,数法院有管辖权者,债权人得向其中一法院申请。受理强制执行事件之法院,须在他法院管辖区内为执行行为时,应嘱托该他法院为之。”因此,2007年修改民事诉讼法时,有的意见认为,民事诉讼法应当在保留第一审法院管辖规定的同时,增加被执行财产所在地法院管辖的规定,使债权人可以灵活选择执行法院。十届全国人大常委会第二十八次会议关于《中华人民共和国民事诉讼法修正案(草案)》说明中说,“为了便于执行,提高执行效率,草案规定,发生法律效力的民事判决、裁定,可以由被执行的财产所在地人民法院执行”。草案在常委会审议及征求意见时,有的认为,“财产所在地的人民法院”是指哪一级人民法院,这一提法不准确,理解上容易产生误会。如果被执行人财产不在同一地方,申请执行人应该向哪个法院申请,是否可以向几个法院同时提出申请,还是申请执行人有自主选择的权利,没有明确。

为此,2007年对民事诉讼法关于执行管辖的规定作出修改:发生法律效力的民事判决、裁定,以及刑事判决、裁定中的财产部分,由第一审人民法院或者与第一审人民法院同级的被执行的财产所在地人民法院执行。法律规定由人民法院执行的其他法律文书,由被执行人住所地或者被执行的财产所在地人民法院执行。

依据这一规定,不论终审判决、裁定由哪一级法院作出,执行工作原则上由第一审人民法院或者与第一审人民法院同级的被执行的财产所在地人民法院执行。也就是说，基层人民法院终审的案件和中级人民法院审结的上诉案件，由基层人民法院执行；中级人民法院一审终审的案件和高级人民法院审结的上诉案件，由中级人民法院执行。民事诉讼法之所以规定判决、裁定由第一审人民法院或者与第一审人民法院同级的被执行的财产所在地人民法院执行，主要是因为第一审人民法院或者与第一审人民法院同级的被执行的财产所在地人民法院，一般是被执行人住所地或者被执行人的财产所在地，或者离被执行人住所地或者财产所在地不远，而且熟悉案件情况，便于开展执行工作。对于其他法律文书的执行，除我国涉外仲裁机构所作的仲裁裁决和国外仲裁裁决由中级人民法院执行外，一般均由被执行人住所地或者被执行人财产所在地的基层人民法院执行。

第二百二十五条　当事人、利害关系人认为执行行为违反法律规定的，可以向负责执行的人民法院提出书面异议。当事人、利害关系人提出书面异议的，人民法院应当自收到书面异议之日起十五日内审查，理由成立的，裁定撤销或者改正；理由不成立的，裁定驳回。当事人、利害关系人对裁定不服的，可以自裁定送达之日起十日内向上一级人民法院申请复议。

【释义】　本条是关于对违法的执行行为提出异议的规定。

“执行难”是人民群众反映较强烈的问题，也是全党全社会关注的热点问题。2007 年修改民事诉讼法时，立法部门就民事案件“执行难”的问题进行了深入的调研。从调查反映的情况看，产生“执行难”的原因是多方面的，并带有一定的普遍性。例如，被执行人无财产可供执行，被执行人有财产但难以执行，地方或者部门保护阻碍执行等，其中因法院或者执行人员自身原因导致不能执行则是产生执行难的原因之一。比如有的执行人员素质不高,执法水平低,执行方法简单,执行行为不规范,造成执行效率不高。有的执行人员消极不作为,甚至办关系案、人情案、油水案,给执行工作造成障碍,执行人员失职渎职、索贿受贿问题时有发生。对于执行员拖延执行、消极执行或违法实施执行等问题,境外大多数国家或者地区对此都有规定,建立了较为完善的执行救济制度。例如,德国民事诉讼法第766条规定:"对于强制执行的种类和方式,或对于执行员在执行时应遵守的程序提出申请、异议与抗议时,由执行法院裁判之。执行法院有权发出第732条第2款规定的命令。执行员拒绝接受执行委任,或拒绝依照委任实施执行行为时,或者对于执行员所计算的费用提出抗议,由执行法院裁判之。"我国台湾地区"强制执行法"第12条规定:"当事人或利害关系人,对于执行法院强制执行之命令,或对于执行法官、书记官、执达员实施强制执行之方法,强制执行时应遵守之程序,或其他侵害利益之情事,得于强制执行程序终结前,为声请或声明异议。但强制执行不因此而停止。前项声请及声明异议,由执行法院裁定之。不服前项裁定者,得为抗告。"第13条规定:"执行法院对于前条之声请,声明异议或抗告认为有理由时,应将原处分或程序撤销或更正之。执行法院于前项撤销或更正之裁定确定前,因必要情形或依声请定相当并确实之担保,得以裁定停止该撤销或更正裁定之执行。当事人对前项裁定,不得抗告。"

赋予当事人或者利害关系人在执行程序中对其正当权利保护的救济途径是保证执行公正、公平的重要内容。但是,1991年民事诉讼法没有规定当事人和利害关系人对违法执行行为的救济途径,也未规定有关部门相应的处理程序。实践中当事人、利害关系人只能通过申诉、信访等渠道向法院反映问题,法院对这些问题的处理也缺乏明确的可以遵循的依据,从而导致对该类问题的处理往往比较随意,当事人、利害关系人的合法权益难以得到充分保障。为了充分保护当事人、利害关系人的合法权益,规范人民法院的执行行为,保障发生法律效力的判决、裁定及其他法律文书的依法执行,民事诉讼法应当明确赋予当事人、利害关系人对违法执行行为提出异议的权利,建立执行救济制度。对此,2007 年修改民事诉讼法增加了本条关于当事人、利害关系人对违法的执行行为提出异议的规定。

依据本条的规定,当事人、利害关系人认为执行行为违反法律规定的,可以向人民法院提出书面异议。对于当事人、利害关系人提出的书面异议,人民法院应当自收到书面异议之日起十五日内审查。如果当事人、利害关系人提出的异议理由成立的,人民法院应当以裁定的方式撤销或者改正违法的执行行为。如果当事人、利害关系人提出的异议理由不成立的,人民法院应当以裁定的方式驳回当事人的申请。当事人、利害关系人对人民法院的裁定不服的,可以自裁定送达之日起十日内向上一级人民法院申请复议。

第二百二十六条　人民法院自收到申请执行书之日起超过六个月未执行的,申请执行人可以向上一级人民法院申请执行。上一级人民法院经审查,可以责令原人民法院在一定期限内执行,也可以决定由本院执行或者指令其他人民法院执行。

【释义】 本条是关于变更执行法院的规定。

有的执行案件,被执行人有可供执行的财产,但人民法院却因地方保护主义等客观因素的制约,无正当理由拖延执行或者消极执行。例如,一些地方领导法制观念淡薄,为追求政绩和经济发展指标,以影响地方经济发展、影响社会稳定为由,通过搞行政性无偿划拨企业资产或者破产逃债、对企业挂牌保护等手段干扰执行工作,甚至要求人民法院执行需提前报党政领导干部审批同意,或者直接发文件、批条子要求人民法院对某些企业不得强制执行。一些协助执行人担心影响其与被执行人的业务关系或者情感关系,经常找各种借口进行推脱、阻挠,导致无法执行。比如,到金融机构办理查询、冻结、划拨等手续时,金融机构以需领导签字、领导出差或者计算机故障等理由搪塞、拖延甚至给被执行人通风报信,帮助其转移财产;要求相关单位协助提取被执行人工资、退休金、劳务收入时,这些单位往往以各种理由拒绝,或者表面答应,暗地里仍然我行我素;一些机关或者企事业单位以其内部规定来应对人民法院的协助执行要求。针对有的执行案件受到地方保护主义干扰,部门利益的影响,长期得不到执行等情况,近年来,许多人民法院尝试将这种案件,变更由上级法院提级执行或者指定给其他法院执行。实践证明,这种做法能够有效克服地方保护主义的干扰,被公认为是我国目前状况下解决执行难的有力武器。但是,由于民事诉讼法对提级执行或者指定执行没有规定,实践中提级执行或指定执行主要是依靠上级法院的监督而实施。上级法院因各种主客观因素的制约,对很多案件难以及时提级或指定执行,加之提级和指定执行缺乏法定条件和程序,实践中也存在随意性大、程序不规范等问题,因此,有必要赋予申请执行人向上级人民法院申请由其他人民法院执行的权利,并对提级执行和指令执行作出规范,故2007 年修改民事诉讼法在本条增加了这一内容。

本条规定明确了以下几方面内容:一是明确赋予申请执行人变更执行法院的权利。二是明确规定了申请提级和指令执行的条件,即自执行程序开始后,人民法院收到申请执行书之日起六个月未执行的。三是明确了申请人向哪一级人民法院申请变更执行法院，即本条规定的“申请执行人可以向上一级人民法院申请执行”。四是明确规定了上级人民法院对当事人的申请应当进行审查，并作出相应的处理，可以责令原人民法院在一定期限内执行，也可以决定由本院执行或者指令其他人民法院执行。需要注意的是，本条规定的“人民法院自收到申请执行书之日起超过六个月未执行的”，主要指的是被执行人有可供执行的财产，人民法院拖延执行、怠于执行的情形。如果经人民法院查证被执行人根本就没有可供执行的财产，在这种情形下申请变更执行法院的意义就不大。

第二百二十七条　执行过程中，案外人对执行标的提出书面异议的，人民法院应当自收到书面异议之日起十五日内审查，理由成立的，裁定中止对该标的的执行；理由不成立的，裁定驳回。案外人、当事人对裁定不服，认为原判决、裁定错误的，按照审判监督程序办理；与原判决、裁定无关的，可以自裁定送达之日起十五日内向人民法院提起诉讼。

【释义】　本条是关于案外人异议的规定。

执行异议是指在执行过程中，案外人对执行标的提出不同意见。执行过程中，指执行程序开始后终结前。案外人，指本案当事人之外的人。对执行标的提出不同意见，指对人民法院强制执行的标的主张权利。比如，人民法院去查封被执行人某甲的机器设备，案外人某乙提出机器设备并非某甲的财产，而是自己寄放在甲处所的，不应予以查封。

案外人对执行标的提出异议，往往涉及实体权利义务争议。境外比较常见的做法是设立案外人异议之诉，通过审判程序进行处理。例如，德国民事诉讼法第771条规定：“第三人主张在强制执行的标的物上有阻止让与的权利时，可以向实施强制执行的地区的法院提起异议之诉。异议之诉对债权人和债务人提起时,应以该双方为共同被告。”日本民事执行法第38条规定:“对强制执行的标的物有所有权及其他妨碍标的物转让或移交的权利的第三人,为了阻止强制执行,可以提起第三人异议之诉。”韩国民事执行法第48条规定:“(1)第三人对于强制执行的标的物主张所有权或者主张具有阻止标的物让渡或引渡的权利时,可将债权人作为对象,提出强制执行异议之诉。但是,如果债务人争执该异议,把债务人作为共同被告。(2)异议之诉,由执行法院管辖。但是,诉讼标的不属于独任法官管辖时,由执行法院所在地的地方法院的合议庭管辖。”我国台湾地区“强制执行法”第15条规定:“第三人就执行标的物有足以排除强制执行之权利者,得于强制执行程序终结前,向执行法院对债权人提起异议之诉。如债务人亦否认其权利时,并得以债务人为被告。”第16条规定:“债务或第三人就强制执行事件得提起异议之诉时,执行法院得指示其另行起诉,或谕知债权人,经其同意后,即由执行法院撤销强制执行。”

实践中发生的案外人异议的情况较复杂,主要有三种情形:一是对生效判决、裁定指向的标的的权属有异议;二是对判决、裁定并未涉及但执行过程中被作为执行标的予以执行有异议;三是认为执行行为影响了自己对执行标的物的使用权而提出异议。1991年民事诉讼法第二百零八条规定:“执行过程中,案外人对执行标的提出异议的,执行员应当按照法定程序进行审查。理由不成立的,予以驳回;理由成立的,由院长批准中止执行。如果发现判决、裁定确有错误,按照审判监督程序处理。”这一规定,一是没有涵盖案外人异议的全部情况,使得一些不涉及原判决、裁定的案外人异议,难以通过审判监督程序解决;二是案外人异议往往涉及实体权利义务争议,规定由执行员对异议进行审查，使执行机构权力过大，不符合“审执分立”的原则，也不利于充分保护当事人的合法权益。案外人异议是执行程序中经常遇到的问题，既涉及对案外人、执行当事人合法权益的保护，也涉及执行工作效率。因此有必要通过修改民事诉讼法，区分案外人异议的不同情况，作出不同规定，明确赋予案外人通过诉讼寻求救济的途径。

考虑到审判程序比较复杂，如果对所有的案外人在执行中提出的异议不经审查便直接进入审判程序，不仅影响执行效率，还可能给一部分债务人拖延履行留下空间，不利于债权的及时实现。实际上，一部分案外人异议仅通过执行机构的初步审查即可能得到解决。而有些案外人异议的案件并不涉及原判决，难以通过审判监督程序解决。对此 2007 年修改民事诉讼法对案外人异议的规定是：第一，对于案外人提出的异议，先由人民法院在法定的时间内进行初步审查并作出相应的处理。即本条规定的“执行过程中，案外人对执行标的提出书面异议的，人民法院应当在收到书面异议之日起十五日内审查，理由成立的，裁定中止对该标的执行；理由不成立的，裁定驳回”。第二，对人民法院初步审查的裁定不服的，赋予案外人、当事人不同的救济途径。如果认为原判决、裁定有错误，按照审判监督程序的规定办理。如果提出的异议与原判决、裁定无关，可以在法定期间内向人民法院提起诉讼，最终通过诉讼解决争议，即本条规定的“案外人、当事人对裁定不服，认为原判决、裁定错误的，按照审判监督程序办理；与原判决、裁定无关的，可以自裁定送达之日起十五日内向人民法院提起诉讼”。

第二百二十八条　执行工作由执行员进行。

采取强制执行措施时，执行员应当出示证件。执行完毕后，

应当将执行情况制作笔录,由在场的有关人员签名或者盖章。

人民法院根据需要可以设立执行机构。

【释义】 本条是关于执行机构、执行程序的规定。

执行机构,是指行使执行权,负责执行工作的机构,是完成执行工作的重要保障。

执行工作是由独立的执行机构完成,还是由审判组织完成,在我国理论上一直存有争议。20世纪50年代,地方各级人民法院一般都有执行机构,和民事、刑事审判庭的地位平行,但以后执行庭撤销,执行工作由民事审判庭负责,即"审执合一"。这种做法有一定的好处,例如,审判人员熟悉案情,了解当事人的财产状况、履行能力等情况,由审判直接转入执行可以简化程序,节省人力,但是由于审判人员兼顾审判和执行,往往顾此失彼,影响执行质量。同时由于审判、执行集于一人,不利于及时发现和纠正审判错误。对此1979年通过的人民法院组织法以及1983年、2006年先后修改的人民法院组织法都明确规定"地方各级人民法院设执行员,办理民事案件判决和裁定的执行事项,办理刑事案件判决和裁定中关于财产部分的执行事项"。民事诉讼法也明确规定"执行工作由执行员进行"。从1979年开始,我国人民法院的执行工作,基本都由执行员负责。多年的司法实践证明,执行工作由专门的执行人员负责,能够较好地完成执行任务,保证已生效的法律文书的履行,而且执行员在执行前审查作为执行根据的法律文书,能够及时避免判决、裁定等法律文书的失误,保护公民、法人和其他组织的合法权益。

2007年修改民事诉讼法时对本条作了修改。随着市场经济的发展,执行工作的任务越来越重,"执行难"的问题越来越突出,解决当事人"执行难",需要完善执行机构,加强执行工作。1991年民事诉讼法规定"基层人民法院、中级人民法院根据需要,可以设立执行机构”。这一规定不能满足日益增多的执行案件的需要:一是,高级人民法院、最高人民法院作为一审的民事案件,根据民事诉讼法规定应当由其执行,如果不建立执行机构就失去了执行工作的组织保障;二是,下级人民法院的执行工作也需要上级人民法院建立相应的机构予以指导、协调和监督。基层人民法院和中级人民法院设立了执行庭,但最高人民法院和高级人民法院设立执行机构缺乏法律上的依据。执行机构改革是司法体制和工作机制改革的一项重要内容,中共中央转发《中央司法体制改革领导小组关于司法体制和工作机制改革的初步意见》的通知明确指出:“为切实解决人民法院判决的民事、行政案件执行难问题,各级人民法院设立执行机构,专司民事、行政案件的执行实施工作。”近年来,高级人民法院已经普遍设立执行机构。因此,2007 年修改民事诉讼法时从实际工作考虑,将原来本条第三款规定的“基层人民法院、中级人民法院根据需要,可以设立执行机构。执行机构的职责由最高人民法院规定”修改为“人民法院根据需要可以设立执行机构”。

执行人员采取执行措施时,应当出示证明其身份的证件,比如,工作证、人民法院的证明信等。执行完毕后,应当将执行情况制作笔录,比如,执行的标的物的种类、数量、质量,执行中谁在场,执行标的物有无毁损,等等。执行笔录应当由在场的被执行人、单位的法定代表人或者被执行人住所地基层组织的代表等有关人员签名、盖章。

第二百二十九条　被执行人或者被执行的财产在外地的,可以委托当地人民法院代为执行。受委托人民法院收到委托函件后,必须在十五日内开始执行,不得拒绝。执行完毕后,应当

将执行结果及时函复委托人民法院;在三十日内如果还未执行完毕,也应当将执行情况函告委托人民法院。

受委托人民法院自收到委托函件之日起十五日内不执行的,委托人民法院可以请求受委托人民法院的上级人民法院指令受委托人民法院执行。

【释义】 本条是关于委托执行的规定。

我国的人民法院是按行政区划设置的,执行工作一般是在本辖区内进行。但有时,被执行人、被执行的财产在外地,负责执行的法院不便执行,为了节省人力、物力和时间,更好地完成执行任务,当被执行人、被执行的财产在外地时,可以委托当地人民法院代为执行。委托当地人民法院代为执行应当发出委托执行的函件,说明执行事项的具体内容,并附执行根据。近些年来,某些地方的人民法院为了保护本地方的经济利益,对外地人民法院的委托采取不协助、不理睬的态度,造成委托执行难。为此,民事诉讼法在本条中不仅对受委托后的执行期间作了规定,而且规定不得拒绝委托,还规定不论是否执行,都要函复委托的人民法院。对于在法定期间内不执行的,委托的人民法院还可以通过受委托法院的上级法院指令执行的办法使判决得以执行。

第二百三十条　在执行中,双方当事人自行和解达成协议的,执行员应当将协议内容记入笔录,由双方当事人签名或者盖章。

申请执行人因受欺诈、胁迫与被执行人达成和解协议,或者当事人不履行和解协议的,人民法院可以根据当事人的申请,恢复对原生效法律文书的执行。

【释义】 本条是关于执行和解的规定。

这次修改民事诉讼法对本条作了修改。

执行和解是指在执行过程中，双方当事人自行协商，达成协议，执行员将协议内容记入笔录，由双方当事人签名或者盖章后，义务人按照协议的内容履行义务，从而结束执行程序的活动。比如，法院判决甲偿还乙借款五万元人民币，执行过程中，双方达成甲偿还乙四万元人民币的和解协议，甲按照协议履行后，执行程序也就结束。

在执行程序中，允许当事人双方自行和解，是处分原则的具体体现。民事权利自身的性质决定了当事人可以在法律规定的范围内自由处分自己的民事权利。民事诉讼法的一个重要原则就是当事人有权在法律规定的范围内处分自己的民事权利和诉讼权利。权利人的权利虽为生效法律文书所确认，但他仍有权处分这种权利。例如，法院作出判决书判定甲偿还乙借款及利息共计二十五万元，该判决书生效之后，乙可以申请强制执行，也可以不申请强制执行；申请强制执行后，自愿与甲达成偿还十五万元的和解协议，甚至自愿免除甲该二十五万元债务，都属于乙对自身权利的处分，只要不违反法律规定或者损害他人利益，法院没有必要予以干涉。

执行和解制度有其设立的必要性。生效法律文书作出后，基于被执行人的履行能力和具体案件中的其他诸多因素，申请执行人仍有可能与被执行人就生效法律文书确定的内容达成和解协议。例如，生效法律文书判决乙给付甲人身损害赔偿款五万元，但乙现在无财产可供执行，法院无法采取强制执行措施，甲的五万元赔偿款也难以得到落实。此时乙提出，自己先向亲戚朋友筹借二万元，余下的三万元一年内还清。甲综合权衡乙的偿还能力等多方面因素，可能会同意乙的提议，并就此达成和解协议。实践中，申请执行人和被执行人就生效判决确定的标的物及其数额、履行期限和履行方式等内容都有可能达成和解协议,履行完毕后,法院即作执行结案处理。

执行和解制度有其设立的积极意义。一是,和解协议有利于当事人的自觉履行。和解协议是双方当事人意思表示一致的结果,在达成协议的过程中,双方当事人通过充分地进行沟通,能够进一步了解彼此的实际情况,体谅彼此的困难,互相理解,有助于当事人自愿履行义务,权利人的权利及时得以实现。二是,有些当事人之间是长期的合作伙伴关系或者亲戚朋友、街坊邻居关系,权利人为了保持或者维系相互之间的关系,往往倾向于采取较为舒缓的手段解决执行问题,通过签订和解协议,由义务人自觉履行,有利于减小对抗情绪,化解矛盾。三是,在执行过程中,当事人之间达成和解协议,义务人自觉履行后,法院即无需采取强制执行措施,有助于节约有限的司法资源。

执行和解不同于审判阶段的调解。审判中的调解是法官行使职权的行为,是一种审判活动。在法官的主持下,当事人就他们之间的权利义务作出安排,法院作出的调解书具有终局确定当事人权利义务的效力,当事人不得上诉。而执行和解是当事人之间就生效法律文书确定的标的物及其数额、履行期限和履行方式等作出新的安排,是当事人的自行协商行为,执行员并不实际参与主持当事人之间的和解活动。另外,在执行程序中,人民法院不得主动依职权进行调解以变更执行根据所确定的权利义务关系。如果允许在执行程序中继续进行调解,将会损害生效法律书的确定性和权威性,不利于司法实践。

在这次民事诉讼法修改过程中,根据司法实务部门反映,实践中有的申请执行人是因受欺诈、胁迫而与被执行人达成和解协议。例如，被执行人故意隐匿资产，制造出欠缺还债能力的假象，或者虚构执行标的物之价值等，骗取申请执行人与其签订和解协议。如果依据本条原有规定，“一方当事人不履行和解协议的，人民法院可以根据对方当事人的申请，恢复对原生效法律文书的执行”，申请执行人受欺诈、胁迫达成和解协议后，如果要恢复对原生效法律文书的执行，自己不能向法院提出申请，要由对方当事人即被执行人提出申请，不利于对申请执行人的权益予以救济。

执行和解是由各方当事人经过自愿协商而作出的共同意思表示，是当事人意思自治的产物。意思表示，是指表意人将意欲实现的法律效果向他人发表的行为。意思自治的前提是当事人双方平等自愿地将各自内心的真实意思充分表达于外部。和解过程中的欺诈、胁迫行为，使申请执行人违背了内心的真实意思，而与被执行人签订了和解协议，极大地侵蚀了申请执行人的权利，也在一定程度上损害了司法权威。

本次民事诉讼法修改，增加规定申请执行人因受欺诈、胁迫与被执行人达成和解协议的，也可以申请法院恢复对原生效法律文书的执行，并将“一方当事人”“对方当事人”均修改为“当事人”。执行和解协议是当事人双方的共同意思表示，对当事人双方具有拘束力。修改后的规定主要包含两层意思：

（1）申请执行人因受欺诈、胁迫与被执行人达成和解协议的，可以向法院提出申请，恢复对原生效法律文书的执行。例如，判决书判定甲给付乙货款20万元，执行过程中，甲以所掌握的关于乙的隐私相胁迫，乙不得已而与甲签订了和解协议，同意甲给付10万元货款即可。在此种情况下，乙可以向法院主张和解协议是因受胁迫所达成，而申请恢复执行原判决书，即仍要求甲给付20万元货款。

（2）当事人包括债权人和债务人，均应按照约定的内容履行和解协议。如果任何一方当事人不履行和解协议，法院均可以根据当事人的申请恢复对原生效法律文书的执行。比如，义务人不履行和解协议的，债权人可以申请法院恢复对原生效法律文书的执行。但如果义务人按照和解协议的内容全面履行了义务，法院即可作执行结案处理，债权人就不得申请法院恢复执行原生效法律文书。

第二百三十一条　在执行中，被执行人向人民法院提供担保，并经申请执行人同意的，人民法院可以决定暂缓执行及暂缓执行的期限。被执行人逾期仍不履行的，人民法院有权执行被执行人的担保财产或者担保人的财产。

【释义】　本条是关于执行担保的规定。

执行担保，是指执行开始后，被执行人向人民法院提供某种履行义务的保证，经申请执行人同意后，暂缓执行程序的进行。

执行担保既可以是保证人以其信誉担保，也可以是担保人或者被执行人以实物担保。例如，执行开始后，被执行人提出由某公司作为自己履行义务的保证人。又如，执行开始后，被执行人以自己的房屋作抵押，保证在一定期间履行义务。

被执行人提供担保后，能否暂缓执行，取决于申请执行人是否同意。有时申请执行人因保证人信誉不好，或者提供的财物为滞销产品，或者自己急需资金等原因，可能不接受执行担保，此时，执行工作就不应当停止。

被执行人向人民法院提供担保，并经申请执行人同意的，人民法院可以决定暂缓执行和暂缓执行的期限。但是，如果超过了暂缓执行的期限，被执行人仍不履行义务，人民法院不必经过权利人申请，而直接依职权执行被执行人的担保财产或者担保人的财产。

执行担保，使债务人履行义务的期限有所延缓，使其能够有机会整顿生产、经营，筹措资金，防止破产倒闭，对于保护债务人的合法权益，稳定经济发展有积极意义。

第二百三十二条　作为被执行人的公民死亡的，以其遗产偿还债务。作为被执行人的法人或者其他组织终止的，由其权利义务承受人履行义务。

【释义】　本条是关于被执行人死亡或者终止执行的规定。

在执行程序中，有时出现作为被执行人的公民死亡，作为被执行人的法人或者其他组织终止的情况，为了使权利人的合法权益不因这些情况的出现而得不到保护，本条规定"作为被执行人的公民死亡的，以其遗产偿还债务。作为被执行人的法人或者其他组织中止的，由其权利义务承受人履行义务"。也就是说，作为被执行人的公民死亡后，不论其遗产是否有人继承，也不论继承人是否承认被执行人生前的债务，人民法院均可以从其遗产中划出被执行人应当履行义务的债款。此种执行，仅限于遗产。如果被执行人的遗产不足以偿还全部债务，执行程序即告终结，所余债务也不再由继承人偿还。作为被执行人的法人被解散、被依法撤销、被依法宣告破产，或者因其他原因终止后，只要有承受其权利义务的法人或者其他组织的，该法人或者其他组织就应当偿还终止的法人和其他组织的全部债务；不偿还的，人民法院可以强制执行。

第二百三十三条　执行完毕后，据以执行的判决、裁定和其他法律文书确有错误，被人民法院撤销的，对已被执行的财产，人民法院应当作出裁定，责令取得财产的人返还；拒不返还的，

强制执行。

【释义】 本条是关于执行回转的规定。

执行回转,是指执行完毕后,由于出现某种特殊原因,将已经执行了的标的,一部或者全部回复至原有状态。

发生执行回转的原因主要有以下几种:

1. 人民法院作出的先予执行的裁定,在执行完毕后,被生效的判决否定。先予执行是一种临时性的应急决定,并非法院的最终决定,因此,如果判决否定了先予执行赋予一方当事人的权利,获得权利的当事人就应将其所得返还给对方。比如,人民法院受理案件后,根据原告甲的申请,裁定其养子乙先行给付其一笔赡养费,但案件经过审理,判决确认甲乙二人并不存在养父子关系,为此,甲就应当把所取得的赡养费退还给乙。

2. 人民法院制作的判决书、裁定书、调解书已执行完毕,依民事诉讼法的有关规定被本院或者上级法院依法撤销。比如,原判决确认甲乙争执的房屋归甲所有,后来人民法院根据乙提供的新证据对案件再审,将房屋改判为乙所有,为此,甲就应当把房屋退还给乙。

3. 其他机关制作的法律文书,依法由人民法院执行完毕,但又被制作机关撤销的。例如,仲裁机构撤销其制作的仲裁裁决,公证机构撤销其制作的具有强制执行力的债权文书。

实行执行回转,应当符合以下条件:

1. 必须是人民法院按照执行程序将生效法律文书执行完毕,如果法律文书尚未执行,不发生执行回转。

2. 必须是据以执行的法律文书被依法撤销了。法律文书未经法定程序撤销,即使认为执行错误,也不能实行执行回转。

符合执行回转条件的,人民法院应当作出裁定,责令取得财产的人返还财产,拒不返还的,强制执行。

第二百三十四条　人民法院制作的调解书的执行，适用本编的规定。

【释义】　本条是关于调解书执行的规定。

调解书是人民法院主持达成调解协议后制作的法律文书，具有与判决书同等的法律效力，因此，一方当事人不履行调解书确定的法律义务时，人民法院可以依照执行编的有关规定执行。

第二百三十五条　人民检察院有权对民事执行活动实行法律监督。

【释义】　本条是关于民事执行活动进行法律监督的规定。

对民事诉讼进行法律监督是国家法律赋予检察机关的重要职能。我国宪法第一百二十九条规定："中华人民共和国人民检察院是国家的法律监督机关。"以根本大法的形式确立了检察机关的法律监督者地位。现行民事诉讼法对检察机关法律监督的范围不够明确，特别是对于检察机关能否对人民法院的民事执行活动进行监督这一问题不明确。1991年民事诉讼法第十四条规定，人民检察院有权对民事审判活动实行法律监督。对于该规定中的"民事审判活动"是否包括"民事执行活动"存在不同意见。一种意见认为，检察监督的对象是法院的审判活动，执行不属于审判活动，法院行使执行权不是行使审判权，检察机关不应对执行活动进行监督。另一种意见认为，目前"执行乱""执行难""执行不公"是司法领域比较突出的现象，严重损害了法律权威，侵害了当事人及案外人的合法权益。产生这些现象的一个重要原因是对民事执行活动缺乏有效监督。因此，对民事执行活动进行监督是必要的，监督的范围应当着眼于执行人员的不作为以及违法犯罪行为。还有一种意见认为，对民事执行活动应当监督，但监督什么，以什么方式监督还需进一步研究。

中央司法体制改革文件明确提出,要明确对民事执行工作实施法律监督的范围和程序。最高人民法院、最高人民检察院为此共同发布了《关于在部分地方开展民事执行活动法律监督试点工作的通知》。因此,对民事执行的监督已经被提到了现实的层面,现在不是要不要对民事执行进行监督的问题,而是如何按照民事执行程序的特点和规律,具体将民事执行监督落到实处的问题。加强检察机关对民事执行的法律监督,有利于及时发现和纠正民事执行中的违法行为,防止、减少民事执行中的职务犯罪,促进"执行难""执行乱"问题的解决。本条明确规定,人民检察院有权对执行活动实施法律监督。同时将本法第十四条修改为,人民检察院有权对民事诉讼实行法律监督。这为人民检察院对执行活动实行法律监督提供了明确的法律依据。

本条仅就检察机关对民事执行活动实行法律监督作了原则性规定,并未对监督的范围、程序、形式、效力等问题作出具体规定。这主要是考虑到这些问题涉及检察机关可以对哪些执行活动进行监督。有的执行活动是法院以执行裁定的方式作出的,有的是在执行实施中作出的,有的涉及执行人员的违法违纪行为,有的是执行人员能力不足所致,有的还涉及地方保护主义和行政干预等,情况比较复杂,性质也不完全相同。监督程序涉及检察机关可以采取哪些手段进行监督,是事中监督还是事后监督,由哪一级检察机关提出监督。监督方式是采用检察建议还是采用其他方式。监督效力涉及监督意见应当产生何种法律后果,法院如何对待检察机关提出的监督意见,监督错误的是否承担法律责任等。对这些较为具体的问题,各方意见还不完全一致,还需要进一步实践和探索。目前最高人民法院、最高人民检察院就如何进行执行活动的检察监督联合发布了《关于在部分地方开展民事执行活动法律监督试点工作的通知》,在法律没有对这些问题作出明确规定前,可以按照“两高”发布的通知进行实践。

第二十章 执行的申请和移送

本章共五条,对执行的申请和移送,仲裁裁决、公证债权文书的执行、执行期间、执行通知以及强制执行措施采取的时间等作了规定。

第二百三十六条 发生法律效力的民事判决、裁定,当事人必须履行。一方拒绝履行的,对方当事人可以向人民法院申请执行,也可以由审判员移送执行员执行。

调解书和其他应当由人民法院执行的法律文书,当事人必须履行。一方拒绝履行的,对方当事人可以向人民法院申请执行。

【释义】 本条是关于申请执行和移送执行的规定。

申请执行和移送执行是引起执行开始的两种途径。

(一)申请执行

申请执行,是指根据生效法律文书,享有权利的一方当事人在对方拒绝履行义务的情况下,向人民法院提出申请,请求人民法院强制执行。

申请执行应当具备以下几个条件:

(1)必须是义务人在法律文书确定的履行期间届满仍没有履行义务。比如,判决要求某甲在2007年4月30日前付清其欠乙的5000元人民币,如果截止到4月30日24点,某甲仍没有全部付清,某乙就可以申请人民法院强制执行。

(2)必须在本法规定的申请执行期间提出申请,超过法定期间提出申请的,人民法院不予执行。

(3)申请执行一般应采用书面形式,递交申请执行书,书写确有困难的,也可以口头申请,由执行员记入笔录。申请执行书应当说明申请执行的事项和理由,提出证据,并应当尽量提供被申请人的经济状况及可供执行的财产情况。

(4)申请执行必须提交执行根据。

根据本条规定,当事人可以申请执行的情形有两种:一是发生法律效力的民事判决、裁定,负有义务的一方拒绝履行的;二是调解书和其他应当由人民法院执行的法律文书确定的负有义务的当事人拒绝履行的。

(二)移交执行

移交执行,是指人民法院审判人员审结案件后,将生效的判决书、裁定书移交给执行员执行。审判实践中,执行程序一般由当事人提出申请开始,但在某些特殊情况下,如追索国家财产案件的判决,追索赡养费、抚育费、扶养费案件的判决,人民法院往往不经当事人申请而直接移交执行。移交执行是人民法院的职权行为,哪些案件需要移交执行,法律没有明文规定,审判人员可以根据案件的具体情况决定是否移交执行。凡审判人员没有移交执行的案件,就意味着执行开始需要当事人申请。

根据本条规定,由审判员移送执行的情形是,发生法律效力的民事判决、裁定,负有义务的一方拒绝履行。

第二百三十七条　对依法设立的仲裁机构的裁决,一方当事人不履行的,对方当事人可以向有管辖权的人民法院申请执行。受申请的人民法院应当执行。

被申请人提出证据证明仲裁裁决有下列情形之一的,经人

民法院组成合议庭审查核实,裁定不予执行:

(一)当事人在合同中没有订有仲裁条款或者事后没有达成书面仲裁协议的;

(二)裁决的事项不属于仲裁协议的范围或者仲裁机构无权仲裁的;

(三)仲裁庭的组成或者仲裁的程序违反法定程序的;

(四)裁决所根据的证据是伪造的;

(五)对方当事人向仲裁机构隐瞒了足以影响公正裁决的证据的;

(六)仲裁员在仲裁该案时有贪污受贿,徇私舞弊,枉法裁决行为的。

人民法院认定执行该裁决违背社会公共利益的,裁定不予执行。

裁定书应当送达双方当事人和仲裁机构。

仲裁裁决被人民法院裁定不予执行的,当事人可以根据双方达成的书面仲裁协议重新申请仲裁,也可以向人民法院起诉。

【释义】 本条是关于仲裁裁决执行的规定。

这次修改民事诉讼法对本条作了修改。

仲裁,是指双方当事人之间的纠纷由第三者居中解决。以仲裁方式解决纠纷,起于古罗马时代,发展到现代,许多国家都建立了仲裁制度,制定了仲裁法律,赋予仲裁裁决法律效力。但是仲裁机构毕竟不是司法机关,其对仲裁裁决没有强制执行的权力。根据我国仲裁法的规定,依法设立的仲裁机构作出的裁决自作出之日起即发生法律效力,对各方当事人都有约束力和强制执行力。当事人应当在裁决规定的期限内自动履行仲裁裁决所确定的义务。如果一方当事人拒不履行仲裁裁决,对方当事人可以向有管辖权的人民法院申请强制执行。

一般认为,与诉讼制度相比,仲裁制度具有更大的自主性和灵活性,争议解决的及时性、秘密性等特征和优势。但仲裁制度也具有自身的局限性,对仲裁裁决进行司法审查是必要的:(1)仲裁员或者仲裁庭的权力来自于当事人之间的仲裁协议,是当事人基于意思自治对私权的处分。这种处分不得被无限制地滥用,不得违反法律的规定,这就需要代表国家公权力的法院的介入,对仲裁是否依法进行予以监督。(2)仲裁机构的民间性决定了仲裁机构的权力具有局限性,不具有国家强制性。对于仲裁裁决的执行,由于仲裁庭本身没有强制执行权,需要法院的协助与支持。仲裁裁决确定的债权的实现需要法院的强制执行,涉及国家公权力的行使,法院也就有必要对作为执行根据的仲裁裁决进行司法审查。(3)仲裁的秘密性要求仲裁活动只在仲裁员和当事人之间进行,几乎是一个封闭的系统,这在一定程度上也使得仲裁开庭缺乏一定的监督和制约,可能会侵犯一方当事人的合法权益。因此,有必要由法院对仲裁裁决进行司法审查,更好地保护当事人的权益。

对仲裁裁决进行司法审查,有利于当事人对仲裁裁决寻求合理的救济,督促仲裁员公正仲裁,维护法律统一。从世界范围来看,法院的干预是伴随着仲裁的发展而不断变化的,从最初的绝对不干预、过度干预,发展到如今的适度干预。各个国家和地区的仲裁法普遍设立了对仲裁裁决的司法审查制度。我国的仲裁司法审查制度,主要包括申请撤销仲裁裁决和不予执行仲裁裁决两种。

我国1991年民事诉讼法确立了对仲裁裁决的不予执行制度。不予执行制度是我国对仲裁裁决进行司法审查的一种方式。1991年民事诉讼法对不予执行仲裁裁决的事项规定得较为全面,既包括实体方面的事项,也包括程序方面的审查事项。

具体包括六方面的内容：(1)当事人在合同中没有订有仲裁条款或者事后没有达成书面仲裁协议的；(2)裁决的事项不属于仲裁协议的范围或者仲裁机构无权仲裁的；(3)仲裁庭的组成或者仲裁的程序违反法定程序的；(4)认定事实的主要证据不足的；(5)适用法律确有错误的；(6)仲裁员在仲裁该案时有贪污受贿，徇私舞弊，枉法裁决行为的。其中，第一、二、三项主要属于程序方面的审查事项，第四、五项涉及对仲裁裁决的实体审查，第六项则属于对仲裁员违法犯罪行为的监督。1991 年民事诉讼法对不予执行仲裁裁决规定了较为全面的审查事项，主要是基于当时我国的仲裁事业刚刚起步，国内仲裁主要为经济合同仲裁等行政性仲裁，尚未完全脱离行政仲裁体制，有必要对仲裁裁决的程序和实体问题，包括认定事实的主要证据不足、适用法律错误等实体性事项进行全面审查。

1995 年仲裁法确立了对仲裁裁决的申请撤销制度，依据仲裁法第五十八条的规定，当事人申请撤销仲裁裁决的事项主要包括：(1)没有仲裁协议的；(2)裁决的事项不属于仲裁协议的范围或者仲裁委员会无权仲裁的；(3)仲裁庭的组成或者仲裁的程序违反法定程序的；(4)裁决所根据的证据是伪造的；(5)对方当事人隐瞒了足以影响公正裁决的证据的；(6)仲裁员在仲裁该案时有索贿受贿，徇私舞弊，枉法裁决行为的。从世界范围来看，20 世纪 90 年代以来，许多发达国家和经济较快发展的中等发达国家、地区都修改了仲裁法，对仲裁采取了更为宽松和支持的态度，以支持本国仲裁事业发展。我国仲裁法建立的申请撤销仲裁裁决制度顺应了当时国际形势，对仲裁裁决采取了较为宽松的态度，体现了鼓励和支持仲裁的理念。

一般认为，我国的不予执行和撤销仲裁裁决制度的不同之处主要有以下几方面：(1)法律效果不同。撤销后的仲裁裁决为自始无效,已经执行了的可能出现执行回转等情况;而不予执行并不对仲裁裁决自身的效力作肯定或者否定评价。(2)提出申请的当事人不同。仲裁案件中的双方当事人,均可以申请撤销仲裁裁决;而有权提出不予执行仲裁裁决的当事人一般是仲裁裁决的被申请人。(3)具体的申请理由有所不同。申请不予执行和申请撤销仲裁裁决的大部分事由比较一致,但也有不同之处。申请不予执行的事由中有"认定事实的主要证据不足""适用法律确有错误",区别于申请撤销事由中的"裁决所根据的证据是伪造的""对方当事人隐瞒了足以影响公正裁决的证据"。相比较来说,申请不予执行事由实体性审查更强。(4)管辖法院不同。依据仲裁法规定,当事人申请撤销仲裁裁决,应当向仲裁委员会所在地的中级人民法院提出;当事人申请不予执行仲裁裁决是向执行仲裁裁决的法院提出,不限于中级人民法院。(5)提出申请的期限不同。当事人申请撤销仲裁裁决,应当自收到仲裁裁决书之日起六个月内向人民法院提出;而当事人申请不予执行仲裁裁决则是在对方当事人向有管辖权的人民法院申请执行之后。(6)具体程序有所不同。依据仲裁法规定,人民法院受理撤销裁决的申请后,认为可以由仲裁庭重新仲裁的,通知仲裁庭在一定期限内重新仲裁,并裁定中止撤销程序,仲裁庭拒绝重新仲裁的,人民法院应当裁定恢复撤销程序;而在不予执行仲裁裁决的程序中,法院经审查后对是否不予执行仲裁裁决作出裁定,不能要求仲裁庭重新仲裁。

除有个别意见建议取消不予执行仲裁裁决制度,只保留撤销仲裁裁决制度外,各方面总体上认为,撤销和不予执行仲裁裁决在目标、价值等方面都是不同的,在仲裁裁决的执行阶段,赋予被执行人一定的抗辩权利确有其必要性,一些国家和地区,如日本和我国台湾地区都规定了这两种制度,我国的不予执行仲裁裁决制度也应当予以保留。但有较多意见认为,应当统一对国内不予执行仲裁裁决和撤销仲裁裁决的审查标准。主要理由有:(1)不予执行仲裁裁决制度严格的实体审查标准,影响了仲裁的性质和优势的发挥。仲裁具有民间性的特质,以仲裁的方式解决纠纷是当事人的自愿选择,体现了当事人将实体问题交给仲裁庭按照其标准来解决纠纷的意愿。在事实认定和法律适用的标准方面,仲裁法第七条规定,仲裁应当根据事实,符合法律规定,公平合理地解决纠纷。由此,仲裁庭在事实基本清楚和不违反法律规定的前提下,可以根据交易习惯、行业惯例等民间规则作出公平合理的裁决。这与民事诉讼法规定的"以事实为根据,以法律为准绳"的司法准则具有一些差异,体现出仲裁的民间性和合理解决纠纷的优势。而在当事人申请不予执行仲裁裁决时,法院以"认定事实的主要证据不足"和"适用法律确有错误"的标准来审查仲裁裁决的效力,违背了仲裁的基本原则和仲裁自身规律。并且,经过二十余年的发展,我国已经确立了民间仲裁、协议仲裁、一裁终局、或裁或诉的现代商事仲裁制度。在市场主体日益多元、社会关系日益复杂、纠纷大量涌现的今天,如果法院仍然用诉讼的特性去要求仲裁的发展与其趋于一致,对仲裁进行过多实体审查和干预,不仅破坏了仲裁制度本身的价值和优势,显然也不符合当今社会要求建立多元化纠纷解决机制的要求。(2)"认定事实的主要证据不足"的审查标准,很难准确而毫无争议地确定其内容。实践中,有时出现法官因对案件实体裁判结果与仲裁庭存在不同看法,而以仲裁裁决"认定事实的主要证据不足"或者"适用法律确有错误"为由不予执行。(3)不予执行仲裁裁决和申请撤销仲裁裁决的审查事由不同,导致在实践中容易出现当事人滥用这两种救济制度的情形。最高人民法院针对当事人先后申请撤销仲裁裁决和不予执行，滥用救济制度的情况，在最高人民法院《关于适用〈中华人民共和国仲裁法〉若干问题的解释》第二十六条中规定，当事人向人民法院申请撤销仲裁裁决被驳回后，又在执行程序中以相同理由提出不予执行抗辩的，人民法院不予支持。但不予执行和申请撤销仲裁裁决的审查事由毕竟不同，如果当事人以不同的事由先后申请撤销和不予执行仲裁裁决，前述司法解释就不能适用。这种滥用的情形不能得到遏制，一方面导致仲裁裁决长期处于效力未定状态，使当事人的合法权益无法得到保障，损害了仲裁的声誉和当事人选择仲裁的信心；另一方面也导致争议解决成本极大增加，浪费了宝贵的司法资源。

综合各方面意见，经认真研究，修改后的民事诉讼法将不予执行仲裁裁决情形的第四项“认定事实的主要证据不足的”修改为“裁决所根据的证据是伪造的”，第五项“适用法律确有错误的”修改为“对方当事人向仲裁机构隐瞒了足以影响公正裁决的证据的”。这在一定程度上降低了不予执行仲裁裁决的审查标准，统一了不予执行仲裁裁决和撤销仲裁裁决的审查标准。

根据修改后的本条规定，对依法设立的仲裁机构的裁决，一方当事人不履行，对方当事人向有管辖权的人民法院申请执行的，如果人民法院认定执行仲裁裁决违背社会公共利益，或者被申请人提出证据证明仲裁裁决有下列情形之一，经人民法院组成合议庭审查核实的，裁定不予执行：

1. 当事人在合同中没有订有仲裁条款或者事后没有达成书面仲裁协议的。仲裁以当事人双方自愿为前提，当事人没有选择仲裁，仲裁机构进行仲裁，违背仲裁的基本原则，因此所作的裁决，人民法院可以不予执行。

2. 裁决的事项不属于仲裁协议的范围或者仲裁机构无权仲裁的。仲裁机构裁决的事项要受到双方当事人协议的限制，即将哪些纠纷交付仲裁要由当事人决定,仲裁机构不能超出当事人协议范围增加仲裁事项。对于仲裁机构超出当事人协议范围裁决的事项,人民法院有权不予执行。

3. 仲裁庭的组成或者仲裁的程序违反法定程序的。仲裁庭是仲裁的法定主体,仲裁庭的组成如果违反法定程序,势必会影响仲裁的公正。仲裁程序是仲裁公正的保证,如果仲裁程序违法,对仲裁裁决的结果也会造成影响。因此,如果仲裁庭的组成或者仲裁的程序违反法定程序,人民法院有权不予执行。例如,仲裁法规定,当事人约定由三名仲裁员组成仲裁庭的,应当各自选定或者各自委托仲裁委员会主任指定一名仲裁员,第三名仲裁员由当事人共同选定或者共同委托仲裁委员会主任指定。第三名仲裁员是首席仲裁员。仲裁法还规定,仲裁员与本案有利害关系的必须回避。如果仲裁庭的组成违反上述规定,必须回避的仲裁员没有回避,那么对其所作的裁决,人民法院有权不予执行。

4. 裁决所根据的证据是伪造的。证据是仲裁庭认定事实、确定双方当事人的责任并作出裁决的根据。因此,当事人必须向仲裁庭提供真实的证据。如果当事人提供了伪造的证据,势必会影响仲裁庭对案件事实作出正确判断,仲裁裁决的正确性就要打问号,使一方当事人的合法权益受到损害,也就不能允许强制执行。

5. 对方当事人向仲裁机构隐瞒了足以影响公正裁决的证据的。所谓足以影响公正裁决的证据,是指直接关系到仲裁裁决的最后结论的证据,通常与仲裁案件所涉及的争议焦点或关键事实密切相关。为了维护仲裁裁决认定事实的正确性和裁决结果的公正性,对方当事人向仲裁机构隐瞒了足以影响公正裁决的证据,被申请人可以申请法院不予执行。被申请人需要证明两点：第一，对方当事人向仲裁机构隐瞒了相关证据；第二，该证据足以影响仲裁机构作出公正裁决。

6. 仲裁员在仲裁该案时有贪污受贿，徇私舞弊，枉法裁决行为的。上述行为是仲裁过程中的违法行为，严重影响到仲裁裁决的公正性，人民法院查实后，不予执行该仲裁裁决。

经合议庭审查核实，不予执行仲裁裁决的，人民法院应当作出裁定书，并送达双方当事人和仲裁机构。仲裁裁决被人民法院裁定不予执行的，当事人可以根据双方达成的书面仲裁协议重新申请仲裁，也可以向人民法院起诉。

第二百三十八条　对公证机关依法赋予强制执行效力的债权文书，一方当事人不履行的，对方当事人可以向有管辖权的人民法院申请执行，受申请的人民法院应当执行。

公证债权文书确有错误的，人民法院裁定不予执行，并将裁定书送达双方当事人和公证机关。

【释义】　本条是关于执行公证债权文书的规定。

民事法律关系的当事人，可以请求公证机构对借款、借用财物等债权文书进行公证，经公证的债权文书具有强制执行的法律效力。一方当事人不履行经过公证的债权文书的，对方当事人可以持此文书请求人民法院强制执行，正如公证法规定的“对经公证的以给付为内容并载明债务人愿意接受强制执行承诺的债权文书，债务人不履行或者履行不适当的，债权人可以依法向有管辖权的人民法院申请执行”，受申请的人民法院应当执行。但是，公证机构的工作有可能出现失误，比如，某甲对其所请求公证的债权文书并不享有权利，但公证机关却证明甲是债权人。人民法院在收到执行公证债权文书的申请后，如果有证据证明公证文书确有错误的，应当作出裁定，不予执行公证债权文书，同时，应当将此裁定送达双方当事人和公证机关。

第二百三十九条　申请执行的期间为二年。申请执行时效的中止、中断，适用法律有关诉讼时效中止、中断的规定。

前款规定的期间，从法律文书规定履行期间的最后一日起计算；法律文书规定分期履行的，从规定的每次履行期间的最后一日起计算；法律文书未规定履行期间的，从法律文书生效之日起计算。

【释义】　本条是关于申请执行期间的规定。

本条规定在2007年民事诉讼法修改过程中曾经作了修改。1991年通过的民事诉讼法第二百一十九条对申请执行期间作了规定。该条第一款规定“申请执行的期限，双方或者一方当事人是公民的为一年，双方是法人或者其他组织的为六个月”。这一规定在司法实践中产生的问题主要是：第一，申请执行的期限过短，助长了一些债务人利用时效逃债的侥幸心理；第二，债权人担心超过申请执行期间法院不予保护，明知债务人无财产可供执行或者法律文书生效后双方已达成分期履行的协议，也不得不申请强制执行，加剧了债权债务人之间的紧张关系，使一些案件过早进入执行程序，形成了执行“死案”，浪费了宝贵的司法资源，增加了当事人的成本；第三，对公民、法人和其他组织适用不同的申请执行期限，不符合民事主体平等的原则。从实际情况看，不少债务人履行义务需要较长时间，申请执行期限太短，不利于债务人履行债务，也不利于当事人达成和解。一些当事人因不懂法律、受对方蒙骗等特殊原因未能在法定期限申请执行，事后无法再通过国家强制力予以保护，造成了严重的不公平，也带来了上访案件的增多。为有利于当事人行使权利，履行债务，2007年修改民事诉讼法将申请执行期间规定为：“申请执行的期间为二年。申请执行时效的中止、中断,适用法律有关诉讼时效中止、中断的规定。”

按照本条的规定,当事人申请执行的期限为二年。申请执行的期限,从法律文书规定履行期间的最后一日起计算。例如,人民法院判决甲工厂在2007年6月1日前给付乙工厂货款,甲工厂在6月1日前没有给付,乙工厂可以从2007年6月2日起计算两年,在2009年6月2日前的两年时间内均可以申请执行。如果法律文书规定分期履行义务,从规定的每次履行期间的最后一日起计算。例如,人民法院判决公民甲自2008年1月起每月5日向公民乙归还欠款500元人民币,十个月内还清。甲支付二个月后,第三个月的5日没有支付,那么,乙可以从2008年3月6日起至2010年3月6日申请执行期间届满前,申请人民法院执行甲应当在第三个月应支付的款额,如果甲从3月至10月都没有支付,申请执行的期限按月依次类推。如果法律文书未规定履行期间的,申请执行期限从法律文书生效之日起计算。本法规定申请执行的期间,是为了促使权利人尽快主张权利,及早稳定经济关系,避免时过境迁,难以执行。如果权利人确因法定事由未能在法定申请执行期间内提出执行申请,申请执行时效的中止、中断,适用法律有关诉讼时效中止、中断的规定。

第二百四十条　执行员接到申请执行书或者移交执行书,应当向被执行人发出执行通知,并可以立即采取强制执行措施。

【释义】 本条是关于执行通知的规定。

这次修改民事诉讼法对本条作了修改。

本条规定在2007年民事诉讼法修改过程中曾经作了修改。1991年民事诉讼法关于执行通知的规定为:“执行员接到申请执行书或者移交执行书,应当向被执行人发出执行通知,责令其在指定的期间履行,逾期不履行的,强制执行。”2007 年修改民事诉讼法时,一些意见认为,这一规定容易使当事人无视生效法律文书确定的履行期限,也放任执行人员任意改变判决确定的履行期限,影响了生效法律文书的严肃性。同时,执行前先发出执行通知,无异于给被执行人通风报信,为被执行人转移、隐匿财产提供了时间,也给被执行人寻求地方和部门保护以可乘之机。将发出执行通知作为采取执行措施的前置条件,还束缚了执行人员的手脚,使其无法及时采取执行措施,导致许多案件丧失了有利的执行时机。法律文书生效后,债务人即应按照法律文书规定的期限履行义务,执行通知再设定一个执行期限,有改变法律文书内容之嫌,因此建议删除这一规定。有的意见认为,债务人逾期不履行法律文书确定的义务的情况较为复杂,有的确因生活困难,或者经营不善,没有财产,导致不能及时履行义务;有的债务人虽然有财产,但多为弱势群体,如困难企业案件,部分房屋拆迁、腾退案件,这些案件所涉及的当事人多为生活困难人群,履行法律义务有难度;而有的债务人明明有财产,却采取种种手段隐匿、转移财产,逃避甚至抗拒履行法律文书确定的义务。如果不分情形,对凡是逾期不履行法律文书确定义务的被执行人不发送执行通知,一过履行期限就采取强制措施,势必会导致矛盾激化,反而不利于法律文书的履行。为了维护社会的和谐稳定,建议民事诉讼法修改还应当保留执行通知的规定,但对于故意不履行法律文书确定的义务,并有可能隐匿、转移财产的被执行人,应当增加执行员可以立即采取强制执行措施的规定。

2007 年修改民事诉讼法时,立法部门经研究认为,向被执行人发出执行通知,可以使被执行人对人民法院将要采取的执行措施做必要的协助、配合等准备，是为了保证执行工作的顺利进行，也是文明执法的体现。但也要防止被执行人利用执行通知逃避债务履行，对此在本条中增加第二款内容，即“被执行人不履行法律文书确定的义务，并有可能隐匿、转移财产的，执行员可以立即采取强制执行措施”。根据2007年修改后的本条规定，执行员接到当事人的申请执行书或者审判庭移交的执行书后，一般是不能立刻采取执行措施的，而应先向被执行人发出执行通知，责令被执行人在通知确定的履行义务期间履行法律文书确定的义务，被执行人在通知确定的履行义务期间不履行义务的，人民法院可以采取措施，强制被执行人履行法律文书确定的义务。如果被执行人不履行法律文书确定的义务，并有可能隐匿、转移财产的，执行员可以立即采取强制执行措施。

2007年修改民事诉讼法之后，司法实务部门反映，民事诉讼法将执行员可以立即采取强制执行措施的情形限定在被执行人隐匿、转移财产行为，仍然不利于执行工作的开展，不利于保证债权人的权利及时得以实现。在一些案件中，被执行人隐匿、转移财产的行为非常隐蔽，执行员往往难以查清，债权人也难以证实，法院不能立即采取强制措施，而错过执行时机。另外，有的意见认为，被执行人可能隐匿、转移财产的行为，需要执行员的审查与判断，而这也可能会成为执行员怠于采取强制措施的推辞或者借口，不利于保障申请执行人的权益。

为加强执行工作力度，提高执行工作效率，更好维护申请执行人的权益，本次民事诉讼法修改将该条两款合并为一款，修改为“执行员接到申请执行书或者移交执行书，应当向被执行人发出执行通知，并可以立即采取强制执行措施”，删除了关于指定履行期间的规定，以及执行员立即采取强制措施的适用前提“有可能隐匿、转移财产”的规定。

根据修改后的规定,执行员接到申请执行书或者移交执行书,应当向被执行人发出执行通知,并可以立即采取强制执行措施,对被执行人的财产予以查封、扣押、冻结等。例如,当事人依据生效的判决书,向法院申请强制执行对方当事人拖欠的货款50万元。执行员在接到当事人的申请执行书后,首先需要向被执行人发出执行通知,如果同时发现被执行人所有的机器设备、运输工具等财产,可以立即对这些财产采取查封、扣押等强制执行措施,以防止被执行人转移、隐匿财产,逃避执行义务。

第二十一章 执行措施

第二百四十一条 被执行人未按执行通知履行法律文书确定的义务，应当报告当前以及收到执行通知之日前一年的财产情况。被执行人拒绝报告或者虚假报告的，人民法院可以根据情节轻重对被执行人或者其法定代理人、有关单位的主要负责人或者直接责任人员予以罚款、拘留。

【释义】 本条是关于被执行人报告财产情况的规定。

执行措施是指人民法院为了实现生效裁判所确定的权利人的权益，对被执行人实施强制执行的具体方法和手段。执行工作关系到生效法律文书能否真正落实，公民、法人及其他组织的合法民事权益能否得到切实的保护，正常的社会生活秩序和经济秩序能否得到维护，而执行措施是人民法院做好执行工作，使生效判决、裁定、调解书及其他法律文书得以履行的重要保证。

执行措施可以针对义务人和被执行财产，对义务人可以采取的执行措施是指促使义务人作为或者不作为，包括责令义务人履行或者停止实施禁止的行为；责令义务人支付赔偿金、迟延履行金；对于可以替代的行为，由他人代为完成，义务人承担由此产生的费用等。对被执行财产可以采取的措施包括查明、控制、处置财产的方法和手段。查明是指调查了解被执行人的财产状况的行为，包括要求被申请执行人报告财产状况、对被执行人进行询问、搜查被执行人财产的存放地等；控制是指对被执行人财产进行掌控和制约的行为，使其财产不被转移、藏匿，包括冻结、查封等手段;处置是指对被执行人的财产进行处理的行为,包括拍卖、变卖等。2007 年修改民事诉讼法对于执行措施一章主要增加了财产报告制度及对被申请执行人的限制措施。

强制执行能否取得实际效果,很大程度上取决于能否找到被执行人的财产,因此,解决“执行难”的关键问题之一在于建立有效的查明被执行人财产的法律制度。从司法实践来看,在查明被执行人财产方面存在的问题十分突出,大量的案件因为找不到被执行人的财产而无法执行。这种现象的存在,一方面是由于我国对于可以查明财产的公示、纳税等一系列的制度建设不够健全,另一方面也与法律不够完善有关。

为了保证执行的效果,许多国家和地区都将查明被执行人的财产作为强制执行制度的一项重要内容,明确规定了被执行人申报财产状况的义务以及相关第三人的协助调查义务,并明确规定了被执行人拒不履行申报义务或虚假申报的法律后果。德国规定,债务人在进入执行程序后首先要在法院指定的日期报告财产并进行宣誓,宣誓要作成记录,保证其已经按照要求凭自己的良心和良知作出了正确且完全的报告。债务人于举行宣誓的指定日期不到场,无理由拒绝宣誓的,法院可以依债权人的申请,拘留债务人(六个月以下),并强制债务人报告财产并宣誓。当债权人不能因扣押而收到全部时,债务人依申请有义务报告宣誓日前的一定时间内的财产变动情况,包括:债务人对其配偶或未婚配偶,直系尊亲属或卑亲属、或其配偶的直系尊亲属或卑亲属,全血缘或半血缘的兄弟姐妹、或其配偶的全血缘或半血缘的兄弟姐妹,或对这些人的配偶的有偿转让;债务人在指定作出宣誓日前一年中所作的无偿处分,但通常节日礼品除外;债务人在指定作出宣誓日前二年中有利于其配偶的无偿处分。瑞士规定,债务人有义务披露其资产,包括在为实施充分扣押所必需的范围内披露未在其占有之下的资产及其对第三人享有的债权和权利(违者可处五年以下有期徒刑或罚款);保管债务人财产或欠债务人钱款的第三人负有与债务人相同的资产披露义务(违者负刑事责任);主管机构负有与债务人相同的资产披露义务。韩国规定,债权人可以向法院提出要求债务人明示财产的申请,债务人要如实明示其财产目录,包括:在送达财产明示命令前一年之内的不动产的有偿转让;前一年内向配偶、直系亲属及四等亲等以内的旁系亲属及其配偶、配偶的直系亲属和兄弟姐妹所为的不动产以外财产的有偿转让;前二年之内所作的财产上的无偿处分,但礼仪性礼物除外。债务人无正当理由在明示日期不出庭、拒绝提出财产目录或者拒绝宣誓的,法院可以处二十日以内拘留;债务人提出虚假财产目录的,处三年以下有期徒刑或者五百万元以下罚金。我国台湾地区规定,执行法院发现债务人财产不足以抵偿债权或者不能发现债务人应交付的财产时,可以依职权或依申请,定期间责令债务人据实报告该期间届满前一年内的财产状况。债务人无正当理由不到场报告的,法院可拘留。

根据司法实践存在的问题并借鉴国外及有关地区的法律规定,2007 年民事诉讼法修改规定了被执行人的财产报告制度。财产报告制度的主要内容有:(1)财产报告的法定前提条件是,被执行人未按执行通知履行法律文书确定的义务。债务人在接到法律文书后,就应当按照法律文书所确定的义务自觉履行,债务人不履行债务,经债权人向法院申请强制执行后仍不按执行通知的要求履行的,被执行人就应当向法院如实报告其财产状况,也就是说,被申请执行人只要未按执行通知履行法律文书确定的义务,就必须报告财产状况。(2)财产报告的期间要求是,被执行人当前的以及收到执行通知之日前一年的财产情况。被执行人要如实报告当时的以及前一年的财产状况,包括有多少动产、不动产、现金、存款、股权、无形财产、银行账户号,不动产所在地,动产的存放场所,所享有的对第三人的债权,一年期间内所进行的财产变动情况,提交必要的与财产有关的文件或者权利凭证等。(3)拒绝报告或者虚假报告的法律责任是,人民法院可以根据情节轻重对被执行人或者其法定代理人、有关单位的主要负责人或者直接责任人员予以罚款、拘留。被执行人是自然人的,对其本人或者其法定代理人实施处罚;被执行人是单位的,对其主要负责人或者直接责任人员予以处罚。根据民事诉讼法第一百一十五、一百一十六条的规定,对个人的罚款金额,为人民币十万元以下。对单位的罚款金额,为人民币五万元以上一百万元以下。罚款、拘留可以单处也可以并处。拘留的期限为十五日以下。在拘留期间,被拘留人承认并改正错误的,人民法院可以决定提前解除拘留。罚款、拘留必须经院长批准。罚款、拘留应当用决定书。对决定不服的,可以向上一级人民法院申请复议一次。复议期间不停止执行。

第二百四十二条　被执行人未按执行通知履行法律文书确定的义务,人民法院有权向有关单位查询被执行人的存款、债券、股票、基金份额等财产情况。人民法院有权根据不同情形扣押、冻结、划拨、变价被执行人的财产。人民法院查询、扣押、冻结、划拨、变价的财产不得超出被执行人应当履行义务的范围。

人民法院决定扣押、冻结、划拨、变价财产,应当作出裁定,并发出协助执行通知书,有关单位必须办理。

【释义】　本条是关于查询、扣押、冻结、划拨、变价金融资产的规定。

这次修改民事诉讼法对本条作了修改。

司法实践中，有些被执行人故意隐瞒其在银行的存款，拒不提供其在银行存款的账户号码，使执行工作难以进行，因此1991年民事诉讼法对存款的执行措施单列一条专门予以规定。经过二十余年的发展，我国经济社会生活发生了重大变化，民事主体的交易活动日益频繁，交易方式日趋复杂，资本市场逐步开放并获得了较大发展。民事主体掌握的金融资产也从以单一的存款为主，逐步发展到债券、股票、基金份额等多种形式并存的局面。为保证执行工作的正常开展，民事诉讼法也要适应形势的发展，作出相应的修改。修改后的民事诉讼法在本条原有规定的基础上，主要作了三处修改：

第一，扩大了查询财产的范围。原民事诉讼法本条只规定查询被执行人的“存款情况”，修改后增加规定对债券、股票、基金份额等财产情况也可以查询。

第二，强化了执行措施。原民事诉讼法本条规定的执行措施是“冻结、划拨被执行人的存款”，修改后的民事诉讼法将“冻结、划拨”扩展，人民法院有权根据不同情形扣押、变价被执行人的财产，同时相应规定“人民法院查询、扣押、冻结、划拨、变价的财产不得超出被执行人应当履行义务的范围”，“人民法院决定扣押、冻结、划拨、变价财产，应当作出裁定”。

第三，负有协助执行义务的单位，从“银行、信用合作社和其他有储蓄业务的单位”扩展到“有关单位”。民事诉讼法本条原有规定主要是针对存款的执行，负有协助义务的单位也主要指银行、信用合作社和其他有储蓄业务的单位。但修改之后，本条执行措施针对的对象已经不仅局限于存款，还包括了债券、股票、基金份额等财产。这些金融资产往往由有关单位实际掌握、控制或者管理、运用，人民法院对这些金融资产采取查询、扣押、冻结、划拨、变价等执行措施，往往需要上述有关单位予以协助。

基于以上考虑,本条将负有协助查询以及协助扣押、冻结、划拨、变价被执行人财产义务的单位修改为“有关单位”。司法实践中,法院需要根据执行的财产及将要采取的执行措施等情况,确定具体的负有协助执行义务的单位。例如,法院在对被执行人持有的基金份额采取查询、冻结等执行措施时,根据案件的具体情况,往往需要担任基金管理人的基金管理公司、担任基金托管人的商业银行等单位的协助,有关基金管理公司、商业银行等单位不得拒绝。另外,对存款情况进行查询,也不仅限于有储蓄业务的单位。实践中,为了了解被执行人的存款情况,以便于采取进一步的执行措施,法院往往需要人民银行协助查询被执行人的结算账户开户银行名称等情况,人民银行应该予以协助。

修改后,本条第一款是关于人民法院有权对存款、债券、股票、基金份额等金融资产采取强制执行措施的规定,包含以下两方面的内容:

其一,采取的执行措施包括查询、扣押、冻结、划拨、变价。查询即人民法院向银行等有关单位,调查询问被执行人的存款、债券、股票、基金份额等财产情况,是了解被执行人在银行等有关单位有无存款及存款数额、持有的债券、股票、基金份额等财产情况的方法,以便采取进一步的执行措施。扣押是指人民法院对有关的金融资产凭证予以扣留,避免被执行人占有、处分,也是一种临时性的强制执行措施。冻结是指人民法院对被执行人的存款、债券、股票、基金份额等财产,依照一定的法律程序,限制被执行人的提取、赎回、转移、转让等,这往往需要银行等有关单位的协助。划拨主要指人民法院将被执行人在银行等金融机构的存款等强制转汇至某一账户,以清偿权利人的债权的措施。变价指对被执行人的债券、股票、基金份额等金融资产采取拍卖、变卖或者法律规定的其他方式将其价值予以兑现,以达到清偿权利人债权之目的。

其二,人民法院采取执行措施的财产不得超出被执行人应当履行义务的范围。例如,判决确定某公司偿还债务 20 万元人民币,那么人民法院查询、扣押、冻结、划拨、变价的存款、债券、股票、基金份额等财产的数额应当限于 20 万元人民币和依法应当支付的利息,不得多于这一数额。在实践中,有些人民法院超出被执行人履行义务的范围对其存款等采取强制执行措施,比如,被执行人欠款 20 万元人民币,但人民法院却通知银行冻结 50 万元人民币,造成被执行人的生产经营或者生活困难。因此,本条对查询、扣押、冻结、划拨、变价财产的范围作了限制,以保护被执行人的合法权益。

本条第二款是关于人民法院对金融资产采取执行措施的程序性规定,包括两方面的内容:

其一,人民法院对存款、债券、股票、基金份额等财产的执行措施,必须严格依法进行。人民法院决定扣押、冻结、划拨、变价财产,应当作出裁定,并发出协助执行通知书。否则,有关单位有权予以拒绝。例如,法院决定冻结被执行人的银行账户存款 20 万元,执行人员在银行办理冻结存款手续时,需要出具法院作出的裁定书,以及法院的协助执行通知书,协助执行通知书需要明确具体地写明银行协助执行的内容,如要写明被执行人的姓名、账户、冻结的款项 20 万元等。

其二,明确规定有关单位的协助执行义务。根据相关法律的规定,有些单位对客户具有保密的义务。例如,商业银行法明确规定,对个人、单位存款,商业银行有权拒绝任何单位或者个人查询、冻结、扣划,但法律另有规定的除外。民事诉讼法本条规定的有关单位的协助执行义务,即属于商业银行法的除外规定。如果有关单位收到人民法院的裁定书和协助执行通知书,拒不履行协助执行义务,如银行为存款人通风报信甚至擅自转移存款,人民法院可以对有关单位按照妨害民事诉讼予以处理。根据修改后的民事诉讼法第一百一十四条的规定,有关单位收到人民法院协助执行通知书后,拒不协助查询、扣押、冻结、划拨、变价财产的,人民法院除责令其履行协助义务外,并可以对该单位及其主要负责人、直接责任人员予以罚款;对仍不履行协助义务的,可以对其主要负责人、直接责任人员予以拘留;并可以向监察机关或者有关机关提出予以纪律处分的司法建议。

第二百四十三条　被执行人未按执行通知履行法律文书确定的义务,人民法院有权扣留、提取被执行人应当履行义务部分的收入。但应当保留被执行人及其所扶养家属的生活必需费用。

人民法院扣留、提取收入时,应当作出裁定,并发出协助执行通知书,被执行人所在单位、银行、信用合作社和其他有储蓄业务的单位必须办理。

【释义】　本条是关于扣留、提取被执行人收入的规定。

被执行人未按执行通知履行法律文书确定的义务,人民法院有权扣留、提取被执行人应当履行义务部分的收入。

扣留、提取被执行人的收入主要是针对自然人采取的措施。收入主要指金钱收入,收入的形式可以是工资、奖金、劳务报酬、稿酬、咨询费、存款利息、房屋租金等。扣留被执行人的收入,主要指被执行人所在单位按照人民法院的协助执行通知书扣留被执行人的工资、奖金等收入。例如,人民法院通知某甲所在单位按照法律文书的规定,按月扣留某甲的工资作为其母的赡养费。提取被执行人的收入,主要指人民法院通过银行、信用合作社和其他有储蓄业务的单位或者被执行人所在单位将被执行人的收人支取出来，交给申请执行人。

扣留、提取被执行人的收入应当注意以下几点：(1)必须是被执行人未按执行通知履行法律文书确定的义务。(2)扣留、提取的收入应当与被执行人履行义务的款额相当。(3)扣留、提取收入时，应当保留被执行人及其所供养家属的生活必需费用。我国的民事执行，贯彻全面保护当事人合法权益的原则，也就是说，既要依法保护权利人的权利得以实现，又要防止因执行工作使被执行人及其家属无法生活。劳动收入，是被执行人的生活来源，关系到他和他所供养家属的切身利益，所以在扣留和提取时，必须为被执行人和其所供养家属保留维持生活的基本费用，而不能执行过多，给他们生活造成困难。(4)人民法院扣留、提取收入时，应当作出裁定，并发出协助执行通知书，被执行人所在单位、银行、信用合作社和其他有储蓄业务的单位必须办理。

第二百四十四条　被执行人未按执行通知履行法律文书确定的义务，人民法院有权查封、扣押、冻结、拍卖、变卖被执行人应当履行义务部分的财产。但应当保留被执行人及其所扶养家属的生活必需品。

采取前款措施，人民法院应当作出裁定。

【释义】　本条是关于人民法院有权查封、扣押、冻结、拍卖、变卖被执行人财产的规定。

查封、扣押、冻结、拍卖、变卖被执行人的财产，是人民法院经常采取的强制措施，正确使用这些措施，对于做好执行工作具有重要意义。

查封，是一种临时性措施，是指把被执行人的财产清查封闭贴上封条，就地封存，不准任何人转移和处理。封条是由执行机构制作的表明实施查封机构、时间等内容并加盖执行机构所在法院印章的条幅。被查封的财产,执行员可以指定被执行人保管,被执行人拒绝保管或者保管不善造成损失,由其自己承担;执行员也可以指定其他人保管,被执行财产由他人保管的,所需费用由被执行人负担。扣押也是一种临时性措施,是指把被执行人的财产就地或者运到另外的场所,加以扣留,避免被执行人占有、使用和处分。被扣押的财产可以由人民法院保管,也可以由有关单位和个人保管,保管人员不得任意使用该项财物,保管中发生的费用,由被执行人负担。冻结是针对被执行人的存款所采取的执行措施。冻结存款可以是个人的储蓄存款,也可以是法人或者其他组织的存款。存款被冻结后,非经人民法院通知,任何单位和个人不得提取和转移。

关于查封、扣押、冻结,最高人民法院有关司法解释根据民事诉讼法等法律的规定,对查封、扣押、冻结的期限,轮候查封、扣押、冻结预查封等问题作出了一些具体规范。《关于人民法院民事执行中查封、扣押、冻结财产的规定》第二十九条规定:"人民法院冻结被执行人的银行存款及其他资金的期限不得超过六个月,查封、扣押动产的期限不得超过一年,查封不动产、冻结其他财产权的期限不得超过二年。法律、司法解释另有规定的除外。""申请执行人申请延长期限的,人民法院应当在查封、扣押、冻结期限届满前办理续行查封、扣押、冻结手续,续行期限不得超过前款规定期限的二分之一。"该司法解释的第二十八条是有关轮候查封、扣押、冻结的内容:"对已被人民法院查封、扣押、冻结的财产,其他人民法院可以进行轮候查封、扣押、冻结。查封、扣押、冻结解除的,登记在先的轮候查封、扣押、冻结即自动生效。""其他人民法院对已登记的财产进行轮候查封、扣押、冻结的,应当通知有关登记机关协助进行轮候登记,实施查封、扣押、冻结的人民法院应当允许其他人民法院查阅有关文书和记录。”“其他人民法院对没有登记的财产进行轮候查封、扣押、冻结的,应当制作笔录,并经实施查封、扣押、冻结的人民法院执行人员及被执行人签字,或者书面通知实施查封、扣押、冻结的人民法院。”2004 年最高人民法院、国土资源部、建设部《关于依法规范人民法院执行和国土资源房地产管理部门协助执行若干问题的通知》对预查封问题作了规定。该通知第十三条规定:“被执行人全部缴纳土地使用权出让金但尚未办理土地使用权登记的,人民法院可以对该土地使用权进行预查封。”第十四条规定:“被执行人部分缴纳土地使用权出让金但尚未办理土地使用权登记的,对可以分割的土地使用权,按已缴付的土地使用权出让金,由国土资源管理部门确认被执行人的土地使用权,人民法院可以对确认后的土地使用权裁定预查封。对不可以分割的土地使用权,可以全部进行预查封。”“被执行人在规定的期限内仍未全部缴纳土地出让金的,在人民政府收回土地使用权的同时,应当将被执行人缴纳的按照有关规定应当退还的土地出让金交由人民法院处理,预查封自动解除。”第十五条规定:“下列房屋虽未进行房屋所有权登记,人民法院也可以进行预查封:(一)作为被执行人的房地产开发企业,已办理了商品房预售许可证且尚未出售的房屋;(二)被执行人购买的已由房地产开发企业办理了房屋权属初始登记的房屋;(三)被执行人购买的办理了商品房预售合同登记备案手续或者商品房预告登记的房屋。”

拍卖和变卖是对被执行人的财产强制出卖。一般在查封、扣押的基础上进行。人民法院查封、扣押财产后,执行员应当责令被执行人在指定期间履行义务,如果被执行人逾期不履行,人民法院就可以依照规定交有关单位拍卖或者变卖被查封、扣押的财产。当然,拍卖、变卖也可以不经查封、扣押,而由执行员直接将被执行人的财产拿去拍卖或者变卖。拍卖也称“竞卖”,为公开竞争出价而确定价金的买卖方式,分自愿与强制两种。此条中的拍卖指由专门机构主持的,把被执行人的财产公开出售,由不特定的众人出价争购,将货物卖给出价最高的买主。拍卖在一般情况下能够较为充分的实现财产的价值。没有拍卖条件的地方,或者不宜采用拍卖的财物,可以采取变卖的方式。变卖,一般是将财产交有关商业部门收购。从实践情况来看,采用变卖的方式,所得到的价款与变卖的财物的实际价值往往相差较大,同时,变卖价款过低,不足以偿还债务时,使债权人的权益也受到了损害。而拍卖是按照一定的程序公开叫卖,看谁出价最高就将财物卖给谁,这对于保护债权债务双方的合法权益更为有利。本条将拍卖放在变卖之前,意图在于要求人民法院处理被执行人的财物时,应当首先考虑拍卖的形式。当然,如果财物属于金银等国家限制自由买卖的物品,应当交有关单位按照国家规定的价格收购。

查封、扣押、冻结、拍卖、变卖被执行人的财产,应当注意以下几点:(1)必须是被执行人未按执行通知履行法律文书确定的义务。(2)查封、扣押、冻结、拍卖、变卖的财产应当相当于履行义务部分的财产。查封、扣押财产不一定和执行标的物相同,但价值应当相当。例如,判决确定甲还乙 3000 元人民币,甲拒不履行义务,人民法院可以查封甲相当于 3000 元人民币的电视机,而不能既查封电视机,又查封电冰箱。(3)应当保留被执行人及其所扶养家属的生活必需品。也就是说,在采取强制措施时,不要针对被执行人的锅、碗、灶、床等日常生活必需品,要保证被执行人及其所扶养家属的基本生活需要。(4)查封、扣押被执行人财产时,被执行人是公民的,应当通知被执行人或者他的成年家属到场；被执行人是法人或者其他组织的，应当通知其法定代表人或者主要负责人到场。(5)人民法院查封、扣押、冻结、拍卖、变卖被执行人的财产，应当作出裁定。

第二百四十五条　人民法院查封、扣押财产时，被执行人是公民的，应当通知被执行人或者他的成年家属到场；被执行人是法人或者其他组织的，应当通知其法定代表人或者主要负责人到场。拒不到场的，不影响执行。被执行人是公民的，其工作单位或者财产所在地的基层组织应当派人参加。

对被查封、扣押的财产，执行员必须造具清单，由在场人签名或者盖章后，交被执行人一份。被执行人是公民的，也可以交他的成年家属一份。

【释义】　本条是关于查封、扣押财产的程序的规定。

查封、扣押被执行人的财产，直接涉及被执行人的财产及其相关利益，人民法院采取这一执行措施，一方面要保证生效法律文书的履行，另一方面也要注意保证被执行人合法的财产权益不受侵害。为了双方当事人的合法权益，法律规定了相应的制度保障，即本条所规定的，人民法院在采取这一措施时，被执行人是公民的，应当通知被执行人或者其成年家属到场；被执行人是法人或者其他组织的，应当通知其法定代表人或者主要负责人到场。被执行人拒不到场的，不影响执行的进行。为了表明执法的合法性、公正性，本条还规定，被执行人是公民的，其工作单位或者财产所在地的基层组织应当派人参加。

本条第二款规定了对执行员要对被查封、扣押的财产要造具清单的要求，这是为了确认查封、扣押财产的具体内容，保证执行的财物清楚、明确，避免执行机构与被执行人就查封、财产的内容发生争执，以备将来有据可查。清单要写明执行财物的种类、数量、质量等,由在场人签名或者盖章后,交被执行人或者其成年家属、法定代表人或者单位主要负责人一份,另一份由人民法院附卷保存。

第二百四十六条　被查封的财产,执行员可以指定被执行人负责保管。因被执行人的过错造成的损失,由被执行人承担。

【释义】 本条是关于被查封财产的保管的规定。

如果由被执行人保管和继续使用查封财产,不会对债权人的合法权益产生不能受偿或者使被查封财产明显减值的危险的,执行员可以指定被执行人保管被查封财产,因被执行人的过错造成的损失,由他自己承担。被执行人的过错,主要指其主观上没有毁损、灭失被查封财产的故意,由于保管不善致使被查封财产损失的情况,在这种情况下,被执行人仍然要承担责任,可以以其他财产承担清偿责任。如果因被执行人的故意造成被查封财产毁损、灭失的,除应当以其他财产清偿债务外,还应当承担相应的法律责任。因此,被执行人应当妥善地保管被查封财产,以备清偿法律文书所确定的债务。

立法过程中,有的意见认为,相关规范对查封财产所采取的方式方法,只规定了加贴封条、张贴公告及向有关管理机关发出协助执行通知书,要求其不得办理查封财产的转移过户手续等三种方法,而在实践中这三种方法往往不能满足执行案件的需要,有时会发生查封物被转移或调换,或因查封的方法不到位,造成违法事实难以认定、违法行为人得不到追究、申请人的合法权益得不到保护的局面。查封方法的选择和完善应当以实现查封对人和对世的效力为目的。查封法律文书送达被执行人后,就产生对人的效力,但是产生对世的效力则必须坚持查封的公示原则。所谓查封公示就是指执行法院在对被执行人的财产采取查封措施时，应当根据该财产的属性，将查封的情形公之于众，以使包括被执行人、案外人及其他法院和执法机关知晓查封的事实的行为。有的意见认为，实践中除封条和公告外，还可以增加查封标签或者标牌等查封标识。无论是对于有登记的，还是无登记的不动产，在其显著位置钉挂或者树立查封标识，既有公示作用，又能产生威慑力，促使被执行人主动履行判决义务。查封标识应注明执行法院、查封物名称、查封期限以及查封标识保管人。查封标识被毁损的，应追究保管人的责任。保管人一般应为企业或其他经济组织的负责人或被执行人本人。对于不便加贴封条，又不便设立标志的财产的查封，可以通过报纸、电视等新闻媒体公告查封，向全社会公开。

第二百四十七条　财产被查封、扣押后，执行员应当责令被执行人在指定期间履行法律文书确定的义务。被执行人逾期不履行的，人民法院应当拍卖被查封、扣押的财产；不适于拍卖或者当事人双方同意不进行拍卖的，人民法院可以委托有关单位变卖或者自行变卖。国家禁止自由买卖的物品，交有关单位按照国家规定的价格收购。

【释义】　本条是关于拍卖、变卖被查封、扣押的财产的规定。

依照本条规定，可以把握以下几个层次：一是查封、扣押。拍卖、变卖的前提是财产被查封、扣押。二是被执行人自觉履行。财产被查封、扣押后，执行员应当责令被执行人在指定期间履行法律文书确定的义务，被执行人应当自觉履行。三是拍卖。被执行人逾期不履行的，人民法院应当拍卖被查封、扣押的财产。人民法院可以自己组织拍卖，也可以委托拍卖。四是变卖。实践中有的财产不适于拍卖，如保质期较短，需及时处理的财产。有的当事人希望尽快变现财产,实现债权。因此,对于不适于拍卖或者当事人双方同意不进行拍卖的财产,人民法院可以委托有关单位变卖或者自行变卖。五是收购。国家禁止自由买卖的物品,交有关单位按照国家规定的价格收购。“国家禁止自由买卖的物品”主要是指金银(不包含金银制品)等物品。

本条对原民事诉讼法第二百二十三条的规定作了修改。原民事诉讼法第二百二十三条规定:“财产被查封、扣押后,执行员应当责令被执行人在指定期间履行法律文书确定的义务。被执行人逾期不履行的,人民法院可以按照规定交有关单位拍卖或者变卖被查封、扣押的财产。国家禁止自由买卖的物品,交有关单位按照国家规定的价格收购。”对比可见,修改的主要内容是规定了拍卖优先的原则。依照原条文“拍卖或者变卖”的规定,财产被查封、扣押后,被执行人逾期不履行义务的,人民法院既可以拍卖,也可以变卖。依照修改后的条文,人民法院首先应当拍卖被查封、扣押的财产,只是对于不适于拍卖或者当事人双方同意不进行拍卖的财产,人民法院才可以进行变卖处理。这样修改,有利于充分发挥被查封、扣押财产的价值,最大化实现权利人的权利。

立法过程中,主要是吸收了最高人民法院的意见,进行了上述修改。最高人民法院建议,将原民事诉讼法第二百二十三条修改为:“执行法院对查封的财产应当在查封后二个月内变价。但因查封物的性质或者有其他不得已的事由的,不在此限。查封财产变价时,应当由执行法院优先进行拍卖。查封的财产无法拍卖、不适于拍卖或者当事人双方同意不进行拍卖的,执行法院可以委托有关单位变卖或者自行变卖。国家禁止自由买卖的物品,交有关单位按照国家指定的价格收购。”

立法过程中还有一些意见涉及法院自行拍卖或者委托拍卖

的问题。有的认为应当实行委托拍卖制度，理由如下：一是有利于维护法院的公正形象。法院的强制拍卖是其履行法定职责，依法执行公务的行为。执行公务与商业行为有根本性区别。但是公众对法院强制拍卖的性质认识不清，认为属商业行为，因此法院委托拍卖有利于维护形象公正。二是有利于法院实施监督职能。执行中的拍卖毕竟不同于任意拍卖，拍卖作为一种变价方式，是执行程序中继续查封、扣押、冻结之后的又一种执行措施，其中涉及许多问题需要监督，而拍卖性质不仅仅是公法性质，还伴有买卖性质。由委托机构实施拍卖，便于人民法院实施监督。三是法院自行拍卖往往容易受到利益驱动的影响，委托拍卖机构实施拍卖有利于避免执行人员在实施拍卖时违法。四是法院的主要精力应放在司法工作方面，而拍卖是一种商业活动。无论将拍卖视为何种性质，都不能不承认其中有着浓厚的商业气息，这种气息与法院的性质不相协调。由执行人员充当拍卖人，将执行法院作为拍卖场所，有失法院的尊严。五是拍卖有很强的专业性、技术性，需要具备拍卖的专业知识和丰富的实践经验，如果法院自行拍卖要求执行人员充当拍卖师的角色总有点勉为其难，拍卖效果也不一定好。而且，在司法实践中基本采用的是委托拍卖的方式。1998 年最高人民法院《关于人民法院执行工作若干问题的规定（试行）》第四十六条明确规定人民法院对查封、扣押的被执行人财产进行变价时，应当委托拍卖机构进行拍卖。2004 年最高人民法院《关于人民法院民事执行中拍卖、变卖财产的规定》第三条重申并加强了委托拍卖制度，规定：人民法院拍卖被执行人财产，应当委托具有相应资质的拍卖机构进行。最高人民法院《关于人民法院民事执行中拍卖、变卖财产的规定》将拍卖人界定为受法院委托的具有相应资质的拍卖机构。该规定重申了委托拍卖原则，而否认法院自行拍卖原则。

有的则提出,委托拍卖制度存在很多问题。经过十多年的实践,委托拍卖制度远没有发挥出预期的作用,其本应具有的优势也难以显现。第一,中介机构恶性竞争。由于利益驱动的影响,拍卖行业的竞争日趋激烈,而目前的拍卖市场又缺乏相关的行业管理制度,出现了一些拍卖机构无序竞争的情况。少数拍卖机构为拓展业务,采取不正当的方式向执行人员行贿。一些拍卖机构在未被选中的情况下,在竞买中对拍卖标的物散布恶意消息,造成标的物流拍。有的拍卖机构为了使拍卖活动得以实现,在拍卖前就与个别竞买人串通,使整个拍卖流于形式。第二,拍卖款和保证金管理不善。一些拍卖公司收取竞买人的拍卖款后不及时按要求将款项打入法院的账上,有的甚至挪用执行款。第三,委托环节不规范。有的拍卖公司就是为某一业务才成立的,本身无拍卖师,也无正式场合。第四,中介机构收益和付出形成巨大反差。拍卖机构佣金收取比例过高,一个案件尤其是标的额大的案件佣金过百万甚至上千万,拍卖机构承担的义务却较少。实践中,有的法官认为,有些拍卖行除举槌是自己做的,其他全部都是法官做的,法官干活,拍卖行获利,一些法官的违法犯罪就与这种心态失衡有一定关系。因此,法院应当自行拍卖,理由如下:一是由执行机关直接拍卖更符合目前民事拍卖的本质要求。民事拍卖作为一种公法行为,应当由国家机关负责实施,这与公权力的本质属性相吻合。法院享有民事执行的权力,理所当然,由执行法院直接实施拍卖应是首选。不应认为民事执行拍卖具有商业色彩而与法院的性质不符。民事执行拍卖不以营利为目的,拍出最高价的目的在于最大化实现申请执行人的债权,不同于任意拍卖中的利益驱动,不具商业色彩。执行法院作为负责实现有执行根据的债权的机关,理应直接实施拍卖。二是执行机关实施拍卖能更好地彰显民事执行拍卖的公法效力，维护拍卖的公信力，提高竞买人的积极性。民事执行拍卖的公法效力确实需要执行机关运用国家公权力具体组织实施，其他机关或公司难担此任。强制性拍卖过程本身对被执行人和潜在的“老赖”就是一种威慑，因此，法院主持拍卖不但不会降低法院的权威，相反，法院公正的强制拍卖程序更容易让当事人接受拍卖结果。三是执行机关实施拍卖更能保护执行当事人的合法权益，使利益得到最大的维护。竞买积极性得到提高就必然使拍卖标的物成功拍卖的可能性增加，执行当事人债务清偿、债权实现的概率大大增加。而且，执行机关作为国家机关实施民事执行拍卖可以免去大额的委托拍卖佣金，这样可以最大限度地降低执行成本，也减轻了债务人的负担，提升了受偿比例，进而提高了执行效率。四是不由执行法院实施拍卖也不可能杜绝执行人员违法行为，执行法院实施拍卖并不必然存在执行人员违法行为。由执行法院委托商业拍卖机构实施拍卖，反而使得执行人员与拍卖机构之间形成了较为固定的利益团体，不利于法院的廉政建设。由执行人员直接实施拍卖，当事人对其行为可直接进行监督，更有利于高效、廉洁执行拍卖队伍的建设。索贿、受贿等问题不因拍卖权主体的不同而有本质性区别。法院拍卖过程中的违法行为的出现，是因为对强制执行拍卖活动的监督制度还不完善。五是执行法院可以通过聘用专业拍卖师，引进人才、培训等方式解决缺乏拍卖经验的问题。六是人民法院直接行使强制拍卖权符合国际惯例。目前，世界大多数国家的强制执行法等法律中都有明确规定，执行程序中的强制拍卖由法官或执行官直接实施。在德国，除拍卖的启动外，法院按照职权来实施拍卖程序，动产的拍卖原则上由执行员实施，应债权人或债务人的申请，执行法院也可以命令由执行员之外的其他人实施拍卖,不动产的拍卖则由执行法院实施。在日本,执行法院对整个拍卖过程组织实施。例如,对债权人合法的执行申请作出拍卖开始决定,对财产进行现状调查,实施竞卖或宣布最高价买受人等,都由执行法院的法官或执行官主持进行。

第二百四十八条　被执行人不履行法律文书确定的义务,并隐匿财产的,人民法院有权发出搜查令,对被执行人及其住所或者财产隐匿地进行搜查。

采取前款措施,由院长签发搜查令。

【释义】 本条是关于搜查被执行人财产的规定。

搜查是对被执行人的人身、住所或者有可能隐匿财产的地方进行搜寻、查找的强制措施。如果被执行人是法人或者其他组织的,应当对其经营或者活动的场所及可能隐匿财产的地方进行搜查。

在司法实践中,某些被执行人明明有财产,却将财产隐藏起来,谎称无钱还债,拒不向人民法院报告自己真实的财产状况,使执行工作难以进行。针对这一情况,民事诉讼法规定了对被执行人及其住所或者其他场所的搜查措施,以防止被执行人隐匿、转移财产,从而保证人民法院的判决实现,保障债权人的合法权益。

根据本条的规定,人民法院在执行中有权对被执行人及其住所或者财产隐匿地进行搜查。搜查分为对被执行人的搜查和对被执行人的住所或者财产隐匿地的搜查。对被执行人搜查,指对被执行人的人身搜查,这是为了防止某些被执行人将财物藏在身上,抗拒人民法院执行。对住所搜查,主要指对被执行人的户籍所在地和经常居住地搜查,也可以是对被执行人现时所住的地方搜查。对财产隐匿地搜查,是指根据线索对藏匿财产的地点进行搜查。由于搜查是一种严厉的执行措施,涉及当事人的人身自由、名誉、居住等权利,处理不好会侵犯被执行人和其他公民的人身权、财产权和住宅不受侵犯的权利。为了防止不良社会后果的产生,人民法院采取该项措施必须特别慎重,必须由负责执行法院的院长签发搜查令方可进行,未经批准不得采取搜查措施。执行员进行搜查时,应当向被执行人及其家属或者有关场所的负责人出示搜查令。搜查令是执行搜查的法律凭证,搜查令应当写明搜查的原因、被搜查人的姓名、职业、住址等。搜查完毕后,执行员应当将执行情况制作笔录,由在场的有关人员签名或者盖章。

第二百四十九条　法律文书指定交付的财物或者票证,由执行员传唤双方当事人当面交付,或者由执行员转交,并由被交付人签收。

有关单位持有该项财物或者票证的,应当根据人民法院的协助执行通知书转交,并由被交付人签收。

有关公民持有该项财物或者票证的,人民法院通知其交出。拒不交出的,强制执行。

【释义】　本条是关于强制被执行人交付财物或者票证的规定。

交付执行是以转移物的占有为目的。本条规定的交付执行是指将由债务人或第三人将占有的法律文书所指定的财物或票证转移为由债权人占有或支配,执行的标的应当是特定的财物或者票证。财物主要是指动产,票证是指具有财产内容的各项证明文书、执照和支付凭证等,如房产证、土地证、山林权属证、车辆证照、专利证书、商标证书及汇票、支票、本票等有关的票据,金钱以及种类物的交付不属本条规定的执行标的。

本条规定了两种交付特定标的物的具体办法和程序:一是由执行程序中的当事人当面交付。执行员指定交付的日期和地点,传唤双方当事人同时到达某一地点,被执行人将财物或者票证直接交给债权人,执行员制作执行笔录,由双方当事人签字。二是由执行员转交,即执行员将被执行人交来法律文书指定的财物或者票证,转交给债权人并由债权人签收。

对第三方占有法律文书所指定的财物或者票证的情况,本条也作了具体规定:如果被执行的财物或者票证由有关单位持有,人民法院应当发出协助执行通知书,由有关单位转交给应交付的人,并由被交付人签收。如果有关公民持有该财物或者票证,人民法院应当通知其交出,拒不交出的,强制执行。

第二百五十条　强制迁出房屋或者强制退出土地,由院长签发公告,责令被执行人在指定期间履行。被执行人逾期不履行的,由执行员强制执行。

强制执行时,被执行人是公民的,应当通知被执行人或者他的成年家属到场;被执行人是法人或者其他组织的,应当通知其法定代表人或者主要负责人到场。拒不到场的,不影响执行。被执行人是公民的,其工作单位或者房屋、土地所在地的基层组织应当派人参加。执行员应当将强制执行情况记入笔录,由在场人签名或者盖章。

强制迁出房屋被搬出的财物,由人民法院派人运至指定处所,交给被执行人。被执行人是公民的,也可以交给他的成年家属。因拒绝接收而造成的损失,由被执行人承担。

【释义】　本条是关于强制被执行人迁出房屋或者退出土地的规定。

本条的规定主要针对房屋、土地等不动产方面的强制执行。

生效法律文书确定房屋占有人迁出房屋，土地占有人退出土地的，房屋占有人、土地占有人必须履行，如不履行将给对方当事人的合法权益或者社会公共利益造成损害，为此民事诉讼法规定了强制迁出房屋、强制退出土地的执行措施。

非法占有房屋和土地，必将严重影响群众生活、国家建设、社会安定和人民团结，因此，当事人不按法律文书迁出房屋和退出土地时，人民法院有权采取强制迁出、强制退出的措施。由于这一措施对于被执行人的生活影响较大，法律规定了严格的程序，人民法院采取这两种执行措施，由法院院长签发公告，限定期限，责令被执行人在指定的期间履行，逾期仍不履行的，由执行员强制执行。强制执行应当依照本条规定的程序进行：(1)通知到场。被执行人是公民的，应当通知被执行人或者他的成年家属到场；被执行人是法人或者其他组织的，应当通知其法定代表人或者主要负责人到场。(2)相关单位派员参加。被执行人是公民的，其工作单位或者房屋、土地所在地的基层组织应当派人参加。(3)制作执行笔录。执行员应当将强制执行情况记入笔录，由在场人签名或者盖章。搬迁的财物要详细记录，避免被执行人的合法利益受到损害，或者因此可能产生的纠纷。(4)被搬出财物的交付。强制迁出房屋被搬出的财物，由人民法院派人运至指定处所，交给被执行人。被执行人是公民的，也可以交给他的成年家属。因拒绝接收而造成的损失，由被执行人承担。

在采取执行措施时，如果被执行人拒绝执行或者人为对执行工作设置障碍，造成财产损失，应当由其自己承担。

第二百五十一条　在执行中，需要办理有关财产权证照转移手续的，人民法院可以向有关单位发出协助执行通知书，有关单位必须办理。

【释义】 本条是关于办理财产权证照转移手续的规定。

在执行程序中,有些案件需要办理有关财产权证照转移手续,本条所称“有关财产权的证照”,是指有财产权内容的证照,如土地使用权证、房产证等。

人民法院判决确认某一权利(如土地使用权、房屋所有权)的归属后,常常需要有关单位办理权利转移手续。但在实践中,某些单位却不协助办理,例如,人民法院判决一房屋归甲所有后,房管部门不但不给办理房屋过户手续,还将房屋出租给他人居住。为了防止这种现象出现,使执行工作顺利进行,民事诉讼法对有协助办理证照转移的单位规定了法定义务,有关单位必须按照协助执行通知给予办理,不得推诿、拒绝。对不予协助办理证照转移手续的,人民法院可以根据本法“对妨害民事诉讼的强制措施”一章的有关规定,除责令其履行协助义务外,还可以对主要负责人或者直接责任人员予以罚款,并责令改正;对仍不履行协助义务的,可以予以拘留;并可以向监察或者有关机关提出予以纪律处分的司法建议。

第二百五十二条　对判决、裁定和其他法律文书指定的行为,被执行人未按执行通知履行的,人民法院可以强制执行或者委托有关单位或者其他人完成,费用由被执行人承担。

【释义】 本条是关于强制执行法律文书指定的行为的规定。

人民法院作出的生效法律文书,有的属于要求当事人从事某种行为。行为的执行,是指要求被执行人履行作为或者不作为的义务。作为执行标的的行为,可以分为作为和不作为两种。作为也称积极的行为,即被执行人以积极的方式作出某种行为,如修缮房屋、拆除违章建筑等。不作为,也称消极的行为,是指被执行人不得作出某种行为,如停止侵害。本条对行为的执行规定了本人实施和可替代实施两种。可替代行为,是指可以由他人代替行为人本人实施的行为。如果被执行人不按人民法院通知履行义务,人民法院可以强制执行,或者委托有关单位或者其他人完成。一般来说,可替代行为都是积极的作为,不作为一般不具有可替代性。可替代性行为,原则上应当由被执行人自己履行;被执行人拒绝履行的,执行机构可以委托有关单位或者个人代为完成该行为,代为履行的费用由被执行人承担;如果被执行人不自动给付,法院可以强制执行。例如,公民甲不履行拆除违章建筑的判决,人民法院可以自己拆除,也可以委托房管部门拆除,或者由申请执行人拆除,因完成这一行为所支出的费用,由被执行人承担。

第二百五十三条　被执行人未按判决、裁定和其他法律文书指定的期间履行给付金钱义务的,应当加倍支付迟延履行期间的债务利息。被执行人未按判决、裁定和其他法律文书指定的期间履行其他义务的,应当支付迟延履行金。

【释义】 本条是关于强制被执行人加倍支付利息或者支付迟延履行金的规定。

法律文书一旦生效,当事人就应当履行法律文书确定的义务,对不履行法定义务的,应当进行制裁,以保护对方当事人的合法权益,维护法律的尊严。在实践中,某些被执行人认为,能晚一天还债自己就能多利用一天资金,多享一分利益,甚至抱着侥幸心理,认为能拖一天是一天,或许能把债拖没了。由于他们迟迟不履行判决,给权利人造成了很大的损失,形成了债务人像爷爷,债权人像孙子,债权人一天到晚求爷爷告奶奶恳求债务人还债的不正常局面。针对这种情况,民事诉讼法规定了逾期不履行义务加倍支付债务利息和迟延履行金。

本条对被执行人未按判决、裁定和其他法律文书指定的期间履行给付金钱义务或者其他义务的,规定了加倍支付迟延履行期间的债务利息或者支付迟延履行金。债务利息是指被执行人没有按期履行给付金钱义务而应当向债权人支付的除债务本金之外的一定费用。延迟履行金是指被执行人因迟延履行生效法律文书确定的其他义务而应当向权利人支付的除原债务以外的款项,具有弥补权利人损失和对义务人惩罚的双重功能。

本条对于金钱债务的利息明确规定为加倍支付。例如,判决确定被执行人应当在某日前清偿一定金额的债务,如果被执行人超过期限没有还债,就要强制其加倍支付从确定日期至执行完毕期间的债务利息。如果被执行人未按判决裁定和其他法律文书指定的期间履行其他义务的,比如,没按法律文书规定交出有关的财物或者票证;没按法律文书迁出房屋或者退出土地;未按法律文书履行一定的行为,人民法院应当责令被执行人支付迟延履行金。至于应支付的迟延履行金的数额是多少,人民法院可以根据案件的不同情况加以确定。

第二百五十四条　人民法院采取本法第二百四十二条、第二百四十三条、第二百四十四条规定的执行措施后,被执行人仍不能偿还债务的,应当继续履行义务。债权人发现被执行人有其他财产的,可以随时请求人民法院执行。

【释义】　本条是关于继续履行义务及随时申请执行的规定。

在执行过程中执行法院已经实施了法律所规定的关于查询、冻结、划拨存款,扣留、提取被执行人收入,以及查封、扣押、冻结、拍卖、变卖被执行人财产的措施后,被执行人仍无法偿还债务的，债务并不因此而消灭，债务人还应当继续履行义务；债权人发现被执行人有其他财产的，可以随时请求人民法院执行。当事人之间因申请强制执行所产生的法律关系并没有终结。也就是说，作为被执行人的公民和非法人组织的偿债责任是无限的，被执行人的义务不因采取了执行措施而终结，被执行人什么时候有钱，什么时候就应当履行义务，一直到义务履行完毕。如果申请执行人发现被执行人在人民法院采取执行措施后还有其他可供执行的财产，或者发现被执行人经过一段恢复期后，又获得了新的财产，可以随时请求人民法院执行。

第二百五十五条　被执行人不履行法律文书确定的义务的，人民法院可以对其采取或者通知有关单位协助采取限制出境，在征信系统记录、通过媒体公布不履行义务信息以及法律规定的其他措施。

【释义】 本条是关于对被执行人的限制措施的规定。

本条是2007年修改民事诉讼法时增加的规定。司法实践中，某些债务人明明有履行义务的能力，却谎称无钱，企图躲过一阵子，赖掉债务后舒服一辈子。社会各界呼吁在民事诉讼法中规定对拒不执行法律文书确定义务的“老赖”的限制措施，以加大执行力度，增强对被申请执行人的威慑力量，否则不利于健康、规范的社会主义市场经济秩序的建立，也不利于诚实、守信的良好社会环境的营造。

有的代表提出，增加对被申请执行人限制措施意义非常深远，这对于完善市场、建立法治社会，推进今后的法制建设都有着重大意义。目前在债务关系中，不遵守合同，逃债情况非常严重，金融部门不良资产损失达6万亿左右，国家付出这么大的代价，没有换回来一个好的环境，过去是杨白劳害怕黄世仁，现在是债主求着欠债的,当事人尤其是金融部门的合法债权得不到保护,这是我们社会发展的硬伤,民事诉讼法的修改要加大这方面的力度。对于逃债问题,司法部门作了很大的努力,但是效果并不理想,有的企业欠银行上亿元的债不还,但其厂长在北京有数套住房、几辆车;有的公司老总,亏损几十亿元,大量占用银行贷款,占用投资人、股民的保证金,但个人却有几亿元资产。对逃债、赖债的宽容、庇护,就是对人民的渎职,是对人民的犯罪,对这个现象我们必须运用法律手段进行严格的限制、打击。真正有困难的人,真正因为不可抗力等原因造成的欠债,应当有一个合法途径解决,对那些恶意逃债的人绝不能宽容。还有的代表提出,有的地方人大常委会专门制定了《关于加强人民法院民事执行工作若干规定的决定》,收到了较好的效果。例如,对被执行人财产悬赏举报,在各大媒体上公布被执行人姓名、单位、负责人姓名等,这些好的举措应当吸收到法律中来。

有的机构提出,执行难是一个复杂的社会问题,单靠法院自身无法有效解决,需要各有关部门密切协作,综合治理,特别是在我国目前的情况下,由于整个社会的法律意识不高,社会诚信制度缺失、财产监管制度不健全等因素的影响,法律文书生效后自动履行率仅占40%左右,另外60%以上的生效法律文书要靠法院强制执行。要改变这一状况,除了加强法院自身的执行力度外,一个重要的途径就是建立国家执行威慑机制,通过全国法院执行案件信息管理系统这个平台,将全国法院受理的执行案件的基本信息予以公开,并通过将该系统与金融、工商、房地产、交通、出入境管理等部门以及其他社会信用体系网络相链接,逐步从法律、经济、政治、道德、生活、舆论等各个方面对被执行人进行制约、限制,使其在融资、投资、置产、出境、注册新公司、高消费等方面都受到严格的审查和限制,促使其自动履行义务,形成综合治理执行难的工作格局，以达到标本兼治解决执行难的目的。

根据人大代表、常委委员和有关部门的意见，本条规定了对被申请执行人的限制性措施。这些措施包括：

(1)限制出境。限制出境的对象是被申请执行人，包括自然人、法人的法定代表人和其他组织的负责人。

(2)在征信系统记录。目前，我国的征信系统有人民银行征信局的信贷征信系统，有人民法院记录拒不履行生效法律文书的被申请执行人的征信系统等，将来这些征信系统可联网，供查询，以提醒相关利害关系主体注意谨慎地与其进行交易，防止合法权益受到损害。在市场经济的环境下，判断一个人是否值得信任，比较有效的办法是看其过往的诚信记录。如果一个人从来没有不诚信的记录，他是一个值得信赖的人，但如果一个人以前有不诚信的记录，则其诚信与否就值得考虑了。将不履行义务记录在征信系统这个诚信数据库中，一个人也许可以从一次背信行为中获得暂的利益，但此后他将可能用整整一生来持续地为这次获益付出代价。法律将不履行法律文书确定的义务的行为记录在征信系统规定在法律中，从某种意义上说是确立了维护社会诚信的最基本的制度。

(3)通过媒体公布不履行义务信息，将拒不履行义务的被执行人的名单通过电台、电视台、报刊、网络等新闻媒体，以公告的形式公布，使义务人不履行义务的情况在一定范围内为社会公众所知晓，造成一定的社会影响和压力，从而促使其自动履行义务。

(4)法律规定的其他措施。这是一项兜底性规定，除上述所列举的限制措施外，随着社会的发展和司法实践，可能会摸索出一些行之有效的措施，为了给今后可能规定的措施在法律上留有一定的余地,所以规定了这一项,但这项规定有严格的法律界限,尽管是兜底性规定,也只能兜在法律规定的措施内,即只有法律明文规定的,才能作为对拒不履行义务的被申请执行人的限制性措施,其他规范性文件不能规定这类限制性措施。

对这一条规定有两点需要注意:第一,限制措施是针对逾期不履行生效法律文书及执行通知书所确定的义务的主体。第二,限制措施的实施主体有的是法院的执行部门,有的是其他有关部门。例如,限制出境的实施主体就应当是公安机关,有关部门应当按照法律的规定协助实施。

第二十二章 执行中止和终结

执行程序基于当事人申请和审判员移送而开始，在一般情况下，执行程序应该依序进行直至执行完毕，但出现法定的特殊情况时，执行程序可能暂时不能进行，或者根本无法继续进行。民事诉讼法针对这种情况，规定了执行中止和执行终结。

第二百五十六条 有下列情形之一的，人民法院应当裁定中止执行：

（一）申请人表示可以延期执行的；

（二）案外人对执行标的提出确有理由的异议的；

（三）作为一方当事人的公民死亡，需要等待继承人继承权利或者承担义务的；

（四）作为一方当事人的法人或者其他组织终止，尚未确定权利义务承受人的；

（五）人民法院认为应当中止执行的其他情形。

中止的情形消失后，恢复执行。

【释义】 本条是关于执行中止的规定。

执行中止是执行程序开始后，由于出现某种法定原因暂时停止执行，等待法定原因解除后再继续执行。从暂时停止执行到继续执行这一段期间，可以称为执行中止的期间。

需要中止执行的法定原因有：

(一)申请人表示可以延期执行

申请人的这种表示是对自己民事实体权利和民事诉讼权利的一种处分,因此,申请人愿意延长执行的,在所延长期限届满前,执行程序应当中止。

在本次修改民事诉讼法的立法过程中,有的意见提出,申请执行人表示可以延期执行,是其对自己权利的处分,执行法院对该权利应充分尊重,不能随便剥夺。但在执行实践中存在一种现象,有些申请执行人表示延期执行并非出于自己的本意,而是在被执行人制造无履行能力假象等情况下无奈作出的。有些执行人员工作责任心不强,在收到申请人的书面申请后,不做任何调查工作,便机械、草率地作出中止执行的裁定,导致申请人的合法权益受到侵害。这就要求执行法院做好必要的调查工作,防止被执行人恶意促使申请人同意中止执行。

(二)案外人对执行标的提出确有理由的异议

案外人对执行提出了确有理由的异议,对案外人的异议在审结以前,法律文书所确认的民事权利义务关系发生了争议,本案能否继续执行,取决于法院对案外人异议的审理结果。因此,案外人对执行提出确有理由的异议后,执行程序应当中止。需要说明两点:第一,案外人对执行标的提出异议并非当然发生执行中止的法律后果,案外人的异议必须"确有理由"。第二,是否"确有理由"由人民法院进行审查。本法第二百二十七条规定:"执行过程中,案外人对执行标的提出书面异议的,人民法院应当自收到书面异议之日起十五日内审查,理由成立的,裁定中止对该标的的执行;理由不成立的,裁定驳回。案外人、当事人对裁定不服,认为原判决、裁定错误的,按照审判监督程序办理;与原判决、裁定无关的,可以自裁定送达之日起十五日内向人民法院提起诉讼。"

（三）作为一方当事人的公民死亡，需要等待继承人继承权利或者承担义务

执行开始后，如果申请人死亡，需要等待他的继承人继承权利；如果被执行人死亡，需要等待他的继承人承担义务。在继承人继承权利或者承担义务之前，执行程序应当中止，等待继承人继承权利或者承担义务之后，执行工作继续进行。需要指出的是，依照本法的规定，作为被执行人的公民死亡，其继承人仅在所继承的遗产范围内偿还债务，继续履行法律文书确定的义务。

在本次修改民事诉讼法的立法过程中，有的意见提出，这一项规定存在一些问题。第一，申请执行人死亡，需要等待继承人继承权利时，中止执行是否合理。实践中，往往在等待继承人继承权利而中止执行过程中，被执行人接到中止裁定后转移财产，致使错失执行良机，造成恢复执行后执行不能，损害了权利人的合法权益。另外，在债权人死亡时中止执行，还可能损害第三人的利益，如在拍卖时中止执行，就有可能损害竞买人的利益。第二，被执行人死亡时中止执行是否合理。依照民事诉讼法的规定，“作为被执行人的公民死亡的，以其遗产偿还债务”。据此，只要被执行人有遗产可供执行的，人民法院就应当执行其遗产，而不应中止执行。此时，无论被执行人是否有继承人或者继承人是否表示愿意承担义务，都不影响人民法院对遗产的执行。若被执行人没有继承人的，人民法院可直接按该条规定执行。若被执行人有继承人且没有放弃继承的，人民法院则可依最高人民法院《关于适用〈中华人民共和国民事诉讼法〉若干问题的意见》第二百七十四条的规定，裁定变更继承人为被执行人，由其在继承的遗产范围内偿还债务。若继承人放弃继承的，人民法院可以直接依法执行被执行人的遗产。然而，也有意见认为，执行过程中作为一方当事人的公民死亡，存在权利义务主体变

更的问题,从法理上讲,本项规定并无不妥。

(四)作为一方当事人的法人或者其他组织终止,尚未确定权利义务承受人

在执行过程中,作为一方当事人的法人或者其他组织止,应当由承受其权利义务的法人或者其他组织作为当事人继续参与执行程序,履行义务。但在特殊情况下,承受权利义务的法人或者其他组织一时尚未确定,在确定之前执行程序应当中止。

(五)人民法院认为应当中止执行的其他情形

在执行过程中,人民法院认为出现除上述情况外的其他情形,需要中止执行的,可以作出中止执行的裁定。这一规定较为灵活,以适应执行工作中的复杂情况。根据本项的规定,1998年最高人民法院公布的《关于人民法院执行工作若干问题的规定(试行)》在第一百零二条对于“人民法院认为应当中止执行的其他情形”,作了细化规定:有下列情形之一的,人民法院应当依照民事诉讼法本项规定裁定中止执行:(1)人民法院已受理以被执行人为债务人的破产申请的;(2)被执行人确无财产可供执行的;(3)执行的标的物是其他法院或仲裁机构正在审理的案件争议标的物,需要等待该案件审理完毕确定权属的;(4)一方当事人申请执行仲裁裁决,另一方当事人申请撤销仲裁裁决的;(5)仲裁裁决的被申请执行人依据民事诉讼法第二百三十七条第二款的规定向人民法院提出不予执行请求,并提供适当担保的。民事诉讼法第二百三十七条第一款规定:“对依法设立的仲裁机构的裁决,一方当事人不履行的,对方当事人可以向有管辖权的人民法院申请执行。受申请的人民法院应当执行。”第二款规定:“被申请人提出证据证明仲裁裁决有下列情形之一的,经人民法院组成合议庭审查核实,裁定不予执行:(一)当事人在合同中没有订有仲裁条款或者事后没有达成书

面仲裁协议的;(二)裁决的事项不属于仲裁协议的范围或者仲裁机构无权仲裁的;(三)仲裁庭的组成或者仲裁的程序违反法定程序的;(四)裁决所根据的证据是伪造的;(五)对方当事人向仲裁机构隐瞒了足以影响公正裁决的证据的;(六)仲裁员在仲裁该案时有贪污受贿,徇私舞弊,枉法裁决行为的。”人民法院认定执行该裁决违背社会公共利益的,裁定不予执行。

人民法院对决定中止执行的案件,应当作出裁定,并通知当事人。中止执行只是执行程序的暂时停止,不是执行程序的结束。引起中止执行的情况消除后,应当恢复执行。恢复执行可以由人民法院依职权主动进行,也可以由当事人申请,经法院同意后恢复。如果引起中止执行的原因永不消除,人民法院可以终结执行程序。

第二百五十七条　有下列情形之一的,人民法院裁定终结执行:

(一)中请人撤销申请的;

(二)据以执行的法律文书被撤销的;

(三)作为被执行人的公民死亡,无遗产可供执行,又无义务承担人的;

(四)追索赡养费、扶养费、抚育费案件的权利人死亡的;

(五)作为被执行人的公民因生活困难无力偿还借款,无收入来源,又丧失劳动能力的;

(六)人民法院认为应当终结执行的其他情形。

【释义】　本条是关于执行终结的规定。

执行终结分为正常情况下的执行终结和特殊情况下的执行终结。前者是指法院执行员按照已经生效的法律文书的要求,采取相应措施全部执行完毕。后者是指执行开始后,由于出现某

种法定原因使执行工作永远无法进行或者无须进行,因而以裁定的方式结束执行程序。人民法院裁定终结执行程序的情形有:

(一)申请人撤销申请

执行程序一般是因当事人的申请而开始,如果当事人撤销申请,不再要求人民法院执行,这是对其民事实体权利和民事诉讼权利行使处分权,只要符合法律规定,不违背社会公共利益,人民法院应当准许,执行程序也因此而终结。

(二)据以执行的法律文书被撤销

人民法院的执行工作必须有合法的执行根据。执行根据也称执行文书,是权利人据以申请执行的凭证,也是人民法院采取执行措施的凭证。根据民事诉讼法的规定,执行根据主要包括:(1)发生法律效力的民事判决、裁定和调解书;(2)人民法院制作的发生法律效力并且具有财产内容的刑事判决、裁定书;(3)其他应当由人民法院执行的法律文书,例如仲裁机构制作的生效的裁决书、调解书,公证机关制作的依法赋予强制执行效力的债权文书,行政机关作出的具有法律效力的行政决定。如果由于某种特殊原因,作为执行根据的上述法律文书被撤销,继续执行将缺乏合法生效的法律依据,因此人民法院应当裁定终结执行。

(三)作为被执行人的公民死亡,无遗产可供执行,又无义务承担人

被执行人是执行程序中负有义务的一方当事人,如果在执行过程中死亡,依照本法规定,人民法院首先应当裁定中止执行,等待继承人承受义务。如果被执行人的遗产继承人没有放弃继承,人民法院可以裁定变更被执行人,由该继承人在遗产的范围内偿还债务;如果继承人放弃继承,人民法院可以直接执行被执行人的遗产;如果被执行人既无遗产,又无义务承担人,执

行工作无法进行，人民法院应当裁定终结执行。

（四）追索赡养费、抚养费、抚育费案件的权利人死亡

享受赡养费、扶养费、抚育费的权利和人身权利紧密相连，只能由生效的法律文书确定的具有特殊身份的权利人享有，如父母、配偶或者未成年子女。以上权利不得继承或者转让，如果享有赡养费、扶养费、抚育费的权利人死亡，那么执行程序就无须进行，人民法院应当裁定终结执行。

（五）作为被执行人的公民因生活困难无力偿还借款，无收入来源，又丧失劳动能力

既要保护权利人的合法权益又要适当照顾被执行人必要的生活需要，是民事诉讼法执行程序编的一项重要原则。执行程序开始后，被执行人生活困难，借款无力偿还，既没有收入来源，又丧失了劳动能力，不仅现在，即便将来也无力履行法律文书确定的义务，在这类情况下，人民法院可以终结执行。

（六）人民法院认为应当终结执行的其他情形

现实生活是复杂的，上述五项规定不可能将实际执行工作中发生的所有情形概括无遗，因此，法律作出第六项规定，人民法院认为其他情形使执行工作无法进行或者无须进行的，可以终结执行。这是对终结执行作出的弹性规定。根据本项的规定，1998 年最高人民法院公布的《关于人民法院执行工作若干问题的规定（试行）》在第一百零五条规定，在执行中，被执行人被人民法院裁定宣告破产的，执行法院应当依照民事诉讼法的本项规定，裁定终结执行。

2009 年最高人民法院《关于规范集中清理执行积案结案标准的通知》提出将“终结本次执行程序”作为无财产可供执行案件的一种结案方式，规定：“无财产可供执行的案件，执行程序在一定期间无法继续进行，且有下列情形之一的，经合议庭评

议,可裁定终结本次执行程序后结案:(1)被执行人确无财产可供执行,申请执行人书面同意人民法院终结本次执行程序的;(2)因被执行人无财产而中止执行满两年,经查证被执行人确无财产可供执行的;(3)申请执行人明确表示提供不出被执行人的财产或财产线索,并在人民法院穷尽财产调查措施之后对人民法院认定被执行人无财产可供执行书面表示认可的;(4)被执行人的财产无法拍卖变卖,或者动产经两次拍卖、不动产或其他财产权经三次拍卖仍然流拍,申请执行人拒绝接受或者依法不能交付其抵债,经人民法院穷尽财产调查措施,被执行人确无其他财产可供执行的;(5)作为被执行人的企业法人被撤销、注销、吊销营业执照或者歇业后既无财产可供执行,又无义务承受人,也没有能够依法追加变更执行主体的;(6)经人民法院穷尽财产调查措施,被执行人确无财产可供执行或虽有财产但不宜强制执行,当事人达成分期履行和解协议的;(7)被执行人确无财产可供执行,申请执行人属于特困群体,执行法院已经给予其适当救助资金的。”同时规定:“裁定终结本次执行程序的,应当符合下列要求:(1)裁定书中应当载明执行标的总额、已经执行的债权数额和剩余的债权数额,并写明申请执行人在具备执行条件时,可以向有管辖权的人民法院申请执行剩余债权。(2)执行法院终结本次执行程序,在下达裁定前应当告知申请执行人。申请执行人对终结本次执行程序有异议的,执行法院应当另行派员组织当事人就被执行人是否有财产可供执行进行听证;申请执行人提供被执行人财产线索的,执行法院应当就其提供的线索重新调查核实,发现被执行人有财产可供执行的,应当继续执行。裁定终结本次执行程序后,如发现被执行人有财产可供执行的,申请执行人可以再次提出执行申请。申请执行人再次提出执行申请不受申请执行期间的限制。申请执行人申请或者人民法院依职权恢复执行的，应当重新立案。”民事诉讼法修改过程中，有的意见提出，这一方式有积极意义：一是能够将优先的资源集中到有财产可供执结的案件上，提高工作效率。目前，我国法院系统普遍面临着案多人少的困境，在众多案件中先将有可能执结的案件优先执结，是目前比较可行的、有效的办法。既能提高执结率也能减少法院承受的社会压力。相对于执行任务而言，我院执行力量明显不足。执行案件多，被执行人主动履行的却少而又少。案件能否执行，关键在于查明有无可供执行的财产。无论是申请执行人提供还是被执行人申报，效果均不理想，过于依赖法院的调查。法院经过必要的调查，对于被执行人确无履行能力的案件终结执行程序，一方面可以对不具备执行条件的案件及时在执行期限（六个月）内结案；另一方面也是更为重要的，可以使法院轻装上阵，集中力量执行有履行能力的案件，特别是那些有履行能力但拒不履行的案件，法院通过整合执行力量，有效地使用有限的人力物力，使所有可能实现的债权都能最终实现，最大限度地保护债权人的合法权益。二是有利于保护债权人的合法权益。因客观原因、经强制执行而执行无果或执行不能时应裁定终结执行，那么债权人自身保护合法权益的请求权将随之消失。一旦终结执行裁定生效后，再发现债务人有能力或有财产可供执行时，则无法律救济途径可供选择，因为现有法律、法规、司法解释对此并未提供执行依据，债权人的实体权利的实现也就无从谈起，这显然是不公平的。无财产可供执行案件由于不具备执行条件，中止以后往往长期搁置，无法继续执行，既不利于保护申请执行人的债权，也难以进行有效的管理。而实施终结本次执行程序，债权人可以待债务人具有履行能力时，把终结裁定作为再执行依据申请强制执行。这样，在程序上保护了债权人的请求权，从而为其实体权益的保护创造了合法、有利的条件。程序终结适用于被执行人没有履行能力的执行案件，被执行人仍负有继续履行的义务，在一定条件下，申请执行人有权重新申请执行。因此，程序终结是对不具备执行条件的案件在程序上终结执行，不是对执行依据的终结，不会损害申请执行人的债权和申请执行权。但也有一些意见认为，这种工作方式存在一定的弊端：一是终结本次执行裁定送达，容易使当事人产生法院重新“打白条”的误会。生效的法律文书所确定的履行义务、履行时间是人民法院根据案情实际情况和当事人的履行能力而确定的，其最大的特点是具有稳定性，即非经法定程序不得变更、撤销。而发放终结裁定虽然是原生效法律文书的继续或延伸，但对于申请执行人来说，在付出了金钱、时间等不小的成本后，如果得到的仅仅是表达在纸上的权利，真正实现合法权益却遥遥无期，这对法院的威信、法律的尊严无疑会存在或多或少的影响。二是终结本次执行程序后，恢复执行须由申请人提供财产线索后，经申请人的申请，方能启动恢复执行的程序，赋予申请人恢复执行的请求权，旨在维护申请人的合法权益。该规定的出发点是好的，但存在不足之处。申请人对被执行人的有形财产线索进行了解、掌握后提供给法院，比较容易。对有价证券、存款收入等，如要求申请人去了解后提供给法院，实践中就比较牵强，甚至是根本行不通。如此，申请人行使恢复执行请求权即出现了局限性。三是对法院恢复执行的主动性缺乏激励和约束。案件一经裁定终结本次执行程序，非经申请人申请恢复执行，主办法官即可将该案束之高阁，不闻不问。即便当事人提供了财产线索，拟申请恢复执行，仍需等待重新立执行案件后，原有的执行工作才会得到延续。如此，对执行法官的主动性、能动性缺乏很好地调度，容易错失或贻误执行良机。此外，还有一些意见提出，“终结本次执行程序”还涉及对本条规定的“终结执行”如何理解问题。虽然本条第（六）项规定了“人民法院认为应当终结执行的其他情形”，但多数学者主张本条规定的“终结执行”是免责的终结，或者说彻底不再执行的终结。综合考虑这些意见，这次修改民事诉讼法，没有涉及这一问题。

第二百五十八条　中止和终结执行的裁定，送达当事人后立即生效。

【释义】　本条是关于中止执行和终结执行的裁定效力问题的规定。

人民法院受理民事案件后，对诉讼程序问题所作的处理决定叫做裁定，和判决书一样，人民法院的裁定也是人民法院行使国家审判权的表现形式，具有严肃性和权威性。关于中止执行和终结执行的裁定书，最高人民法院《关于人民法院执行工作若干问题的规定（试行）》第一百零六条规定，中止执行和终结执行的裁定书应当写明中止或终结执行的理由和法律依据。需要说明一点，人民法院作出的中止执行或者终结执行的裁定，送达当事人后立即生效，当事人不得对执行中止或者执行终结的裁定提起上诉。

第四编　涉外民事诉讼程序的特别规定

涉外民事诉讼程序的特别规定是民事诉讼法第四编所规定的内容。该编共五章二十六条,专门就涉外民事诉讼程序的一般原则、管辖,送达与期间、仲裁和司法协助等问题作了规定。

涉外民事诉讼的特殊性,决定了有必要在民事诉讼法中对涉外民事诉讼程序作出特别规定。例如,人民法院在审理涉外民事案件中,往往涉及国家主权、互惠关系、国际条约、国际惯例以及司法协助等问题,还要考虑当事人不在我国领域内的管辖、送达、期间和财产保全等种种特殊情况。这些都需要我们在民事诉讼法中作出特别规定。

在立法体例上,我国民事诉讼法采用了设专编规定涉外民事诉讼程序的体例。这样既便于涉外民事诉讼的当事人在进行诉讼时了解和遵循,又便于人民法院在审理案件时掌握和适用,有利于民事诉讼法的贯彻和实施。

第二十三章 一 般 原 则

第二百五十九条 在中华人民共和国领域内进行涉外民事诉讼，适用本编规定。本编没有规定的，适用本法其他有关规定。

【释义】 本条是关于在我国领域内进行涉外民事诉讼适用我国民事诉讼法的规定。

这一条对在我国领域内进行涉外民事诉讼，适用我国民事诉讼法的问题作了明确规定。这一规定是国家主权原则的重要体现，是涉外民事诉讼程序的首要原则。进行民事诉讼，在程序法上适用法院地国家的法律，也是国际上公认的一条准则。适用我国的民事诉讼法主要体现在以下几个方面：(1)外国人、无国籍人、外国企业和组织在我国起诉、应诉，应当依照我国民事诉讼法规定的程序办理；(2)凡属我国人民法院管辖的案件，我国人民法院享有司法管辖权，凡由我国人民法院专属管辖的案件，任何外国法院均无权管辖；(3)外国法院的裁判只有经我国法院审查并裁定予以承认后，才可以在我国发生法律效力，需要在我国执行的，应当按照我国民事诉讼法规定的执行程序办理。

根据本条规定，对于涉外民事诉讼，首先要适用涉外民事诉讼程序的特别规定，在涉外民事诉讼程序的特别规定中未作规定的，则适用民事诉讼法其他各编的相关规定。涉外民事诉讼程序的特别规定属于适应涉外民事诉讼特点的特殊规定，而其他各编的规定属于适用于国内一般民事诉讼的一般规定。根据特别规定优先于一般规定的原则,对于涉外民事诉讼,应优先适用本编规定。在民事诉讼法中,对民事诉讼程序作出特别规定,是由涉外民事诉讼的特点决定的。首先,涉外民事诉讼涉及国家主权。由于涉外民事诉讼含有涉外因素,在管辖、取证、执行等环节涉及国与国的关系。人民法院在审理涉外民事案件时,既要尊重他国主权又要维护我国主权。其次,涉外民事诉讼期间较长。在涉外民事诉讼中,有的当事人在我国领域内没有住所,在送达诉讼文书、调查取证、传唤证人、起诉、答辩、上诉等方面需要较长的时间。再次,审理涉外民事案件关系到法律适用问题。其中既包括实体法,也包括程序法,还涉及国际条约的适用问题。最后,人民法院审理涉外民事案件有时需要外国法院的协助。例如,调查取证有时要委托外国法院协助完成,对生效判决有时需要请求外国法院执行。

根据本条规定,对涉外民事诉讼,本编没有规定的适用本法其他有关规定。例如,在涉外民事诉讼中,仍应以本法的基本原则为准则,当事人诉讼权利平等原则、辩论原则、诚实信用原则都应得到适用。

涉外民事诉讼,是指含有涉外因素的民事诉讼。最高人民法院《关于适用〈中华人民共和国民事诉讼法〉若干问题的意见》第三百零四条规定,当事人一方或双方是外国人、无国籍人、外国企业或组织,或者当事人之间民事法律关系的设立、变更、终止的法律事实发生在外国,或者诉讼标的物在外国的民事案件,为涉外民事案件。由此可以看出,涉外因素主要包括三个方面:(1)诉讼当事人一方或者双方是外国人、无国籍人、外国企业或者组织。涉外民事诉讼可能是外国人、外国企业或者组织与我国公民、法人或者其他组织之间的诉讼,也可能是外国人、外国企业或者组织之间的诉讼。(2)诉讼当事人之间民事法律关系的设立、变更、终止的法律事实发生在外国。例如，诉讼双方当事人都是中国企业，但合同的履行地在国外。(3)诉讼当事人争议的诉讼标的物在外国。例如，原被告均为中国公民，但继承的财产在国外。有上述情形之一的，即为涉外民事诉讼，根据本法规定，应当首先适用本编规定。

第二百六十条　中华人民共和国缔结或者参加的国际条约同本法有不同规定的，适用该国际条约的规定，但中华人民共和国声明保留的条款除外。

【释义】　本条是关于适用我国缔结或者参加的国际条约的规定。

国际条约是国家间就其相互权利义务关系所作的书面形式的约定。国际条约有双边国际条约和多边国际条约之分。双边国际条约，是指两个国家间签订的条约，如《中华人民共和国和法兰西共和国关于民事、商事司法协助的协定》等。多边条约也称公约，是指两个以上的国家缔结或者参加的国际条约，如1965年在海牙通过的《关于向外国送达民事或商事司法文书和司法外文书公约》和1958年在纽约通过的《承认及执行外国仲裁裁决公约》等。

对于国际条约，缔约国或者参加国均有信守和付诸实施的义务。民事诉讼法的这条规定表明，人民法院在审理涉外民事案件时，应当承认我国缔结或者参加的国际条约在涉外民事诉讼中的效力，即使国际条约的规定与我国民事诉讼法的规定有所不同，也应当适用国际条约的规定。同时，我国民事诉讼法没有规定但国际条约有规定的，也应当依照国际条约的规定办理。

但是，适用国际条约的规定并不是绝对的，而是有条件的。首先，国际条约的效力只及于缔约国或者参加国。人民法院适用的国际条约.必须是我国缔结或者参加的国际条约。如果不是我国缔结或者参加的,对我国无任何约束力,人民法院也不予适用。其次,即使是我国缔结或者参加的国际条约,但我国在缔结或者参加时声明保留的条款,即未予承认和接受的条款,对我国也不发生效力,人民法院在审理涉外案件时不予适用。例如,我国加入的《关于向国外送达民事或商事司法文书或司法外文书公约》,对采用邮寄方式在中国境内进行送达等条款作了保留。

第二百六十一条　对享有外交特权与豁免的外国人、外国组织或者国际组织提起的民事诉讼,应当依照中华人民共和国有关法律和中华人民共和国缔结或者参加的国际条约的规定办理。

【释义】　本条是关于外交特权与豁免原则的适用的规定。

外交特权与豁免,是指为了便于外交代表或者具有特殊身份的外交官员有效地执行职务,各国根据其缔结或者参加的国际条约、国际惯例,或者根据平等互惠原则,给予驻在本国的外交代表和以外交官员的身份来本国执行职务的人员以特别权利和优惠待遇。其中包括民事上的司法豁免权,即外交代表和有特殊身份的外交官员的民事行为及其财产免受驻在国法院管辖。例如,不受驻在国法院的审判,不受强制执行,以及没有以证人身份作证的义务等。此外,某些外国组织和国际组织也享有司法管辖豁免。

本条所指的享有外交特权与豁免的外国人,主要是外国驻在我国的外交代表(外国驻华使馆的馆长和具有外交官衔的使馆工作人员),还包括来中国访问的外国国家元首、政府首脑、外交部长及其他具有同等身份的官员。此外,与外交代表共同生活的配偶及未成年子女、使馆行政技术人员及与其共同生活的配偶和未成年子女、来我国参加有关国际组织（如联合国）召开的国际会议的代表、临时来我国的有关国际组织的官员和专家，以及途经我国的驻第三国的外交代表等，也在不同程度上享有司法管辖豁免。

本条所指的法律和国际公约，主要是指《中华人民共和国外交特权与豁免条例》、《中华人民共和国领事特权与豁免条例》、《维也纳外交关系公约》和《维也纳领事关系公约》等。对享有司法管辖豁免权的外国人提起的民事诉讼，在一般情况下，人民法院不予受理。但是民事管辖豁免并不是绝对的，上述人员只能在我国法律和我国缔结或者参加的国际条约规定的范围内享有民事上的司法管辖豁免。就外交代表来说，我国《外交特权与豁免条例》对其享有的民事管辖豁免的例外情形作了如下规定：（1）外交代表以私人身份进行的遗产继承的诉讼；（2）外交代表在中国境内从事公务范围以外的职业或者商业活动的诉讼。可见，外交代表在职务范围以外进行的民事和商事活动，一般不享有司法管辖豁免。在强制执行问题上，外交代表原则上免受强制执行，但对前述两种诉讼，如果强制执行不构成对其人身和寓所的侵犯，则可以采取强制执行措施。该条例还规定在下述情况下，外交代表也不享有民事司法管辖豁免：第一，外交代表的管辖豁免由派遣国政府明确表示放弃，我国即可行使管辖权；第二，外交代表如果主动提起诉讼，对与本诉直接有关的反诉，不得援用管辖豁免。此外，放弃民事管辖豁免，不等于对判决的执行也放弃豁免。放弃对判决执行的豁免，须由派遣国另行作出明确表示，在派遣国放弃了民事管辖豁免，又另行放弃判决执行的豁免时，才可以采取执行措施。

对享有外交特权与豁免的外国人、外国组织或者国际组织提起的民事诉讼,除了依照我国有关法律的规定办理外,在与我国共同缔结或者参加的有关国际条约的缔约国之间,则应当首先依照国际条约的规定办理。例如,我国是1961年《维也纳外交关系公约》、1946年《联合国特权与豁免公约》、1947年《联合国各专门机构特权与豁免公约》的参加国,在上述公约的缔约国之间,人民法院应当首先考虑适用相关的国际条约的规定。

领事官员也享有一定的司法管辖豁免。对驻在我国的有关国家的领事官员,应当依照《中华人民共和国领事特权与豁免条例》、我国加入的1963年《维也纳领事公约》以及我国与一些国家签订的双边领事条约的规定办理。《中华人民共和国领事特权与豁免条例》第十四条规定:领事官员和领馆行政技术人员执行职务的行为享有司法和行政管辖豁免。领事官员执行职务以外的行为的管辖豁免,按照中国与外国签订的双边条约、协定或者根据对等原则办理。领事官员和领馆行政技术人员享有的司法管辖豁免不适用于下列各项民事诉讼:(1)涉及未明示以派遣国代表身份所订的契约的诉讼;(2)涉及在中国境内的私有不动产的诉讼,但以派遣国代表身份所拥有的为领馆使用的不动产不在此限;(3)以私人身份进行的遗产继承的诉讼;(4)因车辆、船舶或者航空器在中国境内造成的事故涉及损害赔偿的诉讼。

在修改民事诉讼法的过程中,有的建议在民事诉讼法中对国家豁免的问题作出规定。经过认真研究,最终民事诉讼法修改没有涉及国家豁免的问题,主要考虑了以下意见:一是从国外立法看,对以国家为被告的案件是否可以行使管辖权及其决定程序,在本国法中规定的国家不多,而且立法形式多样。有通过法院组织法规定的,如德国;有通过普通民事诉讼法、涉外民事诉讼法规定的,如俄罗斯、阿根廷、匈牙利等;在有国家豁免专门立法的国家中,通过专门立法规范了这类案件适用的特殊程序,同时适用普通民事诉讼法的有关规定。从规定内容上看,有的采取绝对国家豁免的立场,即完全排除本国法院对以外国国家为被告的案件的诉讼管辖;有的采取限制国家豁免的立场,即本国法院在某些条件下对以外国国家为被告的案件具有管辖权,并规定了诉讼程序。二是我国已经签署《联合国国家及其财产管辖豁免公约》,但尚未经全国人大常委会批准。该公约采取的是限制国家豁免立场。在我国,有关方面和专家学者对此问题意见还不尽一致。将来我国是实行限制国家豁免还是绝对国家豁免立场,还有待进一步明确。三是虽然我国尚未批准该公约,但根据国际法一般原则和《维也纳条约法公约》规定,在公约签署后批准前或者公约生效前,我国有义务不做破坏公约目的和宗旨的行为,即我国新制定或者修改的有关法律,不能作出与公约实行的"限制国家豁免"立场不一致的规定。也就是说,如果在修改民事诉讼法中明确排除本国法院对外国国家的诉讼管辖,即实行绝对国家豁免立场,将有悖于国际法一般原则和《维也纳条约法公约》规定;而在意见存在较大分歧的情况下也不宜仓促在修改民事诉讼法时明确规定本国法院在某些条件下对以外国国家为被告的案件具有管辖权,此问题需进一步研究。

第二百六十二条 人民法院审理涉外民事案件,应当使用中华人民共和国通用的语言、文字。当事人要求提供翻译的,可以提供,费用由当事人承担。

【释义】 本条是关于审理涉外民事案件使用我国通用的语言文字的规定。

一个国家的法院审理涉外案件,使用法院所在国的语言、文字,这是世界各国的一致做法。人民法院在审理涉外案件时,必须使用我国通用的语言、文字，这是国家主权的体现，不能有任何变通。即使审判人员通晓外语，也不能使用外语对外国当事人进行询问、审判。外国当事人提供的有关诉讼材料，也必须附有中文译文。外国当事人要求提供翻译的，人民法院可以提供，以方便外国当事人进行诉讼，便于人民法院对案件的审理。因提供翻译所需的费用，由要求提供翻译的当事人承担。

第二百六十三条　外国人、无国籍人、外国企业和组织在人民法院起诉、应诉，需要委托律师代理诉讼的，必须委托中华人民共和国的律师。

【释义】　本条是关于外国当事人需要委托律师代理诉讼，必须委托中国律师的规定。

外国当事人可以亲自在我国人民法院起诉或者应诉，进行诉讼活动，也可以委托他人代理诉讼。但是委托律师代理诉讼的，只能委托中国的律师，而不能委托别国律师，包括外国当事人本国的律师以及除我国以外的其他任何一个国家的律师。这是因为：一国的司法制度只能适用于本国领域内，不能延伸于国外。律师制度是国家司法制度的组成部分，外国律师参与非本国法院的诉讼活动，关系到一个国家的司法主权问题。外国律师的律师资格是外国法律赋予的，外国律师是外国司法制度的体现者，作为一个主权国家是不能允许外国律师出席本国法庭参加诉讼的，否则就无异于让外国律师介入本国的司法审判权。此外，当事人委托律师代理诉讼的目的在于求得律师提供法律上的帮助，但是一般来说，外国律师对法院地国的法律是不熟悉的，因而委托非法院地国的律师代理诉讼，也往往无助于案件得以顺利地解决。

在此还需说明的是，本条规定仅指在需要委托律师代理诉讼的情况下，必须委托中国律师。而并不排斥外国当事人委托本国律师以非律师身份担任诉讼代理人；不排斥外国当事人委托其本国公民或者其他国家的公民作为诉讼代理人；也不排斥外国驻华使领馆官员，受本国公民的委托，以个人名义而非官方名义担任该国当事人的诉讼代理人；更不排斥外国当事人委托中国公民作为诉讼代理人。

根据国务院制定的《外国律师事务所驻华代表机构管理条例》第十五条的规定，代表机构及其代表，只能从事不包括中国法律事务的下列活动：(1)向当事人提供该外国律师事务所律师已获准从事律师执业业务的国家法律的咨询，以及有关国际条约、国际惯例的咨询；(2)接受当事人或者中国律师事务所的委托，办理在该外国律师事务所律师已获准从事律师执业业务的国家的法律事务；(3)代表外国当事人，委托中国律师事务所办理中国法律事务；(4)通过订立合同与中国律师事务所保持长期的委托关系办理法律事务；(5)提供有关中国法律环境影响的信息。最高人民法院《关于适用〈中华人民共和国民事诉讼法〉若干问题的意见》第三百零八条规定：涉外民事诉讼中的外籍当事人，可以委托本国人为诉讼代理人，也可以委托本国律师以非律师身份担任诉讼代理人；外国驻华使、领馆官员，受本国公民的委托，可以以个人名义担任诉讼代理人，但在诉讼中不享有外交特权和豁免权。

第二百六十四条　在中华人民共和国领域内没有住所的外国人、无国籍人、外国企业和组织委托中华人民共和国律师或者其他人代理诉讼，从中华人民共和国领域外寄交或者托交的授权委托书，应当经所在国公证机关证明，并经中华人民共和国驻该国使领馆认证，或者履行中华人民共和国与该所在国订立的

有关条约中规定的证明手续后,才具有效力。

【释义】 本条是关于在我国领域内没有住所的外国当事人委托他人代理诉讼,需办理有关的委托证明手续的规定。

授权委托书是一种重要的诉讼文书,它表示委托人的行为由代理人行使,甚至代为处分实体权利。因此,授权委托书必须具有真实性与合法性。民事诉讼法对在我国领域内没有住所的外国当事人从我国领域外寄交或者托交的授权委托书规定了必要的公证、认证(即由使领馆在公证证明文件上证明当事人所在国的公证人员和公证机关的签名印章属实)手续,使之成为授权委托书产生效力的必经程序,这对于确认授权委托书的真实性、合法性,顺利地、正确地解决纠纷,维护诉讼当事人的合法权益,有着重要的作用。

根据本条规定,在我国领域内没有住所的外国当事人从我国领域外寄交或者托交的授权委托书,只有在经过所在国的公证机关证明,我国使领馆认证后,其效力才会得到人民法院的认可,委托与代理关系才告成立,诉讼代理人才能根据授权委托书中所设定的范围代理诉讼。当然,本条所规定的授权委托书需要履行的公证、认证手续,是在一般情况下的必经程序。如果我国与该当事人所在国订有有关条约,该外国当事人履行了条约中规定的证明手续后,其授权委托书也同样具有效力。例如,在我国与一些国家签订的司法协助协定中即有免除认证的规定,即由缔约一方法院或者其他主管机关制作或者证明的并加盖印章的文件,不必经过认证,即可在缔约另一方境内使用。如果缔约另一方国家的当事人完成了上述证明手续,其授权委托书便产生了效力。

我们注意到,需要履行本条规定的公证、认证手续的授权委托书,只是在我国领域内没有住所的外国当事人从我国领域外寄交或者托交的。对于在我国领域内有住所的外国当事人递交的授权委托书，以及外国当事人在我国领域内虽无住所，但在我国领域内作短期停留，如旅行，探亲、讲学、经商时，在我国领域内递交的授权委托书，一般则无须履行本条规定的公证、认证手续。

第二十四章　管　　辖

第二百六十五条　因合同纠纷或者其他财产权益纠纷，对在中华人民共和国领域内没有住所的被告提起的诉讼，如果合同在中华人民共和国领域内签订或者履行，或者诉讼标的物在中华人民共和国领域内，或者被告在中华人民共和国领域内有可供扣押的财产，或者被告在中华人民共和国领域内设有代表机构，可以由合同签订地、合同履行地、诉讼标的物所在地、可供扣押财产所在地、侵权行为地或者代表机构住所地人民法院管辖。

【释义】　本条是关于被告在我国领域内没有住所的合同或者其他财产权益纠纷案件的管辖的规定。

涉外民事诉讼管辖直接关系到国家主权，它是国家主权在涉外民事诉讼中的具体体现。管辖问题也涉及人民法院的审判活动和当事人的诉讼活动能否顺利进行，国际间的民商事纠纷能否得到及时和正确的解决。因适用不同法律所带来的不同的判决结果，直接影响到我国当事人的财产利益和其他权益，因此，涉外民事诉讼管辖与维护我国当事人的合法权益也密切相关。所以说，正确确定涉外民事诉讼管辖对国家和当事人都有着非常重要的意义。对外开放以后，随着涉外案件的增多，涉外司法审判工作的进一步开展，实践中常常遇到涉外案件的管辖权问题。为了明确我国对涉外案件的管辖权，使人民法院在审理涉外民事案件中有所依据，也为了使涉外民事诉讼当事人在进行诉讼时有所遵循,民事诉讼法专门作出了涉外案件管辖的规定。

在涉外民事案件中,被告一方在我国领域内没有住所是经常出现的情况。为了便于人民法院对被告在我国领域内无住所的涉外案件行使审判权,民事诉讼法对因涉外合同纠纷或者其他财产权益纠纷提起的诉讼,而被告在我国领域内又没有住所的案件的管辖问题作了明确规定:(1)合同在我国领域内签订或者履行的,由合同签订地或者履行地人民法院管辖;(2)侵权行为或者损害结果发生在我国领域内的,由侵权行为发生地或者结果地人民法院管辖;(3)被告有财产在我国领域内可供扣押的,由被告可供扣押的财产所在地人民法院管辖;(4)被告在我国领域内设有代表机构的,由代表机构所在地人民法院管辖。这一规定体现了诉讼与法院所在地实际联系的原则。诉讼与我国法院所在地存在一定实际联系的,我国人民法院都有管辖权。本条规定保证了我国人民法院对涉外合同及其他财产权益纠纷案件行使审判权,特别是在被告在我国领域内没有住所的情况下,明确规定对这类案件可以由诉讼标的物所在地人民法院管辖;即使诉讼标的物不在我国领域内,但被告在我国领域内有其他财产(不限于与本案有关的财产)可供扣押的,也可以由可供扣押的财产所在地人民法院管辖,适应了审判实践的需要。

此外,还有两点需要说明:第一,本条是针对在中华人民共和国领域内没有住所的被告提起的诉讼,如果被告在我国境内有住所,不论其国籍如何,我国人民法院均有管辖权,被告住所地与经常居住地不一致的,只要其经常居住地在我国领域内,我国人民法院也可以行使管辖权。第二,本条涉及的纠纷种类仅限于合同纠纷和其他财产权益纠纷,其他涉外民事案件的管辖应当按照本法第二章的规定确定。

第二百六十六条　因在中华人民共和国履行中外合资经营企业合同、中外合作经营企业合同、中外合作勘探开发自然资源合同发生纠纷提起的诉讼,由中华人民共和国人民法院管辖。

【释义】　本条是关于在我国领域内履行中外合资经营、中外合作经营、中外合作勘探开发合同发生的诉讼,由我国法院专属管辖的规定。

专属管辖,是指特定的涉外民事案件的管辖权,专属于我国特定的人民法院管辖。《中华人民共和国合同法》第一百二十六条第二款规定,在我国境内履行的中外合资经营企业合同、中外合作经营企业合同、中外合作勘探开发自然资源合同,适用我国法律。这里所说的适用我国法律,包括适用我国法律中的实体法和程序法。本条规定在程序法中明确了在我国履行上述涉外合同发生纠纷提起的诉讼,由我国人民法院专属管辖,排除了其他任何国家的法院对这类案件的管辖权。

中外合资经营企业、中外合作经营企业具有中国法人资格,中外合作勘探开发自然资源合同涉及国家主权,理应受到我国法律的保护,也应当由我国法院管辖。同时,合同纠纷诉讼由与合同有最密切联系的国家的法院管辖,这也是国际上公认的一条原则,也是其他国家民事诉讼法律在合同纠纷诉讼管辖问题上所依据的一项基本准则。在我国履行中外合资经营、合作经营、合作勘探开发合同,与我国有着最为密切的联系。并且在我国履行上述合同,还往往涉及在我国领域内的不动产以及我国的自然资源。根据合同纠纷案件由与合同有最密切联系地点的法院管辖,以及不动产诉讼唯有不动产所在地法院才有管辖权的原则,在我国履行上述涉外合同而发生的诉讼,应由我国人民法院专属管辖,这也是国家主权原则的体现。对专属管辖案件,我国人民法院享有绝对的管辖权,不能由其他任何国家法院管辖,也不允许当事人协议选择其他国家的法院管辖。

当然,这一规定并不排除在履行这些合同中发生争议,双方当事人可以根据合同中的仲裁条款或者以其他方式达成的书面仲裁协议,向我国的仲裁机构或者国外的仲裁机构申请以仲裁的方式解决纠纷。对此,我国法律和司法解释有着相关规定。例如,《中华人民共和国中外合资经营企业法》第十五条第一款规定:合营各方发生纠纷,董事会不能协商解决时,由中国仲裁机构进行调解或仲裁,也可由合营各方协议在其他仲裁机构仲裁。《中华人民共和国中外合作经营企业法》第二十五条第一款规定:中外合作者履行合作企业合同、章程发生争议时,应当通过协商或者调解解决。中外合作者不愿通过协商、调解解决的,或者协商、调解不成的,可以依照合作企业合同中的仲裁条款或者事后达成的书面仲裁协议,提交中国仲裁机构或者其他仲裁机构仲裁。最高人民法院《关于适用〈中华人民共和国民事诉讼法〉若干问题的意见》第三百零五条规定,依照民事诉讼法的规定,属于中华人民共和国人民法院专属管辖的案件,当事人不得用书面协议选择其他国家法院管辖。但协议选择仲裁裁决的除外。

第二十五章 送达、期间

第二百六十七条 **人民法院对在中华人民共和国领域内没有住所的当事人送达诉讼文书,可以采用下列方式:**

(一)依照受送达人所在国与中华人民共和国缔结或者共同参加的国际条约中规定的方式送达;

(二)通过外交途径送达;

(三)对具有中华人民共和国国籍的受送达人,可以委托中华人民共和国驻受送达人所在国的使领馆代为送达;

(四)向受送达人委托的有权代其接受送达的诉讼代理人送达;

(五)向受送达人在中华人民共和国领域内设立的代表机构或者有权接受送达的分支机构、业务代办人送达;

(六)受送达人所在国的法律允许邮寄送达的,可以邮寄送达,自邮寄之日起满三个月,送达回证没有退回,但根据各种情况足以认定已经送达的,期间届满之日视为送达;

(七)采用传真、电子邮件等能够确认受送达人收悉的方式送达;

(八)不能用上述方式送达的,公告送达,自公告之日起满三个月,即视为送达。

【释义】 本条是关于向我国领域外送达诉讼文书方式的规定。

本条对在我国领域内没有住所的当事人,根据其所在国以及其本人的不同情况，规定了特殊的送达诉讼文书的方式。

首先需要明确的是，本条规定的送达方式，只是当事人在我国领域内没有住所的情况下采用。如果当事人在我国领域内有住所，即使是外国当事人，也仍应按照民事诉讼法规定的一般送达方式送达。从另一个角度上讲，即使当事人是中国籍人，如果在我国领域内没有住所而居住国外，也需要采用本条规定的特殊送达方式。

根据本条规定，人民法院向我国领域外送达传票、判决书、裁定书，以及起诉状和答辩状副本等诉讼文书，可以采用下述方式：

（一）依照受送达人所在国与我国缔结或者共同参加的国际条约中规定的方式送达

这一方式是人民法院向我国领域外送达诉讼文书时首先应当考虑采用的方式。按照国际条约规定的方式送达诉讼文书，在手续上往往比通过外交途径送达简单。例如，我国于1991年加入的1965年《海牙送达公约》，对缔约国之间相互送达诉讼文书规定了以下主要方式：（1）由文书发出国的主管机关或者司法协理员将文书直接送交文书发往国的中央机关，请予协助送达；（2）由文书发出国的主管机关直接请求文书发往国的主管机关协助送达；（3）由文书发出国的驻外领事机构将文书送交驻在国的中央机关，请求协助送达。人民法院在向缔约另一方领域内送达诉讼文书时，即可采用该公约所规定的送达方式。

根据最高人民法院、外交部、司法部《关于执行〈关于向国外送达民事或商事司法文书和司法外文书公约〉有关程序的通知》规定：

（1）凡公约成员国驻华使、领馆转送该国法院或其他机关请求我国送达的民事或商事司法文书，应直接送交司法部，由司法部转递给最高人民法院，再由最高人民法院交有关人民法院送达给当事人。送达证明由有关人民法院交最高人民法院退司法部,再由司法部送交该国驻华使、领馆。

(2)凡公约成员国有权送交文书的主管当局或司法助理人员直接送交司法部请求我国送达的民事或商事司法文书,由司法部转递给最高人民法院,再由最高人民法院交有关人民法院送达给当事人。送达证明由有关人民法院交最高人民法院退司法部,再由司法部送交该国主管当局或司法助理人员。

(3)对公约成员国驻华使、领馆直接向其在华的本国公民送达民事或商事司法文书,如不违反我国法律,可不表示异议。

(4)我国法院若请求公约成员国向该国公民或第三国公民或无国籍人送达民事或商事司法文书,有关中级人民法院或专门人民法院应将请求书和所送司法文书送有关高级人民法院转最高人民法院,由最高人民法院送司法部转送给该国指定的中央机关;必要时,也可由最高人民法院送我国驻该国使馆转送给该国指定的中央机关。

(5)我国法院欲向在公约成员国的中国公民送达民事或商事司法文书,可委托我国驻该国的使、领馆代为送达。委托书和所送司法文书应由有关中级人民法院或专门人民法院送有关高级人民法院转最高人民法院,由最高人民法院径送或经司法部转送我国驻该国使、领馆送达给当事人。送达证明按原途径退有关法院。

(6)我国与公约成员国签订有司法协助协定的,按协定的规定办理。

(二)通过外交途径送达

这是国际间公认的一种最为正规的送达方式。在两国之间没有国际条约关系的情况下,即可采用这种方式。这一方式在人民法院的审判实践中经常使用。一般的做法是,需要送达的诉讼文书，经高级人民法院审查后，交由外交部转递受送达人所在国驻我国的外交机构，再由其转交该国外交机关，该国外交机关再转交该国司法机关，由该国司法机关送交受送达人。

根据最高人民法院、外交部、司法部《关于我国法院和外国法院通过外交途径相互委托送达法律文书若干问题的通知》规定，我国法院通过外交途径向国外当事人送达法律文书，应按下列程序和要求办理：

(1)要求送达的法律文书须经省、自治区、直辖市高级人民法院审查，由外交部领事司负责转递。

(2)须准确注明受送达人姓名、性别、年龄、国籍及其在国外的详细外文地址，并将该案的基本情况函告外交部领事司，以便转递。

(3)须附有送达委托书。如对方法院名称不明，可委托当事人所在地区主管法院。委托书和所送法律文书还须附有该国文字或该国同意使用的第三国文字译本。如该国对委托书及法律文书有公证、认证等特殊要求，将由外交部领事司逐案通知。

(三)对具有中国国籍的受送达人，可以委托我国驻受送达人所在国的使领馆代为送达

采用这种送达方式，限于向在我国领域内没有住所的中国籍受送达人送达，并且须在该中国籍受送达人驻在国允许我国使领馆直接送达的前提下，人民法院才可以委托我国驻该国使领馆送达。由使领馆向居住在国外的本国人送达诉讼文书，是通常使用的方法。不少国家的立法和国际条约中都有明文规定。我国与有关国家签订的司法协助协定，以及我国加入的《海牙送达公约》《维也纳领事关系公约》，都允许缔约国之间采用这种方式。

(四)向受送达人委托的有权代其接受送达的诉讼代理人送达

在一般情况下,人民法院将需要送达的诉讼文书交给受送达人委托的诉讼代理人,即为送达完成。除非该受送达人事前曾明确表示其诉讼代理人无权代其接受诉讼文书。

(五)向受送达人在我国领域内设立的代表机构或者有权接受送达的分支机构、业务代办人送达

如果作为受送达人的外国企业或者组织在我国领域内设有代表机构,或者其设立的分支机构及业务代办人是有权接受送达的,人民法院可以把诉讼文书送至该外国企业或者组织在我国领域内设立的代表机构、分支机构或者业务代办人,即为送达完成。这种方式,有利于人民法院方便、及时地将诉讼文书送达受送达人。

(六)受送达人所在国的法律允许邮寄送达的,可以邮寄送达

采用这种方式的前提条件是,受送达人所在国不反对邮寄送达,才可以将诉讼文书直接邮寄给受送达人。如果受送达人所在国不允许邮寄送达,则不能采用这种方式。由于采用邮寄送达方式有时难以确认诉讼文书于何时送达到受送达人,因此本条还规定,自邮寄之日起满三个月,送达回证没有退回,但根据各种情况足以认定已经送达的,期间届满之日视为送达。

原民事诉讼法这一项规定:"受送达人所在国的法律允许邮寄送达的,可以邮寄送达,自邮寄之日起满六个月,送达回证没有退回,但根据各种情况足以认定已经送达的,期间届满之日视为送达。"这次修改民事诉讼法将"自邮寄之日起满六个月"修改为"自邮寄之日起满三个月"。

在民事诉讼法修改过程中,有的部门建议缩短邮寄送达的期间,将"六个月"改为"三个月",以提高诉讼效率。有的意见

则认为,将邮寄送达的期间由“六个月”改为“三个月”与《海牙送达公约》有冲突。

《海牙送达公约》第十五条规定:“如须根据本公约向国外递送传票或类似文书,以便送达,而被告没有出庭,则在确定以下情况之前,不得作出判决:(一)该文书已依文书发往国的国内法所规定的在国内诉讼中对在其境内的人送达文书的方法予以送达;或(二)该文书已依本公约规定的其他方法被实际交付被告或其居所。并且,在上述任何一种情况下,送达或交付均应在能保证被告进行答辩的足够时间内完成。每一缔约国均可声明,只要满足下述条件,即使未收到送达或交付的证明书,法官仍可不顾本条第一款的规定,作出判决:(一)已依本公约所规定的一种方法递送该文书;(二)法官根据具体案件认为自递送文书之日起不少于六个月的适当期间已满;(三)尽管为获取证明书已通过文书发往国的主管机关尽了一切合理的努力,但仍未收到任何种类的证明书。虽有上述各款规定,法官仍可在紧急情况下决定采取任何临时性或保护性的措施。”

经研究认为,将邮寄送达期限由“六个月”改为“三个月”与《海牙送达公约》并不冲突。一是公约并未对邮寄送达的期限、具体程序作出任何强制性规范。二是公约第十五条有关“不少于六个月的适当期间”的要求,并不针对邮寄送达,更不是限定邮寄送达期间,而是规定如果按照公约规定的方式(即中央机关送达)进行了送达,但未收到送达回证等送达交付证明书,被告没有出庭,法官认为“自递送文书之日起不少于六个月的适当期间”已满,即可作出判决。其主旨是规范从递送之日到作出判决的期间。三是该条第(六)项“自邮寄之日起满三个月”的期间届满,法院可“视为送达”,而并非作出判决。同时,“但根据各种情况足以认定已经送达的”的规定,可以充分保障当事人的程序利益。

(七)采用传真、电子邮件等能够确认受送达人收悉的方式送达

这一项是这次民事诉讼法修改新增加的内容。我国民事诉讼法中规定的传统送达方式有六种,即直接送达、留置送达、委托送达、邮寄送达、转交送达和公告送达。在六种传统送达方式中,以直接送达为最基本的送达方式。此次民事诉讼法修改过程中,有意见提出,当今社会信息技术迅猛发展,有必要对传真、电子邮件等通过现代技术完成的送达方式加以规定。2006 年最高人民法院《关于涉外民事或商事案件司法文书送达问题若干规定》第十条也已明确可以采用"传真、电子邮件等能够确认收悉的其他适当方式"送达诉讼文书。

鉴于传真、电子邮件送达在我国司法实践中已经进行了初步尝试并积累了一定经验,尤其是当前互联网的普及使人民法院具备了通过电子邮件方式送达文书的基本条件,在民事诉讼程序中采取传真、电子邮件等送达方式具有可行性。

(八)不能用上述方式送达的,公告送达,自公告之日起满三个月,即视为送达

这种送达方式,是在其他方式都不能采用时才予使用的一种送达方式,一般是在受送达人住所不明或者下落不明的情况下适用。一般的做法是,将需送达的诉讼文书制成公告内容,在人民法院的公告栏内张贴,并在我国对外发行的报纸上登载。待公告三个月的法定期间届满,即视为该诉讼文书的内容已经送达到受送达人。

原民事诉讼法这一项规定:"不能用上述方式送达的,公告送达,自公告之日起满六个月,即视为送达。"这次修改民事诉讼法将"自公告之日起满六个月"修改为"自公告之日起满三个月"。

在民事诉讼法修改过程中，有的部门提出，公告送达是人民法院在穷尽本条规定的其他送达方式后，才会采用的送达方式。建议缩短公告送达的期间，将“六个月”改为“三个月”，以提高诉讼效率。有的意见则认为，公告送达期间由“六个月”改为“三个月”与《海牙送达公约》有冲突。

经研究认为，将“六个月”的期间缩短为“三个月”与《海牙送达公约》没有冲突。一是《海牙送达公约》第一条第二款明确规定“在文书的受送达人地址不明的情况下，本公约不予适用”，说明海牙送达公约并不规范公告送达的具体问题，公告期间长短不涉及海牙送达公约的适用问题。二是一些国家公告送达的期间也短于六个月，例如，日本区分内国公告送达与涉外公告送达，内国公告送达期间为两周，向外国进行的公告送达期间为公告之日起六周（日本民事诉讼法第112条）。三是考虑到现代资讯传媒的发展，当事人通过公告媒介获取信息的周期大为缩短，尤其是整个诉讼中可能涉及不同阶段需要多次送达，为提高诉讼效率，可以将“六个月”改为“三个月”。

第二百六十八条　被告在中华人民共和国领域内没有住所的，人民法院应当将起诉状副本送达被告，并通知被告在收到起诉状副本后三十日内提出答辩状。被告申请延期的，是否准许，由人民法院决定。

第二百六十九条　在中华人民共和国领域内没有住所的当事人，不服第一审人民法院判决、裁定的，有权在判决书、裁定书送达之日起三十日内提起上诉。被上诉人在收到上诉状副本后，应当在三十日内提出答辩状。当事人不能在法定期间提起上诉或者提出答辩状，申请延期的，是否准许，由人民法院决定。

【释义】　这两条是关于在我国领域内没有住所的当事人

提出答辩状和提起上诉的期间的规定

在涉外民事诉讼中,当事人在我国领域内没有住所,诉讼文书的往来,办理委托他人代为诉讼等事项需要较长的时间。针对这一特点,民事诉讼法参照国际通行做法,对涉外民事诉讼的答辩期间和上诉期间作了特别规定。民事诉讼法在涉外民事诉讼程序中所规定的期间,与诉讼期间的一般规定有所不同:一是法定期间长一些;二是当事人还可以申请延长法定期间。

从这两条中可以看出,在我国领域内没有住所的被告、被上诉人提出答辩状的期限,以及当事人不服第一审判决、裁定的上诉期限,均为三十日。较之在国内有住所的被告、被上诉人在收到起诉状或者上诉状副本后,应当在十五日内提出答辩状的时间长一些;对不服一审判决、裁定的上诉期,也比一般规定中的十五日或者十日的期限为长。不仅如此,当事人不能在法定期间内提出答辩状或者提起上诉而申请延期的,经人民法院准许,还可以延长法定期间。当然,申请延长期间,必须在法定期间届满前提出,并说明申请延长的理由,提出要求延长的具体期间,便于受诉人民法院审查决定。对上述法定期间规定得较长,当事人还可以申请延长,主要是考虑到当事人不在我国领域内,需要了解我国的有关法律,收集证据,以及办理一些在我国领域内的当事人所不需要办理的诉讼手续,如委托他人代理诉讼所需要办理的公证、认证手续等。民事诉讼法作出这样的规定,也符合各国民事诉讼立法的通例。

在涉外民事诉讼中,对于一方当事人居住在国内,另一方当事人居住在国外,第一审人民法院判决、裁定何时发生法律效力的问题,最高人民法院《关于适用〈中华人民共和国民事诉讼法〉若干问题的意见》第三百一十一条规定:当事人双方分别居住在我国领域内和领域外,对第一审人民法院判决、裁定的上诉期，居住在我国领域内的为民事诉讼法第一百四十七条所规定的期限；居住在我国领域外的为三十日。双方的上诉期均已届满没有上诉的，第一审人民法院的判决、裁定即发生法律效力。

第二百七十条　人民法院审理涉外民事案件的期间，不受本法第一百四十九条、第一百七十六条规定的限制。

【释义】　本条是关于涉外案件的审理期限的规定。

为了保证人民法院及时审理民事案件，使公民、法人和其他组织受损害的合法权益早日得到救济，民事诉讼法对一审普通程序、简易程序以及二审程序的审理期限都作了明确的规定。对涉外民事案件，民事诉讼法没有对人民法院审理的期限作出限制。这主要是考虑到在涉外案件中，往往当事人一方或者双方在国外，人民法院和当事人都不可能在短时间内处理完诉讼上的许多事项。例如，人民法院向我国领域外送达诉讼文书，请求外国法院代为调查取证，所需时间都会比较长；还有在当事人的答辩期和上诉期方面，本身就有较长的法定期间，等等。因此，审理涉外案件的时间就相应较长并且不易确定。为此，民事诉讼法作出了这一规定。当然，这样规定主要是从审判实际出发，并不意味着审理涉外案件可以无期限地拖延。人民法院审理涉外案件时，应当依照民事诉讼法对各程序阶段规定的期间进行，尽可能使案件及早审结。

本法第一百四十九条规定，人民法院适用普通程序审理的案件，应当在立案之日起六个月内审结。第一百七十六条规定，人民法院审理对判决的上诉案件，应当在第二审立案之日起三个月内审结。根据本条规定，人民法院审理涉外第一审民事案件不受在六个月内审结的限制，第二审民事案件不受在三个月内审结的限制。

第二十六章　仲　　裁

本章所称仲裁,是具有涉外因素的经济贸易、运输和海事纠纷的仲裁。

我国的涉外仲裁机构有两个:一个是中国国际经济贸易仲裁委员会。该会成立于1956年,在仲裁程序规则上,适用《中国国际经济贸易仲裁委员会仲裁规则》。另一个是中国海事仲裁委员会。该会成立于1959年,在仲裁程序规则上,适用《中国海事仲裁委员会仲裁规则》。

涉外仲裁和民事诉讼相比有很多不同之处,主要表现在以下几点:(1)仲裁的提交是以双方当事人自愿为基础。当事人双方的仲裁协议是仲裁的前提条件,没有协议的,不能将争议提交仲裁;而诉讼以当事人的诉权为基础,是否提起诉讼,一方当事人可以自行决定,不必征得对方同意。(2)仲裁机构和法院在性质上的不同。仲裁机构是非官方机构,其管辖权主要来自双方当事人的协议;法院是代表国家行使审判权的机关,其管辖权是法律规定的。(3)仲裁机构和仲裁员都是由双方当事人自由选择;诉讼法院和审判人员是依照法律规定,不能由当事人自由选择。(4)仲裁机构对其裁决没有强制执行的权力,而需要法院予以强制执行;而法院对其所作的发生法律效力的判决、裁定和调解书有权强制执行。(5)涉外仲裁裁决是终局的,不能申请复议,也不能向法院起诉;而法院的一审判决作出后,当事人不服可以上诉。

本章共五条，规定了涉外仲裁与诉讼的关系、涉外仲裁的财产保全、涉外仲裁裁决的执行等问题。

第二百七十一条 **涉外经济贸易、运输和海事中发生的纠纷，当事人在合同中订有仲裁条款或者事后达成书面仲裁协议，提交中华人民共和国涉外仲裁机构或者其他仲裁机构仲裁的，当事人不得向人民法院起诉。**

当事人在合同中没有订有仲裁条款或者事后没有达成书面仲裁协议的，可以向人民法院起诉。

【释义】 本条是关于涉外仲裁与诉讼关系的规定。

我国的涉外仲裁机构，不仅解决中外双方当事人之间的争议，也能解决外国当事人之间的争议。因此，中外当事人之间或者外国当事人之间都可以用书面形式协议选择我国涉外仲裁机构仲裁。书面仲裁协议，是指当事人双方在签订的合同中或者来往信函、电报中表明愿将双方发生的争议提交仲裁的文字表示。要求仲裁协议必须采用书面形式，是因为：(1)仲裁协议是仲裁机构行使管辖权，受理案件的唯一依据；(2)仲裁协议的内容比较复杂，往往包括仲裁地点和仲裁机构，适用的仲裁规则，仲裁员的选择，仲裁裁决的效力，仲裁适用的法律，必须用文字确切地表示出来；(3)仲裁结果直接关系争议双方当事人的重大利益；(4)仲裁协议采用书面形式是国际通行的做法。

当事人之间发生了争议，可以选择仲裁机构裁决，也可以选择法院审判，这是法律赋予当事人的权利，当事人选择了仲裁，说明他自愿放弃了司法解决的途径，因此，如果他违反双方达成的仲裁协议向人民法院起诉，人民法院不予受理。但是，如果当事人在合同中没有订有仲裁条款，纠纷发生后也没有达成书面仲裁协议，一方当事人向人民法院起诉的，人民法院应当受理。

第二百七十二条　当事人申请采取保全的，中华人民共和国的涉外仲裁机构应当将当事人的申请，提交被申请人住所地或者财产所在地的中级人民法院裁定。

【释义】　本条是关于涉外仲裁保全的规定。

涉外民事法律关系的当事人发生民事纠纷后，一方当事人为防止争议标的物被对方出卖、毁损、转移、藏匿或者挥霍，为及时地、有效地保护自己被侵犯的合法权益将来能够得到恢复和补救，往往向协议选择的仲裁机关申请采取保全措施。为此，我国的涉外仲裁机构可否采取保全措施呢？仲裁机构是具有公断性质的民间团体，虽然近代成为国家法律承认或为解决争议的机构，并赋予仲裁裁决有法律上的强制力，但是仲裁制度毕竟不同于审判制度，它不是以国家强制力为后盾的，本身没有执行权，而保全措施与法律文书的执行密切相关，因此，当事人申请采取保全的，我国涉外仲裁机构应当将当事人的申请提交被申请人住所地或者财产所在地的中级人民法院裁定，中级人民法院裁定采取保全措施的，就依照民事诉讼法有关保全措施的程序规定执行。需要指出的是，仲裁机关将当事人请求保全的申请提交人民法院执行后，如果发生保全错误，应当由申请人赔偿被申请人的损失，而不应由仲裁机关或者人民法院赔偿。因为保全是在紧急情况下采取的措施，仲裁机关收到当事人的申请后不可能像仲裁案件一样进行调查取证，全面审查申请是否正确，只能尽快提交人民法院，人民法院也没有充分的时间对申请进行全面、细致地审查，因此，要求仲裁机关和法院对申请错误造成的损失赔偿是不合理的。

第二百七十三条　经中华人民共和国涉外仲裁机构裁决的，当事人不得向人民法院起诉。一方当事人不履行仲裁裁决

的，对方当事人可以向被申请人住所地或者财产所在地的中级人民法院申请执行。

【释义】　本条是关于我国涉外仲裁效力的规定。

当事人协议由我国涉外仲裁机构解决纠纷，意味着当事人相信我国涉外仲裁的公正性，愿意履行仲裁裁决确定的法律义务，因此，对于我国涉外仲裁机构裁决的案件，当事人即使不服，也不能向人民法院起诉，而应当自觉履行仲裁裁决确定的义务。如果一方当事人不按照仲裁裁决履行义务，对方当事人可以向被申请人住所地或者财产所在地的中级人民法院申请执行。换句话说，由于涉外仲裁裁决是基于纠纷双方当事人自愿接受仲裁协议的约束，将纠纷提交仲裁而产生的，所以，对于具有终局效力的仲裁裁决，双方当事人应当自觉履行。但是，如果一方当事人不履行仲裁裁决所确定的义务，这就带来了仲裁裁决的执行问题。涉外仲裁机构不是国家的审判机关，非官方的性质决定了它对仲裁裁决这一法律文书没有执行的权力，对裁决的执行权只能由人民法院来行使。因此，在一方当事人不履行裁决的时候，对方当事人只能向被申请人住所地或者财产所在地的中级人民法院提出按照裁决所确定的内容予以执行的申请。对此，本条作出规定，一方当事人不履行仲裁裁决的，对方当事人可以向被申请人住所地或者财产所在地的中级人民法院申请执行。

第二百七十四条　对中华人民共和国涉外仲裁机构作出的裁决，被申请人提出证据证明仲裁裁决有下列情形之一的，经人民法院组成合议庭审查核实，裁定不予执行：

（一）当事人在合同中没有订有仲裁条款或者事后没有达成书面仲裁协议的；

(二)被申请人没有得到指定仲裁员或者进行仲裁程序的通知,或者由于其他不属于被申请人负责的原因未能陈述意见的;

(三)仲裁庭的组成或者仲裁的程序与仲裁规则不符的;

(四)裁决的事项不属于仲裁协议的范围或者仲裁机构无权仲裁的。

人民法院认定执行该裁决违背社会公共利益的,裁定不予执行。

【释义】 本条是关于涉外仲裁裁决不予执行的规定。

仲裁裁决作出后,当事人应当履行裁决,一方当事人不履行的,另一方当事人可以向人民法院申请执行,受申请的人民法院应当执行。如果被申请执行的当事人认为仲裁裁决不应当强制执行的,可以根据本条的规定向人民法院申请不予执行仲裁裁决。本条对不予执行涉外仲裁裁决的情形作了明确的规定。对申请执行的涉外仲裁裁决,被申请人提出证据证明仲裁裁决有下列情形之一的,经人民法院组成合议庭审查核实,裁定不予执行:(1)当事人在合同中没有订有仲裁条款或者事后没有达成书面仲裁协议的;(2)被申请人没有得到指定仲裁员或者进行仲裁程序的通知,或者由于其他不属于被申请人负责的原因未能陈述意见的;(3)仲裁庭的组成或者仲裁的程序与仲裁规则不符的;(4)裁决的事项不属于仲裁协议的范围或者仲裁机构无权仲裁的。需要说明一点,人民法院对涉外仲裁机构的司法审查监督范围,限于仲裁程序方面的问题,不涉及实体方面的问题,即对裁决在认定事实和适用法律上是否有错误不做审查。本法第二百七十四条所列情形,均属于程序性问题。本条同时还规定,人民法院认定执行该裁决违背社会公共利益的,裁定不予执行。接受执行申请的人民法院,对涉外仲裁机构作出的裁决,应当依法审查其是否违背社会公共利益,经审查认为不违背社会公共利益的,应当按照本法第三编规定的执行程序予以执行。经审查认为违背社会公共利益的,则应当作出裁定不予执行。由此看来,我国法律赋予人民法院对于仲裁机构一定的监督权,通过不予执行仲裁裁决来实现对于仲裁机构的法律监督。

第二百七十五条 仲裁裁决被人民法院裁定不予执行的,当事人可以根据双方达成的书面仲裁协议重新申请仲裁,也可以向人民法院起诉。

【释义】 本条是关于人民法院不予执行裁决后的救济途径的规定。

人民法院基于本法第二百七十四条规定的情形对涉外仲裁裁决裁定不予执行的,对当事人的权利应当如何救济,根据本条规定,当事人可以根据双方达成的书面仲裁协议重新申请仲裁,也可以向人民法院起诉。这里的"双方达成的书面仲裁协议"是指重新达成的仲裁协议,而不是原有的仲裁协议。当事人双方能够重新达成仲裁协议的,可以向仲裁机构申请仲裁;达不成仲裁协议的,可以向人民法院提起诉讼,解决他们之间的争议。

第二十七章 司法协助

一国的诉讼程序和诉讼行为,只能在其本国领域内发生效力。因此,一国法院在审理民事案件时,如果需要向其领域外送达文书或者调查取证,尤其是需要本国法院作出的判决、裁定能够在国外得到承认和执行,就只有在两国建立司法协助关系的基础上,通过相互请求和协助完成。

民事诉讼中的司法协助,是指两国法院之间根据两国签订的条约或者共同缔结或者参加的国际公约,或者在互惠关系的基础上,进行司法方面的协助,相互请求或者协助对方办理一定的诉讼行为和执行行为。其范围一般包括代为送达文书、调查取证,以及相互承认和执行对方作出的民事判决、裁定等。自1987年以来,在相互尊重国家主权和平等互利的基础上,我国先后与法国、波兰、蒙古、比利时、罗马尼亚、意大利、西班牙、俄罗斯、土耳其、古巴、泰国、埃及、希腊、新加坡、越南、老挝、阿根廷等国签订了司法协助条约。1991年3月,我国加入了《关于向国外送达民事或商事司法文书和司法外文书公约》,即1965年《海牙送达公约》。1997年,我国又加入了《关于从国外调取民事或商事证据的公约》。为适应我国司法协助工作的发展,并为其进一步发展提供必要的和基本的法律依据,民事诉讼法根据我国司法协助工作的实践和国际惯例,对请求和提供司法协助的范围、途径、方式以及相互请求承认和执行判决、裁定、裁决等内容,作了具体规定,此次民事诉讼法修改对本章内容未作改动。

第二百七十六条　根据中华人民共和国缔结或者参加的国际条约，或者按照互惠原则，人民法院和外国法院可以相互请求，代为送达文书、调查取证以及进行其他诉讼行为。

外国法院请求协助的事项有损于中华人民共和国的主权、安全或者社会公共利益的，人民法院不予执行。

【释义】 本条是关于两国法院间代为诉讼行为的前提条件和范围的规定。

司法协助发生的基础，主要有以下三种：第一，国家之间缔结双边协定或协议，这是当今各国普遍采取的方式。双边协定或协议一旦生效，两国法院便负有互为对方司法协助的义务。两国司法协助的范围、途径、程序全由协定（协议）确定。第二，两国共同参加的有关司法协助的多边国际条约。例如，我国于1991年3月2日加入的《关于向国外送达民事或商事司法文书和司法外文书公约》、1986年12月2日加入的《承认及执行外国仲裁裁决公约》以及1997年加入的《关于从国外调取民事或商事证据的公约》等。主权国家一旦参加条约即应遵守该国际条约，本国对该条约其他参加国便负有司法协助的义务；当然，声明保留的条款除外。第三，互惠关系。主权国家之间既未缔结司法协助协定又未共同参加有司法协助内容的有关国际条约时，按理双方不能进行司法协助，但是，建有外交关系的国家根据国际惯例，可以按互惠关系形成事实上的司法协助关系，方便两国法院互为对方为一定的诉讼行为。诉讼行为的范围按对等原则确定。

两国法院之间相互请求代为诉讼行为，一般是在两国之间缔结或者共同参加的国际条约的基础上进行。如果两国之间既没有签订双边的有关司法协助方面的条约,也没有共同缔结或者参加的国际公约,那么这种请求与协助就需要在互惠关系的基础上进行。请求代为的诉讼行为也都限定在一定的范围之内,主要包括代为送达文书和调查取证(如询问当事人、证人,调取证据,进行鉴定、勘验等)。但是,即使两国之间存在条约关系或者互惠关系,也并不意味着被请求国法院对请求国法院所请求协助的事项一概提供协助。各国的普遍做法是,请求国法院请求的事项,如果被请求国认为将危害其国家的主权、安全,损害其公共秩序的,将拒绝提供协助。因此,我国人民法院对外国法院请求协助的事项,并非无条件地予以协助,外国法院请求的事项不能有损于我国的主权、安全和社会公共利益,例如,不能以我国为民事案件的被告,不能就属于我国法院专属管辖的案件送达文书和调查取证,不能就涉及我国国家秘密的事项作为调查内容等。此外,如果外国法院请求协助的事项不属于人民法院的职权范围,人民法院也不予协助。

第二百七十七条　请求和提供司法协助,应当依照中华人民共和国缔结或者参加的国际条约所规定的途径进行;没有条约关系的,通过外交途径进行。

外国驻中华人民共和国的使领馆可以向该国公民送达文书和调查取证,但不得违反中华人民共和国的法律,并不得采取强制措施。

除前款规定的情况外,未经中华人民共和国主管机关准许,任何外国机关或者个人不得在中华人民共和国领域内送达文书、调查取证。

【释义】　本条是关于请求和提供司法协助的途径的规定。

请求和提供司法协助的途径,是国家间进行司法协助联系的通道，是司法协助的基本问题之一，也是民事诉讼法有关司法协助规定中不可缺少的内容。因此，本条规定，请求和提供司法协助，应当依照中华人民共和国缔结或者参加的国际条约所规定的途径进行；没有条约关系的，通过外交途径进行。

第一种途径，即通过公约或者双边条约规定的途径进行司法协助。在我国参加的国际公约以及与有关国家签订的司法协助条约中，均就请求和提供司法协助的途径作了规定。例如，1965 年《关于向国外送达民事或商事司法文书和司法外文书公约》（即 1965 年《海牙送达公约》）第二条规定："每一缔约国应指定一个中央机关，负责根据第三条至第六条的规定，接受来自其他缔约国的送达请求书，并予以转递。每一缔约国应依其本国法律组建中央机关。"1991 年 3 月七届人大常委会十次会议批准加入该公约，全国人大常委会《关于批准加入〈关于向国外送达民事或商事司法文书和司法外文书公约〉的决定》第（一）项规定："根据公约第二条和第九条的规定，指定中华人民共和国司法部为中央机关和有权接收外国通过领事途径转递的文书的机关。"

关于此种司法协助途径的具体程序，1992 年最高人民法院、外交部、司法部《关于执行〈关于向国外送达民事或商事司法文书和司法外文书公约〉有关程序的通知》规定："一、凡公约成员国驻华使、领馆转送该国法院或其他机关请求我国送达的民事或商事司法文书，应直接送交司法部，由司法部转递给最高人民法院，再由最高人民法院交有关人民法院送达当事人。送达证明由有关人民法院交最高人民法院退司法部，再由司法部送交该国驻华使、领馆。二、凡公约成员国有权送交文书的主管当局或司法助理人员直接送交司法部请求我国送达的民事或商事司法文书，由司法部转递给最高人民法院，再由最高人民法院交有关人民法院送达给当事人。送达证明由有关人民法院交最高人民法院退司法部,再由司法部送交该国主管当局或司法助理人员。”

第二种途径,即在两国没有条约关系的情况下,请求和提供司法协助应当通过外交途径进行。关于通过外交途径进行司法协助的原则和具体程序,最高人民法院、外交部、司法部1986年联名发布的《关于我国法院和外国法院通过外交途径相互委托送达法律文书若干问题的通知》规定:“一、凡已同我国建交国家的法院,通过外交途径委托我国法院向我国公民或法人以及在华的第三国或无国籍当事人送达法律文书,除该国同我国已订有协议的按协议办理外,一般根据互惠原则按下列程序和要求办理:1. 由该国驻华使馆将法律文书交外交部领事司转递给有关高级人民法院,再由该高级人民法院指定有关中级人民法院送达给当事人。当事人在所附送达回证上签字后,中级人民法院将送达回证退高级人民法院,再通过外交部领事司转退给对方;如未附送达回证,则由有关中级人民法院出具送达证明交有关高级人民法院,再通过外交部领事司转给对方。2. 委托送达法律文书须用委托书。委托书和所送法律文书须附有中文译本。3. 法律文书的内容有损我国主权和安全的,予以驳回;如受送达人享有外交特权和豁免,一般不予送达;不属于我国法院职权范围或因地址不明或其他原因不能送达的,由有关高级人民法院提出处理意见或注明妨碍送达的原因,由外交部领事司向对方说明理由,予以退回。二、外国驻华使、领馆可以直接向其在华的本国国民送达法律文书,但不得损害我国主权和安全,不得采取强制措施。如对方通过外交途径委托我方向其在华的该国国民送达法律文书,亦可按第一条的规定予以送达。”

关于允许外国驻华使领馆官员在不违反我国法律的前提

下，在我国领域内直接向其本国国民送达文书和调查取证的问题，需要说明三点：第一，外国驻华使领馆只能向其本国国民，而不得向我国公民或者第三国公民送达文书或者调查取证；第二，其他任何外国机关、组织以及个人，均不得擅自在我国领域内送达文书和调查取证；第三，外国驻华使领馆在我国领域内向其本国国民送达文书或者调查取证的行为，除了不得违反我国法律外，还不得通过采取强制措施的方式完成。关于不得采取强制措施的规定，完全符合1970年《关于从国外调取民事或商事证据的公约》第十五条的原则。该条规定："在民事或商事案件中，每一缔约国的外交官员或领事代表在另一缔约国境内其执行职务的区域内，可以向他所代表的国家的国民在不采取强制措施的情况下调取证据，以协助在其代表的国家的法院中进行的诉讼。"

第二百七十八条　外国法院请求人民法院提供司法协助的请求书及其所附文件，应当附有中文译本或者国际条约规定的其他文字文本。

人民法院请求外国法院提供司法协助的请求书及其所附文件，应当附有该国文字译本或者国际条约规定的其他文字文本。

【释义】　本条是关于司法协助请求使用的文字的规定。

请求提供司法协助，应当用请求书的形式提出。请求书的内容一般包括：(1)请求机关和被请求机关的名称、地址；(2)案件的名称；(3)执行请求所涉及的人的姓名、性别、国籍、出生日期、职业、住所或者居所，及其在诉讼中的身份，法人的名称和地址；(4)当事人的代理人的姓名和地址；(5)请求所涉及的案件的案情摘要；(6)执行请求所需附具的其他材料；(7)请求的内容。

为了维护我国国家主权,并尊重别国的主权,也为了便于执行对方国家的请求事项,本法第二百六十二条对请求书及其所附文件所使用的文字作出规定,外国法院请求我国人民法院提供司法协助的请求书及其所附文件,应当附有中文译本或者国际条约规定的其他文字文本。我国人民法院请求外国法院提供司法协助的请求书及其所附文件,应当附有该国文字译本或者国际条约规定的其他文字文本。例外的情况是,如果双方缔结或者共同参加的国际条约中允许使用第三国文字文本,则可以采用该第三国文字正式译本。例如,我国同蒙古、波兰签订的司法协助条约中,就允许使用第三国文字的译本,即允许缔约双方使用英文文本。

第二百七十九条　人民法院提供司法协助,依照中华人民共和国法律规定的程序进行。外国法院请求采用特殊方式的,也可以按照其请求的特殊方式进行,但请求采用的特殊方式不得违反中华人民共和国法律。

【释义】　本条是关于司法协助所适用法律程序的规定。

执行外国司法协助请求,一般应适用被请求国的法定程序,这是国家主权原则的要求。但在特殊情况下,应请求国的请求,适用该请求国法律所规定的程序有助于执行司法协助,而且又不违反被请求国法律的基本原则,被请求国也可以适用请求国的法律程序,这是国际上通行的做法。由于适用请求国的法律程序限制在不违背被请求国法律的范围之内,因而也不会同国家主权原则相抵触。

我国与有关国家的司法协助条约中,对这一问题也作了类似规定。例如,中波司法协助协定中规定,被请求机关提供司法协助,适用本国法律;被请求机关提供民事司法协助,也可以应请求适用缔约另一方的法律，但以不违背被请求一方法律的基本原则为限。

第二百八十条 人民法院作出的发生法律效力的判决、裁定，如果被执行人或者其财产不在中华人民共和国领域内，当事人请求执行的，可以由当事人直接向有管辖权的外国法院申请承认和执行，也可以由人民法院依照中华人民共和国缔结或者参加的国际条约的规定，或者按照互惠原则，请求外国法院承认和执行。

中华人民共和国涉外仲裁机构作出的发生法律效力的仲裁裁决，当事人请求执行的，如果被执行人或者其财产不在中华人民共和国领域内，应当由当事人直接向有管辖权的外国法院申请承认和执行。

【释义】 本条是关于请求外国法院承认和执行我国法院的判决、裁定以及仲裁机关的裁决的条件和方式的规定。

一国法院作出的已经发生法律效力的民事判决、裁定，其效力只能及于本国领域，并不能自然产生域外效力。如果一国法院作成的民事判决、裁定需要得到外国的承认，在本国之外的领域发生效力得到执行，就需要通过适当的方式与程序请求外国法院的承认和执行。

我国人民法院的判决、裁定需要请求外国法院的承认和执行，应具备下列条件并通过以下方式提出：(1)人民法院作出的判决、裁定必须是已经发生法律效力的判决、裁定；(2)必须是被执行人或者执行人的财产不在我国领域内；(3)申请承认和执行判决、裁定，可以由当事人直接向有管辖权的外国法院提出；(4)在我国与有关国家存在条约或互惠关系的基础上，也可以由人民法院请求外国法院承认和执行。需要说明一点，在我国人民法院的判决、裁定请求外国法院承认和执行的提出程序上,民事诉讼法借鉴世界上多数国家所采用的方式,考虑我国与有关国家司法协助协定中的相关内容,明确规定当事人可以直接向外国法院申请承认和执行,这种方式简化了程序,方便当事人,同时也有助于我国法院的判决、裁定能够在外国得到及时的承认与执行。

对我国涉外仲裁机构作出的发生法律效力的仲裁裁决,当事人请求执行的,如果被执行人或者其财产不在我国领域内,则应当由当事人直接向有管辖权的外国法院申请承认和执行。这一途径,是我国参加的《承认与执行外国仲裁裁决公约》(即《1958 年纽约公约》)以及我国签订的双边司法协助条约中所确定的。对于我国涉外仲裁机构的裁决,不必再经过我国人民法院请求外国法院承认和执行。

第二百八十一条　外国法院作出的发生法律效力的判决、裁定,需要中华人民共和国人民法院承认和执行的,可以由当事人直接向中华人民共和国有管辖权的中级人民法院申请承认和执行,也可以由外国法院依照该国与中华人民共和国缔结或者参加的国际条约的规定,或者按照互惠原则,请求人民法院承认和执行。

【释义】　本条是关于请求我国人民法院承认和执行外国法院的判决、裁定的规定。

两国法院之间互相委托、承认和执行对方法院作出的生效判决、裁定和仲裁机构作出的裁决的制度,学理上也被称为特殊司法协助。之所以特殊,主要是因为涉及国家的民事审判制度以及司法制度以及当事人的切身利益。因此,各国对此都规定了严格的承认和执行程序。根据本条的规定,外国法院作出的生效判决、裁定需要我国人民法院承认和执行的，可以由当事人直接向我国有管辖权的中级人民法院提出申请，即由当事人直接向中国有管辖权的中级人民法院提交承认与执行的申请书。人民法院接到申请书或者请求书后，予以立案，根据我国法律或者我国缔结或参加的国际条约的规定，或者按照互惠原则进行形式审查。我国人民法院经审查，对符合条件的，裁定承认其效力，需要执行的，发出执行令，依照民事诉讼法第三编规定的执行程序予以执行；对不符合条件的，人民法院不予以承认和执行。

需要说明一点，在两国没有共同缔结或参加国际条约，且不存在互惠关系的情况下，对外国法院的判决、裁定的承认和执行，应当按照1992年最高人民法院《关于适用〈中华人民共和国民事诉讼法〉若干问题的意见》第三百一十八、三百一十九条的规定办理。当事人向中华人民共和国有管辖权的中级人民法院申请承认和执行外国法院作出的发生法律效力的判决、裁定的，如果该法院所在国与中华人民共和国没有缔结或者共同参加国际条约，也没有互惠关系的，当事人可以向人民法院起诉，由有管辖权的人民法院作出判决，予以执行。与我国没有司法协助协议又无互惠关系的国家的法院，未通过外交途径，直接请求我国法院司法协助的，我国法院应予退回，并说明理由。

第二百八十二条　人民法院对申请或者请求承认和执行的外国法院作出的发生法律效力的判决、裁定，依照中华人民共和国缔结或者参加的国际条约，或者按照互惠原则进行审查后，认为不违反中华人民共和国法律的基本原则或者国家主权、安全、社会公共利益的，裁定承认其效力，需要执行的，发出执行令，依照本法的有关规定执行。违反中华人民共和国法律的基本原则

或者国家主权、安全、社会公共利益的，不予承认和执行。

【释义】 本条是关于人民法院如何承认和执行外国法院判决、裁定的规定。

我国人民法院对当事人申请或者外国法院请求承认和执行的外国法院作出的已经发生法律效力的判决、裁定，应当依照我国缔结或者参加的国际条约或者按照互惠原则进行审查。经审查认为该判决、裁定不违反我国法律的基本原则或者国家主权、安全、社会公共利益的，以裁定的方式承认其效力，需要执行的，发出执行令，依照本法第三编执行程序的规定予以执行。如果经审查认为申请或者请求承认和执行的外国法院的判决、裁定违反我国法律的基本原则或者国家主权、安全、社会公共利益的，人民法院则不予承认和执行。我国人民法院对外国法院判决、裁定的审查，仅限于审查外国法院的判决、裁定是否符合我国法律规定的承认和执行外国法院判决、裁定的条件，对其裁判中的事实认定和法律适用问题不予以审查。

国际上对外国法院的判决、裁定不予以承认和执行的通常情况大致有如下几种：(1)依照被请求国的法律，该项判决、裁定是由无管辖权的法院作出的；(2)按照判决、裁定作出国的法律，该项判决、裁定尚未发生法律效力；(3)按照判决、裁定作出国的法律，被执行一方当事人未经法院合法传唤，或者被剥夺了适当代理的权利，或者虽经传唤但未能保证有足够时间准备答辩；(4)被请求国法院正在就相同当事人间的同一诉讼标的案件进行审理或者已经作出了发生法律效力的判决、裁定，或者已经承认第三国法律对该案件作出的发生法律效力的判决、裁定；(5)该判决、裁定的承认和执行有损于被请求国的主权、安全或者公共秩序。

需要说明一点，承认外国法院的判决、裁定和执行外国法院的判决、裁定，是一个既有联系又有区别的问题。承认外国法院的判决、裁定是认可外国法院的判决、裁定在确定当事人权利义务方面，与本国法院的判决、裁定有同等效力，是执行此判决、裁定的前提条件。但是，承认并非必然伴随执行，只有具有执行内容的判决、裁定才发生执行的问题。例如，外国法院单纯准许离婚的判决（不牵涉财产分割）、确认收养关系的判决等有关身份关系的判决，就只存在承认的问题，而不发生执行的问题。

第二百八十三条 国外仲裁机构的裁决，需要中华人民共和国人民法院承认和执行的，应当由当事人直接向被执行人住所地或者其财产所在地的中级人民法院申请，人民法院应当依照中华人民共和国缔结或者参加的国际条约，或者按照互惠原则办理。

【释义】 本条是关于我国人民法院对外国仲裁裁决的承认与执行的规定。

我国于1986年加入了《承认与执行外国仲裁裁决公约》（即《1958年纽约公约》），该公约1987年4月22日起对我国生效，是目前最完善、最全面的国际间承认与执行外国仲裁裁决的公约。在加入时，我国提出了“互惠保留”和“商事保留”，即我国只承认在缔约国境内作出的对属于契约性和非契约性商事法律关系所引起的争议所作的裁决。1987年最高人民法院《关于执行我国加入的〈承认及执行外国仲裁裁决公约〉的通知》第（二）项对“契约性和非契约性商事法律关系”作了解释，所谓“契约性和非契约性商事法律关系”，具体是指由于合同、侵权或者根据有关法律规定而产生的经济上的权利义务关系，如货物买卖、财产租赁、工程承包、加工承揽、技术转让、合资经营、合作经营、勘探开发自然资源、保险、信贷、劳务、代理、咨询服务和海上、民用航空、铁路、公路的客货运输以及产品责任、环境污染、海上事故和所有权争议等，但不包括外国投资者与东道国政府之间的争端。

在“契约性和非契约性商事法律关系”的前提下，国外仲裁机构作出的仲裁裁决需要由我国人民法院承认和执行的，如果国外仲裁机构所在国是该公约的缔约国，应当按照公约的规定办理；如果国外仲裁机构所在国不是公约的缔约国，但同我国订有双边司法协助协定的，应当按照协定的规定办理；如果国外仲裁机构所在国既不是该公约的缔约国，又与我国没有双边司法协助条约关系，则应按照互惠原则办理。

在具体的承认和执行程序上，最高人民法院《关于执行我国加入的〈承认及执行外国仲裁裁决公约〉的通知》规定：“根据《1958 年纽约公约》第四条的规定，申请我国法院承认和执行在另一缔约国领土内作出的仲裁裁决，是由仲裁裁决的一方当事人提出的。对于当事人的申请应由我国下列地点的中级人民法院受理：1. 被执行人为自然人的，为其户籍所在地或者居所地；2. 被执行人为法人的，为其主要办事机构所在地；3. 被执行人在我国无住所、居所或者主要办事机构，但有财产在我国境内的，为其财产所在地。”“我国有管辖权的人民法院接到一方当事人的申请后，应对申请承认及执行的仲裁裁决进行审查，如果认为不具有《1958 年纽约公约》第五条第（一）、（二）项所列的情形，应当裁定承认其效力，并且依照民事诉讼法（试行）规定的程序执行；如果认定具有第五条第（二）项所列的情形之一的，或者根据被执行人提供的证据证明具有第五条第（一）项所列的情形之一的，应当裁定驳回申请，拒绝承认及执行。”

第二百八十四条　本法自公布之日起施行，《中华人民共和国民事诉讼法（试行）》同时废止。

【释义】 本条是关于本法施行日期的规定。

法律的施行日期即法律的生效日期,《中华人民共和国立法法》第五十一条规定:“法律应当明确规定施行日期。”法律的施行时间即生效时间,是法律效力的起点。一部法律何时开始生效,一般是由该法律的具体性质和实际需要决定的,我国立法实践通常有三种做法:一是规定该法律自公布之日起施行,具体时间根据宪法第八十条及立法法第五十二条的有关规定,由国家主席发布主席令来规定;二是规定该法律公布后一段期限届至后开始生效,具体时间为期限届至之时;三是直接规定该法律的具体生效日期,此种表示方法最为普遍,本法采之。

关于本法修改前后的衔接问题。修改后的法律的生效日期与修改法律的形式有密切联系。目前,修改法律主要有两种形式:一种是对法律进行修订,即对法律全文作全面修改,重新予以规定;另一种是对法律的部分条文通过修改决定的方式予以修改,不对法律全文作修改,未修改的部分继续实行。因此,法律修改后的生效日期也有两种形式:属于修订法律的,一般是重新公布法律的生效日期;属于对法律作修改决定的,一般不修改法律的生效日期,只是规定修改决定的实施日期,对于原法修改的部分执行修改决定的生效日期,未修改的部分执行原来法律规定的生效日期。2012 年 8 月 31 日十一届全国人大常委会第二十八次会议审议通过的《全国人民代表大会常务委员会关于修改〈中华人民共和国民事诉讼法〉的决定》规定:“本决定自 2013 年 1 月 1 日起施行。”根据这一规定,经修改后的民事诉讼法,内容未作改动的条文,生效时间分别为 1991 年 4 月 9 日和 2008 年 4 月 1 日;经过修改的条文,包括新增加的条文,生效时间为 2013 年 1 月 1 日。

第二部分　附　录

全国人民代表大会常务委员会关于修改《中华人民共和国民事诉讼法》的决定

（2012年8月31日第十一届全国人民代表大会常务委员会第二十八次会议通过）

第十一届全国人民代表大会常务委员会第二十八次会议决定对《中华人民共和国民事诉讼法》作如下修改：

一、第十三条增加一款，作为第一款："民事诉讼应当遵循诚实信用原则。"

二、将第十四条修改为："人民检察院有权对民事诉讼实行法律监督。"

三、删去第十六条。

四、将第二十五条改为第三十四条，修改为："合同或者其他财产权益纠纷的当事人可以书面协议选择被告住所地、合同履行地、合同签订地、原告住所地、标的物所在地等与争议有实际联系的地点的人民法院管辖，但不得违反本法对级别管辖和专属管辖的规定。”

五、增加一条，作为第二十六条：“因公司设立、确认股东资格、分配利润、解散等纠纷提起的诉讼，由公司住所地人民法院管辖。”

六、将第三十八条改为第一百二十七条，增加一款，作为第二款：“当事人未提出管辖异议，并应诉答辩的，视为受诉人民法院有管辖权，但违反级别管辖和专属管辖规定的除外。”

七、将第三十九条改为第三十八条，第一款修改为：“上级人民法院有权审理下级人民法院管辖的第一审民事案件；确有必要将本院管辖的第一审民事案件交下级人民法院审理的，应当报请其上级人民法院批准。”

八、将第四十五条改为第四十四条，修改为：“审判人员有下列情形之一的，应当自行回避，当事人有权用口头或者书面方式申请他们回避：

“（一）是本案当事人或者当事人、诉讼代理人近亲属的；

“（二）与本案有利害关系的；

“（三）与本案当事人、诉讼代理人有其他关系，可能影响对案件公正审理的。

“审判人员接受当事人、诉讼代理人请客送礼，或者违反规定会见当事人、诉讼代理人的，当事人有权要求他们回避。

“审判人员有前款规定的行为的，应当依法追究法律责任。

“前三款规定，适用于书记员、翻译人员、鉴定人、勘验人。”

九、增加一条，作为第五十五条：“对污染环境、侵害众多消费者合法权益等损害社会公共利益的行为，法律规定的机关和有关组织可以向人民法院提起诉讼。”

十、第五十六条增加一款，作为第三款：“前两款规定的第三人，因不能归责于本人的事由未参加诉讼，但有证据证明发生法律效力的判决、裁定、调解书的部分或者全部内容错误，损害其民事权益的，可以自知道或者应当知道其民事权益受到损害之日起六个月内,向作出该判决、裁定、调解书的人民法院提起诉讼。人民法院经审理,诉讼请求成立的,应当改变或者撤销原判决、裁定、调解书;诉讼请求不成立的,驳回诉讼请求。”

十一、将第五十八条第二款修改为:“下列人员可以被委托为诉讼代理人:

“(一)律师、基层法律服务工作者;

“(二)当事人的近亲属或者工作人员;

“(三)当事人所在社区、单位以及有关社会团体推荐的公民。”

十二、将第六十三条修改为:“证据包括:

“(一)当事人的陈述;

“(二)书证;

“(三)物证;

“(四)视听资料;

“(五)电子数据;

“(六)证人证言;

“(七)鉴定意见;

“(八)勘验笔录。

“证据必须查证属实,才能作为认定事实的根据。”

相应地将第一百二十四条、第一百七十一条中的“鉴定结论”修改为“鉴定意见”。

十三、增加二条,作为第六十五条、第六十六条:

“第六十五条　当事人对自己提出的主张应当及时提供证据。

“人民法院根据当事人的主张和案件审理情况,确定当事人应当提供的证据及其期限。当事人在该期限内提供证据确有困难的,可以向人民法院申请延长期限,人民法院根据当事人的申请适当延长。当事人逾期提供证据的,人民法院应当责令其说明理由;拒不说明理由或者理由不成立的,人民法院根据不同情形可以不予采纳该证据,或者采纳该证据但予以训诫、罚款。

“第六十六条 人民法院收到当事人提交的证据材料,应当出具收据,写明证据名称、页数、份数、原件或者复印件以及收到时间等,并由经办人员签名或者盖章。”

十四、将第六十七条改为第六十九条,修改为:“经过法定程序公证证明的法律事实和文书,人民法院应当作为认定事实的根据,但有相反证据足以推翻公证证明的除外。”

十五、将第七十条改为三条,作为第七十二条、第七十三条、第七十四条,修改为:

“第七十二条 凡是知道案件情况的单位和个人,都有义务出庭作证。有关单位的负责人应当支持证人作证。

“不能正确表达意思的人,不能作证。

“第七十三条 经人民法院通知,证人应当出庭作证。有下列情形之一的,经人民法院许可,可以通过书面证言、视听传输技术或者视听资料等方式作证:

“(一)因健康原因不能出庭的;

“(二)因路途遥远,交通不便不能出庭的;

“(三)因自然灾害等不可抗力不能出庭的;

“(四)其他有正当理由不能出庭的。

“第七十四条 证人因履行出庭作证义务而支出的交通、住宿、就餐等必要费用以及误工损失,由败诉一方当事人负担。当事人申请证人作证的,由该当事人先行垫付;当事人没有申请,人民法院通知证人作证的,由人民法院先行垫付。”

相应地将第六十二条中的“意志”修改为“意思”。

十六、将第七十二条改为三条,作为第七十六条、第七十七条、第七十八条,修改为:

“第七十六条 当事人可以就查明事实的专门性问题向人民法院申请鉴定。当事人申请鉴定的,由双方当事人协商确定具备资格的鉴定人;协商不成的,由人民法院指定。

“当事人未申请鉴定,人民法院对专门性问题认为需要鉴定的,应当委托具备资格的鉴定人进行鉴定。

“第七十七条　鉴定人有权了解进行鉴定所需要的案件材料,必要时可以询问当事人、证人。

“鉴定人应当提出书面鉴定意见,在鉴定书上签名或者盖章。

“第七十八条　当事人对鉴定意见有异议或者人民法院认为鉴定人有必要出庭的,鉴定人应当出庭作证。经人民法院通知,鉴定人拒不出庭作证的,鉴定意见不得作为认定事实的根据;支付鉴定费用的当事人可以要求返还鉴定费用。”

增加一条,作为第七十九条:“当事人可以申请人民法院通知有专门知识的人出庭,就鉴定人作出的鉴定意见或者专业问题提出意见。”

十七、将第七十四条改为第八十一条,修改为:“在证据可能灭失或者以后难以取得的情况下,当事人可以在诉讼过程中向人民法院申请保全证据,人民法院也可以主动采取保全措施。

“因情况紧急,在证据可能灭失或者以后难以取得的情况下,利害关系人可以在提起诉讼或者申请仲裁前向证据所在地、被申请人住所地或者对案件有管辖权的人民法院申请保全证据。

“证据保全的其他程序,参照适用本法第九章保全的有关规定。”

十八、将第七十九条改为第八十六条,修改为:“受送达人或者他的同住成年家属拒绝接收诉讼文书的,送达人可以邀请有关基层组织或者所在单位的代表到场,说明情况,在送达回证上记明拒收事由和日期,由送达人、见证人签名或者盖章,把诉讼文书留在受送达人的住所;也可以把诉讼文书留在受送达人的住所,并采用拍照、录像等方式记录送达过程,即视为送达。”

增加一条,作为第八十七条:“经受送达人同意,人民法院可以采用传真、电子邮件等能够确认其收悉的方式送达诉讼文书，但判决书、裁定书、调解书除外。

“采用前款方式送达的，以传真、电子邮件等到达受送达人特定系统的日期为送达日期。”

十九、将第八十二条改为第九十条，修改为：“受送达人被监禁的，通过其所在监所转交。

“受送达人被采取强制性教育措施的，通过其所在强制性教育机构转交。”

相应地将第二十三条第三项修改为：“（三）对被采取强制性教育措施的人提起的诉讼”。

二十、将第九章的章名、第九十六条、第九十九条、第一百四十条、第二百五十六条中的“财产保全”修改为“保全”。

二十一、将第九十二条改为第一百条，修改为：“人民法院对于可能因当事人一方的行为或者其他原因，使判决难以执行或者造成当事人其他损害的案件，根据对方当事人的申请，可以裁定对其财产进行保全、责令其作出一定行为或者禁止其作出一定行为；当事人没有提出申请的，人民法院在必要时也可以裁定采取保全措施。

“人民法院采取保全措施，可以责令申请人提供担保，申请人不提供担保的，裁定驳回申请。

“人民法院接受申请后，对情况紧急的，必须在四十八小时内作出裁定；裁定采取保全措施的，应当立即开始执行。”

二十二、将第九十三条改为第一百零一条，修改为：“利害关系人因情况紧急，不立即申请保全将会使其合法权益受到难以弥补的损害的，可以在提起诉讼或者申请仲裁前向被保全财产所在地、被申请人住所地或者对案件有管辖权的人民法院申请采取保全措施。申请人应当提供担保，不提供担保的，裁定驳回申请。

“人民法院接受申请后，必须在四十八小时内作出裁定；裁定采取保全措施的，应当立即开始执行。

“申请人在人民法院采取保全措施后三十日内不依法提起诉讼或者申请仲裁的，人民法院应当解除保全。”

二十三、将第九十四条改为二条，作为第一百零二条、第一百零三条，修改为：

“第一百零二条　保全限于请求的范围，或者与本案有关的财物。

“第一百零三条　财产保全采取查封、扣押、冻结或者法律规定的其他方法。人民法院保全财产后，应当立即通知被保全财产的人。

“财产已被查封、冻结的，不得重复查封、冻结。”

将第九十五条改为第一百零四条，修改为：“财产纠纷案件，被申请人提供担保的，人民法院应当裁定解除保全。”

二十四、增加二条，作为第一百一十二条、第一百一十三条：

“第一百一十二条　当事人之间恶意串通，企图通过诉讼、调解等方式侵害他人合法权益的，人民法院应当驳回其请求，并根据情节轻重予以罚款、拘留；构成犯罪的，依法追究刑事责任。

“第一百一十三条　被执行人与他人恶意串通，通过诉讼、仲裁、调解等方式逃避履行法律文书确定的义务的，人民法院应当根据情节轻重予以罚款、拘留；构成犯罪的，依法追究刑事责任。”

二十五、将第一百零三条改为第一百一十四条，第一款第二项修改为：“（二）有关单位接到人民法院协助执行通知书后，拒不协助查询、扣押、冻结、划拨、变价财产的”。

将第一百零四条改为第一百一十五条，第一款修改为：“对个人的罚款金额，为人民币十万元以下。对单位的罚款金额，为人民币五万元以上一百万元以下。”

二十六、将第一百一十条改为第一百二十一条，第一项改为二项，作为第一项、第二项，修改为：

“（一）原告的姓名、性别、年龄、民族、职业、工作单位、住所、联系方式，法人或者其他组织的名称、住所和法定代表人或者主要负责人的姓名、职务、联系方式；

“（二）被告的姓名、性别、工作单位、住所等信息，法人或者其他组织的名称、住所等信息”。

将第一百一十三条改为第一百二十五条，修改为：“人民法院应当在立案之日起五日内将起诉状副本发送被告，被告应当在收到之日起十五日内提出答辩状。答辩状应当记明被告的姓名、性别、年龄、民族、职业、工作单位、住所、联系方式；法人或者其他组织的名称、住所和法定代表人或者主要负责人的姓名、职务、联系方式。人民法院应当在收到答辩状之日起五日内将答辩状副本发送原告。

“被告不提出答辩状的，不影响人民法院审理。”

二十七、增加一条，作为第一百二十二条：“当事人起诉到人民法院的民事纠纷，适宜调解的，先行调解，但当事人拒绝调解的除外。”

二十八、将第一百一十一条改为第一百二十四条，其中的“人民法院对符合本法第一百零八条的起诉，必须受理；对下列起诉，分别情形，予以处理：”修改为：“人民法院对下列起诉，分别情形，予以处理：”。

第二项修改为：“（二）依照法律规定，双方当事人达成书面仲裁协议申请仲裁、不得向人民法院起诉的，告知原告向仲裁机构申请仲裁”。

第五项修改为：“（五）对判决、裁定、调解书已经发生法律效力的案件，当事人又起诉的，告知原告申请再审，但人民法院准许撤诉的裁定除外”。

二十九、将第一百一十二条改为第一百二十三条，修改为：“人民法院应当保障当事人依照法律规定享有的起诉权利。对符合本法第一百一十九条的起诉，必须受理。符合起诉条件的，应当在七日内立案,并通知当事人;不符合起诉条件的,应当在七日内作出裁定书,不予受理;原告对裁定不服的,可以提起上诉。"

三十、增加一条,作为第一百三十三条:"人民法院对受理的案件,分别情形,予以处理:

"(一)当事人没有争议,符合督促程序规定条件的,可以转入督促程序;

"(二)开庭前可以调解的,采取调解方式及时解决纠纷;

"(三)根据案件情况,确定适用简易程序或者普通程序;

"(四)需要开庭审理的,通过要求当事人交换证据等方式,明确争议焦点。"

三十一、将第一百二十四条改为第一百三十八条,第三项修改为:"(三)出示书证、物证、视听资料和电子数据"。

三十二、将第一百三十八条改为第一百五十二条,第一款中的"判决书应当写明:"修改为:"判决书应当写明判决结果和作出该判决的理由。判决书内容包括:"。

第一款第二项修改为:"(二)判决认定的事实和理由、适用的法律和理由"。

三十三、将第一百四十条改为第一百五十四条,第一款第九项修改为:"(九)撤销或者不予执行仲裁裁决"。

第二款修改为:"对前款第一项至第三项裁定,可以上诉。"

第三款修改为:"裁定书应当写明裁定结果和作出该裁定的理由。裁定书由审判人员、书记员署名,加盖人民法院印章。口头裁定的,记入笔录。"

三十四、增加一条,作为第一百五十六条:"公众可以查阅发生法律效力的判决书、裁定书,但涉及国家秘密、商业秘密和个人隐私的内容除外。"

三十五、将第一百四十二条改为第一百五十七条,增加一款,作为第二款:"基层人民法院和它派出的法庭审理前款规定以外的民事案件，当事人双方也可以约定适用简易程序。”

三十六、将第一百四十四条改为第一百五十九条，修改为：“基层人民法院和它派出的法庭审理简单的民事案件，可以用简便方式传唤当事人和证人、送达诉讼文书、审理案件，但应当保障当事人陈述意见的权利。”

三十七、增加一条，作为第一百六十二条：“基层人民法院和它派出的法庭审理符合本法第一百五十七条第一款规定的简单的民事案件，标的额为各省、自治区、直辖市上年度就业人员年平均工资百分之三十以下的，实行一审终审。”

三十八、增加一条，作为第一百六十三条：“人民法院在审理过程中，发现案件不宜适用简易程序的，裁定转为普通程序。”

二十九、将第一百五十二条改为第一百六十九条，第一款修改为：“第二审人民法院对上诉案件，应当组成合议庭，开庭审理。经过阅卷、调查和询问当事人，对没有提出新的事实、证据或者理由，合议庭认为不需要开庭审理的，可以不开庭审理。”

四十、将第一百五十三条改为第一百七十条，修改为：“第二审人民法院对上诉案件，经过审理，按照下列情形，分别处理：

“（一）原判决、裁定认定事实清楚，适用法律正确的，以判决、裁定方式驳回上诉，维持原判决、裁定；

“（二）原判决、裁定认定事实错误或者适用法律错误的，以判决、裁定方式依法改判、撤销或者变更；

“（三）原判决认定基本事实不清的，裁定撤销原判决，发回原审人民法院重审，或者查清事实后改判；

“（四）原判决遗漏当事人或者违法缺席判决等严重违反法定程序的，裁定撤销原判决，发回原审人民法院重审。

“原审人民法院对发回重审的案件作出判决后，当事人提起上诉的，第二审人民法院不得再次发回重审。”

四十一、将第一百六十条改为第一百七十七条，修改为：“人民法院审理选民资格案件、宣告失踪或者宣告死亡案件、认定公民无民事行为能力或者限制民事行为能力案件、认定财产无主案件、确认调解协议案件和实现担保物权案件,适用本章规定。本章没有规定的,适用本法和其他法律的有关规定。”

四十二、在第十五章第五节后增加二节,作为第六节、第七节:

“第六节　确认调解协议案件

“第一百九十四条　申请司法确认调解协议,由双方当事人依照人民调解法等法律,自调解协议生效之日起三十日内,共同向调解组织所在地基层人民法院提出。

“第一百九十五条　人民法院受理申请后,经审查,符合法律规定的,裁定调解协议有效,一方当事人拒绝履行或者未全部履行的,对方当事人可以向人民法院申请执行;不符合法律规定的,裁定驳回申请,当事人可以通过调解方式变更原调解协议或者达成新的调解协议,也可以向人民法院提起诉讼。

“第七节　实现担保物权案件

“第一百九十六条　申请实现担保物权,由担保物权人以及其他有权请求实现担保物权的人依照物权法等法律,向担保财产所在地或者担保物权登记地基层人民法院提出。

“第一百九十七条　人民法院受理申请后,经审查,符合法律规定的,裁定拍卖、变卖担保财产,当事人依据该裁定可以向人民法院申请执行;不符合法律规定的,裁定驳回申请,当事人可以向人民法院提起诉讼。”

四十三、将第一百七十八条改为第一百九十九条,修改为:“当事人对已经发生法律效力的判决、裁定,认为有错误的,可以向上一级人民法院申请再审;当事人一方人数众多或者当事人双方为公民的案件,也可以向原审人民法院申请再审。当事人申请再审的,不停止判决、裁定的执行。”

四十四、将第一百七十九条改为第二百条,第一款第五项修改为："（五）对审理案件需要的主要证据，当事人因客观原因不能自行收集，书面申请人民法院调查收集，人民法院未调查收集的"。

删去第一款第七项。

将第二款作为第十三项，修改为："（十三）审判人员审理该案件时有贪污受贿，徇私舞弊，枉法裁判行为的。"

四十五、将第一百八十一条改为第二百零四条，修改为："人民法院应当自收到再审申请书之日起三个月内审查，符合本法规定的，裁定再审；不符合本法规定的，裁定驳回申请。有特殊情况需要延长的，由本院院长批准。

"因当事人申请裁定再审的案件由中级人民法院以上的人民法院审理，但当事人依照本法第一百九十九条的规定选择向基层人民法院申请再审的除外。最高人民法院、高级人民法院裁定再审的案件，由本院再审或者交其他人民法院再审，也可以交原审人民法院再审。"

四十六、将第一百八十二条改为第二百零一条。将第一百七十七条、第一百八十三条、第一百八十五条、第一百八十九条改为第一百九十八条、第二百零二条、第二百零六条、第二百一十二条，修改为：

"第一百九十八条　各级人民法院院长对本院已经发生法律效力的判决、裁定、调解书，发现确有错误，认为需要再审的，应当提交审判委员会讨论决定。

"最高人民法院对地方各级人民法院已经发生法律效力的判决、裁定、调解书，上级人民法院对下级人民法院已经发生法律效力的判决、裁定、调解书，发现确有错误的，有权提审或者指令下级人民法院再审。

"第二百零二条　当事人对已经发生法律效力的解除婚姻关系的判决、调解书，不得申请再审。

"第二百零六条　按照审判监督程序决定再审的案件，裁定中止原判决、裁定、调解书的执行，但追索赡养费、扶养费、抚育费、抚恤金、医疗费用、劳动报酬等案件，可以不中止执行。

"第二百一十二条　人民检察院决定对人民法院的判决、裁定、调解书提出抗诉的，应当制作抗诉书。"

四十七、将第一百八十四条改为第二百零五条，修改为："当事人申请再审，应当在判决、裁定发生法律效力后六个月内提出；有本法第二百条第一项、第三项、第十二项、第十三项规定情形的，自知道或者应当知道之日起六个月内提出。"

四十八、将第一百八十七条改为第二百零八条，修改为："最高人民检察院对各级人民法院已经发生法律效力的判决、裁定，上级人民检察院对下级人民法院已经发生法律效力的判决、裁定，发现有本法第二百条规定情形之一的，或者发现调解书损害国家利益、社会公共利益的，应当提出抗诉。

"地方各级人民检察院对同级人民法院已经发生法律效力的判决、裁定，发现有本法第二百条规定情形之一的，或者发现调解书损害国家利益、社会公共利益的，可以向同级人民法院提出检察建议，并报上级人民检察院备案；也可以提请上级人民检察院向同级人民法院提出抗诉。

"各级人民检察院对审判监督程序以外的其他审判程序中审判人员的违法行为，有权向同级人民法院提出检察建议。"

四十九、增加二条，作为第二百零九条、第二百一十条：

"第二百零九条　有下列情形之一的，当事人可以向人民检察院申请检察建议或者抗诉：

"（一）人民法院驳回再审申请的；

"（二）人民法院逾期未对再审申请作出裁定的；

"（三）再审判决、裁定有明显错误的。

"人民检察院对当事人的申请应当在三个月内进行审查，作出提出或者不予提出检察建议或者抗诉的决定。当事人不得再次向人民检察院申请检察建议或者抗诉。

“第二百一十条 人民检察院因履行法律监督职责提出检察建议或者抗诉的需要,可以向当事人或者案外人调查核实有关情况。”

五十、将第一百八十八条改为第二百一十一条,修改为:“人民检察院提出抗诉的案件,接受抗诉的人民法院应当自收到抗诉书之日起三十日内作出再审的裁定;有本法第二百条第一项至第五项规定情形之一的,可以交下一级人民法院再审,但经该下一级人民法院再审的除外。”

五十一、将第一百九十四条改为第二百一十七条,修改为:“人民法院收到债务人提出的书面异议后,经审查,异议成立的,应当裁定终结督促程序,支付令自行失效。

“支付令失效的,转入诉讼程序,但申请支付令的一方当事人不同意提起诉讼的除外。”

五十二、将第二百零七条改为第二百三十条,第二款修改为:“申请执行人因受欺诈、胁迫与被执行人达成和解协议,或者当事人不履行和解协议的,人民法院可以根据当事人的申请,恢复对原生效法律文书的执行。”

五十三、增加一条,作为第二百三十五条:“人民检察院有权对民事执行活动实行法律监督。”

五十四、将第二百一十三条改为第二百三十七条,第二款第四项、第五项修改为:

“(四)裁决所根据的证据是伪造的;

“(五)对方当事人向仲裁机构隐瞒了足以影响公正裁决的证据的”。

五十五、将第二百一十六条改为第二百四十条,修改为:“执行员接到申请执行书或者移交执行书,应当向被执行人发出执行通知,并可以立即采取强制执行措施。”

五十六、将第二百一十八条改为第二百四十二条,修改为:“被执行人未按执行通知履行法律文书确定的义务,人民法院有权向有关单位查询被执行人的存款、债券、股票、基金份额等财产情况。人民法院有权根据不同情形扣押、冻结、划拨、变价被执行人的财产。人民法院查询、扣押、冻结、划拨、变价的财产不得超出被执行人应当履行义务的范围。

"人民法院决定扣押、冻结、划拨、变价财产,应当作出裁定,并发出协助执行通知书,有关单位必须办理。"

五十七、将第二百二十三条改为第二百四十七条,修改为:"财产被查封、扣押后,执行员应当责令被执行人在指定期间履行法律文书确定的义务。被执行人逾期不履行的,人民法院应当拍卖被查封、扣押的财产;不适于拍卖或者当事人双方同意不进行拍卖的,人民法院可以委托有关单位变卖或者自行变卖。国家禁止自由买卖的物品,交有关单位按照国家规定的价格收购。"

五十八、删去第二百四十二条、第二百四十三条。

五十九、将第二百四十五条改为第二百六十七条,第六项修改为:"(六)受送达人所在国的法律允许邮寄送达的,可以邮寄送达,自邮寄之日起满三个月,送达回证没有退回,但根据各种情况足以认定已经送达的,期间届满之日视为送达"。

增加一项,作为第七项:"(七)采用传真、电子邮件等能够确认受送达人收悉的方式送达"。

第七项改为第八项,修改为:"(八)不能用上述方式送达的,公告送达,自公告之日起满三个月,即视为送达。"

六十、删去第二十六章"财产保全"。

民事诉讼法的有关章节序号及条文序号根据本决定作相应调整。

本决定自 2013 年 1 月 1 日起施行。

《中华人民共和国民事诉讼法》根据本决定作相应修改,重新公布。

中华人民共和国民事诉讼法

（1991年4月9日第七届全国人民代表大会第四次会议通过
根据2007年10月28日第十届全国人民代表大会
常务委员会第三十次会议《关于修改〈中华人民共和国
民事诉讼法〉的决定》第一次修正 根据2012年8月31日
第十一届全国人民代表大会常务委员会第二十八次会议
《关于修改〈中华人民共和国民事诉讼法〉的决定》
第二次修正）

目 录

第一编　总　　则

第一章　任务、适用范围和基本原则

第一条　中华人民共和国民事诉讼法以宪法为根据，结合我国民事审判工作的经验和实际情况制定。

第二条　中华人民共和国民事诉讼法的任务，是保护当事人行使诉讼权利，保证人民法院查明事实，分清是非，正确适用法律，及时审理民事案件，确认民事权利义务关系，制裁民事违法行为，保护当事人的合法权益，教育公民自觉遵守法律，维护社会秩序、经济秩序，保障社会主义建设事业顺利进行。

第三条　人民法院受理公民之间、法人之间、其他组织之间以及他们相互之间因财产关系和人身关系提起的民事诉讼，适用本法的规定。

第四条　凡在中华人民共和国领域内进行民事诉讼，必须遵守本法。

第五条 外国人、无国籍人、外国企业和组织在人民法院起诉、应诉,同中华人民共和国公民、法人和其他组织有同等的诉讼权利义务。

外国法院对中华人民共和国公民、法人和其他组织的民事诉讼权利加以限制的,中华人民共和国人民法院对该国公民、企业和组织的民事诉讼权利,实行对等原则。

第六条 民事案件的审判权由人民法院行使。

人民法院依照法律规定对民事案件独立进行审判,不受行政机关、社会团体和个人的干涉。

第七条 人民法院审理民事案件,必须以事实为根据,以法律为准绳。

第八条 民事诉讼当事人有平等的诉讼权利。人民法院审理民事案件,应当保障和便利当事人行使诉讼权利,对当事人在适用法律上一律平等。

第九条 人民法院审理民事案件,应当根据自愿和合法的原则进行调解;调解不成的,应当及时判决。

第十条 人民法院审理民事案件,依照法律规定实行合议、回避、公开审判和两审终审制度。

第十一条 各民族公民都有用本民族语言、文字进行民事诉讼的权利。

在少数民族聚居或者多民族共同居住的地区,人民法院应当用当地民族通用的语言、文字进行审理和发布法律文书。

人民法院应当对不通晓当地民族通用的语言、文字的诉讼参与人提供翻译。

第十二条 人民法院审理民事案件时,当事人有权进行辩论。

第十三条 民事诉讼应当遵循诚实信用原则。

当事人有权在法律规定的范围内处分自己的民事权利和诉讼权利。

第十四条 人民检察院有权对民事诉讼实行法律监督。

第十五条 机关、社会团体、企业事业单位对损害国家、集体或者个人民事权益的行为,可以支持受损害的单位或者个人向人民法院起诉。

第十六条 民族自治地方的人民代表大会根据宪法和本法的原则,结合当地民族的具体情况,可以制定变通或者补充的规定。自治区的规定,报全国人民代表大会常务委员会批准。自治州、自治县的规定,报省或者自治区的人民代表大会常务委员会批准,并报全国人民代表大会常务委员会备案。

第二章 管 辖

第一节 级别管辖

第十七条 基层人民法院管辖第一审民事案件,但本法另有规定的除外。

第十八条 中级人民法院管辖下列第一审民事案件:

(一)重大涉外案件;

(二)在本辖区有重大影响的案件;

(三)最高人民法院确定由中级人民法院管辖的案件。

第十九条 高级人民法院管辖在本辖区有重大影响的第一审民事案件。

第二十条 最高人民法院管辖下列第一审民事案件:

(一)在全国有重大影响的案件;

(二)认为应当由本院审理的案件。

第二节 地域管辖

第二十一条 对公民提起的民事诉讼,由被告住所地人民法院管辖;被告住所地与经常居住地不一致的,由经常居住地人民法院管辖。

对法人或者其他组织提起的民事诉讼,由被告住所地人民法院管辖。

同一诉讼的几个被告住所地、经常居住地在两个以上人民法院辖区的,各该人民法院都有管辖权。

第二十二条　下列民事诉讼,由原告住所地人民法院管辖;原告住所地与经常居住地不一致的,由原告经常居住地人民法院管辖:

(一)对不在中华人民共和国领域内居住的人提起的有关身份关系的诉讼;

(二)对下落不明或者宣告失踪的人提起的有关身份关系的诉讼;

(三)对被采取强制性教育措施的人提起的诉讼;

(四)对被监禁的人提起的诉讼。

第二十三条　因合同纠纷提起的诉讼,由被告住所地或者合同履行地人民法院管辖。

第二十四条　因保险合同纠纷提起的诉讼,由被告住所地或者保险标的物所在地人民法院管辖。

第二十五条　因票据纠纷提起的诉讼,由票据支付地或者被告住所地人民法院管辖。

第二十六条　因公司设立、确认股东资格、分配利润、解散等纠纷提起的诉讼,由公司住所地人民法院管辖。

第二十七条　因铁路、公路、水上、航空运输和联合运输合同纠纷提起的诉讼,由运输始发地、目的地或者被告住所地人民法院管辖。

第二十八条　因侵权行为提起的诉讼,由侵权行为地或者被告住所地人民法院管辖。

第二十九条　因铁路、公路、水上和航空事故请求损害赔偿提起的诉讼，由事故发生地或者车辆、船舶最先到达地、航空器最先降落地或者被告住所地人民法院管辖。

第三十条　因船舶碰撞或者其他海事损害事故请求损害赔偿提起的诉讼，由碰撞发生地、碰撞船舶最先到达地、加害船舶被扣留地或者被告住所地人民法院管辖。

第三十一条　因海难救助费用提起的诉讼，由救助地或者被救助船舶最先到达地人民法院管辖。

第三十二条　因共同海损提起的诉讼，由船舶最先到达地、共同海损理算地或者航程终止地的人民法院管辖。

第三十三条　下列案件，由本条规定的人民法院专属管辖：

（一）因不动产纠纷提起的诉讼，由不动产所在地人民法院管辖；

（二）因港口作业中发生纠纷提起的诉讼，由港口所在地人民法院管辖；

（三）因继承遗产纠纷提起的诉讼，由被继承人死亡时住所地或者主要遗产所在地人民法院管辖。

第三十四条　合同或者其他财产权益纠纷的当事人可以书面协议选择被告住所地、合同履行地、合同签订地、原告住所地、标的物所在地等与争议有实际联系的地点的人民法院管辖，但不得违反本法对级别管辖和专属管辖的规定。

第三十五条　两个以上人民法院都有管辖权的诉讼，原告可以向其中一个人民法院起诉；原告向两个以上有管辖权的人民法院起诉的，由最先立案的人民法院管辖。

第三节　移送管辖和指定管辖

第三十六条　人民法院发现受理的案件不属于本院管辖的，应当移送有管辖权的人民法院，受移送的人民法院应当受理。受移送的人民法院认为受移送的案件依照规定不属于本院管辖的，应当报请上级人民法院指定管辖,不得再自行移送。

第三十七条 有管辖权的人民法院由于特殊原因,不能行使管辖权的,由上级人民法院指定管辖。

人民法院之间因管辖权发生争议,由争议双方协商解决;协商解决不了的,报请它们的共同上级人民法院指定管辖。

第三十八条 上级人民法院有权审理下级人民法院管辖的第一审民事案件;确有必要将本院管辖的第一审民事案件交下级人民法院审理的,应当报请其上级人民法院批准。

下级人民法院对它所管辖的第一审民事案件,认为需要由上级人民法院审理的,可以报请上级人民法院审理。

第三章 审 判 组 织

第三十九条 人民法院审理第一审民事案件,由审判员、陪审员共同组成合议庭或者由审判员组成合议庭。合议庭的成员人数,必须是单数。

适用简易程序审理的民事案件,由审判员一人独任审理。

陪审员在执行陪审职务时,与审判员有同等的权利义务。

第四十条 人民法院审理第二审民事案件,由审判员组成合议庭。合议庭的成员人数,必须是单数。

发回重审的案件,原审人民法院应当按照第一审程序另行组成合议庭。

审理再审案件,原来是第一审的,按照第一审程序另行组成合议庭;原来是第二审的或者是上级人民法院提审的,按照第二审程序另行组成合议庭。

第四十一条 合议庭的审判长由院长或者庭长指定审判员一人担任;院长或者庭长参加审判的,由院长或者庭长担任。

第四十二条 合议庭评议案件,实行少数服从多数的原则。评议应当制作笔录,由合议庭成员签名。评议中的不同意见,必须如实记入笔录。

第四十三条 审判人员应当依法秉公办案。

审判人员不得接受当事人及其诉讼代理人请客送礼。

审判人员有贪污受贿，徇私舞弊，枉法裁判行为的，应当追究法律责任；构成犯罪的，依法追究刑事责任。

第四章　回　　避

第四十四条 审判人员有下列情形之一的，应当自行回避，当事人有权用口头或者书面方式申请他们回避：

（一）是本案当事人或者当事人、诉讼代理人近亲属的；

（二）与本案有利害关系的；

（三）与本案当事人、诉讼代理人有其他关系，可能影响对案件公正审理的。

审判人员接受当事人、诉讼代理人请客送礼，或者违反规定会见当事人、诉讼代理人的，当事人有权要求他们回避。

审判人员有前款规定的行为的，应当依法追究法律责任。

前三款规定，适用于书记员、翻译人员、鉴定人、勘验人。

第四十五条 当事人提出回避申请，应当说明理由，在案件开始审理时提出；回避事由在案件开始审理后知道的，也可以在法庭辩论终结前提出。

被申请回避的人员在人民法院作出是否回避的决定前，应当暂停参与本案的工作，但案件需要采取紧急措施的除外。

第四十六条 院长担任审判长时的回避，由审判委员会决定；审判人员的回避，由院长决定；其他人员的回避，由审判长决定。

第四十七条 人民法院对当事人提出的回避申请，应当在申请提出的三日内，以口头或者书面形式作出决定。申请人对决定不服的，可以在接到决定时申请复议一次。复议期间，被申请回避的人员，不停止参与本案的工作。人民法院对复议申请，应当在三日内作出复议决定，并通知复议申请人。

第五章　诉讼参加人

第一节　当　事　人

第四十八条　公民、法人和其他组织可以作为民事诉讼的当事人。

法人由其法定代表人进行诉讼。其他组织由其主要负责人进行诉讼。

第四十九条　当事人有权委托代理人，提出回避申请，收集、提供证据，进行辩论，请求调解，提起上诉，申请执行。

当事人可以查阅本案有关材料，并可以复制本案有关材料和法律文书。查阅、复制本案有关材料的范围和办法由最高人民法院规定。

当事人必须依法行使诉讼权利，遵守诉讼秩序，履行发生法律效力的判决书、裁定书和调解书。

第五十条　双方当事人可以自行和解。

第五十一条　原告可以放弃或者变更诉讼请求。被告可以承认或者反驳诉讼请求，有权提起反诉。

第五十二条　当事人一方或者双方为二人以上，其诉讼标的是共同的，或者诉讼标的是同一种类、人民法院认为可以合并审理并经当事人同意的，为共同诉讼。

共同诉讼的一方当事人对诉讼标的有共同权利义务的，其中一人的诉讼行为经其他共同诉讼人承认，对其他共同诉讼人发生效力；对诉讼标的没有共同权利义务的，其中一人的诉讼行为对其他共同诉讼人不发生效力。

第五十三条　当事人一方人数众多的共同诉讼，可以由当事人推选代表人进行诉讼。代表人的诉讼行为对其所代表的当事人发生效力，但代表人变更、放弃诉讼请求或者承认对方当事人的诉讼请求，进行和解，必须经被代表的当事人同意。

第五十四条　诉讼标的是同一种类、当事人一方人数众多在起诉时人数尚未确定的，人民法院可以发出公告，说明案件情况和诉讼请求，通知权利人在一定期间向人民法院登记。

向人民法院登记的权利人可以推选代表人进行诉讼；推选不出代表人的，人民法院可以与参加登记的权利人商定代表人。

代表人的诉讼行为对其所代表的当事人发生效力，但代表人变更、放弃诉讼请求或者承认对方当事人的诉讼请求，进行和解，必须经被代表的当事人同意。

人民法院作出的判决、裁定，对参加登记的全体权利人发生效力。未参加登记的权利人在诉讼时效期间提起诉讼的，适用该判决、裁定。

第五十五条[①]　对污染环境、侵害众多消费者合法权益等损害社会公共利益的行为，法律规定的机关和有关组织可以向人民法院提起诉讼。

第五十六条　对当事人双方的诉讼标的，第三人认为有独立请求权的，有权提起诉讼。

对当事人双方的诉讼标的，第三人虽然没有独立请求权，但案件处理结果同他有法律上的利害关系的，可以申请参加诉讼，或者由人民法院通知他参加诉讼。人民法院判决承担民事责任的第三人，有当事人的诉讼权利义务。

---

① 2017年6月27日《全国人民代表大会常务委员会关于修改〈中华人民共和国民事诉讼法〉和〈中华人民共和国行政诉讼法〉的决定》在本条增加一款，作为第二款："人民检察院在履行职责中发现破坏生态环境和资源保护、食品药品安全领域侵害众多消费者合法权益等损害社会公共利益的行为，在没有前款规定的机关和组织或者前款规定的机关和组织不提起诉讼的情况下，可以向人民法院提起诉讼。前款规定的机关或者组织提起诉讼的，人民检察院可以支持起诉。"

前两款规定的第三人,因不能归责于本人的事由未参加诉讼,但有证据证明发生法律效力的判决、裁定、调解书的部分或者全部内容错误,损害其民事权益的,可以自知道或者应当知道其民事权益受到损害之日起六个月内,向作出该判决、裁定、调解书的人民法院提起诉讼。人民法院经审理,诉讼请求成立的,应当改变或者撤销原判决、裁定、调解书;诉讼请求不成立的,驳回诉讼请求。

第二节　诉讼代理人

第五十七条　无诉讼行为能力人由他的监护人作为法定代理人代为诉讼。法定代理人之间互相推诿代理责任的,由人民法院指定其中一人代为诉讼。

第五十八条　当事人、法定代理人可以委托一至二人作为诉讼代理人。

下列人员可以被委托为诉讼代理人:

(一)律师、基层法律服务工作者;

(二)当事人的近亲属或者工作人员;

(三)当事人所在社区、单位以及有关社会团体推荐的公民。

第五十九条　委托他人代为诉讼,必须向人民法院提交由委托人签名或者盖章的授权委托书。

授权委托书必须记明委托事项和权限。诉讼代理人代为承认、放弃、变更诉讼请求,进行和解,提起反诉或者上诉,必须有委托人的特别授权。

侨居在国外的中华人民共和国公民从国外寄交或者托交的授权委托书,必须经中华人民共和国驻该国的使领馆证明;没有使领馆的,由与中华人民共和国有外交关系的第三国驻该国的使领馆证明,再转由中华人民共和国驻该第三国使领馆证明,或者由当地的爱国华侨团体证明。

第六十条　诉讼代理人的权限如果变更或者解除,当事人应当书面告知人民法院，并由人民法院通知对方当事人。

第六十一条 代理诉讼的律师和其他诉讼代理人有权调查收集证据，可以查阅本案有关材料。查阅本案有关材料的范围和办法由最高人民法院规定。

第六十二条 离婚案件有诉讼代理人的，本人除不能表达意思的以外，仍应出庭；确因特殊情况无法出庭的，必须向人民法院提交书面意见。

第六章 证 据

第六十三条 证据包括：

（一）当事人的陈述；

（二）书证；

（三）物证；

（四）视听资料；

（五）电子数据；

（六）证人证言；

（七）鉴定意见；

（八）勘验笔录。

证据必须查证属实，才能作为认定事实的根据。

第六十四条 当事人对自己提出的主张，有责任提供证据。

当事人及其诉讼代理人因客观原因不能自行收集的证据，或者人民法院认为审理案件需要的证据，人民法院应当调查收集。

人民法院应当按照法定程序，全面地、客观地审查核实证据。

第六十五条 当事人对自己提出的主张应当及时提供证据。

人民法院根据当事人的主张和案件审理情况，确定当事人应当提供的证据及其期限。当事人在该期限内提供证据确有困难的，可以向人民法院申请延长期限，人民法院根据当事人的申请适当延长。当事人逾期提供证据的，人民法院应当责令其说明理由；

拒不说明理由或者理由不成立的,人民法院根据不同情形可以不予采纳该证据,或者采纳该证据但予以训诫、罚款。

第六十六条　人民法院收到当事人提交的证据材料,应当出具收据,写明证据名称、页数、份数、原件或者复印件以及收到时间等,并由经办人员签名或者盖章。

第六十七条　人民法院有权向有关单位和个人调查取证,有关单位和个人不得拒绝。

人民法院对有关单位和个人提出的证明文书,应当辨别真伪,审查确定其效力。

第六十八条　证据应当在法庭上出示,并由当事人互相质证。对涉及国家秘密、商业秘密和个人隐私的证据应当保密,需要在法庭出示的,不得在公开开庭时出示。

第六十九条　经过法定程序公证证明的法律事实和文书,人民法院应当作为认定事实的根据,但有相反证据足以推翻公证证明的除外。

第七十条　书证应当提交原件。物证应当提交原物。提交原件或者原物确有困难的,可以提交复制品、照片、副本、节录本。

提交外文书证,必须附有中文译本。

第七十一条　人民法院对视听资料,应当辨别真伪,并结合本案的其他证据,审查确定能否作为认定事实的根据。

第七十二条　凡是知道案件情况的单位和个人,都有义务出庭作证。有关单位的负责人应当支持证人作证。

不能正确表达意思的人,不能作证。

第七十三条　经人民法院通知,证人应当出庭作证。有下列情形之一的,经人民法院许可,可以通过书面证言、视听传输技术或者视听资料等方式作证:

(一)因健康原因不能出庭的;

(二)因路途遥远,交通不便不能出庭的;

(三)因自然灾害等不可抗力不能出庭的;

(四)其他有正当理由不能出庭的。

第七十四条 证人因履行出庭作证义务而支出的交通、住宿、就餐等必要费用以及误工损失,由败诉一方当事人负担。当事人申请证人作证的,由该当事人先行垫付;当事人没有申请,人民法院通知证人作证的,由人民法院先行垫付。

第七十五条 人民法院对当事人的陈述,应当结合本案的其他证据,审查确定能否作为认定事实的根据。

当事人拒绝陈述的,不影响人民法院根据证据认定案件事实。

第七十六条 当事人可以就查明事实的专门性问题向人民法院申请鉴定。当事人申请鉴定的,由双方当事人协商确定具备资格的鉴定人;协商不成的,由人民法院指定。

当事人未申请鉴定,人民法院对专门性问题认为需要鉴定的,应当委托具备资格的鉴定人进行鉴定。

第七十七条 鉴定人有权了解进行鉴定所需要的案件材料,必要时可以询问当事人、证人。

鉴定人应当提出书面鉴定意见,在鉴定书上签名或者盖章。

第七十八条 当事人对鉴定意见有异议或者人民法院认为鉴定人有必要出庭的,鉴定人应当出庭作证。经人民法院通知,鉴定人拒不出庭作证的,鉴定意见不得作为认定事实的根据;支付鉴定费用的当事人可以要求返还鉴定费用。

第七十九条 当事人可以申请人民法院通知有专门知识的人出庭,就鉴定人作出的鉴定意见或者专业问题提出意见。

第八十条 勘验物证或者现场,勘验人必须出示人民法院的证件,并邀请当地基层组织或者当事人所在单位派人参加。当事人或者当事人的成年家属应当到场,拒不到场的,不影响勘验的进行。

有关单位和个人根据人民法院的通知,有义务保护现场,协助勘验工作。

勘验人应当将勘验情况和结果制作笔录,由勘验人、当事人和被邀参加人签名或者盖章。

第八十一条　在证据可能灭失或者以后难以取得的情况下,当事人可以在诉讼过程中向人民法院申请保全证据,人民法院也可以主动采取保全措施。

因情况紧急,在证据可能灭失或者以后难以取得的情况下,利害关系人可以在提起诉讼或者申请仲裁前向证据所在地、被申请人住所地或者对案件有管辖权的人民法院申请保全证据。

证据保全的其他程序,参照适用本法第九章保全的有关规定。

第七章　期间、送达

第一节　期　　间

第八十二条　期间包括法定期间和人民法院指定的期间。

期间以时、日、月、年计算。期间开始的时和日,不计算在期间内。

期间届满的最后一日是节假日的,以节假日后的第一日为期间届满的日期。

期间不包括在途时间,诉讼文书在期满前交邮的,不算过期。

第八十三条　当事人因不可抗拒的事由或者其他正当理由耽误期限的,在障碍消除后的十日内,可以申请顺延期限,是否准许,由人民法院决定。

第二节　送　　达

第八十四条　送达诉讼文书必须有送达回证,由受送达人在送达回证上记明收到日期,签名或者盖章。

受送达人在送达回证上的签收日期为送达日期。

第八十五条 送达诉讼文书，应当直接送交受送达人。受送达人是公民的，本人不在交他的同住成年家属签收；受送达人是法人或者其他组织的，应当由法人的法定代表人、其他组织的主要负责人或者该法人、组织负责收件的人签收；受送达人有诉讼代理人的，可以送交其代理人签收；受送达人已向人民法院指定代收人的，送交代收人签收。

受送达人的同住成年家属，法人或者其他组织的负责收件的人，诉讼代理人或者代收人在送达回证上签收的日期为送达日期。

第八十六条 受送达人或者他的同住成年家属拒绝接收诉讼文书的，送达人可以邀请有关基层组织或者所在单位的代表到场，说明情况，在送达回证上记明拒收事由和日期，由送达人、见证人签名或者盖章，把诉讼文书留在受送达人的住所；也可以把诉讼文书留在受送达人的住所，并采用拍照、录像等方式记录送达过程，即视为送达。

第八十七条 经受送达人同意，人民法院可以采用传真、电子邮件等能够确认其收悉的方式送达诉讼文书，但判决书、裁定书、调解书除外。

采用前款方式送达的，以传真、电子邮件等到达受送达人特定系统的日期为送达日期。

第八十八条 直接送达诉讼文书有困难的，可以委托其他人民法院代为送达，或者邮寄送达。邮寄送达的，以回执上注明的收件日期为送达日期。

第八十九条 受送达人是军人的，通过其所在部队团以上单位的政治机关转交。

第九十条 受送达人被监禁的，通过其所在监所转交。

受送达人被采取强制性教育措施的，通过其所在强制性教育机构转交。

第九十一条 代为转交的机关、单位收到诉讼文书后，必须立即交受送达人签收,以在送达回证上的签收日期,为送达日期。

第九十二条 受送达人下落不明,或者用本节规定的其他方式无法送达的,公告送达。自发出公告之日起,经过六十日,即视为送达。

公告送达,应当在案卷中记明原因和经过。

第八章 调 解

第九十三条 人民法院审理民事案件,根据当事人自愿的原则,在事实清楚的基础上,分清是非,进行调解。

第九十四条 人民法院进行调解,可以由审判员一人主持,也可以由合议庭主持,并尽可能就地进行。

人民法院进行调解,可以用简便方式通知当事人、证人到庭。

第九十五条 人民法院进行调解,可以邀请有关单位和个人协助。被邀请的单位和个人,应当协助人民法院进行调解。

第九十六条 调解达成协议,必须双方自愿,不得强迫。调解协议的内容不得违反法律规定。

第九十七条 调解达成协议,人民法院应当制作调解书。调解书应当写明诉讼请求、案件的事实和调解结果。

调解书由审判人员、书记员署名,加盖人民法院印章,送达双方当事人。

调解书经双方当事人签收后,即具有法律效力。

第九十八条 下列案件调解达成协议,人民法院可以不制作调解书:

(一)调解和好的离婚案件;

(二)调解维持收养关系的案件;

(三)能够即时履行的案件;

(四)其他不需要制作调解书的案件。

对不需要制作调解书的协议,应当记入笔录,由双方当事人、审判人员、书记员签名或者盖章后，即具有法律效力。

第九十九条　调解未达成协议或者调解书送达前一方反悔的，人民法院应当及时判决。

第九章　保全和先予执行

第一百条　人民法院对于可能因当事人一方的行为或者其他原因，使判决难以执行或者造成当事人其他损害的案件，根据对方当事人的申请，可以裁定对其财产进行保全、责令其作出一定行为或者禁止其作出一定行为；当事人没有提出申请的，人民法院在必要时也可以裁定采取保全措施。

人民法院采取保全措施，可以责令申请人提供担保，申请人不提供担保的，裁定驳回申请。

人民法院接受申请后，对情况紧急的，必须在四十八小时内作出裁定；裁定采取保全措施的，应当立即开始执行。

第一百零一条　利害关系人因情况紧急，不立即申请保全将会使其合法权益受到难以弥补的损害的，可以在提起诉讼或者申请仲裁前向被保全财产所在地、被申请人住所地或者对案件有管辖权的人民法院申请采取保全措施。申请人应当提供担保，不提供担保的，裁定驳回申请。

人民法院接受申请后，必须在四十八小时内作出裁定；裁定采取保全措施的，应当立即开始执行。

申请人在人民法院采取保全措施后三十日内不依法提起诉讼或者申请仲裁的，人民法院应当解除保全。

第一百零二条　保全限于请求的范围，或者与本案有关的财物。

第一百零三条　财产保全采取查封、扣押、冻结或者法律规定的其他方法。人民法院保全财产后，应当立即通知被保全财产的人。

财产已被查封、冻结的,不得重复查封、冻结。

第一百零四条 财产纠纷案件,被申请人提供担保的,人民法院应当裁定解除保全。

第一百零五条 申请有错误的,申请人应当赔偿被申请人因保全所遭受的损失。

第一百零六条 人民法院对下列案件,根据当事人的申请,可以裁定先予执行:

(一)追索赡养费、扶养费、抚育费、抚恤金、医疗费用的;

(二)追索劳动报酬的;

(三)因情况紧急需要先予执行的。

第一百零七条 人民法院裁定先予执行的,应当符合下列条件:

(一)当事人之间权利义务关系明确,不先予执行将严重影响申请人的生活或者生产经营的;

(二)被申请人有履行能力。

人民法院可以责令申请人提供担保,申请人不提供担保的,驳回申请。申请人败诉的,应当赔偿被申请人因先予执行遭受的财产损失。

第一百零八条 当事人对保全或者先予执行的裁定不服的,可以申请复议一次。复议期间不停止裁定的执行。

第十章 对妨害民事诉讼的强制措施

第一百零九条 人民法院对必须到庭的被告,经两次传票传唤,无正当理由拒不到庭的,可以拘传。

第一百一十条 诉讼参与人和其他人应当遵守法庭规则。

人民法院对违反法庭规则的人,可以予以训诫,责令退出法庭或者予以罚款、拘留。

人民法院对哄闹、冲击法庭,侮辱、诽谤、威胁、殴打审判人员,严重扰乱法庭秩序的人，依法追究刑事责任；情节较轻的，予以罚款、拘留。

第一百一十一条 诉讼参与人或者其他人有下列行为之一的，人民法院可以根据情节轻重予以罚款、拘留；构成犯罪的，依法追究刑事责任：

（一）伪造、毁灭重要证据，妨碍人民法院审理案件的；

（二）以暴力、威胁、贿买方法阻止证人作证或者指使、贿买、胁迫他人作伪证的；

（三）隐藏、转移、变卖、毁损已被查封、扣押的财产，或者已被清点并责令其保管的财产，转移已被冻结的财产的；

（四）对司法工作人员、诉讼参加人、证人、翻译人员、鉴定人、勘验人、协助执行的人，进行侮辱、诽谤、诬陷、殴打或者打击报复的；

（五）以暴力、威胁或者其他方法阻碍司法工作人员执行职务的；

（六）拒不履行人民法院已经发生法律效力的判决、裁定的。

人民法院对有前款规定的行为之一的单位，可以对其主要负责人或者直接责任人员予以罚款、拘留；构成犯罪的，依法追究刑事责任。

第一百一十二条 当事人之间恶意串通，企图通过诉讼、调解等方式侵害他人合法权益的，人民法院应当驳回其请求，并根据情节轻重予以罚款、拘留；构成犯罪的，依法追究刑事责任。

第一百一十三条 被执行人与他人恶意串通，通过诉讼、仲裁、调解等方式逃避履行法律文书确定的义务的，人民法院应当根据情节轻重予以罚款、拘留；构成犯罪的，依法追究刑事责任。

第一百一十四条 有义务协助调查、执行的单位有下列行为之一的，人民法院除责令其履行协助义务外，并可以予以罚款：

(一)有关单位拒绝或者妨碍人民法院调查取证的;

(二)有关单位接到人民法院协助执行通知书后,拒不协助查询、扣押、冻结、划拨、变价财产的;

(三)有关单位接到人民法院协助执行通知书后,拒不协助扣留被执行人的收入、办理有关财产权证照转移手续、转交有关票证、证照或者其他财产的;

(四)其他拒绝协助执行的。

人民法院对有前款规定的行为之一的单位,可以对其主要负责人或者直接责任人员予以罚款;对仍不履行协助义务的,可以予以拘留;并可以向监察机关或者有关机关提出予以纪律处分的司法建议。

第一百一十五条 对个人的罚款金额,为人民币十万元以下。对单位的罚款金额,为人民币五万元以上一百万元以下。

拘留的期限,为十五日以下。

被拘留的人,由人民法院交公安机关看管。在拘留期间,被拘留人承认并改正错误的,人民法院可以决定提前解除拘留。

第一百一十六条 拘传、罚款、拘留必须经院长批准。

拘传应当发拘传票。

罚款、拘留应当用决定书。对决定不服的,可以向上一级人民法院申请复议一次。复议期间不停止执行。

第一百一十七条 采取对妨害民事诉讼的强制措施必须由人民法院决定。任何单位和个人采取非法拘禁他人或者非法私自扣押他人财产追索债务的,应当依法追究刑事责任,或者予以拘留、罚款。

第十一章 诉讼费用

第一百一十八条 当事人进行民事诉讼,应当按照规定交纳案件受理费。财产案件除交纳案件受理费外,并按照规定交纳其他诉讼费用。

当事人交纳诉讼费用确有困难的,可以按照规定向人民法院申请缓交、减交或者免交。

收取诉讼费用的办法另行制定。

第二编 审判程序

第十二章 第一审普通程序

第一节 起诉和受理

第一百一十九条 起诉必须符合下列条件:

(一)原告是与本案有直接利害关系的公民、法人和其他组织;

(二)有明确的被告;

(三)有具体的诉讼请求和事实、理由;

(四)属于人民法院受理民事诉讼的范围和受诉人民法院管辖。

第一百二十条 起诉应当向人民法院递交起诉状,并按照被告人数提出副本。

书写起诉状确有困难的,可以口头起诉,由人民法院记入笔录,并告知对方当事人。

第一百二十一条 起诉状应当记明下列事项:

(一)原告的姓名、性别、年龄、民族、职业、工作单位、住所、联系方式,法人或者其他组织的名称、住所和法定代表人或者主要负责人的姓名、职务、联系方式;

(二)被告的姓名、性别、工作单位、住所等信息,法人或者其他组织的名称、住所等信息;

(三)诉讼请求和所根据的事实与理由;

(四)证据和证据来源,证人姓名和住所。

第一百二十二条　当事人起诉到人民法院的民事纠纷,适宜调解的,先行调解,但当事人拒绝调解的除外。

第一百二十三条　人民法院应当保障当事人依照法律规定享有的起诉权利。对符合本法第一百一十九条的起诉,必须受理。符合起诉条件的,应当在七日内立案,并通知当事人;不符合起诉条件的,应当在七日内作出裁定书,不予受理;原告对裁定不服的,可以提起上诉。

第一百二十四条　人民法院对下列起诉,分别情形,予以处理:

(一)依照行政诉讼法的规定,属于行政诉讼受案范围的,告知原告提起行政诉讼;

(二)依照法律规定,双方当事人达成书面仲裁协议申请仲裁、不得向人民法院起诉的,告知原告向仲裁机构申请仲裁;

(三)依照法律规定,应当由其他机关处理的争议,告知原告向有关机关申请解决;

(四)对不属于本院管辖的案件,告知原告向有管辖权的人民法院起诉;

(五)对判决、裁定、调解书已经发生法律效力的案件,当事人又起诉的,告知原告申请再审,但人民法院准许撤诉的裁定除外;

(六)依照法律规定,在一定期限内不得起诉的案件,在不得起诉的期限内起诉的,不予受理;

(七)判决不准离婚和调解和好的离婚案件,判决、调解维持收养关系的案件,没有新情况、新理由,原告在六个月内又起诉的,不予受理。

第二节　审理前的准备

第一百二十五条　人民法院应当在立案之日起五日内将起诉状副本发送被告,被告应当在收到之日起十五日内提出答辩状。答辩状应当记明被告的姓名、性别、年龄、民族、职业、工作单位、住所、联系方式;法人或者其他组织的名称、住所和法定代表人或者主要负责人的姓名、职务、联系方式。人民法院应当在收到答辩状之日起五日内将答辩状副本发送原告。

被告不提出答辩状的,不影响人民法院审理。

第一百二十六条 人民法院对决定受理的案件,应当在受理案件通知书和应诉通知书中向当事人告知有关的诉讼权利义务,或者口头告知。

第一百二十七条 人民法院受理案件后,当事人对管辖权有异议的,应当在提交答辩状期间提出。人民法院对当事人提出的异议,应当审查。异议成立的,裁定将案件移送有管辖权的人民法院;异议不成立的,裁定驳回。

当事人未提出管辖异议,并应诉答辩的,视为受诉人民法院有管辖权,但违反级别管辖和专属管辖规定的除外。

第一百二十八条 合议庭组成人员确定后,应当在三日内告知当事人。

第一百二十九条 审判人员必须认真审核诉讼材料,调查收集必要的证据。

第一百三十条 人民法院派出人员进行调查时,应当向被调查人出示证件。

调查笔录经被调查人校阅后,由被调查人、调查人签名或者盖章。

第一百三十一条 人民法院在必要时可以委托外地人民法院调查。

委托调查,必须提出明确的项目和要求。受委托人民法院可以主动补充调查。

受委托人民法院收到委托书后,应当在三十日内完成调查。因故不能完成的,应当在上述期限内函告委托人民法院。

第一百三十二条 必须共同进行诉讼的当事人没有参加诉讼的,人民法院应当通知其参加诉讼。

第一百三十三条 人民法院对受理的案件,分别情形,予以处理:

(一)当事人没有争议,符合督促程序规定条件的,可以转入督促程序;

(二)开庭前可以调解的,采取调解方式及时解决纠纷;

(三)根据案件情况,确定适用简易程序或者普通程序;

(四)需要开庭审理的,通过要求当事人交换证据等方式,明确争议焦点。

第三节 开庭审理

第一百三十四条 人民法院审理民事案件,除涉及国家秘密、个人隐私或者法律另有规定的以外,应当公开进行。

离婚案件,涉及商业秘密的案件,当事人申请不公开审理的,可以不公开审理。

第一百三十五条 人民法院审理民事案件,根据需要进行巡回审理,就地办案。

第一百三十六条 人民法院审理民事案件,应当在开庭三日前通知当事人和其他诉讼参与人。公开审理的,应当公告当事人姓名、案由和开庭的时间、地点。

第一百三十七条 开庭审理前,书记员应当查明当事人和其他诉讼参与人是否到庭,宣布法庭纪律。

开庭审理时,由审判长核对当事人,宣布案由,宣布审判人员、书记员名单,告知当事人有关的诉讼权利义务,询问当事人是否提出回避申请。

第一百三十八条 法庭调查按照下列顺序进行:

(一)当事人陈述;

（二）告知证人的权利义务，证人作证，宣读未到庭的证人证言；

（三）出示书证、物证、视听资料和电子数据；

（四）宣读鉴定意见；

（五）宣读勘验笔录。

第一百三十九条 当事人在法庭上可以提出新的证据。

当事人经法庭许可，可以向证人、鉴定人、勘验人发问。

当事人要求重新进行调查、鉴定或者勘验的，是否准许，由人民法院决定。

第一百四十条 原告增加诉讼请求，被告提出反诉，第三人提出与本案有关的诉讼请求，可以合并审理。

第一百四十一条 法庭辩论按照下列顺序进行：

（一）原告及其诉讼代理人发言；

（二）被告及其诉讼代理人答辩；

（三）第三人及其诉讼代理人发言或者答辩；

（四）互相辩论。

法庭辩论终结，由审判长按照原告、被告、第三人的先后顺序征询各方最后意见。

第一百四十二条 法庭辩论终结，应当依法作出判决。判决前能够调解的，还可以进行调解，调解不成的，应当及时判决。

第一百四十三条 原告经传票传唤，无正当理由拒不到庭的，或者未经法庭许可中途退庭的，可以按撤诉处理；被告反诉的，可以缺席判决。

第一百四十四条 被告经传票传唤，无正当理由拒不到庭的，或者未经法庭许可中途退庭的，可以缺席判决。

第一百四十五条 宣判前，原告申请撤诉的，是否准许，由人民法院裁定。

人民法院裁定不准许撤诉的，原告经传票传唤，无正当理由拒不到庭的，可以缺席判决。

第一百四十六条　有下列情形之一的，可以延期开庭审理：

（一）必须到庭的当事人和其他诉讼参与人有正当理由没有到庭的；

（二）当事人临时提出回避申请的；

（三）需要通知新的证人到庭，调取新的证据，重新鉴定、勘验，或者需要补充调查的；

（四）其他应当延期的情形。

第一百四十七条　书记员应当将法庭审理的全部活动记入笔录，由审判人员和书记员签名。

法庭笔录应当当庭宣读，也可以告知当事人和其他诉讼参与人当庭或者在五日内阅读。当事人和其他诉讼参与人认为对自己的陈述记录有遗漏或者差错的，有权申请补正。如果不予补正，应当将申请记录在案。

法庭笔录由当事人和其他诉讼参与人签名或者盖章。拒绝签名盖章的，记明情况附卷。

第一百四十八条　人民法院对公开审理或者不公开审理的案件，一律公开宣告判决。

当庭宣判的，应当在十日内发送判决书；定期宣判的，宣判后立即发给判决书。

宣告判决时，必须告知当事人上诉权利、上诉期限和上诉的法院。

宣告离婚判决，必须告知当事人在判决发生法律效力前不得另行结婚。

第一百四十九条　人民法院适用普通程序审理的案件，应当在立案之日起六个月内审结。有特殊情况需要延长的，由本院院长批准，可以延长六个月；还需要延长的，报请上级人民法院批准。

第四节 诉讼中止和终结

第一百五十条 有下列情形之一的,中止诉讼:

(一)一方当事人死亡,需要等待继承人表明是否参加诉讼的;

(二)一方当事人丧失诉讼行为能力,尚未确定法定代理人的;

(三)作为一方当事人的法人或者其他组织终止,尚未确定权利义务承受人的;

(四)一方当事人因不可抗拒的事由,不能参加诉讼的;

(五)本案必须以另一案的审理结果为依据,而另一案尚未审结的;

(六)其他应当中止诉讼的情形。

中止诉讼的原因消除后,恢复诉讼。

第一百五十一条 有下列情形之一的,终结诉讼:

(一)原告死亡,没有继承人,或者继承人放弃诉讼权利的;

(二)被告死亡,没有遗产,也没有应当承担义务的人的;

(三)离婚案件一方当事人死亡的;

(四)追索赡养费、扶养费、抚育费以及解除收养关系案件的一方当事人死亡的。

第五节 判决和裁定

第一百五十二条 判决书应当写明判决结果和作出该判决的理由。判决书内容包括:

(一)案由、诉讼请求、争议的事实和理由;

(二)判决认定的事实和理由、适用的法律和理由;

(三)判决结果和诉讼费用的负担;

(四)上诉期间和上诉的法院。

判决书由审判人员、书记员署名,加盖人民法院印章。

第一百五十三条 人民法院审理案件,其中一部分事实已经清楚，可以就该部分先行判决。

第一百五十四条 裁定适用于下列范围：

（一）不予受理；

（二）对管辖权有异议的；

（三）驳回起诉；

（四）保全和先予执行；

（五）准许或者不准许撤诉；

（六）中止或者终结诉讼；

（七）补正判决书中的笔误；

（八）中止或者终结执行；

（九）撤销或者不予执行仲裁裁决；

（十）不予执行公证机关赋予强制执行效力的债权文书；

（十一）其他需要裁定解决的事项。

对前款第一项至第三项裁定，可以上诉。

裁定书应当写明裁定结果和作出该裁定的理由。裁定书由审判人员、书记员署名，加盖人民法院印章。口头裁定的，记入笔录。

第一百五十五条 最高人民法院的判决、裁定，以及依法不准上诉或者超过上诉期没有上诉的判决、裁定，是发生法律效力的判决、裁定。

第一百五十六条 公众可以查阅发生法律效力的判决书、裁定书，但涉及国家秘密、商业秘密和个人隐私的内容除外。

第十三章 简易程序

第一百五十七条 基层人民法院和它派出的法庭审理事实清楚、权利义务关系明确、争议不大的简单的民事案件，适用本章规定。

基层人民法院和它派出的法庭审理前款规定以外的民事案件，当事人双方也可以约定适用简易程序。

第一百五十八条 对简单的民事案件,原告可以口头起诉。

当事人双方可以同时到基层人民法院或者它派出的法庭,请求解决纠纷。基层人民法院或者它派出的法庭可以当即审理,也可以另定日期审理。

第一百五十九条 基层人民法院和它派出的法庭审理简单的民事案件,可以用简便方式传唤当事人和证人、送达诉讼文书、审理案件,但应当保障当事人陈述意见的权利。

第一百六十条 简单的民事案件由审判员一人独任审理,并不受本法第一百三十六条、第一百三十八条、第一百四十一条规定的限制。

第一百六十一条 人民法院适用简易程序审理案件,应当在立案之日起三个月内审结。

第一百六十二条 基层人民法院和它派出的法庭审理符合本法第一百五十七条第一款规定的简单的民事案件,标的额为各省、自治区、直辖市上年度就业人员年平均工资百分之三十以下的,实行一审终审。

第一百六十三条 人民法院在审理过程中,发现案件不宜适用简易程序的,裁定转为普通程序。

第十四章 第二审程序

第一百六十四条 当事人不服地方人民法院第一审判决的,有权在判决书送达之日起十五日内向上一级人民法院提起上诉。

当事人不服地方人民法院第一审裁定的,有权在裁定书送达之日起十日内向上一级人民法院提起上诉。

第一百六十五条 上诉应当递交上诉状。上诉状的内容,应当包括当事人的姓名,法人的名称及其法定代表人的姓名或者其他组织的名称及其主要负责人的姓名;原审人民法院名称、案件的编号和案由;上诉的请求和理由。

第一百六十六条 上诉状应当通过原审人民法院提出,并按照对方当事人或者代表人的人数提出副本。

当事人直接向第二审人民法院上诉的,第二审人民法院应当在五日内将上诉状移交原审人民法院。

第一百六十七条 原审人民法院收到上诉状,应当在五日内将上诉状副本送达对方当事人,对方当事人在收到之日起十五日内提出答辩状。人民法院应当在收到答辩状之日起五日内将副本送达上诉人。对方当事人不提出答辩状的,不影响人民法院审理。

原审人民法院收到上诉状、答辩状,应当在五日内连同全部案卷和证据,报送第二审人民法院。

第一百六十八条 第二审人民法院应当对上诉请求的有关事实和适用法律进行审查。

第一百六十九条 第二审人民法院对上诉案件,应当组成合议庭,开庭审理。经过阅卷、调查和询问当事人,对没有提出新的事实、证据或者理由,合议庭认为不需要开庭审理的,可以不开庭审理。

第二审人民法院审理上诉案件,可以在本院进行,也可以到案件发生地或者原审人民法院所在地进行。

第一百七十条 第二审人民法院对上诉案件,经过审理,按照下列情形,分别处理:

(一)原判决、裁定认定事实清楚,适用法律正确的,以判决、裁定方式驳回上诉,维持原判决、裁定;

(二)原判决、裁定认定事实错误或者适用法律错误的,以判决、裁定方式依法改判、撤销或者变更;

(三)原判决认定基本事实不清的,裁定撤销原判决,发回原审人民法院重审,或者查清事实后改判;

(四)原判决遗漏当事人或者违法缺席判决等严重违反法定程序的,裁定撤销原判决,发回原审人民法院重审。

原审人民法院对发回重审的案件作出判决后，当事人提起上诉的，第二审人民法院不得再次发回重审。

第一百七十一条 第二审人民法院对不服第一审人民法院裁定的上诉案件的处理，一律使用裁定。

第一百七十二条 第二审人民法院审理上诉案件，可以进行调解。调解达成协议，应当制作调解书，由审判人员、书记员署名，加盖人民法院印章。调解书送达后，原审人民法院的判决即视为撤销。

第一百七十三条 第二审人民法院判决宣告前，上诉人申请撤回上诉的，是否准许，由第二审人民法院裁定。

第一百七十四条 第二审人民法院审理上诉案件，除依照本章规定外，适用第一审普通程序。

第一百七十五条 第二审人民法院的判决、裁定，是终审的判决、裁定。

第一百七十六条 人民法院审理对判决的上诉案件，应当在第二审立案之日起三个月内审结。有特殊情况需要延长的，由本院院长批准。

人民法院审理对裁定的上诉案件，应当在第二审立案之日起三十日内作出终审裁定。

第十五章 特别程序

第一节 一般规定

第一百七十七条 人民法院审理选民资格案件、宣告失踪或者宣告死亡案件、认定公民无民事行为能力或者限制民事行为能力案件、认定财产无主案件、确认调解协议案件和实现担保物权案件，适用本章规定。本章没有规定的，适用本法和其他法律的有关规定。

第一百七十八条 依照本章程序审理的案件,实行一审终审。选民资格案件或者重大、疑难的案件,由审判员组成合议庭审理;其他案件由审判员一人独任审理。

第一百七十九条 人民法院在依照本章程序审理案件的过程中,发现本案属于民事权益争议的,应当裁定终结特别程序,并告知利害关系人可以另行起诉。

第一百八十条 人民法院适用特别程序审理的案件,应当在立案之日起三十日内或者公告期满后三十日内审结。有特殊情况需要延长的,由本院院长批准。但审理选民资格的案件除外。

第二节 选民资格案件

第一百八十一条 公民不服选举委员会对选民资格的申诉所作的处理决定,可以在选举日的五日以前向选区所在地基层人民法院起诉。

第一百八十二条 人民法院受理选民资格案件后,必须在选举日前审结。

审理时,起诉人、选举委员会的代表和有关公民必须参加。

人民法院的判决书,应当在选举日前送达选举委员会和起诉人,并通知有关公民。

第三节 宣告失踪、宣告死亡案件

第一百八十三条 公民下落不明满二年,利害关系人申请宣告其失踪的,向下落不明人住所地基层人民法院提出。

申请书应当写明失踪的事实、时间和请求,并附有公安机关或者其他有关机关关于该公民下落不明的书面证明。

第一百八十四条 公民下落不明满四年,或者因意外事故下落不明满二年,或者因意外事故下落不明,经有关机关证明该公民不可能生存,利害关系人申请宣告其死亡的,向下落不明人住所地基层人民法院提出。

申请书应当写明下落不明的事实、时间和请求，并附有公安机关或者其他有关机关关于该公民下落不明的书面证明。

第一百八十五条 人民法院受理宣告失踪、宣告死亡案件后，应当发出寻找下落不明人的公告。宣告失踪的公告期间为三个月，宣告死亡的公告期间为一年。因意外事故下落不明，经有关机关证明该公民不可能生存的，宣告死亡的公告期间为三个月。

公告期间届满，人民法院应当根据被宣告失踪、宣告死亡的事实是否得到确认，作出宣告失踪、宣告死亡的判决或者驳回申请的判决。

第一百八十六条 被宣告失踪、宣告死亡的公民重新出现，经本人或者利害关系人申请，人民法院应当作出新判决，撤销原判决。

第四节 认定公民无民事行为能力、限制民事行为能力案件

第一百八十七条 申请认定公民无民事行为能力或者限制民事行为能力，由其近亲属或者其他利害关系人向该公民住所地基层人民法院提出。

申请书应当写明该公民无民事行为能力或者限制民事行为能力的事实和根据。

第一百八十八条 人民法院受理申请后，必要时应当对被请求认定为无民事行为能力或者限制民事行为能力的公民进行鉴定。申请人已提供鉴定意见的，应当对鉴定意见进行审查。

第一百八十九条 人民法院审理认定公民无民事行为能力或者限制民事行为能力的案件，应当由该公民的近亲属为代理人，但申请人除外。近亲属互相推诿的，由人民法院指定其中一人为代理人。该公民健康情况许可的，还应当询问本人的意见。

人民法院经审理认定申请有事实根据的,判决该公民为无民事行为能力或者限制民事行为能力人;认定申请没有事实根据的,应当判决予以驳回。

第一百九十条　人民法院根据被认定为无民事行为能力人、限制民事行为能力人或者他的监护人的申请,证实该公民无民事行为能力或者限制民事行为能力的原因已经消除的,应当作出新判决,撤销原判决。

第五节　认定财产无主案件

第一百九十一条　申请认定财产无主,由公民、法人或者其他组织向财产所在地基层人民法院提出。

申请书应当写明财产的种类、数量以及要求认定财产无主的根据。

第一百九十二条　人民法院受理申请后,经审查核实,应当发出财产认领公告。公告满一年无人认领的,判决认定财产无主,收归国家或者集体所有。

第一百九十三条　判决认定财产无主后,原财产所有人或者继承人出现,在民法通则规定的诉讼时效期间可以对财产提出请求,人民法院审查属实后,应当作出新判决,撤销原判决。

第六节　确认调解协议案件

第一百九十四条　申请司法确认调解协议,由双方当事人依照人民调解法等法律,自调解协议生效之日起三十日内,共同向调解组织所在地基层人民法院提出。

第一百九十五条　人民法院受理申请后,经审查,符合法律规定的,裁定调解协议有效,一方当事人拒绝履行或者未全部履行的,对方当事人可以向人民法院申请执行;不符合法律规定的,裁定驳回申请,当事人可以通过调解方式变更原调解协议或者达成新的调解协议，也可以向人民法院提起诉讼。

第七节 实现担保物权案件

第一百九十六条 申请实现担保物权，由担保物权人以及其他有权请求实现担保物权的人依照物权法等法律，向担保财产所在地或者担保物权登记地基层人民法院提出。

第一百九十七条 人民法院受理申请后，经审查，符合法律规定的，裁定拍卖、变卖担保财产，当事人依据该裁定可以向人民法院申请执行；不符合法律规定的，裁定驳回申请，当事人可以向人民法院提起诉讼。

第十六章 审判监督程序

第一百九十八条 各级人民法院院长对本院已经发生法律效力的判决、裁定、调解书，发现确有错误，认为需要再审的，应当提交审判委员会讨论决定。

最高人民法院对地方各级人民法院已经发生法律效力的判决、裁定、调解书，上级人民法院对下级人民法院已经发生法律效力的判决、裁定、调解书，发现确有错误的，有权提审或者指令下级人民法院再审。

第一百九十九条 当事人对已经发生法律效力的判决、裁定，认为有错误的，可以向上一级人民法院申请再审；当事人一方人数众多或者当事人双方为公民的案件，也可以向原审人民法院申请再审。当事人申请再审的，不停止判决、裁定的执行。

第二百条 当事人的申请符合下列情形之一的，人民法院应当再审：

（一）有新的证据，足以推翻原判决、裁定的；

（二）原判决、裁定认定的基本事实缺乏证据证明的；

（三）原判决、裁定认定事实的主要证据是伪造的；

（四）原判决、裁定认定事实的主要证据未经质证的；

（五）对审理案件需要的主要证据，当事人因客观原因不能自行收集，书面申请人民法院调查收集，人民法院未调查收集的；

（六）原判决、裁定适用法律确有错误的；

（七）审判组织的组成不合法或者依法应当回避的审判人员没有回避的；

（八）无诉讼行为能力人未经法定代理人代为诉讼或者应当参加诉讼的当事人，因不能归责于本人或者其诉讼代理人的事由，未参加诉讼的；

（九）违反法律规定，剥夺当事人辩论权利的；

（十）未经传票传唤，缺席判决的；

（十一）原判决、裁定遗漏或者超出诉讼请求的；

（十二）据以作出原判决、裁定的法律文书被撤销或者变更的；

（十三）审判人员审理该案件时有贪污受贿，徇私舞弊，枉法裁判行为的。

第二百零一条 当事人对已经发生法律效力的调解书，提出证据证明调解违反自愿原则或者调解协议的内容违反法律的，可以申请再审。经人民法院审查属实的，应当再审。

第二百零二条 当事人对已经发生法律效力的解除婚姻关系的判决、调解书，不得申请再审。

第二百零三条 当事人申请再审的，应当提交再审申请书等材料。人民法院应当自收到再审申请书之日起五日内将再审申请书副本发送对方当事人。对方当事人应当自收到再审申请书副本之日起十五日内提交书面意见；不提交书面意见的，不影响人民法院审查。人民法院可以要求申请人和对方当事人补充有关材料，询问有关事项。

第二百零四条 人民法院应当自收到再审申请书之日起三个月内审查，符合本法规定的，裁定再审；不符合本法规定的，裁定驳回申请。有特殊情况需要延长的，由本院院长批准。

因当事人申请裁定再审的案件由中级人民法院以上的人民法院审理，但当事人依照本法第一百九十九条的规定选择向基层人民法院申请再审的除外。最高人民法院、高级人民法院裁定再审的案件，由本院再审或者交其他人民法院再审，也可以交原审人民法院再审。

第二百零五条 当事人申请再审，应当在判决、裁定发生法律效力后六个月内提出；有本法第二百条第一项、第三项、第十二项、第十三项规定情形的，自知道或者应当知道之日起六个月内提出。

第二百零六条 按照审判监督程序决定再审的案件，裁定中止原判决、裁定、调解书的执行，但追索赡养费、扶养费、抚育费、抚恤金、医疗费用、劳动报酬等案件，可以不中止执行。

第二百零七条 人民法院按照审判监督程序再审的案件，发生法律效力的判决、裁定是由第一审法院作出的，按照第一审程序审理，所作的判决、裁定，当事人可以上诉；发生法律效力的判决、裁定是由第二审法院作出的，按照第二审程序审理，所作的判决、裁定，是发生法律效力的判决、裁定；上级人民法院按照审判监督程序提审的，按照第二审程序审理，所作的判决、裁定是发生法律效力的判决、裁定。

人民法院审理再审案件，应当另行组成合议庭。

第二百零八条 最高人民检察院对各级人民法院已经发生法律效力的判决、裁定，上级人民检察院对下级人民法院已经发生法律效力的判决、裁定，发现有本法第二百条规定情形之一的，或者发现调解书损害国家利益、社会公共利益的，应当提出抗诉。

地方各级人民检察院对同级人民法院已经发生法律效力的判决、裁定，发现有本法第二百条规定情形之一的，或者发现调解书损害国家利益、社会公共利益的，可以向同级人民法院提出检察建议，并报上级人民检察院备案；也可以提请上级人民检察院向同级人民法院提出抗诉。

各级人民检察院对审判监督程序以外的其他审判程序中审判人员的违法行为,有权向同级人民法院提出检察建议。

第二百零九条 有下列情形之一的,当事人可以向人民检察院申请检察建议或者抗诉:

(一)人民法院驳回再审申请的;

(二)人民法院逾期未对再审申请作出裁定的;

(三)再审判决、裁定有明显错误的。

人民检察院对当事人的申请应当在三个月内进行审查,作出提出或者不予提出检察建议或者抗诉的决定。当事人不得再次向人民检察院申请检察建议或者抗诉。

第二百一十条 人民检察院因履行法律监督职责提出检察建议或者抗诉的需要,可以向当事人或者案外人调查核实有关情况。

第二百一十一条 人民检察院提出抗诉的案件,接受抗诉的人民法院应当自收到抗诉书之日起三十日内作出再审的裁定;有本法第二百条第一项至第五项规定情形之一的,可以交下一级人民法院再审,但经该下一级人民法院再审的除外。

第二百一十二条 人民检察院决定对人民法院的判决、裁定、调解书提出抗诉的,应当制作抗诉书。

第二百一十三条 人民检察院提出抗诉的案件,人民法院再审时,应当通知人民检察院派员出席法庭。

第十七章 督促程序

第二百一十四条 债权人请求债务人给付金钱、有价证券,符合下列条件的,可以向有管辖权的基层人民法院申请支付令:

(一)债权人与债务人没有其他债务纠纷的;

(二)支付令能够送达债务人的。

申请书应当写明请求给付金钱或者有价证券的数量和所根据

的事实、证据。

第二百一十五条　债权人提出申请后，人民法院应当在五日内通知债权人是否受理。

第二百一十六条　人民法院受理申请后，经审查债权人提供的事实、证据，对债权债务关系明确、合法的，应当在受理之日起十五日内向债务人发出支付令；申请不成立的，裁定予以驳回。

债务人应当自收到支付令之日起十五日内清偿债务，或者向人民法院提出书面异议。

债务人在前款规定的期间不提出异议又不履行支付令的，债权人可以向人民法院申请执行。

第二百一十七条　人民法院收到债务人提出的书面异议后，经审查，异议成立的，应当裁定终结督促程序，支付令自行失效。

支付令失效的，转入诉讼程序，但申请支付令的一方当事人不同意提起诉讼的除外。

第十八章　公示催告程序

第二百一十八条　按照规定可以背书转让的票据持有人，因票据被盗、遗失或者灭失，可以向票据支付地的基层人民法院申请公示催告。依照法律规定可以申请公示催告的其他事项，适用本章规定。

申请人应当向人民法院递交申请书，写明票面金额、发票人、持票人、背书人等票据主要内容和申请的理由、事实。

第二百一十九条　人民法院决定受理申请，应当同时通知支付人停止支付，并在三日内发出公告，催促利害关系人申报权利。公示催告的期间，由人民法院根据情况决定，但不得少于六十日。

第二百二十条　支付人收到人民法院停止支付的通知，应当停止支付，至公示催告程序终结。

公示催告期间，转让票据权利的行为无效。

第二百二十一条 利害关系人应当在公示催告期间向人民法院申报。

人民法院收到利害关系人的申报后,应当裁定终结公示催告程序,并通知申请人和支付人。

申请人或者申报人可以向人民法院起诉。

第二百二十二条 没有人申报的,人民法院应当根据申请人的申请,作出判决,宣告票据无效。判决应当公告,并通知支付人。自判决公告之日起,申请人有权向支付人请求支付。

第二百二十三条 利害关系人因正当理由不能在判决前向人民法院申报的,自知道或者应当知道判决公告之日起一年内,可以向作出判决的人民法院起诉。

第三编 执行程序

第十九章 一般规定

第二百二十四条 发生法律效力的民事判决、裁定,以及刑事判决、裁定中的财产部分,由第一审人民法院或者与第一审人民法院同级的被执行的财产所在地人民法院执行。

法律规定由人民法院执行的其他法律文书,由被执行人住所地或者被执行的财产所在地人民法院执行。

第二百二十五条 当事人、利害关系人认为执行行为违反法律规定的,可以向负责执行的人民法院提出书面异议。当事人、利害关系人提出书面异议的,人民法院应当自收到书面异议之日起十五日内审查,理由成立的,裁定撤销或者改正;理由不成立的,裁定驳回。当事人、利害关系人对裁定不服的,可以自裁定送达之日起十日内向上一级人民法院申请复议。

第二百二十六条 人民法院自收到申请执行书之日起超过六个月未执行的,申请执行人可以向上一级人民法院申请执行。上一级人民法院经审查,可以责令原人民法院在一定期限内执行,也可以决定由本院执行或者指令其他人民法院执行。

第二百二十七条 执行过程中,案外人对执行标的提出书面异议的,人民法院应当自收到书面异议之日起十五日内审查,理由成立的,裁定中止对该标的的执行;理由不成立的,裁定驳回。案外人、当事人对裁定不服,认为原判决、裁定错误的,依照审判监督程序办理;与原判决、裁定无关的,可以自裁定送达之日起十五日内向人民法院提起诉讼。

第二百二十八条 执行工作由执行员进行。

采取强制执行措施时,执行员应当出示证件。执行完毕后,应当将执行情况制作笔录,由在场的有关人员签名或者盖章。

人民法院根据需要可以设立执行机构。

第二百二十九条 被执行人或者被执行的财产在外地的,可以委托当地人民法院代为执行。受委托人民法院收到委托函件后,必须在十五日内开始执行,不得拒绝。执行完毕后,应当将执行结果及时函复委托人民法院;在三十日内如果还未执行完毕,也应当将执行情况函告委托人民法院。

受委托人民法院自收到委托函件之日起十五日内不执行的,委托人民法院可以请求受委托人民法院的上级人民法院指令受委托人民法院执行。

第二百三十条 在执行中,双方当事人自行和解达成协议的,执行员应当将协议内容记入笔录,由双方当事人签名或者盖章。

申请执行人因受欺诈、胁迫与被执行人达成和解协议,或者当事人不履行和解协议的,人民法院可以根据当事人的申请,恢复对原生效法律文书的执行。

第二百三十一条 在执行中,被执行人向人民法院提供担保,并经申请执行人同意的,人民法院可以决定暂缓执行及暂缓执行的期限。被执行人逾期仍不履行的,人民法院有权执行被执行人的担保财产或者担保人的财产。

第二百三十二条 作为被执行人的公民死亡的,以其遗产偿还债务。作为被执行人的法人或者其他组织终止的,由其权利义务承受人履行义务。

第二百三十三条 执行完毕后,据以执行的判决、裁定和其他法律文书确有错误,被人民法院撤销的,对已被执行的财产,人民法院应当作出裁定,责令取得财产的人返还;拒不返还的,强制执行。

第二百三十四条 人民法院制作的调解书的执行,适用本编的规定。

第二百三十五条 人民检察院有权对民事执行活动实行法律监督。

第二十章 执行的申请和移送

第二百三十六条 发生法律效力的民事判决、裁定,当事人必须履行。一方拒绝履行的,对方当事人可以向人民法院申请执行,也可以由审判员移送执行员执行。

调解书和其他应当由人民法院执行的法律文书,当事人必须履行。一方拒绝履行的,对方当事人可以向人民法院申请执行。

第二百三十七条 对依法设立的仲裁机构的裁决,一方当事人不履行的,对方当事人可以向有管辖权的人民法院申请执行。受申请的人民法院应当执行。

被申请人提出证据证明仲裁裁决有下列情形之一的,经人民法院组成合议庭审查核实,裁定不予执行:

(一)当事人在合同中没有订有仲裁条款或者事后没有达成书面仲裁协议的;

(二)裁决的事项不属于仲裁协议的范围或者仲裁机构无权仲裁的;

（三）仲裁庭的组成或者仲裁的程序违反法定程序的；

（四）裁决所根据的证据是伪造的；

（五）对方当事人向仲裁机构隐瞒了足以影响公正裁决的证据的；

（六）仲裁员在仲裁该案时有贪污受贿，徇私舞弊，枉法裁决行为的。

人民法院认定执行该裁决违背社会公共利益的，裁定不予执行。

裁定书应当送达双方当事人和仲裁机构。

仲裁裁决被人民法院裁定不予执行的，当事人可以根据双方达成的书面仲裁协议重新申请仲裁，也可以向人民法院起诉。

第二百三十八条 对公证机关依法赋予强制执行效力的债权文书，一方当事人不履行的，对方当事人可以向有管辖权的人民法院申请执行，受申请的人民法院应当执行。

公证债权文书确有错误的，人民法院裁定不予执行，并将裁定书送达双方当事人和公证机关。

第二百三十九条 申请执行的期间为二年。申请执行时效的中止、中断，适用法律有关诉讼时效中止、中断的规定。

前款规定的期间，从法律文书规定履行期间的最后一日起计算；法律文书规定分期履行的，从规定的每次履行期间的最后一日起计算；法律文书未规定履行期间的，从法律文书生效之日起计算。

第二百四十条 执行员接到申请执行书或者移交执行书，应当向被执行人发出执行通知，并可以立即采取强制执行措施。

第二十一章 执行措施

第二百四十一条 被执行人未按执行通知履行法律文书确定的义务，应当报告当前以及收到执行通知之日前一年的财产情况。

被执行人拒绝报告或者虚假报告的,人民法院可以根据情节轻重对被执行人或者其法定代理人、有关单位的主要负责人或者直接责任人员予以罚款、拘留。

第二百四十二条 被执行人未按执行通知履行法律文书确定的义务,人民法院有权向有关单位查询被执行人的存款、债券、股票、基金份额等财产情况。人民法院有权根据不同情形扣押、冻结、划拨、变价被执行人的财产。人民法院查询、扣押、冻结、划拨、变价的财产不得超出被执行人应当履行义务的范围。

人民法院决定扣押、冻结、划拨、变价财产,应当作出裁定,并发出协助执行通知书,有关单位必须办理。

第二百四十三条 被执行人未按执行通知履行法律文书确定的义务,人民法院有权扣留、提取被执行人应当履行义务部分的收入。但应当保留被执行人及其所扶养家属的生活必需费用。

人民法院扣留、提取收入时,应当作出裁定,并发出协助执行通知书,被执行人所在单位、银行、信用合作社和其他有储蓄业务的单位必须办理。

第二百四十四条 被执行人未按执行通知履行法律文书确定的义务,人民法院有权查封、扣押、冻结、拍卖、变卖被执行人应当履行义务部分的财产。但应当保留被执行人及其所扶养家属的生活必需品。

采取前款措施,人民法院应当作出裁定。

第二百四十五条 人民法院查封、扣押财产时,被执行人是公民的,应当通知被执行人或者他的成年家属到场;被执行人是法人或者其他组织的,应当通知其法定代表人或者主要负责人到场。拒不到场的,不影响执行。被执行人是公民的,其工作单位或者财产所在地的基层组织应当派人参加。

对被查封、扣押的财产,执行员必须造具清单,由在场人签名或者盖章后,交被执行人一份。被执行人是公民的,也可以交他的成年家属一份。

第二百四十六条 被查封的财产，执行员可以指定被执行人负责保管。因被执行人的过错造成的损失，由被执行人承担。

第二百四十七条 财产被查封、扣押后，执行员应当责令被执行人在指定期间履行法律文书确定的义务。被执行人逾期不履行的，人民法院应当拍卖被查封、扣押的财产；不适于拍卖或者当事人双方同意不进行拍卖的，人民法院可以委托有关单位变卖或者自行变卖。国家禁止自由买卖的物品，交有关单位按照国家规定的价格收购。

第二百四十八条 被执行人不履行法律文书确定的义务，并隐匿财产的，人民法院有权发出搜查令，对被执行人及其住所或者财产隐匿地进行搜查。

采取前款措施，由院长签发搜查令。

第二百四十九条 法律文书指定交付的财物或者票证，由执行员传唤双方当事人当面交付，或者由执行员转交，并由被交付人签收。

有关单位持有该项财物或者票证的，应当根据人民法院的协助执行通知书转交，并由被交付人签收。

有关公民持有该项财物或者票证的，人民法院通知其交出。拒不交出的，强制执行。

第二百五十条 强制迁出房屋或者强制退出土地，由院长签发公告，责令被执行人在指定期间履行。被执行人逾期不履行的，由执行员强制执行。

强制执行时，被执行人是公民的，应当通知被执行人或者他的成年家属到场；被执行人是法人或者其他组织的，应当通知其法定代表人或者主要负责人到场。拒不到场的，不影响执行。被执行人是公民的，其工作单位或者房屋、土地所在地的基层组织应当派人参加。执行员应当将强制执行情况记入笔录，由在场人签名或者盖章。

强制迁出房屋被搬出的财物,由人民法院派人运至指定处所,交给被执行人。被执行人是公民的,也可以交给他的成年家属。因拒绝接收而造成的损失,由被执行人承担。

第二百五十一条 在执行中,需要办理有关财产权证照转移手续的,人民法院可以向有关单位发出协助执行通知书,有关单位必须办理。

第二百五十二条 对判决、裁定和其他法律文书指定的行为,被执行人未按执行通知履行的,人民法院可以强制执行或者委托有关单位或者其他人完成,费用由被执行人承担。

第二百五十三条 被执行人未按判决、裁定和其他法律文书指定的期间履行给付金钱义务的,应当加倍支付迟延履行期间的债务利息。被执行人未按判决、裁定和其他法律文书指定的期间履行其他义务的,应当支付迟延履行金。

第二百五十四条 人民法院采取本法第二百四十二条、第二百四十三条、第二百四十四条规定的执行措施后,被执行人仍不能偿还债务的,应当继续履行义务。债权人发现被执行人有其他财产的,可以随时请求人民法院执行。

第二百五十五条 被执行人不履行法律文书确定的义务的,人民法院可以对其采取或者通知有关单位协助采取限制出境,在征信系统记录、通过媒体公布不履行义务信息以及法律规定的其他措施。

第二十二章 执行中止和终结

第二百五十六条 有下列情形之一的,人民法院应当裁定中止执行:

(一)申请人表示可以延期执行的;

(二)案外人对执行标的提出确有理由的异议的;

（三）作为一方当事人的公民死亡，需要等待继承人继承权利或者承担义务的；

（四）作为一方当事人的法人或者其他组织终止，尚未确定权利义务承受人的；

（五）人民法院认为应当中止执行的其他情形。

中止的情形消失后，恢复执行。

第二百五十七条 有下列情形之一的，人民法院裁定终结执行：

（一）申请人撤销申请的；

（二）据以执行的法律文书被撤销的；

（三）作为被执行人的公民死亡，无遗产可供执行，又无义务承担人的；

（四）追索赡养费、扶养费、抚育费案件的权利人死亡的；

（五）作为被执行人的公民因生活困难无力偿还借款，无收入来源，又丧失劳动能力的；

（六）人民法院认为应当终结执行的其他情形。

第二百五十八条 中止和终结执行的裁定，送达当事人后立即生效。

第四编 涉外民事诉讼程序的特别规定

第二十三章 一般原则

第二百五十九条 在中华人民共和国领域内进行涉外民事诉讼，适用本编规定。本编没有规定的，适用本法其他有关规定。

第二百六十条 中华人民共和国缔结或者参加的国际条约同本法有不同规定的，适用该国际条约的规定，但中华人民共和国声明保留的条款除外。

第二百六十一条 对享有外交特权与豁免的外国人、外国组织或者国际组织提起的民事诉讼,应当依照中华人民共和国有关法律和中华人民共和国缔结或者参加的国际条约的规定办理。

第二百六十二条 人民法院审理涉外民事案件,应当使用中华人民共和国通用的语言、文字。当事人要求提供翻译的,可以提供,费用由当事人承担。

第二百六十三条 外国人、无国籍人、外国企业和组织在人民法院起诉、应诉,需要委托律师代理诉讼的,必须委托中华人民共和国的律师。

第二百六十四条 在中华人民共和国领域内没有住所的外国人、无国籍人、外国企业和组织委托中华人民共和国律师或者其他人代理诉讼,从中华人民共和国领域外寄交或者托交的授权委托书,应当经所在国公证机关证明,并经中华人民共和国驻该国使领馆认证,或者履行中华人民共和国与该所在国订立的有关条约中规定的证明手续后,才具有效力。

第二十四章 管 辖

第二百六十五条 因合同纠纷或者其他财产权益纠纷,对在中华人民共和国领域内没有住所的被告提起的诉讼,如果合同在中华人民共和国领域内签订或者履行,或者诉讼标的物在中华人民共和国领域内,或者被告在中华人民共和国领域内有可供扣押的财产,或者被告在中华人民共和国领域内设有代表机构,可以由合同签订地、合同履行地、诉讼标的物所在地、可供扣押财产所在地、侵权行为地或者代表机构住所地人民法院管辖。

第二百六十六条 因在中华人民共和国履行中外合资经营企业合同、中外合作经营企业合同、中外合作勘探开发自然资源合同发生纠纷提起的诉讼,由中华人民共和国人民法院管辖。

第二十五章 送达、期间

第二百六十七条 人民法院对在中华人民共和国领域内没有

住所的当事人送达诉讼文书，可以采用下列方式：

（一）依照受送达人所在国与中华人民共和国缔结或者共同参加的国际条约中规定的方式送达；

（二）通过外交途径送达；

（三）对具有中华人民共和国国籍的受送达人，可以委托中华人民共和国驻受送达人所在国的使领馆代为送达；

（四）向受送达人委托的有权代其接受送达的诉讼代理人送达；

（五）向受送达人在中华人民共和国领域内设立的代表机构或者有权接受送达的分支机构、业务代办人送达；

（六）受送达人所在国的法律允许邮寄送达的，可以邮寄送达，自邮寄之日起满三个月，送达回证没有退回，但根据各种情况足以认定已经送达的，期间届满之日视为送达；

（七）采用传真、电子邮件等能够确认受送达人收悉的方式送达；

（八）不能用上述方式送达的，公告送达，自公告之日起满三个月，即视为送达。

第二百六十八条 被告在中华人民共和国领域内没有住所的，人民法院应当将起诉状副本送达被告，并通知被告在收到起诉状副本后三十日内提出答辩状。被告申请延期的，是否准许，由人民法院决定。

第二百六十九条 在中华人民共和国领域内没有住所的当事人，不服第一审人民法院判决、裁定的，有权在判决书、裁定书送达之日起三十日内提起上诉。被上诉人在收到上诉状副本后，应当在三十日内提出答辩状。当事人不能在法定期间提起上诉或者提出答辩状，申请延期的，是否准许，由人民法院决定。

第二百七十条 人民法院审理涉外民事案件的期间，不受本法第一百四十九条、第一百七十六条规定的限制。

第二十六章 仲　　裁

第二百七十一条 涉外经济贸易、运输和海事中发生的纠纷,当事人在合同中订有仲裁条款或者事后达成书面仲裁协议,提交中华人民共和国涉外仲裁机构或者其他仲裁机构仲裁的,当事人不得向人民法院起诉。

当事人在合同中没有订有仲裁条款或者事后没有达成书面仲裁协议的,可以向人民法院起诉。

第二百七十二条 当事人申请采取保全的,中华人民共和国的涉外仲裁机构应当将当事人的申请,提交被申请人住所地或者财产所在地的中级人民法院裁定。

第二百七十三条 经中华人民共和国涉外仲裁机构裁决的,当事人不得向人民法院起诉。一方当事人不履行仲裁裁决的,对方当事人可以向被申请人住所地或者财产所在地的中级人民法院申请执行。

第二百七十四条 对中华人民共和国涉外仲裁机构作出的裁决,被申请人提出证据证明仲裁裁决有下列情形之一的,经人民法院组成合议庭审查核实,裁定不予执行:

(一)当事人在合同中没有订有仲裁条款或者事后没有达成书面仲裁协议的;

(二)被申请人没有得到指定仲裁员或者进行仲裁程序的通知,或者由于其他不属于被申请人负责的原因未能陈述意见的;

(三)仲裁庭的组成或者仲裁的程序与仲裁规则不符的;

(四)裁决的事项不属于仲裁协议的范围或者仲裁机构无权仲裁的。

人民法院认定执行该裁决违背社会公共利益的,裁定不予执行。

第二百七十五条 仲裁裁决被人民法院裁定不予执行的,当事人可以根据双方达成的书面仲裁协议重新申请仲裁，也可以向人民法院起诉。

第二十七章 司法协助

第二百七十六条 根据中华人民共和国缔结或者参加的国际条约，或者按照互惠原则，人民法院和外国法院可以相互请求，代为送达文书、调查取证以及进行其他诉讼行为。

外国法院请求协助的事项有损于中华人民共和国的主权、安全或者社会公共利益的，人民法院不予执行。

第二百七十七条 请求和提供司法协助，应当依照中华人民共和国缔结或者参加的国际条约所规定的途径进行；没有条约关系的，通过外交途径进行。

外国驻中华人民共和国的使领馆可以向该国公民送达文书和调查取证，但不得违反中华人民共和国的法律，并不得采取强制措施。

除前款规定的情况外，未经中华人民共和国主管机关准许，任何外国机关或者个人不得在中华人民共和国领域内送达文书、调查取证。

第二百七十八条 外国法院请求人民法院提供司法协助的请求书及其所附文件，应当附有中文译本或者国际条约规定的其他文字文本。

人民法院请求外国法院提供司法协助的请求书及其所附文件，应当附有该国文字译本或者国际条约规定的其他文字文本。

第二百七十九条 人民法院提供司法协助，依照中华人民共和国法律规定的程序进行。外国法院请求采用特殊方式的，也可以按照其请求的特殊方式进行，但请求采用的特殊方式不得违反中华人民共和国法律。

第二百八十条 人民法院作出的发生法律效力的判决、裁定，如果被执行人或者其财产不在中华人民共和国领域内，当事人请求执行的，可以由当事人直接向有管辖权的外国法院申请承认和执行，也可以由人民法院依照中华人民共和国缔结或者参加的国际条约的规定，或者按照互惠原则，请求外国法院承认和执行。

中华人民共和国涉外仲裁机构作出的发生法律效力的仲裁裁决，当事人请求执行的，如果被执行人或者其财产不在中华人民共和国领域内，应当由当事人直接向有管辖权的外国法院申请承认和执行。

第二百八十一条 外国法院作出的发生法律效力的判决、裁定，需要中华人民共和国人民法院承认和执行的，可以由当事人直接向中华人民共和国有管辖权的中级人民法院申请承认和执行，也可以由外国法院依照该国与中华人民共和国缔结或者参加的国际条约的规定，或者按照互惠原则，请求人民法院承认和执行。

第二百八十二条 人民法院对申请或者请求承认和执行的外国法院作出的发生法律效力的判决、裁定，依照中华人民共和国缔结或者参加的国际条约，或者按照互惠原则进行审查后，认为不违反中华人民共和国法律的基本原则或者国家主权、安全、社会公共利益的，裁定承认其效力，需要执行的，发出执行令，依照本法的有关规定执行。违反中华人民共和国法律的基本原则或者国家主权、安全、社会公共利益的，不予承认和执行。

第二百八十三条 国外仲裁机构的裁决，需要中华人民共和国人民法院承认和执行的，应当由当事人直接向被执行人住所地或者其财产所在地的中级人民法院申请，人民法院应当依照中华人民共和国缔结或者参加的国际条约，或者按照互惠原则办理。

第二百八十四条 本法自公布之日起施行，《中华人民共和国民事诉讼法（试行）》同时废止。

关于《中华人民共和国民事诉讼法修正案(草案)》的说明

——2011 年 10 月 24 日在第十一届全国人民代表大会常务委员会第二十三次会议上

全国人大常委会法制工作委员会副主任 王胜明

委员长、各位副委员长、秘书长、各位委员:

我受委员长会议的委托,作关于《中华人民共和国民事诉讼法修正案(草案)》的说明。

民事诉讼法是国家的基本法律,是规范民事诉讼程序的基本规则。我国现行民事诉讼法是 1991 年七届全国人大四次会议通过的。2007 年十届全国人大常委会第三十次会议曾对民事诉讼法审判监督程序和执行程序的部分规定作了修改。总的来看,民事诉讼法规定的基本原则是正确的,条文规定大多是可行的,对保证人民法院依法审理民事案件,保护当事人合法权益,维护社会和谐稳定,发挥了重要作用。但是,随着经济社会快速发展,民事案件数量不断增多,新的案件类型不断出现,民事诉讼法的规定在某些方面已经不能完全适应人民群众的司法需求,有必要进一步予以完善。

近几年来,一些全国人大代表和有关方面陆续提出修改民事诉讼法的意见和建议。中央关于深化司法体制和工作机制改革的意见也要求进一步完善民事诉讼制度。法制工作委员会按照全国人大常委会立法工作安排和不断完善中国特色社会主义法律体系的总体要求,从2010年开始,着手民事诉讼法修改方案的研究起草工作。修改工作注意把握以下几点:一是秉持中国特色社会主义法治理念,认真总结民事诉讼法实施的经验,针对实践中出现的新情况新问题,进一步保障当事人的诉讼权利,维护司法公正;二是遵循民事诉讼的基本原理,科学配置司法资源,提高诉讼效率;三是强化对民事诉讼的法律监督,保证法律的正确实施;四是注重有效解决民事纠纷,促进社会和谐稳定;五是对认识不一致、目前还没有把握的一些问题暂不作规定。经反复与最高人民法院、最高人民检察院等单位研究,多次听取全国人大代表、企业、律师和专家学者的意见,并专门征求部分地方人大常委会的意见,在充分论证并取得基本共识的基础上,对民事诉讼法作了部分修改,形成了民事诉讼法修正案(草案)。现就主要问题说明如下:

一、完善调解与诉讼相衔接的机制

当前我国处于社会矛盾凸显期,各类民事纠纷日益增多,充分发挥调解作用,尽量将矛盾纠纷解决在基层、解决在当地,对及时化解矛盾纠纷,促进社会和谐稳定,具有重要作用。建议从两个方面完善调解与诉讼相衔接的机制:

1. 增加先行调解的规定。调解作为解决纠纷的有效方式,具有程序简便、方式灵活、自觉履行率高等优点。未经人民调解的纠纷,起诉到法院的,可以先行调解;经过人民调解未达成调解协议的纠纷,起诉到法院的,也可以先行调解。为此,建议增加规定:当事人起诉到人民法院的民事纠纷,适宜调解的,先行调解。(修正案草案第二十五条)

2. 增加民事诉讼法和人民调解法相衔接的规定。人民调解法规定了对调解协议的司法确认制度,经司法确认的调解协议具有强制执行效力。为做好法律的衔接,建议在特别程序中专节规定“确认调解协议案件”,明确规定当事人申请司法确认调解协议的程序和法律后果。(修正案草案第三十九条)

二、进一步保障当事人的诉讼权利

切实保障当事人的诉讼权利,是正确适用法律,维护司法公正的重要前提和基础。针对实践中存在的问题,建议作以下补充修改:

1. 完善起诉和受理程序。为了保障当事人的起诉权利,规范人民法院受理案件的程序,建议明确规定:人民法院应当保障当事人依照法律规定享有的起诉权利。人民法院对不符合起诉条件的,应当在七日内作出裁定书。原告对裁定不服的,可以提起上诉。(修正案草案第二十七条)

2. 完善开庭前准备程序。根据审判实践并借鉴国外好的做法,建议在开庭前准备程序中分别情形规定不同的处理办法:一是对当事人没有争议,可以适用督促程序的,转入督促程序。二是对当事人争议不大的,采取调解等方式及时解决纠纷。三是根据案件性质,确定适用简易程序或者普通程序。四是需要开庭审理的,要求当事人交换证据,明确争议焦点。(修正案草案第二十八条)

3. 增加公益诉讼制度。近年来,环境污染和食品安全事故不断发生,一些全国人大代表和有关方面多次提出在民事诉讼法中增加公益诉讼制度。建议增加规定:对污染环境、侵害众多消费者合法权益等损害社会公共利益的行为,有关机关、社会团体可以向人民法院提起诉讼。(修正案草案第八条)

4. 完善保全制度。民事诉讼法对行为保全问题未作规定。侵害知识产权等案件有时需要禁止当事人作出某种行为,或者要求其作出某种行为,以制止侵权发生,防止损害扩大。著作权法、专利法、商标法、海事诉讼特别程序法等法律作了相关规定。建议在财产保全的基础上增加这方面的规定：人民法院对于可能因当事人一方的行为或者其他原因，使判决难以执行或者造成当事人损害的案件，根据对方当事人的申请，可以裁定对其财产进行保全、责令其作出一定行为或者禁止其作出一定行为；当事人没有提出申请的，人民法院在必要时也可以裁定采取保全措施。（修正案草案第十七条）

5. 完善裁判文书公开制度。裁判文书公开，是审判公开制度的重要内容，对提高审判质量、释法服判具有重要作用。建议增加规定：公众可以查阅发生法律效力的判决书、裁定书，但涉及国家秘密、商业秘密和个人隐私的内容除外。同时，建议进一步明确规定判决书、裁定书都应当写明判决、裁定结果以及作出判决、裁定的理由。（修正案草案第三十条至第三十二条）

三、完善当事人举证制度

证据是人民法院认定事实并作出裁判的基础。完善当事人举证制度，对于查明事实，正确适用法律，妥善解决民事纠纷具有重要作用。针对实践中存在的问题，建议作以下补充修改：

1. 明确接收当事人提交证据材料的手续。建议明确规定：人民法院收到当事人提交的证据材料，应当出具收据，写明证据名称、页数、份数以及收到时间，并由经办人员签名或者盖章。（修正案草案第十条）

2. 促使当事人积极提供证据。针对有的当事人在诉讼活动中为拖延诉讼，不及时提供证据的情况，建议增加规定：当事人对自己提出的主张应当及时提供证据。未及时提供证据的，人民法院应当责令其说明理由。理由不成立的，人民法院根据不同情形予以训诫、罚款、赔偿拖延诉讼造成的损失、不予采纳该证据。（修正案草案第十条）

3. 赋予当事人启动鉴定程序的权利。根据审判实践和各方面意见,建议增加规定:当事人可以就查明事实的专门性问题向人民法院申请鉴定。当事人申请鉴定的,由双方当事人协商确定具备资格的鉴定人;协商不成的,由人民法院指定。当事人对鉴定意见有异议或者人民法院认为鉴定人有必要出庭的,鉴定人应当出庭作证。经人民法院通知,鉴定人拒不出庭作证的,鉴定意见不得作为认定事实的根据。(修正案草案第十二条)

四、完善简易程序

民事案件中不少是事实清楚、争议不大的简单民事案件。民事诉讼法规定审理简单的民事案件适用简易程序。完善简易程序,对于提高审判效率,降低当事人诉讼成本,合理利用司法资源,具有重要作用。针对实践中存在的问题,建议作以下补充修改:

1. 设立小额诉讼制度。为及时解决面广量大的民事纠纷,根据一些地方的试点探索并借鉴国外好的做法,可以就适用简易程序的部分案件设立小额诉讼制度。建议增加规定:基层人民法院和它派出的法庭审理标的额人民币五千元以下的民事案件,实行一审终审。(修正案草案第三十五条)

2. 扩大简易程序适用范围。根据当事人有权处分民事权利和诉讼权利的原则,建议增加规定对简单民事案件以外的其他民事案件,当事人双方也可以约定适用简易程序。(修正案草案第三十三条)

3. 进一步简化审理程序。建议明确规定,基层人民法院和它派出的法庭审理简单的民事案件,可以用简便方式传唤当事人、送达文书、审理案件。(修正案草案第三十四条)

五、强化法律监督

检察机关对民事诉讼实行法律监督,是保证依法行使审判权,正确实施法律的重要制度，对促进司法公正，维护社会公共利益，具有重要作用。建议作以下补充修改：

1. 增加监督方式。民事诉讼法只规定了抗诉一种监督方式。根据近年来一些地方的试点探索，建议增加规定人民检察院有权以检察建议的方式对民事诉讼实行法律监督。并在审判监督程序中增加规定，地方各级人民检察院对同级人民法院已经发生法律效力的判决、裁定和调解书，发现有错误的，可以向同级人民法院提出再审检察建议。(修正案草案第一条、第四十四条)

2. 扩大监督范围。民事诉讼法没有明确规定对民事执行活动和人民法院的调解活动能否实行检察监督。针对执行活动中一些当事人恶意串通，通过调解协议损害社会公共利益的情况，建议将人民检察院有权对民事审判活动实行法律监督，修改为人民检察院有权对民事诉讼实行法律监督，将民事执行活动纳入法律监督。同时，增加规定人民检察院发现调解书损害社会公共利益的，应当提出再审检察建议或者提出抗诉。(修正案草案第一条、第四十四条)

3. 强化监督手段。建议增加规定：人民检察院因提出再审检察建议或者抗诉的需要，可以查阅人民法院的诉讼卷宗，并可以向当事人或者案外人调查核实有关情况。(修正案草案第四十六条)

六、完善审判监督程序

审判监督程序对于纠正错案，维护司法公正，保护当事人的合法权益，具有重要作用。针对实践中存在的问题，建议作以下补充修改：

1. 完善再审审级规定。民事诉讼法规定当事人认为判决、裁定有错误的，可以向上一级人民法院申请再审。为方便公民申请再审，可以考虑发生在公民之间的民事案件，不一定都到上一级法院申请再审。建议增加规定：发生在公民之间的案件，也可以向原

审人民法院申请再审。同时，对再审事由作适当限制。（修正案草案第四十条、第四十一条）

2. 完善申请再审检察建议或者抗诉程序。实践中不少当事人既向人民法院申请再审，又向人民检察院申请抗诉。为更好地配置司法资源，增强法律监督实效，有必要明确当事人申请再审检察建议或者抗诉的条件。建议增加规定，在三种情况下当事人可以向人民检察院申请再审检察建议或者抗诉：一是人民法院驳回再审申请的。二是人民法院逾期未对再审申请作出裁定的。三是再审判决、裁定有明显错误的。同时，针对各方面反映的一些当事人反复缠诉、终审不终的问题，建议明确规定：经人民检察院提出再审检察建议或者抗诉，人民法院再审的，当事人不得再向人民检察院申请再审检察建议或者抗诉。（修正案草案第四十五条）

七、完善执行程序

为进一步解决执行难的问题，针对实践中存在的问题，建议作以下补充修改：

1. 强化执行措施。针对一些被执行人隐匿、转移财产的情况，建议进一步规定：执行员接到申请执行书或者移交执行书，应当向被执行人发出执行通知，并可以立即采取强制执行措施。（修正案草案第四十九条）

2. 制裁逃避执行行为。针对一些被执行人通过另启诉讼等方式逃避执行的情况，建议增加规定：被执行人与他人恶意串通，通过诉讼、仲裁等方式逃避履行法律文书确定的义务的，人民法院应当根据情节轻重予以罚款、拘留；构成犯罪的，依法追究刑事责任。（修正案草案第二十一条）

3. 加大对拒不执行的惩处力度。针对被执行人隐藏、转移已经查封、扣押的财产，拒不履行生效判决、裁定等行为，建议将对个人的罚款金额从一万元以下提高到十万元以下；对单位的罚款金

额从一万元以上三十万元以下提高到五万元以上一百万元以下，进一步强化对妨碍民事诉讼的强制措施。(修正案草案第二十三条)

修正案草案和以上说明是否妥当,请审议。

全国人民代表大会法律委员会关于《中华人民共和国民事诉讼法修正案（草案）》修改情况的汇报

全国人民代表大会常务委员会：

常委会第二十三次会议对民事诉讼法修正案草案进行了初次审议。会后，法制工作委员会将草案印发各省（区、市）、中央有关部门和法学教学研究单位征求意见，中国人大网站全文公布草案向社会征求意见。法律委员会、法制工作委员会就草案主要问题多次召开座谈会，听取最高人民法院、最高人民检察院、国务院法制办、环境保护部等有关部门和地方人大以及仲裁委员会、消费者协会、部分专家和律师的意见。各方面普遍认为，草案认真总结多年来的民事审判经验，落实中央深化司法体制和工作机制改革的要求，着力解决社会普遍关注和审判实践迫切需要解决的问题，总体赞成草案的修改内容，同时，也提出了一些修改意见。法律委员会于4月6日召开会议，根据常委会组成人员的审议意见以及各方面的意见，对草案进行了逐条审议。最高人民法院、最高人民检察院的负责同志列席了会议。4月12日，法律委员会召开会议，再次进行审议。现将民事诉讼法修正案草案主要问题修改情况汇报如下：

一、关于诚实信用原则。民事诉讼法第十三条规定：当事人有权在法律规定的范围内处分自己的民事权利和诉讼权利。最高人民法院、有的地方人大和专家提出,审判实践中当事人恶意诉讼、拖延诉讼等滥用诉讼权利的情形时有发生,当事人在诉讼活动中也应当恪守诚信,应当增加这方面的规定。法律委员会经同有关方面研究,建议在本条中增加规定:当事人行使权利应当遵循诚实信用原则。(修正案草案二次审议稿第一条)

二、关于法律监督程序。草案第一条在现行法律规定基础上对强化人民检察院的法律监督作了规定。有的常委委员提出,这样规定与刑事诉讼法、行政诉讼法的规定表述不一致,最高人民检察院则要求进一步明确法律监督的范围和方式。法律委员会经同有关方面研究,建议参照刑事诉讼法、行政诉讼法的规定,将草案第一条规定的"人民检察院有权以检察建议、抗诉方式对民事诉讼实行法律监督"修改为"人民检察院有权对民事诉讼实行法律监督"。(修正案草案二次审议稿第二条)同时明确规定:地方各级人民检察院对审判监督程序以外的其他审判程序中审判人员的违法行为,有权向同级人民法院提出检察建议。人民检察院有权对民事执行活动实行法律监督。(修正案草案二次审议稿第二条、第四十七条)

三、关于公益诉讼制度。草案第八条规定,对污染环境、侵害众多消费者合法权益等损害社会公共利益的行为,有关机关、社会团体可以向人民法院提起诉讼。常委会组成人员和各方面总的赞成规定公益诉讼制度,同时有些意见希望进一步明确提起公益诉讼的主体资格。法律委员会经同有关方面研究,建议将该条中的"有关机关、社会团体"修改为"法律规定的机关和有关社会团体"。(修正案草案二次审议稿第九条)这样规定,既可使公益诉讼在我国适度开展,有利于社会进步,同时也能保障公益诉讼有序进行。目前,有的环境保护领域的法律已规定了提出这类诉讼的机关。比如,海洋环境保护法规定,海洋环境监督管理部门代表国家对破坏海洋环境给国家造成重大损失的责任者提出损害赔偿要求。同时,消费者权益保护法的修改已经列入了立法工作计划,对哪些消费者保护团体能够作为公益诉讼的主体可以在该法修改中统筹考虑。

四、关于诉讼代理人的范围。实践中有些个人以诉讼代理人的名义长期包揽诉讼,甚至滥用诉讼。司法部、有的地方人大和专家要求在民事诉讼法中进一步明确哪些人可以担任诉讼代理人。法律委员会经同有关方面研究认为,诉讼代理制度既要满足当事人的法律服务需求,也要有利于维护诉讼秩序。建议将民事诉讼法第五十八条第二款修改为:下列人员可以被委托为诉讼代理人:(一)律师、基层法律服务工作者;(二)当事人的近亲属;(三)当事人所在社区、单位或者有关社会团体推荐的人。(修正案草案二次审议稿第十条)

五、关于专家参与诉讼。最高人民法院、有的地方人大和专家提出,医疗事故、环境污染和知识产权等案件,专业性强,为了查明事实,分清是非,维护当事人的合法权益,在庭审过程中需要专家提供专业意见。法律委员会经同有关方面研究,建议增加规定:当事人可以申请人民法院通知有专门知识的人出庭,就鉴定人作出的鉴定意见或者专业问题提出意见。(修正案草案二次审议稿第十五条)

六、关于先行调解。草案第二十五条规定,当事人起诉到人民法院的民事纠纷,适宜调解的,先行调解。有的常委委员和专家提出,在民事诉讼过程中强调先行调解是对的,但调解应当建立在当事人自愿的基础上,草案这一条规定还不够明确。法律委员会经同有关方面研究,建议将这一条修改为:“当事人起诉到人民法院的民事纠纷,适宜调解的,先行调解,但当事人拒绝调解的除外。”(修正案草案二次审议稿第二十八条)

七、关于小额诉讼制度。草案第三十五条规定,基层人民法院和它派出的法庭审理标的额人民币五千元以下的民事案件,实行一审终审。常委会组成人员和社会各方面多数意见赞成规定小额诉讼制度,但对小额诉讼的标的额怎么规定有不同意见。有的常委委员认为不宜规定五千元的绝对数,可根据经济发展水平规定相对数,最高人民法院建议提高小额诉讼的标的额。考虑到目前统计部门对人均收入是以城镇、农村分别统计的,要确定一个适用于城乡居民的相对数额较为困难。近年来,各地人民法院试点的小额诉讼标的额多数为一万元以下。法律委员会经同有关方面研究,建议将这一条规定修改为:基层人民法院和它派出的法庭审理标的额人民币一万元以下的民事案件,实行一审终审。(修正案草案二次审议稿第三十七条)

八、关于第二审程序的开庭审理。有的地方人大、律师和专家提出,民事诉讼法对第二审民事案件是否必须开庭审理规定得不够清晰,实践中有许多民事案件在第二审程序中是未经开庭书面裁判的,应当进一步明确第二审程序开庭审理的条件。法律委员会经同有关方面研究,建议将民事诉讼法第一百五十二条第一款修改为:第二审人民法院对上诉案件,应当组成合议庭,开庭审理。经过阅卷、调查和询问当事人,对没有提出新的事实、证据或者理由,合议庭认为不需要开庭审理的,可以不开庭审理。(修正案草案二次审议稿第三十八条)

九、关于申请再审的期限。民事诉讼法第一百八十四条规定:当事人申请再审,应当在判决、裁定发生法律效力后二年内提出;二年后据以作出原判决、裁定的法律文书被撤销或者变更,以及发现审判人员在审理该案件时有贪污受贿,徇私舞弊,枉法裁判行为的,自知道或者应当知道之日起三个月内提出。最高人民法院、有的地方人大和专家提出,这样规定,一是二年的申请再审期限过长,不利于法律关系的稳定;二是三个月内提出的再审事由过窄,建议适当修改。法律委员会经同有关方面研究,建议将上述规定修改为：当事人申请再审，应当在判决、裁定发生法律效力后六个月内提出；有新的证据，足以推翻原判决、裁定的，原判决、裁定认定事实的主要证据是伪造的，据以作出原判决、裁定的法律文书被撤销或者变更的，以及审判人员审理该案件时有贪污受贿、徇私舞弊、枉法裁判行为四种情形的，自知道或者应当知道之日起六个月内提出。（修正案草案二次审议稿第四十六条）

十、关于人民法院对申请撤销和不予执行仲裁裁决的审查条件。民事诉讼法第二百一十三条规定了不予执行仲裁裁决的审查条件，其中第（四）项规定："认定事实的主要证据不足的"，第（五）项规定："适用法律确有错误的"。仲裁法第五十八条规定了申请撤销仲裁裁决的审查条件，其中第（四）项规定："裁决所根据的证据是伪造的"，第（五）项规定："对方当事人隐瞒了足以影响公正裁决的证据的"。最高人民法院、仲裁委员会和有的专家、律师提出，人民法院对不予执行仲裁裁决申请的审查比撤销仲裁裁决申请的审查更为宽泛，不尽合理，应当根据我国仲裁的实际情况，统一审查标准。法律委员会经同有关方面研究，建议根据仲裁法的有关规定，对民事诉讼法第二百一十三条作出相应修改。（修正案草案二次审议稿第五十二条）

此外，还对修正案草案作了一些文字修改。

修正案草案二次审议稿已按上述意见作了修改，法律委员会建议提请常委会第二十六次会议继续审议。

修正案草案二次审议稿和以上汇报是否妥当，请审议。

全国人民代表大会法律委员会
2012 年 4 月 24 日

全国人民代表大会法律委员会关于《中华人民共和国民事诉讼法修正案(草案)》审议结果的报告

全国人民代表大会常务委员会:

常委会第二十六次会议对民事诉讼法修正案(草案二次审议稿)进行了审议。会后,法律委员会、法制工作委员会就修正案草案几个主要问题赴江西、江苏、浙江、广东调研,进一步听取意见。法律委员会于8月2日召开会议,根据常委会组成人员的审议意见和各方面意见,对草案进行了逐条审议。最高人民法院、最高人民检察院的负责同志列席了会议。8月21日,法律委员会再次召开会议进行审议。法律委员会认为,为了妥善解决民事纠纷,保护当事人的合法权益,落实中央深化司法体制和工作机制改革的要求,促进社会和谐稳定,进一步完善民事诉讼制度是必要的,草案经过常委会两次审议修改,已经比较成熟。同时,提出以下主要修改意见:

一、关于上下级法院之间案件的交办。民事诉讼法第三十九条第一款规定,上级人民法院有权审理下级人民法院管辖的第一审民事案件,也可以把本院管辖的第一审民事案件交下级人民法院审理。修正案草案二次审议稿删去了其中上级法院可将本院管辖的一审案件交下级法院审理的规定。最高人民法院提出,原则上上级法院不宜将本院管辖的民事案件交下级法院审理，但民事案件情况复杂，有的案件如破产程序中的衍生诉讼案件，交下级法院审理更有利于当事人参加诉讼，节约诉讼资源。法律委员会经同最高人民法院研究，建议将这一款修改为“上级人民法院有权审理下级人民法院管辖的第一审民事案件；确有必要将本院管辖的第一审民事案件交下级人民法院审理的，应当报请其上级人民法院批准。”（修改决定草案第七条）

二、关于对案外被侵害人的救济程序。当前，当事人通过恶意诉讼等手段，侵害案外人合法权益的情况时有发生。有的常委委员、部门和专家提出，对恶意诉讼，除应当适用妨害民事诉讼的强制措施给予拘留、罚款或者依法追究刑事责任外，还应当在民事诉讼法中增加对案外被侵害人的救济渠道。法律委员会经研究，建议在民事诉讼法关于第三人的规定中增加规定，因不能归责于本人的事由未参加诉讼，但有证据证明发生法律效力的判决、裁定、调解书的部分或者全部内容错误，损害其民事权益的，可以自知道或者应当知道其民事权益受到损害之日起六个月内，向作出该判决、裁定、调解书的人民法院提起诉讼。人民法院经审理，诉讼请求成立的，应当改变或者撤销原判决、裁定、调解书；诉讼请求不成立的，驳回诉讼请求。（修改决定草案第十条）

三、关于举证期限。有的常委委员、法院和专家提出，为了及时解决当事人之间的纠纷，提高诉讼效率，需要当事人在诉讼中及时提交证据，草案应当进一步明确举证期限的规定。法律委员会经同有关部门反复研究，并听取专家意见，建议增加规定：“人民法院根据当事人的主张和案件审理情况，确定当事人应当提供的证据及其期限。当事人在该期限内提供证据确有困难的，可以向人民法院申请延长期限，人民法院根据当事人的申请适当延长。当事人逾期提供证据的，人民法院应当责令其说明理由；逾期提供证据的理由不成立的，人民法院根据不同情形予以训诫、罚款或者不

予采纳该证据。”(修改决定草案第十三条)

四、关于小额诉讼。为了便于及时化解矛盾纠纷,提高诉讼效率,草案规定了小额诉讼制度。常委会组成人员和各方面多数意见赞成作出这一规定,同时对如何确定小额诉讼标的额仍有不同意见。法律委员会经同有关部门反复研究,建议对草案相关规定作以下修改:一是进一步明确小额诉讼案件属于适用简易程序的案件,明确规定小额诉讼案件应当“符合本法第一百五十七条第一款规定的简单的民事案件”的条件;二是小额诉讼案件的标的额,修正案草案二次审议稿规定为“一万元以下”,根据有的常委委员和专家关于我国各地区经济社会发展不平衡,确定一个相对数更符合实际需要的意见,规定“标的额为各省、自治区、直辖市上年度就业人员年平均工资百分之三十以下”。据国家统计局提供的数据,2011 年全国城镇单位就业人员年平均工资为 41799 元,按百分之三十计算,全国大多数省区市为 12000 多元;三是明确适用简易程序的案件,发现案情较为复杂的,可以转为普通程序,增加规定:“人民法院在审理过程中,发现案件不宜适用简易程序的,裁定转为普通程序。”(修改决定草案第三十六条、第三十七条)

五、关于申请再审的审级。修正案草案二次审议稿第四十二条规定,当事人对已经发生法律效力的判决、裁定,认为有错误的,可以向上一级人民法院申请再审;发生在公民之间的案件,也可以向原审人民法院申请再审。有的常委委员和最高人民法院提出,有些案件当事人一方人数较多,由原审人民法院再审,有利于查清事实,将纠纷解决在当地。法律委员会经同最高人民法院研究,建议增加规定,当事人一方人数众多的案件,也可以向原审人民法院申请再审。(修改决定草案第四十二条)

六、关于再审案件中止执行的情形。修正案草案二次审议稿第四十五条规定,按照审判监督程序决定再审的案件,可以裁定中止原判决、调解书的执行。有的常委委员和专家提出,法院决定再审的案件,原则上都应当中止执行,但对追索赡养费、扶养费、医疗费用等影响当事人生计、涉及其生命健康的案件,可以不中止执行,草案对此应作出明确规定。法律委员会经研究,建议将这一条修改为:“按照审判监督程序决定再审的案件,裁定中止原判决、裁定、调解书的执行,但追索赡养费、扶养费、抚育费、抚恤金、医疗费用、劳动报酬等案件,可以不中止执行。”(修改决定草案第四十五条)

七、关于人民检察院对审判的法律监督。修正案草案二次审议稿第四十八条规定:“人民检察院因抗诉的需要,可以查阅、调阅人民法院的诉讼卷宗,并可以向当事人或者案外人调查核实有关情况。”最高人民法院、最高人民检察院提出,根据审判和法律监督实践情况,建议将这一条修改为:“人民检察院因履行法律监督职责提出检察建议或者抗诉的需要,可以向当事人或者案外人调查核实有关情况。”法律委员会赞同这一意见,建议对该条作相应修改。(修改决定草案第四十八条)

此外,还对修正案草案二次审议稿作了一些文字修改。

法律委员会已按上述意见提出了全国人民代表大会常务委员会关于修改《中华人民共和国民事诉讼法》的决定(草案)。法律委员会建议,经本次常委会会议审议,如果审议意见比较一致,由本次常委会会议表决通过。

修改决定草案和以上报告是否妥当,请审议。

全国人民代表大会法律委员会
2012年8月27日

全国人民代表大会法律委员会关于《全国人民代表大会常务委员会关于修改〈中华人民共和国民事诉讼法〉的决定(草案)》修改意见的报告

全国人民代表大会常务委员会:

本次常委会会议于8月27日下午对全国人民代表大会常务委员会关于修改民事诉讼法的决定(草案)进行了分组审议,普遍认为,草案已经比较成熟,建议进一步修改后,提请本次会议表决通过。同时,有些常委委员还提出了一些修改意见。法律委员会于8月28日下午召开会议,逐条研究了常委委员的审议意见,对草案进行了审议。最高人民法院、最高人民检察院的负责同志列席了会议。法律委员会认为,草案是可行的,同时,提出以下修改意见:

一、修改决定草案第八条中规定:“审判人员不得接受当事人、诉讼代理人请客送礼,不得违反规定会见当事人、诉讼代理人。审判人员违反上述规定的,应当依法追究法律责任。当事人有权要求他们回避。”有的常委委员提出,上述规定应与现行民事诉讼法第四十四条规定相衔接,同时审判人员有违法违规行为,既涉及回避问题,也应当追究相应的法律责任,对这两种不同处理以分别规定为宜。法律委员会经研究,建议将这一款修改为:“审判人员接受当事人、诉讼代理人请客送礼,或者违反规定会见当事人、诉讼代理人的，当事人有权要求他们回避。”“审判人员有前款规定的行为的，应当依法追究法律责任。”（修改决定草案建议表决稿第八条）

二、修改决定草案第九条规定：“对污染环境、侵害众多消费者合法权益等损害社会公共利益的行为，法律规定的机关和有关社会团体可以向人民法院提起诉讼。”有的常委委员和全国人大代表提出，应当在这一条中进一步明确公益诉讼的主体；也有常委委员和全国人大代表提出，我国公益诉讼还处于探索阶段，各地做法也不统一，可在条件成熟时再对公益诉讼的有关内容作出明确规定。法律委员会经研究，考虑到对上述规定中社会团体的范围有不同认识，建议将这一条中的“有关社会团体”修改为“有关组织”。至于哪些组织适宜提起公益诉讼，可以在制定相关法律时作出进一步明确规定，还可以在司法实践中逐步探索。（修改决定草案建议表决稿第九条）

民事诉讼法是公民、法人和其他组织进行民事诉讼活动和人民法院审理民事案件的基本规则，对及时解决民事纠纷，促进社会和谐稳定具有重要意义。法律委员会建议，有关方面应当广泛宣传和深入学习这部法律，清理相关司法解释与规定，不符合民事诉讼法的要抓紧修改或者废止，同时要抓紧做好实施民事诉讼法的各项其他准备工作，以有效实施修改后的民事诉讼法。

此外，根据常委委员的审议意见，还对修改决定草案作了一些文字修改。

修改决定草案建议表决稿已按上述意见作了修改，法律委员会建议本次常委会会议通过。

修改决定草案建议表决稿和以上报告是否妥当，请审议。

全国人民代表大会法律委员会
2012年8月30日

后　记

全国人民代表大会常务委员会关于修改《中华人民共和国民事诉讼法》的决定已经十一届全国人大常委会第二十八次会议审议通过，自2013年1月1日起施行。为了更好地宣传民事诉讼法，使社会各界对民事诉讼法特别是这次修改内容有全面、准确的了解，保证民事诉讼法的顺利实施，全国人大常委会法制工作委员会民法室的同志编写了这本《〈中华人民共和国民事诉讼法〉释义》。本书对《中华人民共和国民事诉讼法》进行了逐条释义，对修改的内容作了重点阐述，力求简明扼要、通俗易懂，便于准确把握立法原意。本书由全国人大常委会法制工作委员会副主任王胜明主编，参加本书撰写工作的还有姚红、扈纪华、贾东明、杜涛、郝作成、石宏、王瑞娣、李倩、庄晓泳、水森、孙娜娜、许灿、李恩正、赵光等。

作　者

2012年8月31日